BIBLIOTHEEK·BREDA

Centrale Bibliotheek
Molenstraat 6
4811 GS Breda

D0296460

GEDENK DE DODEN

IAN RANKIN

Gedenk de doden

Vertaald door ROB KUITENBROUWER
en FRANK LEKENS

Uitgeverij Luitingh

© 2006 John Rebus Ltd.
All rights reserved
© 2007 Nederlandse vertaling
Rob Kuitenbrouwer, Frank Lekens en uitgeverij
Luitingh ~ Sijthoff B.V., Amsterdam
Alle rechten voorbehouden
Oorspronkelijke titel: *The Naming of the Dead*
Omslagontwerp: Pete Teboskins
Omslagfotografie: Hugh Simon/Getty Images

ISBN 978 90 245 0874 7
NUR 305

www.boekenwereld.com

Voor iedereen die op 2 juli 2005 in Edinburgh was

'We hebben de keuze om elke dag te werken aan een nieuwe wereld, elke dag te vertellen wat we van de waarheid weten, elke dag een kleine daad te stellen'
(A.L. Kennedy over de protestmars naar Gleneagles)

'Schrijf een hoofdstuk waar we trots op kunnen zijn'
(Bono, in een oproep aan de G8)

BIBLIOTHEE<·BREDA

Centrale Bibliotheek
Molenstraat 6
4811 GS Breda

Kant een

Bloedwerk

Vrijdag 1 juli 2005

I

In plaats van gezang klonk er tot besluit popmuziek. The Who, 'Love Reign O'er Me'. Rebus herkende het zodra de kapel werd gevuld met het geluid van donder en stromende regen. Hij zat voorin, dat had Chrissie per se gewild. Hij was liever achterin gaan zitten: zijn vaste plek bij uitvaartdiensten. Chrissie zat tussen haar zoon en dochter. Toen de tranen kwamen, had Lesley een troostende arm om haar moeder heen geslagen. Kenny keek strak voor zich uit, spaarde de emoties op voor later. Eerder die ochtend, bij Chrissie thuis, had Rebus hem gevraagd hoe oud hij nu precies was. Dertig, volgende maand. Lesley was twee jaar jonger. Ze leken allebei op hun moeder, en Rebus herinnerde zich dat mensen dat ook altijd hadden gezegd over Michael en hem: *Sprekend je moeder, jij en je broer*. Michael. Of Mickey, voor vrienden. Rebus' jongere broer, dood in een kist met glimmende handvaten, vierenvijftig jaar oud. De sterftecijfers in Schotland konden wedijveren met die van een derdewereldland. Levensstijl, dieet, genen – theorieën genoeg. Het uitgebreide rapport van de lijkschouwer was nog niet binnen. Zware beroerte, had Chrissie gezegd toen ze Rebus belde, en ze had hem verzekerd dat het 'snel was gegaan' – alsof dat iets uitmaakte.

Het betekende alleen dat Rebus geen afscheid had kunnen nemen. Dat zijn laatste woorden tegen Michael hadden bestaan uit een grap over zijn club, Raith Rovers, in een telefoongesprek drie maanden geleden. Een blauwwitte Raith-sjaal lag tussen de kransen over de kist gedrapeerd. Kenny droeg een stropdas die van zijn vader was geweest, met het Raith-embleem – een of ander beest dat een riemgesp vasthield. Toen Rebus vroeg wat het voorstelde, had Kenny zijn schouders opgehaald. Aan het eind van de rij zag Rebus de begrafenisondernemer een gebaar maken. Iedereen stond op. Chris liep door het middenpad, haar kinderen aan haar zij. De begrafenisondernemer keek naar Rebus, maar die bleef waar hij was. Ging weer zitten om aan te geven dat de rest niet op hem moest wachten. Het nummer was net over de helft. Het was het laatste nummer van *Quadrophenia*. Michael was de grote Who-fan, Rebus hield meer van de Stones. Maar hij moest toegeven dat ze op albums als *Tommy* en *Quadrophenia* dingen deden die de Stones nooit waren gelukt. Daltrey brulde dat hij toe was aan een borrel. Dat gevoel had Rebus ook, maar hij moest nog rijden, terug naar Edinburgh.

Ze hadden de receptiezaal van een hotel afgehuurd. Iedereen was daar welkom, had de predikant vanaf de kansel nog eens herhaald. Whisky, thee en sandwiches. Anekdotes en herinneringen, een glimlach hier, een zakdoek daar, gesprekken op gedempte toon. Het personeel zou er stemmig tussendoor lopen, respectvol. Rebus probeerde in zijn hoofd zinnen te formuleren. Zinnen waarmee hij zich kon excuseren.

Ik moet weer terug, Chrissie. Druk op het werk.

Hij kon liegen en het aan de G8 wijten. Die ochtend bij Chrissie thuis had Lesley geopperd dat hij het waarschijnlijk wel druk had met de voorbereidingen. *Ik ben de enige politieman die ze nou net niét nodig schijnen te hebben,* had hij kunnen antwoorden. Van heinde en ver werden collega's aangevoerd. Alleen al uit Londen kwamen er vijftienhonderd. Maar inspecteur John Rebus leek overtollig te zijn. Iemand moet op de winkel passen – dat waren de precieze woorden van hoofdinspecteur James Macrae, geflankeerd door zijn grijnzende discipel Starr. Inspecteur Derek Starr waande zich de troonopvolger van Macrae. Ooit zou hij de scepter zwaaien op bureau Gayfield Square. John Rebus was absoluut geen bedreiging voor hem, die zat nog maar ruim een jaar voor zijn pensioen. Starr had het met zoveel woorden gezegd: *Niemand neemt het je kwalijk als je er nu je gemak van neemt, John. Dat zou iedereen op jouw leeftijd doen.* Misschien wel, maar de Stones waren ouder dan Rebus; Daltrey en Townshend ook. En die traden nog steeds op, gingen nog op tournee.

Het nummer was afgelopen en Rebus stond weer op. Hij was alleen in de kapel. Keek nog een laatste keer naar het paarse fluwelen gordijn. Misschien stond de kist daar nog achter; misschien was hij al afgevoerd naar een ander deel van het crematorium. Hij dacht terug aan hun tienertijd, twee broers die in hun gedeelde slaapkamer singletjes draaiden die ze hadden gekocht in de High Street in Kirkcaldy. 'My Generation' en 'Substitute'. Mickey had zich afgevraagd waarom Daltrey op het eerste nummer zo stotterde, en Rebus had gelezen dat het door de drugs kwam. De enige verslavende substantie die de broers uit eigen ervaring kenden was alcohol: stiekeme slokjes uit de flessen in de voorraadkast, een blikje misselijkmakend stoutbier dat ze openden en samen opdronken toen iedereen naar bed was. Op de boulevard in Kirkcaldy uitkijken over zee, terwijl Mickey de tekst van 'I Can See For Miles' voor zich uit zong. Maar klopte dat wel? Dat was een nummer uit '66 of '67, toen Rebus al in het leger zat. Dat moest dus tijdens een verlof zijn geweest. Ja, Mickey met haar tot op de schouders, om op Daltrey te lijken, en Rebus met zijn militaire borstelkop, die verhalen uit zijn duim zoog om het soldatenleven spannend te laten klinken; zijn uitzending naar Noord-Ierland lag nog voor de boeg...

In die tijd waren ze heel dik met elkaar, Rebus stuurde veel brieven en kaartjes, en zijn vader was trots op hem, op allebei zijn jongens.

Sprekend je moeder.

Hij liep naar buiten. Pakje sigaretten al geopend in zijn hand. Rondom hem stonden andere rokers. Ze begroetten hem met een knik, schuifelden wat heen en weer. De kransen en kaarten lagen bij de deur en werden door de rouwgasten bekeken. Het zou de gebruikelijke riedel wel zijn: 'deelneming', 'verlies', 'verdriet'. De familie die 'in onze gedachten' was. Michael zou nergens met name worden genoemd. De dood heeft zijn eigen etiquette. De jongere gasten keken of ze nieuwe sms'jes hadden. Rebus diepte zijn gsm op uit zijn zak en zette hem aan. Vijf gemiste gesprekken, allemaal van hetzelfde nummer. Rebus kende het uit zijn hoofd, drukte de toetsen in en hield het toestel aan zijn oor. Brigadier Siobhan Clarke nam bijna meteen op.

'Ik probeer je de hele ochtend al te bellen,' klaagde ze.

'Hij stond uit.'

'Waar zit je trouwens?'

'Nog in Kirkcaldy.'

Hij hoorde haar diep inademen. 'Shit John, totaal vergeten.'

'Geen probleem.' Hij zag hoe Kenny het portier opende voor Chrissie. Lesley gebaarde naar Rebus dat ze naar het hotel gingen. Het was een BMW, Kenny had een mooie baan als werktuigbouwkundige. Hij was niet getrouwd; had wel een vriendin, maar die kon niet komen. Lesley was gescheiden, haar zoon en dochter waren op vakantie met hun vader. Rebus knikte naar haar terwijl zij achter instapte.

'Ik dacht dat het volgende week was,' zei Siobhan.

'Dus je belde eigenlijk om mij jaloers te maken?' Rebus liep naar zijn Saab. Siobhan zat al twee dagen in Perthshire, waar ze samen met Macrae de beveiliging van de G8-top inspecteerde. Macrae was een maatje van de plaatsvervangend korpschef van Tayside. Hij wilde daar graag eens rondneuzen en zijn vriend bood hem die kans. De wereldleiders zouden bijeenkomen in het Gleneagles Hotel, aan de rand van Auchterarder, met niets anders om zich heen dan de uitgestrekte natuur en een kilometers brede, omheinde beveiligingszone. In de media gonsde het van de onheilstijdingen. Drieduizend Amerikaanse mariniers die op Schotland zouden neerdalen om hun president te beschermen. Anarchistische complotten om wegen en bruggen te blokkeren met gestolen vrachtwagens. Bob Geldof had geroepen dat een miljoen betogers Edinburgh moesten belegeren. Volgens hem zouden ze onderdak vinden in logeerkamers, garages en tuinen bij de mensen thuis. Er zouden schepen naar Frankrijk worden gestuurd om demonstranten op te halen. Groeperingen met namen als Ya Basta en Black Bloc zouden alleen zoveel mogelijk chaos willen veroorzaken, en de anarchistische 'Volksgolfbond' wilde het kordon doorbreken om een balletje te slaan op de befaamde links van Gleneagles.

'Ik trek twee dagen op met hoofdinspecteur Macrae,' was Siobhan begonnen. 'Waar zou je jaloers op moeten zijn?'

Rebus deed zijn auto van het slot en boog zich voorover om de sleutel in het contact te steken. Hij kwam weer overeind, nam een laatste trekje van zijn sigaret en mikte de peuk op het asfalt. Hij hoorde Siobhan iets zeggen over een team van de Technische Recherche.

'Wacht even,' zei Rebus. 'Wat zei je nou?'

'Laat maar zitten. Jij hebt al genoeg op je bord zonder dit gedoe.'

'Welk gedoe?'

'Herinner je je Cyril Colliar nog?'

'Ik ben misschien de jongste niet meer, maar daarom ben ik nog niet seniel.'

'Er is iets heel vreemds gebeurd.'

'Wat dan?'

'Ik denk dat ik het ontbrekende stuk heb gevonden.'

'Waarvan?'

'Zijn jack.'

Rebus merkte dat hij was neergezakt op de autostoel. 'Dat begrijp ik niet.'

Siobhan stootte een nerveus lachje uit. 'Ik ook niet.'

'Waar ben je nu dan?'

'Auchterarder.'

'En daar is dat jack opgedoken?'

'Min of meer.'

Rebus zwaaide zijn benen binnenboord en sloot het portier. 'Dan kom ik kijken. Is Macrae bij je?'

'Die is naar Glenrothes. Daar is het commandocentrum van de beveiliging.' Ze zweeg even. 'Zou je dat nou wel doen?'

Rebus had de motor gestart. 'Ik moet mezelf eerst even excuseren, maar ik kan er binnen een uur zijn. Is het een probleem om Auchterarder in te komen?'

'Het is nu nog de stilte voor de storm hier. Als je er bent, volg dan de borden naar de Clootie Well.'

'De wat?'

'Dat zie je wel als je er bent.'

'Ook goed. Is de Technische Recherche al onderweg?'

'Ja.'

'Het nieuws doet dus al de ronde.'

'Moet ik de hoofdinspecteur inlichten?'

'Dat laat ik aan jou.' Rebus had het telefoontje tussen zijn wang en zijn schouder geklemd, zodat hij zijn auto de parkeerplaats af kon manoeuvreren.

'Je valt weg,' zei Siobhan.

Niet als het aan mij ligt, dacht Rebus bij zichzelf.

Cyril Colliar was zes weken terug vermoord. Op zijn twintigste was hij voor tien jaar achter de tralies verdwenen wegens een brute verkrachting. Toen zijn straf erop zat was hij vrijgelaten, ondanks de bedenkingen van de gevangenismensen, de politie en het maatschappelijk werk. Zij meenden allemaal dat hij nog net zo'n bedreiging vormde als vroeger, omdat hij geen greintje berouw had getoond en ondanks het DNA-bewijs was blijven volharden in zijn ontkenning. Colliar was teruggekeerd naar Edinburgh, waar hij vandaan kwam. In de gevangenis was hij gaan bodybuilden, en dat legde hem geen windeieren: hij kon meteen aan de slag, 's avonds als portier en overdag als eenmansknokploeg, in beide gevallen voor Morris Gerald Cafferty. 'Big Ger' was een gangster met een lange staat van dienst. Rebus had hem moeten aanspreken op het verleden van zijn nieuwe werknemer.

'Wat kan mij dat schelen?' was het antwoord geweest.

'Het is een linke jongen.'

'Als je ziet hoe jullie hem lastigvallen, daar zou een jongen toch ook bloedlink van worden?' Cafferty zat heen en weer te draaien op zijn leren bureaustoel in het kantoor van MGC Verhuur. Rebus vermoedde dat Colliar werd ingeschakeld als een van de huurders van Cafferty's flats achterliep met de wekelijkse huur. Cafferty had ook een taxibedrijf en bezat minstens drie ongure bars in de minder frisse buurten van de stad. Volop werk voor Cyril Colliar.

Tot de avond dat hij dood werd aangetroffen. De schedel ingeslagen, van achteren. De lijkschouwer vermoedde dat de klap alleen al fataal was geweest, maar voor de zekerheid was hem ook nog een injectie met onversneden heroïne toegediend. En niets wees erop dat de overledene een gebruiker was geweest.

'De overledene', zo werd hij genoemd door de meeste politiemensen die op de zaak waren gezet – en dan nog met tegenzin. Het woord 'slachtoffer' kreeg niemand over zijn lippen. Niet dat er iemand was die hardop zei: 'Die smeerlap heeft zijn verdiende loon gekregen'. Dat kon je tegenwoordig niet meer maken. Maar daarom dachten ze het nog wel, en brachten ze die mening met blikken en knikjes aan elkaar over.

Rebus en Siobhan hadden allebei aan de zaak gewerkt, maar hij had geen prioriteit gekregen. Weinig sporen en te veel verdachten. Het door Colliar verkrachte meisje was gehoord, evenals haar familie en haar toenmalige vriendje. Wanneer Colliars lot ter sprake kwam, was er één zinnetje dat steeds weer terugkwam.

'Mooi zo.'

Zijn stoffelijk overschot was gevonden bij zijn auto, in een zijstraatje bij de bar waar hij werkte. Geen getuigen, geen sporen op de plaats delict. Alleen één eigenaardigheid: met een scherp mes was een stuk uit zijn jack gesneden. Het was een opvallend jack, een zwart nylon bomberjack met de tekst CC RIDER achterop. Juist dat gedeelte was er uitgesneden, zodat er alleen nog een rechthoek witte voering overbleef. Niemand had een goede verklaring voor dat merkwaardige detail. Misschien was het een klunzige poging om de identiteit van de overledene te verbergen, of had er iets verborgen gezeten in de voering van het jack. Laboratoriumonderzoek had geen sporen van drugs opgeleverd, zodat de rechercheurs zich slechts op het achterhoofd konden krabben.

Volgens Rebus was het een afrekening. Colliar had een vijand gemaakt, of iemand wilde Cafferty een signaal geven. Niet dat de verschillende gesprekken met Colliars baas ook maar iets hadden opgeleverd.

'Slecht voor mijn reputatie,' was Cafferty's voornaamste reactie. 'Als jullie de dader niet vinden...'

'Wat dan?'

Maar op die vraag hoefde Cafferty geen antwoord te geven. Als hij de dader als eerste vond, zou er nooit meer iets van hem worden vernomen.

Wat dus ook niet hielp. Het onderzoek belandde op een dood spoor, en hun collega's gingen helemaal op in de voorbereiding voor de G8 – met het vooruitzicht van goedbetaalde overuren. Er waren ook andere zaken die de aandacht opeisten, zaken met slachtoffers – échte slachtoffers. Het onderzoek naar de zaak-Colliar was doodgebloed.

Rebus draaide het raampje in zijn auto omlaag en laafde zich aan de koele bries. Hij wist niet wat de snelste route naar Auchterarder was, wel dat je naar Gleneagles kon rijden via Kinross, dus reed hij daarheen. Een paar maanden terug had hij een navigatiesysteem gekocht, maar hij had de handleiding nog niet gelezen. Nu lag het werkeloos op de passagiersstoel. Een dezer dagen zou hij ermee naar de garage rijden die ook de cd-speler had ingebouwd. Een zoektocht op de vloer, op de achterbank en in de kofferbak had niets van The Who opgeleverd, dus luisterde Rebus nu naar Elbow, een tip van Siobhan. Het titelnummer 'Leaders of the Free World' beviel hem wel. Hij drukte op de repeat-knop. De zanger was blijkbaar van mening dat er na de jaren zestig iets was misgegaan. Rebus was het daar wel mee eens, zij het om tegengestelde redenen. Hij vermoedde dat de zanger graag meer veranderingen had gezien, een wereld bestuurd door Greenpeace en de vredesbeweging, een eind aan de armoede. Rebus had in de jaren zestig zelf ook meegelopen in een paar demonstraties, voor en na zijn militaire dienst. Of het iets uithaalde of niet, het was een goede manier om meisjes te ontmoeten. Meestal werd zo'n demonstratie afgesloten met een feest. Maar tegenwoordig beschouwde hij de jaren zestig eerder als het einde van een tijdperk. In 1969 was een fan neergestoken bij een Stones-concert, en waren de sixties stilletjes uitgedoofd. Sindsdien hadden jongeren wel een voorliefde voor rebellie. De gevestigde orde boezemde geen vertrouwen meer in, en al helemaal geen ontzag. Hij dacht aan de duizenden die zouden neerstrijken bij Gleneagles, waar het beslist op een confrontatie zou uitlopen. Moeilijk om je dat voor te stellen in dit landschap van glooiende heuvels en boerderijen, rivieren en *glens*. Hij wist dat de afgelegen ligging van Gleneagles een reden geweest moest zijn om deze locatie te kiezen. Daar waren de leiders van de vrije wereld veilig en konden ze in alle rust hun handtekening zetten onder besluiten die elders allang waren genomen. Op de stereo zong de band over het beklimmen van een aardverschuiving. Dat beeld bleef in Rebus' hoofd spoken tot hij de eerste huizen van Auchterarder bereikte.

Hij dacht niet dat hij hier eerder geweest was. Toch kwam het hem bekend voor. Typisch Schots dorpje: één hoofdstraat, met smalle zijstraatjes die daarvan aftakten. Gebouwd vanuit de gedachte dat de bewoners te voet naar de winkels gingen. Kleine zelfstandigen, trouwens: hij zag hier weinig doelwitten voor de tegenstanders van globalisering. De bakker verkocht voor de gelegenheid zelfs een speciale G8-taart.

Rebus meende zich te herinneren dat de brave burgers van Auchterarder grondig waren doorgelicht. In ruil voor hun 'medewerking' ontvingen ze een officiële badge, die ze nodig zouden hebben om door de diverse wegversperringen te komen. Maar zoals Siobhan al had gezegd, heerste in het dorp een griezelige rust. Slechts een handjevol mensen die boodschappen deden en een timmerman die bezig leek te zijn met het opmeten van etalageruiten die hij later moest dichtspijkeren. De auto's waren bemodderde terreinwagens, die waarschijnlijk meer kilometers hadden gemaakt op onverharde karrensporen dan op de snelweg. Eén bestuurster droeg zelfs een hoofddoek, iets wat Rebus lange tijd niet meer had gezien. In een paar minuten was hij het dorp door en reed hij alweer richting de A9. Hij keerde om en lette ditmaal goed op de borden. Het bord dat hij zocht stond bij een pub en stuurde hem een landweggetje op. Hij sloeg af en reed langs hagen en opritten, en daarna langs een nieuwbouwwijk. Toen lag het landschap weer open voor hem; heuvels in de verte. Voor hij het wist was hij het dorp uit en reed tussen twee netjes gesnoeide hagen, die lelijke krassen op zijn lak konden maken als hij opzij zou moeten voor een tractor of een bestelbusje. Aan zijn linkerhand lag een bos, en toen attendeerde een bord hem erop dat hij was aangekomen bij de Clootie Well. Hij kende het woord alleen van *clootie dumpling*, een kleverig toetje dat zijn moeder vroeger wel eens maakte. Hij herinnerde zich dat het ongeveer dezelfde smaak en textuur als *Christmas pudding* had. Zwaar, een weeïge zoetheid. Zijn maag protesteerde even, wat hem deed bedenken dat hij in geen uren een hap had gegeten. Hij was maar kort in het hotel geweest, om even met Chrissie te praten. Ze had hem omhelsd, net als eerder die dag bij haar thuis. In al de jaren dat hij haar kende hadden ze elkaar niet vaak omhelsd. Toen hij haar leerde kennen, viel hij zelfs wel op haar; beetje lastig, gezien de situatie. Ze leek dat aan te voelen. Toen was hij getuige geweest bij hun huwelijk, en op de bruiloft had ze tijdens het dansen ondeugend in zijn oor geblazen. Later, toen zij en Mickey af en toe een tijdje uit elkaar waren geweest, had Rebus altijd de kant van zijn broer gekozen. Hij had natuurlijk kunnen bellen, iets kunnen zeggen, maar dat had hij niet gedaan. En toen Mickey in de problemen kwam en in de gevangenis belandde, was Rebus niet bij Chrissie en de kinderen langsgegaan. Mickey had hij trouwens ook niet vaak bezocht, in de gevangenis of daarna.

En er waren nog meer oude wonden: toen Rebus en zijn vrouw uit elkaar gingen, had Chrissie hem als de boosdoener gezien. Ze had het altijd goed kunnen vinden met Rhona en hield ook na de scheiding nog contact met haar. Zo gaat dat in families. Tactiek, campagne voeren, diplomatie; daarmee vergeleken hadden politici het maar makkelijk.

In het hotel had Lesley hem, in navolging van haar moeder, ook omhelsd. Kenny had even staan aarzelen totdat Rebus de jongen uit zijn lijden had verlost door zijn hand uit te steken. Hij vroeg zich af of er nog ruzie zou komen; meestal wel, op begrafenissen. Rouw en verdriet gingen vaak samen met wrok en verwijten. Des te beter dat hij niet gebleven was. Als het op ruziemaken aankwam, kon John Rebus meer dan zijn toch al aanzienlijke gewicht in de schaal leggen.

Net iets van de weg was een parkeerplaatsje. Pas aangelegd, zo te zien: bomen gekapt, houtsnippers gestrooid. Ruimte voor vier auto's, maar er stond er maar één. Daar leunde Siobhan tegen, armen over elkaar. Rebus trok zijn handrem aan en stapte uit.

'Mooi plekje,' zei hij.

'Was er al meer dan honderd jaar,' liet ze hem weten.

'Ik wist niet dat ik zo langzaam reed.'

Ze krulde slechts haar mondhoeken even omhoog en ging hem voor in het bos, haar armen nog steeds over elkaar. Ze was netter gekleed dan anders: zwarte rok tot op de knieën en zwarte nylons. Haar schoenen waren modderig omdat ze dit pad vandaag al eens was afgelopen.

'Ik zag het bord gisteren,' zei ze. 'Het bord hierheen. Ik dacht: ik neem 's een kijkje.'

'Als je moet kiezen tussen dit of Glenrothes...'

'Bij de parkeerplaats staat een informatiebord. Er moet op deze plek nogal wat hekserij hebben plaatsgevonden.' Ze liepen een helling op, om een dikke, kronkelige eik heen. 'De dorpsbewoners waren ervan overtuigd dat het hier spookt: gegil in het donker en zo.'

'Dat zullen wel boerenjongens geweest zijn,' zei Rebus.

Ze knikte. 'Toch begonnen de dorpelingen hier kleine offergaven achter te laten. Vandaar de naam.' Ze keek om. 'Dat een *well* een bron is, weten we allemaal, maar als enige echte Schot in het gezelschap weet jij vast ook wat *clootie* betekent?'

Hij zag ineens zijn moeder voor zich die het toetje uit de pan tilde. Pudding gewikkeld in een...

'Doek,' zei hij.

'Of kleding,' voegde ze eraan toe, terwijl ze een open plek betraden. Ze bleven staan en Rebus haalde diep adem. Klamme kleren... klamme, beschimmelde kleren. Dat was de geur die hij al even rook. De geur van kleren in zijn ouderlijk huis als ze niet goed waren gelucht, aangetast door vocht en schimmel. In de bomen rondom hem hingen overal vodden en stukjes kleding. Er waren ook stukken stof op de grond gevallen, waar ze verder wegrotten.

'Volgens de overlevering werden ze hier achtergelaten om geluk te brengen,' zei Siobhan voorzichtig. 'De boze geesten konden zich er warm mee houden, en dan zou jou niks overkomen. Andere theorie: als een kind overleed, lieten de ouders hier iets achter ter herdenking.' Haar stem sloeg over en ze schraapte haar keel.

'Ik ben niet van porselein,' stelde Rebus haar gerust. 'Ik begin heus niet te janken als je een woord als "overlijden" gebruikt.'

Ze knikte weer. Rebus liep over de open plek. Een tapijt van bladeren en zacht mos, en kabbelend water, een miezerig stroompje dat opwelde uit de grond. Bij de rand lagen kaarsen en munten.

'Die bron stelt niet veel voor,' zei hij.

Ze haalde haar schouders op. 'Ik heb hier al even rondgekeken. Gezellig is anders. Maar toen viel mijn oog op een paar van de nieuwste aanwinsten.' Rebus zag het ook. Aan de takken gehangen. Een sjaal, een overall, een witte zakdoek met rode stippen. Een bijna nieuwe sportschoen met losse veters. Zelfs ondergoed, en iets wat eruitzag als een kindermaillot.

'Jezus, Siobhan,' mompelde Rebus. Hij wist niet goed wat hij moest zeggen. De geur leek sterker te worden. Hij had weer een flashback: een tien dagen durende slemppartij, jaren geleden... en toen hij daarvan was bijgekomen, de ontdekking dat er al die tijd een lading wasgoed in de wasmachine had gezeten. Toen hij de wasmachine had geopend, was hem net zo'n walm in het gezicht geslagen. Hij had de hele was nog eens gedraaid, maar moest de kleren uiteindelijk toch weggooien.

'En dat jack?'

Ze wees alleen maar. Rebus liep langzaam naar de betreffende boom. Een stuk nylon was op een korte tak geprikt. Het zwaaide een beetje heen en weer in de wind. Het was gerafeld, maar het logo was onmiskenbaar.

'CC RIDER,' bevestigde Rebus. Siobhan kamde met haar vingers door haar haar. Hij wist dat ze vragen had, vragen waarop ze tijdens het wachten de hele tijd had zitten broeden. 'Wat doen we nu?' vroeg hij.

'Er moet sporenonderzoek worden gedaan,' zei ze. 'Er is al een team onderweg uit Stirling. We moeten de plek afzetten en de omgeving doorzoeken. Het onderzoeksteam weer bij elkaar roepen, buurtbewoners gaan horen...'

'Ook op Gleneagles?' onderbrak Rebus haar. 'Jij bent nu de expert: hoe vaak is het doopceel van het personeel daar al gelicht? En hoe kunnen we buurtbewoners gaan horen als er een week lang gedemonstreerd wordt? Ik geef toe, het afzetten van deze plek zal geen probleem zijn, met al die lui van de veiligheidsdiensten die we kunnen verwachten...'

Daar had ze zelf natuurlijk al aan gedacht. Dat wist hij ook wel, en hij zweeg.

'We houden het stil tot na de top,' stelde ze voor.

'Verleidelijk,' gaf hij toe.

Ze glimlachte. 'Alleen omdat jíj dan een voorsprong krijgt.'

Hij erkende het met een knipoog.

Ze zuchtte. 'We moeten Macrae wel inlichten. En die geeft het door aan de collega's van Tayside.'

'Maar de TR komt uit Stirling,' voegde Rebus eraan toe. 'En dat valt onder Central Region.'

'Dan zijn er maar drie korpsen die ervan hoeven te weten... geen probleem om het stil te houden dus.'

Rebus keek om zich heen. 'Als we het hier tenminste onderzocht en gefotografeerd kunnen krijgen... dat stuk nylon mee naar het lab...'

'Voordat de kermis begint?'

Rebus blies zijn wangen bol. 'Die begint toch op woensdag?'

'De G8, ja. Maar morgen is de Mars tegen de Armoede al, en voor maandag staat er ook een op het programma.'

'Ja, in Edinburgh, maar niet in Auchterarder...' Toen snapte hij wat ze bedoelde. Zelfs al kregen ze het stuk nylon naar het lab, de stad zou in een staat van beleg verkeren. Om van het bureau naar het lab in Howdenhall te komen, moest je de hele stad door... en dan moest je nog maar hopen dat de forensische experts zelf het lab konden bereiken.

'Waarom zou iemand dat hier ophangen?' vroeg Siobhan zich af, terwijl ze weer naar het stuk textiel stond te turen. 'Als een soort trofee?'

'En waarom dan juist hier?'

'Misschien is het iemand van hier. Familie in deze streek?'

'Volgens mij had Colliar geen banden buiten Edinburgh.'

Ze keek hem aan. 'Degene die hij had verkracht, bedoel ik.'

Rebus vormde een 'o' met zijn lippen.

'Misschien even uitzoeken,' voegde ze eraan toe. Ze zweeg even. 'Wat hoor ik nou?'

Rebus klopte op zijn buik. 'Alweer even geleden dat ik wat gegeten heb. Op Gleneagles kun je nu zeker niet terecht voor een hapje?'

'Hangt van je banksaldo af. In het dorp zijn wel een paar tentjes. Maar een van ons moet hier op het onderzoeksteam wachten.'

'Kun jij beter doen. Anders krijg ik weer naar mijn hoofd geslingerd dat ik alles naar me toe trek. En volgens mij verdien jij een gratis beker overheerlijke Auchterarderse thee.' Hij wilde zich omdraaien om weg te lopen, maar ze hield hem tegen.

'Waarom ik? Waarom nu?' Ze stak haar armen uit.

'Waarom niet?' antwoordde hij. 'Je goeie gesternte.'

'Dat bedoel ik niet...'

Hij draaide zich weer naar haar toe.

'Ik bedoel juist dat ik niet weet of ik de dader wel wil pakken,' zei ze zacht. 'Als dat toch gebeurt, en dankzij mij...'

'Als het gebeurt, Shiv, komt het door stommiteit van zijn kant.' Hij wees met zijn vinger naar de open plek. 'Dat, en misschien een stukje teamwerk...'

De mannen van de technische recherche waren niet blij dat Rebus en Siobhan op de open plek hadden rondgelopen. Om hun sporen van de andere te kunnen onderscheiden, namen ze hun voetafdrukken en een haar af.

'Voorzichtig,' had Rebus gewaarschuwd. 'Ik heb er niet zoveel meer.'

De rechercheur had zich verontschuldigd. 'Ik moet een haarwortel hebben, anders heb ik geen DNA.' Na twee pogingen lukte het. Een van zijn collega's was bijna klaar met een video-opname van de locatie. Een andere was nog aan het fotograferen en weer een andere stond met Siobhan te overleggen hoeveel van de andere kledingstukken ze mee zouden nemen naar het lab.

'Alleen de meest recente,' zei ze tegen hem, met een blik op Rebus. Hij knikte, deelde haar analyse. De moord op Colliar was misschien een boodschap gericht aan Cafferty, maar dat wilde niet zeggen dat hier geen andere boodschappen te vinden waren.

'Zo te zien zit op dat poloshirt een bedrijfslogo,' zei de TR-man.

'Maakt het makkelijk voor je,' glimlachte Siobhan.

'Ik hoef de spullen alleen maar te verzamelen. De rest mogen jullie doen.'

'Nu we het daar toch over hebben,' kwam Rebus tussenbeide. 'Kunnen die spullen misschien naar Edinburgh in plaats van Stirling?'

De rechercheur verstrakte even. Rebus kende hem niet, maar hij kende zijn type: eind veertig, een half leven ervaring. Tussen de verschillende regiokorpsen heerste een flinke wedijver. Rebus stak zijn handen op in een verzoenend gebaar.

'Omdat het een Edinburghse zaak is, bedoel ik alleen maar. Wel handig als ze niet helemaal naar Stirling moeten afreizen elke keer als ze iets moeten bekijken.'

Siobhan glimlachte weer, geamuseerd door zijn gebruik van 'ze'. En onwillekeurig knikte ze ook, omdat ze begreep dat het een slimme zet was.

'Zeker nu,' ging Rebus verder, 'met al die demonstraties en zo.' Hij keek omhoog naar een rondcirkelende helikopter. Daar vroeg iemand zich af wat die twee personenauto's en twee witte bestelwagens ineens bij de Clootie Well deden. Toen hij de rechercheur weer aankeek, besefte hij dat de helikopter het pleit had beslecht. Op dit moment was samenwerking van het grootste belang. Dat was erin geramd met een eindeloze stroom memo's. Op de briefings in Gayfield Square had Macrae er de afgelopen tien keer telkens weer op gehamerd.

Aardig zijn. Samenwerken. Elkaar helpen. Want deze week zou de hele wereld toekijken.

Misschien had de forensisch expert op zijn briefings hetzelfde te horen gekregen. Hij knikte langzaam, draaide zich om en ging door met zijn werk. Rebus en Siobhan keken elkaar weer aan. Toen haalde Rebus zijn sigaretten uit zijn zak.

'Hier niet alstublieft, contaminatie,' zei een van de rechercheurs, dus liep Rebus terug naar de parkeerplaats. Hij stak er net een op toen er weer een auto stopte. Hoe meer zielen, dacht hij bij zichzelf toen hoofdinspecteur Macrae uitstapte. Zo te zien droeg hij een nieuw pak. Nieuwe das ook, en een smetteloos wit overhemd. Spaarzame grijze haren, uitgezakt gezicht, rooddooraderde bloemkoolneus.

Hij is net zo oud als ik, dacht Rebus. Waarom ziet hij er zoveel ouder uit?

'Middag, inspecteur,' zei Rebus.

'Moest jij niet naar een crematie?' Het klonk verwijtend, alsof Rebus een sterfgeval in de familie had verzonnen om vrijdag eens te kunnen uitslapen.

'Brigadier Clarke riep me op,' legde Rebus uit. 'Dus ben ik komen opdraven.' Zo klonk het als een opoffering. Het werkte, de verbeten trek om Macraes mond verslapte wat.

Gaat lekker zo, dacht Rebus. Eerst die rechercheur, nu de chef. Macrae was trouwens geen kwaaie, hij had Rebus meteen een dag vrijaf gegeven toen hij had gehoord dat zijn broer Mickey was overleden. Hij had tegen Rebus gezegd dat hij zich maar eens flink moest bezatten, en dat had Rebus ook gedaan – de Schotse vorm van rouwverwerking. Hij was weer bij zijn positieven gekomen in een hem onbekend deel van de stad, hij had geen idee hoe hij daar was gekomen. Hij was een apotheek binnengelopen om te vragen waar hij was. Antwoord: Colinton Village. Als dank had hij wat aspirine gekocht...

'Sorry, John,' zei Macrae nu, en hij haalde diep adem. 'Hoe ging het?' Een poging meelevend te klinken.

'Het ging,' was het enige wat Rebus zei. Hij zag hoe de helikopter een scherpe draai maakte en terugvloog naar waar hij vandaan kwam.

'Ik mag hopen dat het de tv niet was,' zei Macrae.

'Ach, er valt toch weinig te zien. Zonde dat we u moesten wegrukken uit Glenrothes. Hoe gaat het met Sorbus?'

Operatie Sorbus: het politieplan voor de G8. Het woord Sorbus deed Rebus eerder denken aan een merk zoetjes die mensen in hun koffie doen als ze lijnen. Siobhan had uitgelegd dat het een boomsoort was.

'We zijn op alles voorbereid,' zei Macrae kordaat.

'Behalve op dit.' Rebus moest het wel zeggen.

'Houden we even stil tot volgende week, John,' mompelde zijn chef.

Rebus knikte. 'Als zíj dat goedvinden, natuurlijk.'

Macrae volgde Rebus' blik en zag de naderende auto. Een zilvergrijze Mercedes met achterin getint glas.

'Die helikopter was dus waarschijnlijk niet van de tv,' voegde Rebus eraan toe. Hij opende zijn eigen auto en pakte de resten van een broodje van de passagiersstoel. Broodje hamsalade: het eerste deel was naar binnen gegleden zonder dat hij iets had geproefd.

'Wat krijgen we nou?' knarsetandde Macrae. De Mercedes was abrupt gestopt naast een van de wagens van de TR. Het portier van de chauffeur ging open en er stapte een man uit. Hij liep om de auto heen en opende het achterportier aan de andere kant. Het duurde even voordat de passagier uitstapte. Hij was lang en smal, zijn ogen gingen schuil achter een zonnebril. Terwijl hij alle drie de knoopjes van zijn colbert dichtknoopte, leek hij de twee witte bestelwagens en de drie personenauto's goed in zich op te nemen. Daarna keek hij naar de lucht, zei iets tegen zijn chauffeur en liep weg van de auto. Hij liep niet naar Rebus en Macrae maar naar het bord met toeristische informatie over de geschiedenis van de Clootie Well. De chauffeur zat weer achter het stuur en hield Rebus en Macrae in de gaten. Rebus wierp hem een kushandje toe en wachtte rustig tot de nieuwkomer besloot om zich eens voor te stellen. Ook een type dat hij wel meende te kennen: kil, berekenend, hautain. Hij moest wel van een veiligheidsdienst zijn, ingeseind door de helikopter.

Macrae hapte bijna meteen. Hij stapte op de man af en vroeg hem wie hij was.

'Ik ben van SO12. En wie mag u dan wel wezen?' antwoordde de man afgemeten. Misschien had hij de briefings over amicaal samenwerken overgeslagen. Engels accent, merkte Rebus op. Logisch. SO12 was de nationale politie-inlichtingendienst, slechts één treetje lager dan de echte spionnen. 'Ik bedoel,' vervolgde de man, zijn aandacht ogenschijnlijk nog steeds bij het informatiebord, 'ik weet wel wáár u van bent. Van de recherche. En dat zijn wagens van de TR. En op een open plek hier vlakbij lopen mannen in witte pakken de bomen en de grond te inspecteren.' Hij draaide zich eindelijk naar Macrae toe en bracht zijn hand langzaam naar zijn gezicht om zijn zonnebril af te zetten. 'Zit ik in de richting?'

Macrae was rood aangelopen van woede. De hele dag was hij bejegend met het respect dat hem toekwam, en nu dit.

'Wilt u zich misschien legitimeren?' snauwde hij. De man staarde hem aan en er gleed een spottend glimlachje over zijn mond. *Weet je niets beters?* leek die glimlach te zeggen. Terwijl zijn hand in zijn colbert tastte, zonder het open te knopen, verlegde hij zijn aandacht van Macrae naar Rebus. De glimlach bleef om zijn lippen liggen, alsof hij Rebus uitnodigde mee te lachen. Hij hield een kleine zwarte leren portefeuille voor Macrae op.

'Ziezo,' zei de man, en klapte hem weer dicht. 'Dat is alles wat je over mij moet weten.'

'U bent Steelforth,' bracht Macrae uit, en schraapte zijn keel terwijl hij het zei. Rebus zag dat hij van zijn stuk was gebracht. Macrae wendde zich tot hem. 'Commandant Steelforth heeft de leiding over de beveiliging van de G8,' legde hij uit. Maar dat had Rebus al geraden. Macrae wendde zich weer tot Steelforth. 'Ik was vanochtend in Glenrothes, waar ik werd rondgeleid door commissaris Finnigan. En gisteren op Gleneagles...' Zijn stem stierf weg. Steelforth was al van hem weggelopen en kwam op Rebus af.

'Onderbreek ik je hartaanval?' vroeg hij, met een blik op het broodje. Een stevige boer leek Rebus het enige juiste antwoord. Steelforth kneep zijn ogen half dicht.

'We kunnen niet allemaal lunchen op kosten van de belastingbetaler,' zei Rebus. 'Hoe is het eten op Gleneagles trouwens?'

'Ik betwijfel of u daar ooit achter zult komen, brigadier.'

'Leuk gegokt, meneer. Maar schijn bedriegt.'

'Dit is inspecteur Rebus,' legde Macrae uit. 'Ik ben hoofdinspecteur Macrae, recherche Lothian and Borders.'

'Welk bureau?' vroeg Steelforth.

'Gayfield Square,' antwoordde Macrae.

'In Edinburgh,' voegde Rebus eraan toe.

'Ver van huis, heren.' Steelforth sloeg het pad in.

'In Edinburgh is iemand vermoord,' legde Rebus uit. 'Een deel van zijn kleding is hier aangetroffen.'

'Weten we ook waarom?'

'Ik wil het stilhouden, commandant,' verklaarde Macrae. 'Als de TR klaar is, zijn we hier weg.' Macrae volgde Steelforth op de voet en Rebus kwam erachteraan.

'Toch geen plannen om hier wat staatshoofden een offertje te laten brengen?' vroeg Rebus.

In plaats van antwoord te geven, marcheerde Steelforth de open plek op. De leider van het TR-team sprong ervoor en legde een hand op zijn borst. 'Ik wil hier godverdomme niet nog meer voetafdrukken,' gromde hij.

Steelforth keek woedend naar zijn hand. 'Weet u wel wie ik ben?'

'Kan me geen ruk schelen, maat. Als je hier sporen komt verkloten, krijg je met mij te maken.'

De man van de veiligheidsdienst dacht even na en bond toen in, liep terug naar de rand van de open plek en bekeek de verrichtingen van het team vanaf daar. Zijn mobiel ging over en hij nam op, hij liep nog wat verder weg zodat ze zijn gesprek niet konden horen. Siobhan wierp Rebus een vragende blik toe. 'Later,' zei hij geluidloos, en diepte een briefje van tien op uit zijn zak.

'Alsjeblieft,' zei hij tegen de leider van het TR-team.

'Hoezo dat?'

Rebus knipoogde alleen maar, en met een 'bedankt' stak de man het in zijn zak.

'Ik geef altijd fooi als mensen méér doen dan van hen verwacht mag worden,' zei Rebus tegen Macrae. Die knikte en viste op zijn beurt een briefje van vijf uit zijn zak voor Rebus.

'Samsam,' zei de hoofdinspecteur.

Steelforth kwam teruggelopen. 'Ik heb belangrijker zaken te doen. Wanneer zijn jullie hier klaar?'

'Halfuurtje,' antwoordde een van de andere rechercheurs.

'Maar het hangt er maar net van af,' voegde Steelforths opponent eraan toe. 'Onderzoek is onderzoek, ongeacht wat er verder voor poppenkast speelt.' Net als Rebus had hij direct begrepen wat Steelforth hier deed.

De commandant wendde zich tot Macrae. 'Zal ik commissaris Finnigan dan maar inlichten? Laten weten dat we kunnen rekenen op jullie begrip en medewerking?'

'Zoals u wilt.'

Steelforths trekken ontspanden zich enigszins. Hij legde zijn hand even op Macraes arm. 'Ik wed dat je nog lang niet alles hebt gezien. Rij nog even naar Gleneagles als je hier klaar bent. Dan geef ik een échte rondleiding.'

Macrae smolt weg; een kind op pakjesavond. Maar hij herstelde zich snel en rechtte de rug.

'Dank u wel, commandant.'

'Zeg maar David.'

Achter Steelforths rug stond de leider van het TR-team voorovergebogen alsof hij iets onderzocht, en stak demonstratief een vinger in zijn keel.

Drie auto's die allemaal afzonderlijk naar Edinburgh zouden rijden. Rebus vroeg zich af wat de milieulobby daarvan zou zeggen. Macrae vertrok als eerste, richting Gleneagles. Rebus was op de heenweg langs het hotel gereden. Als je Auchterarder naderde vanaf Kinross, zag je het landgoed al liggen lang voordat je bij het dorp was. Een terrein van honderden hectares, en weinig sporen van beveiliging. Hij had één stukje hekwerk gezien, bij een tijdelijk bouwsel dat vermoedelijk een wachttoren was. Op de terugweg reed Rebus achter Macrae aan, die even toeterde toen hij afsloeg bij het hotel. Siobhan dacht dat de route via Perth het snelste was, Rebus reed liever over het platteland naar de M90. De hemel was nog mooi blauw. De Schotse zomers waren een zegen, een beloning voor de lange schemering van de winter. Rebus draaide het volume van zijn muziek omlaag en belde Siobhan op haar mobiel.

'Handsfree, mag ik hopen?' zei ze tegen hem.

'Doe niet zo goochem.'

'Anders geef je het slechte voorbeeld.'

'Eens moet de eerste keer zijn. Wat vond jij van onze Londense vriend?'

'In tegenstelling tot jou heb ik geen last van die complexen.'

'Wat voor complexen?'

'Met autoriteiten... met Engelsen... met...' Ze zweeg even. 'Moet ik doorgaan?'

'Volgens mij ben ik nog steeds hoger in rang dan jij.'

'Nou en?'

'Ik kan je rapporteren wegens insubordinatie.'

'Zodat de chefs ook eens iets te lachen hebben?'

Zijn zwijgen gaf haar gelijk. Ofwel ze was in de loop der jaren brutaler geworden, of hij was zelf niet meer zo ad rem. Allebei, waarschijnlijk.

'Zouden we de lui van het lab kunnen overhalen om op zaterdag te werken?' vroeg hij.

'Hangt ervan af.'

'Ray Duff misschien? Eén kik van jou en hij komt wel opdraven.'

'En dan kan ik als dank een hele dag met hem gaan rondrijden in die ouwe stinkkar van hem.'

'Een klassieke oldtimer.'

'En dáár gaat hij me dan de hele dag over doorzagen.'

'Eigenhandig opgekalefaterd...'

Ze zuchtte hartgrondig. 'Wat is dat toch met die forensische experts? De hobby's van die lui...'

'Je gaat het hem dus wel vragen?'

'Ja, hoor. Ga je uit vanavond?'

'Avonddienst.'

'Op de dag van de crematie?'

'Iemand moet het doen.'

'Ik wed dat je erom gevraagd hebt.'

Hij gaf geen antwoord maar vroeg wat haar plannen waren.

'Op tijd naar bed. Ik wil morgen fris zijn voor de demonstratie.'

'Waar ben je ingedeeld?'

Ze lachte. 'Niet voor mijn werk, John. Ik ga omdat ik wil.'

'Godsamme.'

'Kom ook meelopen.'

'Ach, welja. Dat zal wat uithalen. Thuisblijven, dat is mijn vorm van protest.'

'Waartegen?'

'Tegen die eikel van een Geldof.' Haar lach schetterde weer in zijn oor. 'Als er echt zoveel mensen komen als hij wil, is het net alsof het zijn prestatie is. Dat mag niet gebeuren, Siobhan. Denk daaraan voordat je je bij de demonstranten voegt.'

'Ik ga, John. Al is het maar om op mijn ouders te passen.'

'Je ouders?'

'Die zijn helemaal uit Londen gekomen, en niet vanwege Geldof.'

'Gaan ze demonstreren?'

'Ja.'

'Word ik ook voorgesteld?'

'Nee.'

'Waarom niet?'

'Omdat ze bang zijn dat ik net zo'n smeris word als jij.'

Het was een grapje, maar hij wist dat het ook half gemeend was.

'Kan ik me voorstellen,' was het enige wat hij zei.

'Heb je de chef al afgeschud?' Ze begon met opzet over iets anders.

'Die laat zijn auto nu parkeren door een hotelbediende.'

'Spot maar. Op Gleneagles doen ze dat echt. Toeterde hij naar je?'

'Wat dacht je?'

'Ik wist het wel. Hij bloeit helemaal op van dit tochtje.'

'En het bureau is even van hem af.'

'Iedereen blij dus.' Ze zweeg even. 'Jij ziet je kans schoon, hè?'

'Hoe bedoel je?'

'Cyril Colliar. De komende week is er niemand om jou in de gaten te houden.'

'Ik wist niet dat je me zo hoog had zitten.'

'Over een jaar ga je met pensioen, John. Ik weet dat je nog één keer wilt proberen Cafferty te pakken...'

'En je kijkt nog zo door me heen ook.'

'Ik wil alleen maar...'

'Dat weet ik, en ik ben geroerd.'

'Denk je echt dat Cafferty erachter kan zitten?'

'Als hij er zelf niet achter zit, wil hij degene die het wél gedaan heeft te grazen nemen. Hé, als je ouders je even te veel worden...' Wie begon er nu ineens over iets anders? 'Dan stuur je maar een sms'je. Gaan we wat drinken.'

'Doe ik. Luister nu maar lekker verder naar Elbow.'

'Met je gehoor is nog niks mis. Tot later.'

Rebus verbrak de verbinding en deed wat hem gezegd was.

2

De dranghekken verschenen op straat. Op de George IV Bridge en in Princes Street werden ze gereedgezet door mannen van de gemeente. Wegwerkzaamheden en bouwprojecten waren stilgelegd, en steigers waren weggehaald om te voorkomen dat demonstranten ze zouden slopen en met de onderdelen gingen smijten. De brievenbussen waren afgesloten en van sommige winkels was de etalage dichtgespijkerd. Financiële instellingen waren gewaarschuwd en het personeel was aangeraden niet in pak te komen, om geen doelwit te zijn voor demonstranten. Voor een vrijdagavond was het rustig in de stad. In de binnenstad reden politiebusjes met traliesschermen voor de voorruit. Er stonden ook busjes verdekt opgesteld in onverlichte zijstraatjes. Daarin zaten agenten in ME-uitrusting lachend herinneringen op te halen aan rellen die ze hadden meegemaakt. Een paar veteranen waren nog in actie gekomen tijdens de laatste golf mijnstakingen. De anderen probeerden daartegen op te bieden met hun verhalen over veldslagen tussen voetbalsupporters, of demonstraties tegen de *poll tax* en de snelweg bij Newbury. Ze bespraken de geruchten over de verwachte omvang van het Italiaanse contingent anarchisten.

'Genua heeft ze harder gemaakt.'

'Net zoals we ze graag hebben, hè jongens?'

Bravoure, zenuwen en kameraadschap. Gesprekken die stilvielen zodra de politieradio krakend tot leven kwam.

De geüniformeerde agenten op het treinstation droegen felgele jassen. Ook hier werden dranghekken geplaatst. De verschillende uitgangen werden geblokkeerd, zodat er maar één enkele route in en uit het station overbleef. Er liepen agenten met camera's om de gezichten van passagiers uit de Londense treinen vast te leggen. Er waren extra rijtuigen aangekoppeld speciaal voor de demonstranten, zodat ze er beter uit te pikken waren. Niet dat dat zo moeilijk was: je herkende ze aan de liedjes die ze zongen, aan de rugzakken, buttons, T-shirts en polsbandjes. Ze sjouwden vlaggen en spandoeken mee en droegen slobberbroeken, camouflagejacks en bergschoenen. Volgens de inlichtingendiensten waren er uit Zuid-Engeland hele busladingen onderweg. De eerste schattingen spraken van zo'n vijftigduizend man, de laatste ramingen al van meer dan honderdduizend. Samen met de zomertoeristen zouden ze in Edinburgh voor flinke drukte zorgen.

Ergens in de stad werd op een bijeenkomst de aftrap gegeven voor de Alternatieve G8, een week van protestbijeenkomsten en lezingen. Daar zou nog meer politie zijn. Zo nodig ook te paard. En ook veel agenten met honden; in de stationshal van Waverley Station alleen al vier. De strategie was simpel: machtsvertoon. Laat potentiële relschoppers weten wie ze tegenover zich hebben. Helmen en wapenstokken en handboeien; paarden en honden en ME-busjes.

Getalsterkte.

Wapenuitrusting.

Tactiek.

Edinburgh was in de loop van de geschiedenis vaak door vijanden belaagd. De inwoners verschansten zich dan achter wallen en poorten, en als die niet bestand bleken tegen een aanval trokken ze zich terug in het doolhof van tunnels onder het kasteel en de High Street, zodat de belegeraars slechts een lege stad en een betekenisloze overwinning restte. Het was een tactiek die ze nog steeds hanteerden bij het jaarlijkse Edinburgh Festival in augustus. Daar kwamen drommen mensen op af, maar de lokale bevolking maakte zich dan onzichtbaar, ging op in de omgeving. Misschien was dat ook de verklaring voor de grote rol van 'onzichtbare' bedrijfstakken als het bank- en verzekeringswezen in de lokale economie. Tot voor kort werd St. Andrews Square, waar de hoofdkantoren van diverse grote bedrijven waren gevestigd, tot de rijkste pleinen van Europa gerekend. Maar kantoorruimte was schaars, en er waren nieuwe kantoorcomplexen verrezen bij Lothian Road en verder naar het westen, in de richting van de luchthaven. Het onlangs voltooide hoofdkantoor van de Royal Bank in Gogarburn werd als een mogelijk doelwit beschouwd. Evenals de kantoorgebouwen van de verzekeraars Standard Life en Scottish Widows. Siobhan reed zomaar wat rond en bedacht dat Edinburgh de komende dagen op de proef zou worden gesteld als nooit tevoren.

Een politiekonvooi haalde haar in met loeiende sirene. De

chauffeur zat te grijnzen als een klein kind: hij genoot duidelijk volop, Edinburgh was even zijn privéracebaan. Een paarse Nissan vol Edinburghse jongeren volgde hem op de voet, meeprofiterend van de sirene. Siobhan wachtte tien seconden en voegde zich toen weer in de verkeersstroom. Ze was op weg naar een tijdelijk kampeerterrein in Niddrie. Een van de minder fraaie buurten van Edinburgh. Om te voorkomen dat de demonstranten hun tent in de voortuinen opsloegen, werden ze daarheen gedirigeerd.

Niddrie.

De gemeente had de grasvelden rond het Jack Kane-sportcentrum als kampeerterrein aangewezen. Men rekende op tien- en misschien zelfs vijftienduizend mensen. Er waren mobiele toiletten en douches geplaatst en er was een beveiligingsbedrijf ingeschakeld. Eerder om de wijkbendes van het terrein te weren, vermoedde Siobhan, dan om de demonstranten in het oog te houden. Er werd al gegrapt dat de komende weken in de pubs veel tenten en kampeergerei verhandeld zouden worden. Siobhan had haar ouders aangeboden om bij haar te slapen. Allicht had ze dat aangeboden: zij hadden haar geholpen om die flat te kopen. Zij konden in haar bed, dan zou ze zelf wel op de sofa slapen. Maar daar wilden ze niet van weten: ze kwamen met een bus en zouden 'met de anderen' kamperen. Ze waren student geweest in de sixties en waren daar nooit helemaal van losgekomen. Nu naderden ze zelf de zestig – de generatie van Rebus – maar haar vader had nog altijd een staartje in zijn haar. Haar moeder droeg nog steeds een soort kaftans als jurk. Siobhan moest denken aan wat ze tegen Rebus had gezegd: *omdat ze bang zijn dat ik net zo'n smeris word als jij.* Maar tegenwoordig had ze soms het gevoel dat ze vooral bij de politie was gegaan om haar ouders te provoceren. Na alle liefde en zorg waarmee ze haar hadden omringd, had ze de drang gevoeld om in opstand te komen. Als wraak voor al die keren dat hun werk als leraar had geleid tot de zoveelste verhuizing, de zoveelste nieuwe school. Wraak, simpelweg omdat het in haar macht lag. Toen ze het hen vertelde, brachten hun gezichten haar bijna tot inkeer. Maar dat zou zwak zijn geweest. Ze verboden het natuurlijk niet, al lieten ze wel doorschemeren dat ze politiewerk een verspilling van haar talenten vonden. Reden genoeg om haar poot stijf te houden.

Dus was ze bij de politie gegaan. Niet in Londen, waar haar ouders woonden, maar in Schotland, dat ze helemaal niet kende voordat ze er ging studeren. Nog één hartenkreet van haar ouders: 'Alsjeblieft niet in Glasgow.'

Glasgow, met zijn imago van rouwdouwers en messentrekkers, met zijn godsdiensttwisten. Maar ook, had Siobhan gemerkt, een ideale stad om te winkelen. Soms vierde ze er met vriendinnen een vrijgezellenavond – namen ze een kamer in een boetiekhotel en stortten zich in het Glasgowse uitgaansleven. Geen bars met een uitsmijter bij de deur – een regel waar zowel zij als John Rebus zich aan hielden. En ondertussen was Edinburgh een veel dodelijker stad gebleken dan haar ouders zich ooit hadden kunnen voorstellen.

Niet dat ze hun dat ooit zou vertellen. In de zondagse telefoongesprekken schaatste ze meestal snel over haar moeders vragen heen en stelde haar eigen vragen. Ze had aangeboden om ze af te halen van de bus, maar ze hadden gezegd dat ze eerst de tent wilden opzetten. Toen ze voor het stoplicht stond, moest ze ineens glimlachen bij de gedachte. Allebei tegen de zestig en in de weer met tentstokken. Ze waren net een jaar met vervroegd pensioen. Ze hadden een aardig huis in Forest Hill, vrij van hypotheek. Ze vroegen haar constant of ze nog geld nodig had...

'Anders betaal ik wel een hotelkamer,' had ze aan de telefoon gezegd, maar ze waren niet te vermurwen. Terwijl ze weer optrok, vroeg ze zich af of de dementie misschien al begon in te treden.

Ze negeerde de oranje pylonen en zette haar auto op de Wisp, met een kaart achter de voorruit om aan te geven dat ze van de politie was. Een beveiliger in een gele jas kwam op het geluid van de motor af. Hij schudde zijn hoofd en wees naar de politiekaart. Toen streek hij met zijn vinger langs zijn keel en knikte in de richting van de dichtstbijzijnde huizen. Siobhan haalde de kaart weg maar liet haar auto staan.

'Bendes,' zei de beveiliger. 'Zo'n kaart werkt als een rode lap op een stier.' Hij stak zijn handen in zijn zak en liet zijn toch al imposante borstkas opzwellen. 'Wat brengt u hier, agent?'

Hij had een kaalgeschoren hoofd, een zware, donkere baard en borstelige wenkbrauwen.

'Privébezoek,' zei Siobhan, terwijl ze haar legitimatie toonde. 'Het echtpaar Clarke. Moet ik even spreken.'

'Kom maar mee.'

Hij ging haar voor naar een toegangspoort in de omheining. Dit was een miniatuurversie van de beveiliging op Gleneagles. Er was zelfs een soort wachttoren. Langs de omheining stond om de tien meter een bewaker. 'Hier, doe dit maar om,' zei haar nieuwe vriend, en hij gaf haar een polsbandje. 'Val je minder op. Zo houden we ook een oogje op onze brave kampbewoners.'

'Ongelukkige term,' zei ze, terwijl ze het polsbandje aannam. 'Hoe gaat het tot nu toe?'

'De jongeren uit de buurt vinden het maar niks. Ze proberen het terrein op te komen, maar meer ook niet.' Hij haalde zijn schouders op. Ze liepen over een geïmproviseerd pad van metaalplaten en stapten even opzij voor een meisje dat daarop rolschaatste terwijl haar moeder voor haar tent in kleermakerszit zat toe te kijken.

'Hoeveel zijn er al?' Siobhan vond het moeilijk te schatten.

'Stuk of duizend. Morgen komen er wel meer.'

'Jullie tellen ze niet?'

'En we noteren ook geen namen. Dus ik weet niet hoe je je vrienden zou moeten vinden. Het enige wat wij mogen doen is het kampeergeld innen.'

Siobhan keek om zich heen. Het was een droge zomer, de grond voelde stevig aan. Achter de flats en huizen zag ze de contouren van oudere pronkstukken opdoemen: Holyrood Park en Arthur's Seat. Ze hoorde zacht gezang, een paar gitaren en *penny whistles*. Gelach van kinderen, een baby die huilde om zijn fles. Mensen die in de handen klapten, zaten te praten. Ineens overstemd door een megafoon, in de hand van een man die zijn haardos in een enorme wollen pet had gepropt. Een lapjesbroek tot de knieën en teenslippers.

'In de grote witte tent, mensen, daar moet je zijn. Groentecurry voor vier pond, dankzij de plaatselijke moskee. Vier pond maar...'

'Misschien vind je ze daar,' zei Siobhans gids. Ze bedankte hem en hij liep terug naar zijn post.

De 'grote witte tent' was een partytent die als ontmoetingspunt leek te fungeren. Iemand stond te roepen dat ze met een groepje de stad in gingen om iets te drinken. Over vijf minuten verzamelen bij de rode vlag. Siobhan had een rij mobiele toiletten gezien, en wat waterkranen en douches. Nu kon ze alleen nog tussen de tenten gaan zoeken. Er stond een ordelijke rij te wachten bij de curry. Iemand reikte haar een plastic lepel aan en ze schudde van nee, maar bedacht toen dat het al een tijd geleden was dat ze iets had gegeten. Met een berg eten op haar plastic bord besloot ze rustig het terrein over te wandelen. Mensen zaten te koken op gasstelletjes. Een van hen zwaaide naar haar.

'Ken je ons nog van Glastonbury?' riep ze. Siobhan schudde haar hoofd. Toen zag ze haar ouders, en een glimlach gleed over haar lippen. Ze kampeerden hier in stijl: grote rode tent met ramen en een luifel. Tuinstoeltjes en een klaptafel met daarop een fles wijn met echte glazen. Toen ze haar zagen, stonden ze op, omhelsden en zoenden haar en verontschuldigden zich omdat ze maar twee stoelen hadden.

'Ik ga wel op het gras zitten,' stelde Siobhan hen gerust. Daar zat al een jonge vrouw. Zij had zich niet verroerd toen Siobhan eraan kwam.

'We zaten Santal net over je te vertellen,' zei Siobhans moeder. Eve Clarke zag er jong uit voor haar leeftijd, alleen de lachrimpeltjes verrieden haar. Dat kon je van haar vader Teddy niet zeggen. Die was dik geworden en zijn gezicht was een beetje uitgezakt. Zijn haargrens was gestaag op de terugtocht, zijn staart dunner en grijzer dan vroeger. Hij vulde de wijnglazen enthousiast bij en hield zijn ogen strak op de fles gericht.

'Dat zal ze reuzeboeiend hebben gevonden,' zei Siobhan terwijl ze een glas aannam.

De jonge vrouw glimlachte flauwtjes. Ze had vaalblond haar tot op de schouders, zodanig met gel bewerkt of mishandeld dat het in chaotische strengen en vlechten van haar hoofd hing. Geen make-up, maar diverse piercings in haar oren en één in haar neus. Ze droeg een mouwloos groen shirtje, zodat op haar schouder Keltische tatoeages te zien waren, en op haar blote buik ook nog een navelpiercing. Er hingen een hoop sieraden om haar hals, en daaronder iets wat op een digitale camera leek.

'Dus jij bent Siobhan,' zei ze. Ze sliste een beetje.

'Kan ik niet ontkennen.' Siobhan proostte. Uit een picknickmand was een extra glas tevoorschijn getoverd, en ook nog een fles wijn.

'Rustig aan, Teddy,' zei Eve Clarke.

'Even Santal bijvullen,' legde hij uit. Maar Siobhan zag dat Santals glas bijna even vol was als het hare.

'Zijn jullie samen hierheen gekomen?' vroeg ze.

'Santal is komen liften vanaf Aylesbury,' zei Teddy Clarke. 'En ik geloof dat ik dat ook liever had gedaan, vergeleken met de busreis die wij hebben doorstaan.' Hij rolde met zijn ogen en schoof heen en weer in zijn stoel. Toen draaide hij de wijnfles open. 'Wijn met schroefdop, Santal. Je kunt niet ontkennen dat de moderne tijd ook zo zijn voordelen heeft.'

Maar Santal zei helemaal niets. Siobhan wist niet precies waarom, maar ze had al meteen een hekel aan de vreemde. Misschien juist omdat ze vreemd was. Siobhan wilde even met haar ouders alleen zijn, gezellig met zijn drietjes.

'Santals tent staat naast de onze,' legde Eve uit. 'We hadden een beetje hulp nodig met het opzetten...'

Haar man lachte ineens hard, terwijl hij zichzelf bijschonk. 'Tijd geleden dat wij gekampeerd hebben,' zei hij.

'Die tent ziet er nieuw uit,' merkte Siobhan op.

'Van de buren geleend,' zei haar moeder zacht.

Santal stond op. 'Ik moest maar 's gaan...'

'Van ons niet, hoor,' protesteerde Teddy Clarke.

'We gaan met een groep naar de kroeg...'

'Mooie camera,' zei Siobhan.

Santal keek even omlaag. 'Als de juten foto's van mij maken, wil ik een foto van hen. Gelijk oversteken, nietwaar?' Haar felle blik eiste instemming.

Siobhan keerde zich naar haar vader. 'Je hebt haar over mijn werk verteld,' stelde ze kalm vast.

'Je schaamt je er toch niet voor?' Santal snauwde bijna.

'Integendeel, eerlijk gezegd.' Siobhans blik gleed van haar vader naar haar moeder. Haar ouders fixeerden hun aandacht ineens beiden op het glas wijn voor zich. Toen ze weer naar Santal keek, zag ze dat die de camera op haar gericht hield.

'Voor het familiealbum,' zei Santal. 'Ik mail hem wel.'

'Bedankt,' zei Siobhan koeltjes. 'Typische naam, Santal.'

'Het betekent sandelhout,' zei Eve Clarke.

'Iedereen kan het tenminste spellen,' voegde Santal eraan toe.

Teddy Clarke moest lachen. 'Ik zei net tegen haar dat we jou hadden opgezadeld met een naam die niemand in het zuiden kan uitspreken.'

'Heb je nog meer familieverhalen opgehangen?' vroeg Siobhan stekelig. 'Nog andere gênante onthullingen waar ik van moet weten?'

'Kort lontje, hoor,' zei Santal tegen Siobhans moeder.

'Weet je,' zei Eve Clarke. 'We hebben het eigenlijk nooit een goed idee gevonden dat ze –'

'Jezus nog aan toe, mama!' viel Siobhan haar in de rede. Maar haar woede-uitbarsting werd afgekapt door lawaai aan de rand van het kamp. Ze zag er bewakers naartoe hollen. Buiten het hek stonden jongelui die de Hitlergroet brachten. Ze droegen de geijkte clubkleding, donkere sportjacks met capuchon, en riepen de bewakers op om 'dat hippietuig' naar buiten te sturen.

'Hier begint de revolutie!' riep er een. 'Tegen de muur met die rukkers.'

'Ziek,' siste Siobhans moeder.

Maar nu vlogen er voorwerpen door de schemering.

'Pas op,' waarschuwde Siobhan, en ze duwde haar moeder zo-wat de tent in, ook al betwijfelde ze of die afdoende bescherming bood tegen de regen van stenen en flessen. Haar vader had een paar stappen in de richting van de herrie gezet, maar ook hem trok ze terug. Santal bleef staan en richtte haar camera op de klu-wen mensen.

'Stelletje toeristen!' riep een van de jongeren uit de buurt. 'Rot toch gauw op naar waar je vandaan komt.'

Hard gelach, gejouw en obscene gebaren. Als de kampeerders dan niet naar buiten kwamen, wilden ze op zijn minst de bewa-kers uitlokken. Maar die waren ook niet achterlijk. De man die Siobhan had geholpen vroeg via zijn walkietalkie om versterking. Een situatie als deze kon binnen de kortste keren tot bedaren ko-men of juist oplaaien tot een complete veldslag. De bewaker zag Siobhan ineens naast zich staan.

'Maak je geen zorgen,' zei hij. 'Het wordt vast gedekt door de verzekering...'

Het duurde even voor ze begreep waar hij op doelde. 'Mijn au-to!' riep ze, en rende naar het hek. Moest zich langs twee ande-re bewakers wurmen. Rende de weg op. Motorkap ingedeukt en bekrast, achterruit verbrijzeld. Op een van de portieren was de tekst NYT gespoten.

Niddrie Young Team.

Ze stonden daar op een rij en lachten haar uit. Een van hen maakte een foto met zijn mobieltje.

'Neem zoveel foto's als je wil,' zei ze tegen hem. 'Ben je nog makkelijker te traceren.'

'Getverdemme, pliesie!' snauwde een ander. Hij stond in het midden, met twee secondanten aan zijn zijde.

De leider.

'Pliesie, ja,' zei ze. 'Tien minuten op bureau Craigmillar en ik weet meer over je dan je eigen moeder.' Ze wees naar hem om haar woorden kracht bij te zetten, maar hij lachte alleen scham-per. Ze kon maar een klein deel van zijn gezicht zien, maar dat prentte ze zich in. Er stopte een auto waar drie mannen in zaten. Siobhan herkende de man achterin: het gemeenteraadslid voor Niddrie.

'Weg jullie!' riep hij terwijl hij uitstapte, en hij zwaaide met zijn armen alsof hij schapen terug in hun hok dreef. De bende-leider deed alsof zijn knieën knikten, maar hij zag dat zijn manschappen echt begonnen te twijfelen. Er was een handjevol bewakers uit het kamp gekomen, aangevoerd door de kale met de baard. In de verte klonken sirenes die dichterbij kwamen.

'Vooruit, opgerot nou!' drong het raadslid aan.

'Kamp vol nichten en potten,' schamperde de bendeleider. 'En wie draait er voor de kosten op?'

'Jij in ieder geval niet, knul,' zei het raadslid. De andere twee mannen uit de auto flankeerden hem nu. Het waren grote kerels, types die waarschijnlijk nog nooit van hun leven een knokpartij uit de weg waren gegaan. Precies het soort campagnemedewerkers dat je als politicus in Niddrie nodig had.

De bendeleider spuwde op de grond, draaide zich om en liep weg.

'Bedankt,' zei Siobhan, en stak haar hand uit naar het raadslid.

'Niks te danken,' zei hij, en hij leek het hele incident, Siobhan incluis, alweer uit zijn gedachten te bannen. Hij gaf de bewaker met de baard een hand, die kende hem duidelijk al.

'Verder alles rustig?' vroeg het raadslid. De bewaker grinnikte.

'Kunnen we iets voor u doen, meneer Tench?'

Raadslid Tench keek om zich heen. 'Ik kom gewoon even kijken, om al deze goede mensen te laten weten dat mijn stadsdeel achter hen staat in hun strijd tegen armoede en onrecht.' Hij had inmiddels publiek: een stuk of vijftig kampeerders aan de andere kant van de omheining. 'In dit deel van Edinburgh hebben we daar zelf ook mee te kampen,' oreerde hij. 'Maar dat wil niet zeggen dat we geen aandacht hebben voor hen die nog slechter af zijn dan wij. Ik mag graag denken dat we ruimhartig zijn.' Hij zag dat Siobhan de schade aan haar auto stond op te nemen. 'Onze wijk heeft natuurlijk ook zijn kwajongens, maar waar heb je die niet?' Glimlachend spreidde Tench zijn armen weer, als een hagenprediker.

'Welkom in Niddrie!' zei hij tot zijn gemeente. 'Weest allen welkom.'

Rebus was alleen in de recherchekamer, het kantoor van de Criminal Investigation Department op bureau Gayfield Square. Het had hem een halfuur gekost om de notities over het moordonderzoek te vinden: vier dozen en een stapel mappen, diskettes en een cd-rom. Die laatste voorwerpen had hij op de plank laten liggen, en nu had hij een deel van het papierwerk voor zich uitge-

spreid. Hij maakte gebruik van alle zes de bureaus, had de post-
bakjes en toetsenborden aan de kant geschoven. Nu kon hij door
de kamer van het ene naar het andere stadium van het onderzoek
lopen: sporenonderzoek en de eerste gesprekken met mogelijke
getuigen; slachtofferprofiel en verder getuigenonderzoek; deten-
tierapport; banden met Cafferty; sectierapport en toxicologische
analyse... De telefoon in het hokje van het afdelingshoofd was een
paar keer overgegaan, maar Rebus had niet opgenomen. Hij was
niet de hoogste in rang op de rechercheafdeling, dat was Derek
Starr. En die slijmbal zette nu ergens de bloemetjes buiten, want
het was vrijdagavond. Rebus kende Starrs vaste programma van
het uitgebreide verslag dat hij elke maandagochtend kreeg: een
paar borrels in de Hallion Club, dan soms naar huis om te douchen en schone kleren aan te trekken, en terug de stad in; naar
de Hallion als het daar nog gezellig was, maar vervolgens altijd
naar George Street: Opal Lounge, Candy Bar, Living Room. Een
laatste drankje in de Indigo Yard, als hij voor die tijd nog niet
'beet' had. In Queen Street zou een nieuwe jazzclub van Jools
Holland worden geopend. Starr had al geïnformeerd hoe hij daar
lid van kon worden.

De telefoon ging weer over; Rebus nam niet op. Als het dringend was, zouden ze Starrs mobiel wel proberen. Als het de receptie was die een beller doorschakelde... nou ja, ze wisten dat
Rebus hier zat. Hij nam pas op als ze doorverbonden naar zijn
toestel in plaats van dat van Starr. Misschien zaten ze hem alleen
maar te jennen, in de hoop dat hij opnam en zij konden zeggen
dat ze – sorry hoor – inspecteur Starr moesten hebben. Rebus wist
wat zijn plaats in de voedselketen was: ergens helemaal onder-
aan, bij het plankton. De tol van jaren insubordinatie en roeke-
loos gedrag. Dat hij daarmee ook resultaten had behaald, deed er
niet toe: voor de heren commissarissen was het tegenwoordig
vooral van belang hóé je dat resultaat behaalde; het draaide om
efficiency en verslaglegging, de perceptie van het publiek, strikte
regels en protocollen.

Of zoals Rebus het noemde: jezelf indekken.

Hij bleef staan bij een map met foto's. Sommige had hij er al
uit gehaald en op het bureau uitgespreid. Nu bekeek hij de andere. Cyril Colliars openbare leven: krantenknipsels, polaroids die
ze hadden gekregen van familie en vrienden, de officiële foto's van
zijn arrestatie en proces. Er was zelfs een korrelige foto van hoe
hij in de cel met zijn handen achter het hoofd op bed tv lag te kijken. Die had de voorpagina van de tabloids gehaald: LIGGEN WE

Nu lag hij onder de grond.

Volgende bureau: gegevens over de familie van het verkrachte meisje. Naam niet openbaar gemaakt. Victoria Jensen, destijds achttien jaar. Vicky voor haar naasten. Gevolgd toen ze uit een nachtclub kwam... gevolgd toen ze met twee vriendinnen naar de bushalte liep. Nachtbus: Colliar was een paar stoelen achter het drietal gaan zitten. Vicky was alleen uitgestapt. Op nog geen vijfhonderd meter van haar huis in Leith had hij toegeslagen, hand over de mond, haar een steegje ingesleept...

Op bewakingscamera's was te zien hoe hij meteen na haar de club uit kwam. Hoe hij instapte in de bus en ging zitten. DNA-sporen hadden zijn lot bezegeld. Een paar van zijn makkers hadden het proces bijgewoond en bedreigingen geuit aan het adres van de familie van het slachtoffer. Daar was geen zaak van gemaakt.

Vicky's vader was dierenarts; zijn vrouw werkte voor verzekeringsmaatschappij Standard Life. Rebus was het nieuws van Cyril Colliars dood zelf gaan brengen.

'Bedankt dat u het ons laat weten,' zei de vader. 'Ik zal het Vicky vertellen.'

'U begrijpt het niet, meneer,' had Rebus gezegd. 'Ik moet u een paar vragen stellen...'

Heeft u het gedaan?

Heeft u er iemand opdracht toe gegeven?

Kent u iemand die het had willen doen?

Dierenartsen konden aan drugs komen. Misschien geen heroïne, maar wel andere middelen die je voor heroïne kon ruilen. Dealers verkochten in het uitgaansleven ook ketamine – Starr had er nog op gewezen. Ketamine werd door dierenartsen gebruikt om paarden te verdoven. Vicky was verkracht in een steegje, Colliar was vermoord in een steegje. De insinuatie had Thomas Jensen woedend gemaakt.

'Wilt u zeggen dat het echt nooit in u is opgekomen? Nooit ook maar enige wraakgevoelens gehad?'

Natuurlijk wel: beelden van Colliar die langzaam wegrot in de cel, of door vlammen wordt verteerd in de hel. 'Maar zo gaat dat niet, hè inspecteur? Niet in déze wereld...'

Ook Vicky's vrienden en vriendinnen waren gehoord, en geen van hen had iets te bekennen.

Rebus liep door naar het volgende bureau. Daar staarde Morris Gerald Cafferty hem aan van foto's en verslagen van verhoren. Rebus had moeite gehad om Macrae zover te krijgen dat hij die verhoren mocht afnemen. Algemeen bestond het gevoel dat Rebus en Cafferty elkaar te lang kenden. Sommigen wisten dat ze gezworen vijanden waren; anderen vonden dat ze te veel op elkaar leken... en veel te vertrouwelijk met elkaar omgingen. Starr had zijn bezwaren in het bijzijn van Rebus en hoofdinspecteur Macrae geuit. Rebus was zijn collega bijna aangevlogen en dat was, zoals Macrae hem later had uitgelegd, 'het zoveelste schot in eigen doel, John'.

Cafferty was een handige jongen, hij had in alle mogelijke criminele vuurtjes wel een ijzer liggen: massagesalons en afpersing; geweld en intimidatie. En drugs, dus ook hij kon over heroïne beschikken. En als hij het zelf niet binnen handbereik had, dan Colliars collega's wel. Er werden wel eens clubs gesloten omdat de zogenaamde portiers ook de drugsverkoop in het pand bleken te regelen. Een van die collega-portiers had wellicht besloten om 'meneer de verkrachter' uit de weg te ruimen. Er kon een persoonlijk motief achter zitten: zijn grote mond, of een beledigende opmerking over een vriendin. Alle mogelijke motieven waren de revue gepasseerd. Ogenschijnlijk was het onderzoek uitgevoerd volgens het boekje. Daar kon niemand iets tegen inbrengen. Maar Rebus kon zien dat het team er niet met hart en ziel aan had gewerkt. Hier en daar een paar vragen vergeten; mogelijkheden die niet nader waren onderzocht. Slordig getypte aantekeningen. Kleinigheden die je alleen zag als je nauw bij het onderzoek betrokken was geweest. Op alle vlakken hadden de agenten net niet helemaal hun uiterste best gedaan – net genoeg om te laten doorschemeren hoe ze over hun 'slachtoffer' dachten.

Alleen de lijkschouwer had zijn taak gewetensvol uitgevoerd. Professor Gates zei het wel vaker: het maakte hem niet uit wie er op zijn snijtafel lag. Het waren allemaal mensen, allemaal iemands zoon of dochter.

'Niemand wordt slecht geboren, John,' had hij gemompeld, scalpel in de aanslag.

'Maar niemand dwingt een mens om slechte dingen te doen,' was Rebus' antwoord.

'Ach ja,' had Gates gezucht. 'Een raadsel waarover de knapste koppen zich al eeuwenlang buigen. Hoe komt het toch dat we elkaar zulke vreselijke dingen aandoen?'

Hij had geen poging gedaan die vraag te beantwoorden. Maar terwijl Rebus naar Siobhans bureau liep en de foto's uit het sectierapport pakte, moest hij denken aan iets anders wat Gates had gezegd. *In de dood keren we terug naar een staat van natuurlijke onschuld, John...* Het was waar dat Colliars gezicht een vredige uitdrukking had, zorgeloos en onbekommerd.

In Starrs kantoortje ging de telefoon weer. Rebus liet hem overgaan en pakte de hoorn van Siobhans toestel. Aan haar computer hing een Post-it-briefje met namen en telefoonnummers. Het lab hoefde hij niet te proberen, dus toetste hij het mobiele nummer in.

Ray Duff nam bijna meteen op.

'Ray? Met inspecteur Rebus.'

'Die me uitnodigt voor zijn vrijdagse kroegentocht?' Toen Rebus niets zei, volgde een zucht. 'Is het weer zover?'

'Ik sta van je te kijken, Ray. Waar is je plichtsbesef?'

'Ik slaap nog niet in het lab, hoor.'

'We weten allebei dat dat gelogen is.'

'Oké, soms werk ik wel eens over...'

'Dat vind ik nou zo fijn aan jou, Ray. Wij hebben allebei een passie voor ons werk.'

'En dat gooi ik te grabbel door ook eens naar de quizavond in mijn stamkroeg te gaan?'

'Het is niet aan mij om daar een oordeel over te vellen, Ray. Ik vroeg me alleen af hoe het staat met die nieuwe sporen van de zaak-Colliar.'

Rebus hoorde een vermoeid lachje. 'Jij zit ook nooit stil, hè?'

'Het is niet voor mezelf, Ray. Ik help Siobhan alleen een handje. Als ze deze zaak oplost, maakt ze een goede kans op promotie. Zij heeft die spullen tenslotte gevonden.'

'Het is pas drie uur geleden aangekomen.'

'Smeed het ijzer als het heet is, zou ik zeggen.'

'Het biertje voor mijn neus is koud, John.'

'Je zou er Siobhan heel blij mee maken. Ze kijkt er al naar uit dat jij je prijs komt claimen.'

'Welke prijs?'

'Mooie kans om je auto eens te showen. Dagje naar het platteland, lekker over die kronkelweggetjes toeren. En wie weet, aan het eind een hotelkamer, als je het een beetje slim aanpakt.' Rebus zweeg even. 'Wat voor muziek hoor ik daar?'

'Dat is een van de quizvragen.'

'Klinkt als Steely Dan: "Reeling in the Years".'

'Ja, maar hoe kwamen ze aan hun bandnaam?'

'De naam van een dildo in een roman van William Burroughs. Beloof me dat je na afloop meteen naar het lab gaat...'

45

Rebus was tevreden met het resultaat en trakteerde zichzelf op een wandeling en een kop koffie. Het was stil in het gebouw. De brigadier bij de receptie was vervangen door een van zijn ondergeschikten. Rebus kende hem niet van gezicht, maar knikte toch naar hem.

'Ik probeer de recherche te bereiken,' zei de jonge agent. Hij haakte zijn vinger even in het boord van zijn overhemd. Zijn hals zat onder de acne of een of andere uitslag.

'Dat ben ik,' zei Rebus. 'Wat is er aan de hand?'

'Problemen op het Kasteel, inspecteur.'

'Zijn de demonstraties al begonnen?'

De agent schudde zijn hoofd. 'Iemand heeft een gil gehoord en er schijnt iemand van de borstwering omlaag in het park gevallen te zijn.'

'Het kasteel is op dit uur niet open,' zei Rebus met gefronste wenkbrauwen.

'Diner voor een paar hotemetoten...'

'Wie is er dan gevallen?'

De agent haalde zijn schouders op. 'Zal ik zeggen dat we niemand hebben?'

'Doe niet zo achterlijk, knul,' zei Rebus, en hij ging zijn colbert halen.

Edinburgh Castle was niet alleen een grote toeristische attractie, het was ook nog in bedrijf als kazerne, zoals commandant David Steelforth Rebus inwreef toen hij hem bij de toegangspoort opving.

'U komt nog eens ergens,' was Rebus' antwoord. De man van so12 was formeel gekleed: strikje en sjerp, smoking, lakschoenen.

'Het punt is dat het in feite nog valt onder de auspiciën van het leger...'

'Ik weet niet precies wat "auspiciën" betekent, commandant.'

Steelforth verloor zijn geduld. 'Het betekent,' siste hij, 'dat de militaire politie het precieze hoe en waarom wel zal onderzoeken.'

'Lekker gegeten?' Rebus liep gewoon door. Het pad kronkelde omhoog en felle windvlagen sloegen de mannen in het gelaat.

'Er zijn hier voorname mensen aanwezig, inspecteur Rebus.'

Alsof het afgesproken werk was, verscheen uit een soort tunneltje verderop een auto. Hij reed naar de poort, zodat Rebus en Steelforth opzij moesten stappen. Rebus ving een glimp op van het gezicht achterin: de weerspiegeling van een metalen brilmontuur, een lang en bleek, bezorgd kijkend gezicht. Maar de minister van Buitenlandse Zaken keek altijd bezorgd, zoals Rebus ook tegen Steelforth zei. De Londenaar fronste, teleurgesteld omdat de minister was herkend.

'Hopelijk hoef ik hem niet te horen,' voegde Rebus eraan toe.

'Nou moet u 's goed luisteren, inspecteur...'

Maar Rebus liep alweer verder. 'Het zit zo, commandant,' zei hij achteromkijkend. 'Het slachtoffer is misschien gevallen – of gesprongen, of een ander "hoe" of "waarom" – en ik bestrijd niet dat hij zich op militair terrein bevond toen dat gebeurde... maar hij is een meter of vijftig naar het zuiden neergekomen in de Princes Street Gardens.' Rebus glimlachte. 'En daarmee is hij van mij.'

Rebus bleef lopen en probeerde zich te herinneren wanneer hij voor het laatst in het kasteel was geweest. Hij was er natuurlijk met zijn dochter gaan kijken, maar dat was al een jaar of twintig geleden. Het kasteel domineerde de skyline van Edinburgh. Je kon het zien vanaf Bruntsfield en Inverleith. Als je van de luchthaven kwam, leek het wel een Transsylvanische burcht die je het gevoel gaf dat de hele wereld ineens zwart-wit was. Van de kant van Princes Street, Lothian Road en Johnston Terrace leek het steil oprijzende vulkanisch gesteente een onneembaar bastion – en dat was het in de loop der eeuwen ook gebleken. Maar kwam je van de Lawnmarket, dan liep je over een zacht glooiende helling tot aan de toegangspoort en viel de aanwezigheid van het kasteel nauwelijks op.

De rit vanaf het bureau hierheen was een ware hindernissenrace geweest. Agenten in uniform wilden hem niet over Waverley Bridge laten rijden. Met veel gekletter en geschraap van metaal over steen werden daar dranghekken in positie gebracht voor de demonstratie van morgen. Hij had getoeterd en geen acht geslagen op hun gebaren dat hij een andere route moest nemen. Toen een agent naar hem toe was gekomen, had hij het raampje omlaag gedraaid en zijn legitimatie getoond.

'Deze weg is afgesloten,' had de man gezegd. Engels accent, misschien Lancashire.

'Ik ben van de recherche,' zei Rebus. 'En na mij komt er misschien nog een ambulance, een lijkschouwer en een wagen van de technische recherche. Ga je die ook allemaal tegenhouden?'

'Wat is er gebeurd?'

'Er is iemand in de Gardens geland.' Rebus knikte in de richting van het kasteel.

'Stomme demonstranten... Er zat er ook al eentje vast op de helling. De brandweer moest hem eraf halen.'

'Zeg, ik zou dolgraag nog een tijdje blijven kletsen, maar eh...'

Met een beledigde blik had de agent het dranghek opzij getrokken.

En nu vond Rebus een nieuwe hindernis op zijn pad: commandant David Steelforth.

'Dit is een gevaarlijk spel, inspecteur. Dat kunt u beter overlaten aan de veiligheidsspecialisten onder ons.'

Rebus kneep zijn ogen half dicht. 'Denkt u soms dat ik mijn vak niet versta?'

Een korte, blaffende lach. 'Helemaal niet.'

'Mooi zo.' Rebus liep hem weer voorbij. Hij zag al waar hij heen moest. Geüniformeerde wachtposten die over de borstwering naar beneden stonden te turen. Een groepje oudere, gedistingeerd uitziende mannen in smoking dat in de buurt sigaren stond te roken.

'Is hij hier gevallen?' vroeg Rebus aan de wachtposten. Hij had zijn legitimatie opengeklapt, maar besloot zichzelf niet voor te stellen als politieman.

'Hier ergens, ja,' zei iemand.

'Heeft iemand het gezien?'

Er werden hoofden geschud. 'Eerder vandaag was er al een incident,' zei dezelfde soldaat. 'Een idioot die vast kwam te zitten. We zijn gewaarschuwd dat er misschien meer naar boven zouden proberen te klimmen.'

'En?'

'En Andrews dacht dat hij iets zag aan de andere kant.'

'Ik zei dat ik het niet zeker wist,' verdedigde Andrews zich.

'Dus stoven jullie meteen allemaal naar de andere kant van het kasteel?' Rebus deed of hij van schrik zijn adem inhield. 'Vroeger noemden ze dat "je post verlaten".'

'Inspecteur Rebus heeft hier geen bevoegdheid,' zei Steelforth tegen het groepje.

'En dát gold dan als hoogverraad,' zei Rebus vermanend.

'Weten we al wie we missen?' vroeg een van de oudere mannen.

Rebus hoorde nog een auto vertrekken. De koplampen lieten woeste schaduwen op de muur dansen. 'Moeilijk te zeggen, als iedereen meteen de benen neemt,' zei hij kalm.

'Niemand "neemt de benen",' snauwde Steelforth.

'Ze hebben zeker allemaal dringende afspraken?' opperde Rebus.

'Deze mensen hebben het razend druk, inspecteur. Er worden besluiten genomen die de toekomst van de wereld kunnen bepalen.'

'Dat verandert niks aan wat er met die arme drommel beneden is gebeurd.' Rebus knikte in de richting van de borstwering, en draaide zich naar Steelforth toe. 'Wat was hier vanavond gaande, commandant?'

'Openingsdiner. Allemaal met het oog op de ratificatie.'

'Goed nieuws voor de rat. Wie waren de gasten?'

'Deelnemers aan de G8. Ministers, beveiligingspersoneel, hoge ambtenaren.'

'Geen kwestie van een pizza en een paar blikjes bier, dus.'

'Er wordt een hoop werk verzet op dit soort gelegenheden.'

Rebus tuurde over de rand. Hij hield niet zo van hoogtes en bleef niet lang kijken. 'Ik zie geen donder,' zei hij.

'We hebben hem gehoord,' zei een van de soldaten.

'Wat heb je precies gehoord?' vroeg Rebus.

'De gil toen hij viel.' Hij zocht met zijn ogen bevestiging bij zijn kameraden. Een van hen knikte.

'Hij leek te gillen tot hij neerkwam,' zei hij huiverend.

'Misschien wil dat wel zeggen dat het geen zelfmoord was,' speculeerde Rebus. 'Wat denkt u, commandant?'

'Ik denk niet dat u hier iets wijzer zult worden, inspecteur. En ik vind het nogal vreemd dat u telkens opduikt zodra zich ergens slecht nieuws aandient.'

'Grappig, dat dacht ik nou ook net,' zei Rebus, en zijn ogen boorden zich in die van Steelforth, 'over u...'

Het park was doorzocht door agenten in gele jassen die weggeroepen waren van de wegversperringen. Met hun zaklantaarns hadden ze de man al snel gevonden. Het ambulancepersoneel had hem doodverklaard, maar daar hoefde je geen expert voor te zijn. De hals in een onnatuurlijke hoek gedraaid, één been dubbelgevouwen door de klap, bloed dat uit de schedel sijpelde. Hij had in zijn val een schoen verloren en zijn shirt was opengescheurd, waarschijnlijk door een uitstekende rotspunt. De technische recherche had één man gestuurd, die het lichaam stond te fotograferen.

'Wedje leggen over de doodsoorzaak?' vroeg hij aan Rebus.

'Geen sprake van, Tam.' Zo'n weddenschap had Tam al in vijftig, zestig zaken niet verloren.

'Gesprongen of geduwd, dat vraag je je af.'

'Je kunt gedachten lezen, Tam. Lees je ook handen?'

'Nee, maar ik maak er wel foto's van.' Om zijn woorden kracht bij te zetten maakte hij een close-up van een hand van het slachtoffer. 'Schrammen en wonden kunnen heel nuttig zijn, John. Weet je waarom?'

'Verras me eens.'

'Als hij geduwd is, heeft hij nog naar houvast gezocht, naar de rotsen gegraaid.'

'Vertel me eens iets wat ik nog niet weet.'

De fotograaf drukte weer af. 'Hij heet Ben Webster.' Hij draaide zijn hoofd om te zien hoe Rebus reageerde en leek tevreden met het resultaat. 'Ik herken zijn gezicht – wat ervan over is.'

'Ken je hem?'

'Ik weet wie hij is. Parlementslid uit Dundee.'

'Het Schotse parlement?'

Tam schudde zijn hoofd. 'Londen. Hij deed iets met internationale ontwikkeling – zo ken ik hem tenminste.'

'Tam...' Rebus klonk geïrriteerd. 'Hoe weet je dit in godsnaam allemaal?'

'Je moet de politiek beter volgen, John. Daar worden de beslissingen genomen. En hij heeft toevallig dezelfde naam als mijn favoriete saxofonist.'

Rebus klauterde de helling weer op. Het lichaam was geland op een richel een meter of vijf boven een van de smalle paadjes aan de voet van de vulkanische heuvel. Steelforth stond op het pad in zijn mobiel te praten. Hij klapte het toestel dicht toen Rebus naar hem toe kwam.

'Weet u nog hoe we de minister van Buitenlandse Zaken zagen wegrijden in zijn ministersauto?' zei Rebus. 'Vreemd dat hij een van zijn eigen mensen zomaar achterliet.'

'Ben Webster,' zei Steelforth. 'Het kasteel belde net. Hij is de enige die ze missen.'

'Internationale Ontwikkeling.'

'U bent goed op de hoogte, inspecteur.' Steelforth liet zijn ogen nog eens over hem glijden. 'Misschien heb ik u verkeerd ingeschat. Maar Internationale Ontwikkeling valt niet onder Buitenlandse Zaken. Webster was parlementair woordvoerder.'

'Wat houdt dat in?'

'De rechterhand van de minister in het parlement.'

'Sorry dat ik zulke domme vragen stel.'

'Welnee, ik ben nog steeds onder de indruk.'

'Is dit het punt waarop u me een aanbod doet om van me af te komen?'

Steelforth glimlachte. 'Dat is meestal niet nodig.'

'In mijn geval misschien wel.'

Maar Steelforth schudde zijn hoofd. 'Ik betwijfel of u op die manier in te palmen bent. Maar we weten allebei dat deze zaak u binnen een paar uur uit handen wordt genomen, dus waarom zou u nog moeite doen? Vechters zoals u weten meestal wanneer het tijd is om je rust te pakken en bij te tanken.'

'Nodigt u me uit op het kasteel voor een glaasje port en een sigaar?'

'Ik geef u slechts de waarheid zoals ik die zie.'

Rebus zag onder aan de heuvel nog een auto stoppen. Die zou wel van het mortuarium komen, om het lijk op te halen. Weer een klus voor professor Gates en zijn mensen.

'Weet u wat u eigenlijk dwarszit, volgens mij?' Steelforth was een stap dichterbij gekomen. Zijn telefoon ging over maar hij besloot hem niet op te nemen. 'U beschouwt dit als een invasie. Edinburgh is úw stad, en u zou het liefst zien dat wij allemaal weer oprotten. Daar komt het toch op neer?'

'Min of meer,' wilde Rebus wel toegeven.

'Over een paar dagen is het allemaal weer voorbij, als een nare droom. Maar tot die tijd...' Zijn lippen raakten Rebus' oor bijna aan. '... hebt u het er maar mee te doen,' fluisterde hij, en liep weg.

'Sympathieke kerel,' merkte Tam op. Rebus draaide zich om. 'Hoe lang sta jij daar al?'

'Net.'

'Heb je nog wat voor me?'

'De lijkschouwer kan je straks alles vertellen.'

Rebus knikte langzaam. 'Evengoed...'

'Niks wat erop wijst dat hij niet gewoon gesprongen is.'

'Hij gilde tot hij de grond raakte. Zou je dat doen als je zelfmoord pleegt?'

'Ik wel, maar ik heb hoogtevrees.'

Rebus wreef met zijn hand over zijn kaak. Hij keek omhoog naar het kasteel. 'Dus hij is gevallen of gesprongen.'

'Of hij kreeg een onverwachte duw,' voegde Tam eraan toe. 'Geen tijd meer om zich aan wat dan ook vast te klampen.'

'Bedankt.'

'Misschien dat er tijdens het diner doedelzak werd gespeeld. Dat kan een mens tot wanhoopsdaden drijven.'

'Je bent een jazz-snob.'

'Ik zou niet anders willen.'

'Geen briefje in zijn zak?'

Tam schudde zijn hoofd. 'Maar ik overwoog nog wel om je dit te geven.' Hij had een kartonnen kaarthoudertje in zijn hand. 'Hij sliep blijkbaar in het Balmoral.'

'Chic.' Rebus opende het kaarthoudertje en zag de plastic sleutelkaart. Hij vouwde het weer dicht en bekeek Ben Websters handtekening en kamernummer.

'Misschien ligt daar een vaarwel-wrede-wereldbriefje,' zei Tam.

'Daar kom ik maar op één manier achter.' Rebus liet de sleutelkaart in zijn zak glijden. 'Bedankt.'

'Maar jij hebt hem zelf gevonden, hoor. Ik wil er geen gedonder mee krijgen.'

'Snap ik.' De twee mannen stonden nog even zwijgend bij elkaar. Een paar oude rotten die in dit werk alles al hadden gezien. Toen kwamen de mannen van het mortuarium, een van de twee met een lijkzak over zijn arm.

'Mooie avond om te werken,' zei hij. 'Ben jij klaar, Tam?'

'De dokter is er nog niet.'

De mortuariummedewerker keek op zijn horloge. 'Zou het lang duren?'

Tam haalde zijn schouders op. 'Hangt ervan af wie de ongelukkige is.'

De ander blies zijn wangen even bol. 'Wordt een lange nacht,' zei hij.

'Zeg dat wel,' viel zijn collega hem bij.

'Wist je dat we een paar lijken uit het mortuarium hebben moeten weghalen?'

'Hoezo dat?' vroeg Rebus.

'Voor het geval die manifestaties en protestmarsen uit de hand lopen.'

'De rechtbanken en cellen zijn er ook voor vrijgehouden,' zei Tam.

'En alle EHBO-diensten in staat van paraatheid.'

'Als je jullie hoort, is het net *Apocalypse Now*,' zei Rebus. Zijn mobiel ging en hij liep een eindje bij hen vandaan. Siobhan, stond op het schermpje.

'Zeg het 's.'

'Ik ben wel toe aan een borrel,' legde ze uit.

'Ruzie met de oudjes?'

'Mijn auto is gemolesteerd.'

'Heb je ze betrapt?'

'In zekere zin. Zullen we naar de Oxford Bar?'

'Klinkt verleidelijk, maar ik ben met iets bezig. Ik heb wel een ander idee...'

'Wat dan?'

'We kunnen afspreken in het Balmoral.'

'Heb je geld te veel?'

'Dat mag jij beslissen.'

'Twintig minuten?'

'Prima.' Hij klapte het toestel dicht.

'Tragische familie,' mijmerde Tam.

'Welke familie?'

Tam knikte in de richting van het lijk. 'Zijn moeder is een paar jaar geleden omgekomen bij een inbraak.' Hij zweeg even. 'Zou zoiets niet de hele tijd aan je blijven vreten?'

'Dan is er maar net een trigger nodig...' zei een van de mortuariummedewerkers. Iedereen, dacht Rebus. Iedereen was tegenwoordig psycholoog.

Hij liet zijn auto staan en ging te voet. Dat was sneller dan weer met de auto door al die versperringen te moeten. In een paar minuten was hij bij Waverley Station. Een paar onfortuinlijke toeristen waren net aangekomen. Geen taxi te krijgen, en daar stonden ze bij de hekken, verweesd en verwonderd. Hij slalomde eromheen, liep Princes Street in en stond bij het Balmoral Hotel. Sommigen noemden het nog steeds het North British, al was de naam al een paar jaar veranderd. De grote verlichte torenklok liep nog steeds een paar minuten voor, opdat treinpassagiers hun trein niet zouden missen. Een geüniformeerde portier liet Rebus binnen, waar een oplettende kruier meteen zag dat hij hier niet hoorde en op hem af kwam.

'Waar kan ik u mee van dienst zijn, meneer?'

Rebus hield zijn legitimatie in zijn ene en de sleutelkaart in de andere hand. 'Ik moet deze kamer even bekijken.'

'Waarom, inspecteur?'

'Uw gast lijkt vertrokken te zijn.'

'Dat is vervelend.'

'Iemand anders zal de rekening wel betalen, hoor. Dat zou ik eigenlijk ook graag uitgezocht zien.'

'Ik moet het even aan de *duty manager* vragen.'

'Prima. Dan ga ik vast naar boven...' Hij zwaaide met de sleutelkaart.

'Dat moet ik helaas ook eerst even vragen.'

Rebus deed een stap achteruit om zijn tegenstrever eens goed op te nemen. 'Hoe lang gaat dat duren?'

'Ik moet alleen de duty manager even opsporen... paar minuutjes.' Rebus liep achter hem aan naar de receptiebalie. 'Sara, is Angela hier ergens?'

'Ik geloof dat ze naar boven is, ik piep haar wel op.'

'Dan kijk ik even in het kantoor,' zei de kruier tegen Rebus, en hij liep weg. Rebus keek toe hoe het meisje achter de balie een nummer intoetste op de telefoon en de hoorn weer teruglegde. Ze keek naar hem en glimlachte. Ze was benieuwd wat er aan de hand was.

'Er is een gast omgekomen,' kwam Rebus haar tegemoet.

Ze sperde haar ogen open. 'Wat vreselijk.'

'Meneer Webster, kamer 214. Verbleef hij hier alleen?'

Haar vingers vlogen over het toetsenbord. 'Tweepersoonskamer, maar slechts één sleutel. Ik herinner me hem niet meteen...'

'Staat zijn adres erbij?'

'Londen,' zei ze.

Rebus vermoedde dat dat zijn doordeweekse pied-à-terre was. Hij leunde over de balie en deed zijn best om terloops te klinken, hij wist niet hoeveel vragen hij nog kon riskeren. 'Betaalde hij met een creditcard, Sara?'

Ze tuurde naar het scherm. 'Alles op rekening van –' Ze viel stil omdat ze de kruier zag terugkomen.

'Van...?' drong Rebus aan.

'Inspecteur,' riep de kruier, die voelde dat Rebus iets in zijn schild voerde.

Sara's telefoon ging over. Ze nam op. 'Receptie,' schetterde ze. 'O, hallo Angela. Er is hier weer iemand van de politie...'

Weer iemand?

'Kom jij hierheen of moet ik hem naar boven sturen?'

De kruier stond inmiddels achter Rebus. 'Ik neem de inspecteur wel mee naar boven,' zei hij tegen Sara.

Weer iemand van de politie... naar boven... Foute boel. Toen het belletje van de lift klonk, draaide hij zich om. Hij zag David Steelforth eruit komen. Er speelde een flauwe glimlach om zijn lippen en hij schudde zijn hoofd. De boodschap was overduidelijk: zet kamer 214 maar uit je hoofd, makker. Rebus draaide zich om, pakte het computerscherm en draaide het naar zich toe. De kruier klemde zijn arm vast. Sara slaakte een gil in de telefoonhoorn, zodat haar duty manager nu waarschijnlijk aan één oor doof was. Steelforth liep snel op de schermutseling af.

'Dit kunt u echt niet maken,' bitste de kruier. Zijn greep was stevig als een bankschroef. Deze kerel weet wat knokken is, dacht Rebus. Hij besloot het er niet op aan te laten komen en liet de monitor los. Sara draaide hem terug.

'Je mag me weer loslaten,' zei Rebus. Dat deed de man. Sara keek hem geschokt aan, de telefoonhoorn nog in haar hand. Rebus draaide zich naar Steelforth.

'U gaat me vertellen dat ik niet in kamer 214 mag kijken.'

'Helemaal niet.' Steelforths glimlach werd breder. 'Dat zal de duty manager wel zeggen, dat is tenslotte haar werk.'

Alsof het afgesproken werk was, hield Sara de telefoon weer aan haar oor. 'Ze komt eraan,' zei ze.

'Dat geloof ik graag.' Rebus had zijn ogen nog steeds op Steelforth gericht, maar achter hem doemde een andere gestalte op: Siobhan. 'Is de bar nog open?' vroeg Rebus aan de portier. Die had liever nee gezegd, maar dat zou al te doorzichtig zijn. Hij knikte alleen even.

'Ik vraag u niet om een glas mee te drinken,' zei Rebus tegen Steelforth. Hij schoof voor de twee mannen langs en besteeg de treden naar de Palmentuin. Daar wachtte hij bij de bar tot Siobhan bij hem was. Toen haalde hij diep adem en voelde in zijn jaszak naar zijn sigaretten.

'Aanvarinkje met het management?' vroeg Siobhan.

'Zag je onze vriend van SO12?'

'De veiligheidsdienst verwent zijn mensen.'

'Ik weet niet of hij hier logeert, maar ene Ben Webster wel.'

'Die Labour-parlementariër?'

'Klopt.'

'Ik voel dat hier een verhaal achter zit.' Ze liet haar schouders een beetje hangen, en Rebus herinnerde zich dat zij deze avond ook nogal wat beleefd had.

'Jij eerst,' zei hij. De barman had zoutjes voor hen neergezet. 'Highland Park voor mij,' zei Rebus tegen hem. 'Wodka-tonic voor de dame.' Siobhan knikte. Toen de barman zich omdraaide pakte Rebus een papieren servet. Hij nam een pen uit zijn zak en schreef iets op. Siobhan draaide haar hoofd om mee te kunnen lezen.

'Wat is Pennen Industries?'

'Wat het ook is, ze hebben een hoop geld en een postcode in Londen.' Rebus zag uit zijn ooghoek dat Steelforth in de deuropening stond te kijken. Hij zwaaide even met het servet voordat hij hem opvouwde en in zijn zak stak.

'Wie heeft je auto te grazen genomen? De vredesbeweging, Greenpeace, Stop the War?'

'Niddrie,' zei Siobhan. 'Of om precies te zijn: de jeugd van Niddrie.'

'Kunnen we de G8 overhalen om ze als terroristen te bestempelen?'

'Een paar duizend mariniers en we zijn van alle problemen af.'

'Helaas is er in Niddrie nog geen olie gevonden.' Rebus' hand ging naar het whiskyglas. Hij trilde een beetje, nauwelijks waarneembaar. Hij proostte op Siobhan, de G8, en de mariniers... hij zou ook op Steelforth hebben getoost.

Als de deuropening niet leeg was geweest.

Zaterdag 2 juli

3

Rebus werd wakker van het daglicht en besefte dat hij de gordijnen niet had dichtgetrokken. Op tv was het ochtendjournaal te
zien. Het leek vooral over het concert in Hyde Park te gaan. De
organisatoren werden geïnterviewd. Geen woord over Edinburgh.
Hij zette het toestel uit en liep de slaapkamer in. Deed zijn kleren van de vorige dag uit en trok een shirt met korte mouwen en
een katoenen broek aan. Gooide wat water in zijn gezicht, bekeek het resultaat en besloot dat er meer nodig was. Hij pakte
zijn sleutels en zijn mobiel – hij had hem 's nachts aan de oplader gelegd, zo dronken kon hij dus niet zijn geweest – en liep zijn
appartement uit. Twee trappen af naar de voordeur van het gebouw. Zijn buurt, Marchmont, was een studentenwijk, met als
voordeel dat het er 's zomers lekker stil was. Eind juni had hij ze
zien vertrekken, auto's volladend die van henzelf of van hun ouders waren, dekbedden tussen de rest van de bagage gepropt. Het
einde van de tentamenperiode was uitbundig gevierd, zodat Rebus tweemaal verkeerspylonen van het dak van zijn auto had moeten plukken. Nu stond hij op de stoep, snoof op wat er nog van
de nachtkoelte resteerde en liep naar Marchmont Road, waar de
kiosk net opening. Een paar bussen reden langzaam voorbij. Die
zijn zeker verdwaald, dacht Rebus eerst, tot hij zich herinnerde
wat er te gebeuren stond. Toen hoorde hij het ook: gehamer van
timmerlieden, de PA die werd getest. Hij betaalde de winkelier en
draaide de dop van zijn fles Irn-Bru. In één teug leeg. Geen probleem, hij had er voor de zekerheid nog een gekocht. Hij pelde
de banaan en at hem onder het lopen op. Niet meteen terug naar
huis, maar naar het eind van Marchmont Road, waar hij uitkwam
op de Meadows. Eeuwen geleden was dat park weiland aan de
rand van de stad geweest. En Marchmont was in die tijd niet veel
meer dan een boerderij. Tegenwoordig werd in het park gevoet-
bald en gecricket, gejogd en gepicknickt.

Maar vandaag niet.

De weg die het park doorsneed was afgezet, en een belangrijke verkeersader was zo veranderd in één grote parkeerplaats voor bussen. Er stonden tientallen touringcars, tot aan de bocht in de weg en nog verder, hier en daar drie rijen dik. Ze kwamen uit Derby en Macclesfield en Hull, Swansea en Ripon, Carlisle en Epping. En uit die bussen stroomde een massa in het wit geklede mensen. Witte kleding: Rebus herinnerde zich dat iedereen was gevraagd om in het wit te komen. Zo zou de protestmars als een lang wit lint door de stad trekken. Hij keek even naar zijn kleren: geelbruine broek, lichtblauw shirt.

Godzijdank.

Veel van de busreizigers zagen er oud uit, sommigen zelfs nogal breekbaar. Maar allemaal droegen ze polsbandjes en T-shirts met opdruk. Sommigen hadden zelfgemaakte spandoeken bij zich. Ze leken dolblij om hier te zijn. Op het gras stonden partytenten. Er arriveerden wagens om de hongerigen te spijzen met patat en vegetarische burgers. Er waren podia gebouwd, en naast een reeks hijskranen lagen grote houten legpuzzelstukken. Het duurde maar een paar seconden voor Rebus zag dat ze de woorden HELP ARMOEDE DE WERELD UIT vormden. Er liepen agenten in uniform rond, maar niemand die Rebus kende; waarschijnlijk geen mensen van hier. Hij keek op zijn horloge. Het was net negen uur, nog drie uur tot het begon. Bijna geen wolkje aan de lucht. Een politiebusje besloot een stuk af te snijden over het trottoir en dwong Rebus het gras op. Rebus wierp een boze blik naar de chauffeur, en die keek terug. Het zijraam ging open.

'Problemen, opa?'

Rebus stak zijn middelvinger omhoog, in de hoop dat hij zou stoppen. Dan konden ze even fijn met elkaar babbelen. Maar de chauffeur dacht er anders over en reed door. Rebus had zijn banaan op en overwoog de schil op de grond te gooien, maar bedacht dat hij dan waarschijnlijk de milieupolitie op zijn dak kreeg. Hij liep naar een vuilnisbak.

'Alsjeblieft,' zei een jonge vrouw, en ze gaf hem een plastic tas. Rebus keek er even in: een paar stickers en een T-shirt met HELP DE OUDEREN.

'Wat moet ik daar in godsnaam mee?' gromde hij. Ze nam het weer van hem aan en probeerde manmoedig te blijven glimlachen.

Hij liep weg en opende zijn tweede fles Irn-Bru. Zijn hoofd voelde niet meer zo stroperig, maar het zweet stond op zijn rug. Aan de rand van zijn bewustzijn stond al de hele tijd een herin-

nering te dringen, en nu wist hij waaraan: Mickey en hij, op uitstapjes met de zondagschool naar Burntisland. Ze gingen met een
bus, serpentines uit het raam. Hele rijen bussen stonden dan te
wachten om ze weer naar huis te brengen na de picknick en de
hardloopwedstrijden op het gras. Wedstrijden die Mickey altijd
van hem wist te winnen, zodat Rebus op den duur de strijd had
opgegeven: zijn enige wapen tegen de verbeten wedstrijdmentali-
teit van zijn broer. Witte kartonnen dozen met hun lunch: boterham met jam; glacékoek; soms een hardgekookt ei.

Dat ei aten ze nooit op.

Zomerweekenden die eindeloos en eeuwig hetzelfde leken. Tegenwoordig had Rebus een hekel aan weekenden. Hij had er een
hekel aan dat hij nooit iets beleefde. Voor hem was de maandagochtend een bevrijding, verlossing van de sofa en de barkruk, de
supermarkt en de Indiër. Zijn collega's kwamen op het werk met
verhalen over winkelen, voetbalwedstrijden, fietstochtjes met het
gezin. Siobhan was naar Glasgow of Dundee geweest, ze had afgesproken met vriendinnen en bijgepraat. Filmpje gepikt, langs
de Water of Leith gewandeld. Aan Rebus vroeg niemand meer
hoe hij het weekend had doorgebracht. Ze wisten dat hij dan alleen zwijgend zijn schouders ophaalde.

Niemand neemt het je kwalijk als je er nu je gemak van neemt...

Maar hij had geen tijd om het ervan te nemen. Zonder zijn
werk bestond hij bijna niet. Dus toetste hij een nummer in op zijn
telefoon en wachtte: voicemail.

'Goeiemorgen, Ray,' sprak hij in. 'Dit is je persoonlijke wek-
ker. Ik blijf om het uur bellen tot ik iets te horen krijg. Tot snel.'
Hij hing op en belde meteen nog een nummer, sprak dezelfde
boodschap in op Ray Duffs antwoordapparaat thuis. Dat was ge-
regeld, nu kon hij alleen nog maar wachten. Live 8 zou beginnen
om een uur of twee, maar hij dacht niet dat The Who of Pink
Floyd voor de avond zouden aantreden. Tijd genoeg om de aantekeningen van de zaak-Colliar nog eens door te nemen. Tijd om
nader onderzoek te doen naar Ben Webster. De zaterdag voor zich
uit te duwen tot het vanzelf zondag werd.

Dit weekend zou hij ook wel overleven, dacht Rebus.

Toen hij Inlichtingen belde om informatie over Pennen Industries,
leverde dat alleen een telefoonnummer en een adres in het centrum van Londen op. Rebus belde meteen, maar kreeg een auto-
matisch bericht dat het bedrijf maandagochtend weer bereikbaar
was. Er moest meer informatie te vinden zijn, dus belde hij het

hoofdkwartier van Operatie Sorbus in Glenrothes.

'Met de recherche, B-Division in Edinburgh.' Hij liep door zijn woonkamer en keek uit het raam. Op straat liep een gezin richting de Meadows, de kinderen met beschilderde gezichten. 'We horen hier geruchten over de Clown Army. Het schijnt dat ze een of ander bedrijf op de korrel willen nemen...' Hij zweeg even voor het effect, alsof hij de naam moest oplezen. 'Pennen Industries. Hebben wij nog nooit van gehoord, dus we vroegen ons af of jullie experts er wat licht op kunnen werpen.'

'Pennen?'

Rebus spelde het.

'En u bent...?'

'Inspecteur Starr... Derek Starr,' zei Rebus monter. Je kon nooit weten of Steelforth hierover werd ingelicht.

'Geef me tien minuten.'

Rebus wilde hem bedanken, maar er was al opgehangen. Het was een man geweest, met op de achtergrond het geroezemoes van een druk commandocentrum. Hij realiseerde zich dat de man niet naar zijn nummer hoefde te vragen... dat stond waarschijnlijk op zijn display, dat was bekend.

En traceerbaar.

'Oeps,' zei hij zachtjes, en liep naar de keuken om koffie te maken. Hij kon zich nog herinneren dat Siobhan in het Balmoral was vertrokken na twee drankjes. Zelf had hij er nog een besteld, waarna hij aan de overkant in het Café Royal een laatste afzakkertje had genomen. Azijngeur aan zijn vingers vanochtend, dus onderweg naar huis had hij patat gegeten. Ja: de taxichauffeur had hem afgezet aan het eind van de Meadows, en Rebus had gezegd dat hij wel te voet verder ging. Hij overwoog even om Siobhan te bellen en te vragen of ze veilig was thuisgekomen. Maar dat ergerde haar altijd. Zij was waarschijnlijk al de deur uit, onderweg naar haar ouders in de demonstratie. Ze wilde Eddie Izzard en Gael Garcia Bernal zien. Er waren nog meer grote namen die toespraken kwamen afsteken: Bianca Jagger, Sharleen Spiteri... Als je Siobhan erover hoorde, klonk het een beetje als een kermis. Hij hoopte dat ze gelijk kreeg.

Ze moest ook nog haar auto naar de garage brengen, kijken wat de schade was. Rebus kende Tench, hij had althans over hem gehoord. Een soort lekenpriester, vroeger stond hij onder aan de Mound het winkelend publiek toe te spreken. Rebus had hem dan zien staan als hij in de lunchpauze naar de Ox ging. In Niddrie stond hij goed aangeschreven; hij wist voor de ontwikkeling van de wijk geld los te peuteren bij de gemeente, bij liefdadigheidsorganisaties en zelfs bij de EU. Dat had Rebus aan Siobhan verteld, en toen had hij haar het nummer van een carrosseriebedrijf bij Buccleuch Street gegeven. Die kerel was eigenlijk gespecialiseerd in Volkswagens, maar hij stond bij Rebus in het krijt.

Zijn telefoon ging. Hij liep met zijn koffie naar de woonkamer en nam op.

'U bent niet op het bureau,' zei dezelfde stem in Glenrothes aftastend.

'Ik zit thuis.' Hij hoorde buiten een helikopter overvliegen. Misschien van de politie; misschien van de media. Of was het Bono die met een parachutesprong zijn boodschap aan de mensheid kwam brengen?

'Pennen Industries heeft geen vestigingen in Schotland,' zei de stem.

'Dan hoeven we dus niet bang te zijn,' antwoordde Rebus, en hij deed zijn best om argeloos te klinken. 'De geruchtenmolen draait natuurlijk op volle toeren. Net als wijzelf.' Hij lachte en wilde nog een vraag stellen, maar dat hoefde niet eens.

'Ze werken voor Defensie, dus er kan best iets waar zijn van die geruchten.'

'Defensie?'

'Het is ooit een onderdeel van het ministerie geweest. Paar jaar geleden geprivatiseerd.'

'O, nu weet ik het weer,' huichelde Rebus. 'In Londen, hè?'

'Inderdaad. Het punt is... hun directeur is momenteel hier.'

Rebus floot tussen zijn tanden. 'Potentieel doelwit.'

'Hij zat al in de risicocategorie. Hij is gedekt.' De termen klonken een beetje onwennig uit de mond van de jonge agent. Rebus vermoedde dat hij ze nog maar onlangs had geleerd.

Misschien van Steelforth.

'Zit hij toevallig in het Balmoral?' vroeg Rebus.

'Hoe weet u dat?'

'Ook geruchten. Maar hij wordt beveiligd?'

'Ja.'

'Door zijn eigen mensen of die van ons?'

De agent zweeg even. 'Waarom wilt u dat weten?'

'Ik denk aan de belastingbetaler,' lachte Rebus. 'Zou het nodig zijn om hem te waarschuwen?' Advies vragen... alsof de ander zijn meerdere was.

'Ik kan de boodschap doorgeven.'

63

'Hoe langer hij in de stad is, hoe lastiger het wordt...' Rebus zweeg. 'Ik weet niet eens hoe hij heet,' gaf hij toe.

Ineens klonk er nog een andere stem op de lijn. 'Inspecteur Starr? Spreek ik met inspecteur Starr?'

Steelforth...

Rebus hield zijn adem even in.

'Hallo?' zei Steelforth. 'Wat zijn we ineens stil.'

Rebus hing op. Vloekte binnensmonds. Toetste een ander nummer in en werd verbonden met de telefoniste van de lokale krant.

'Mag ik de binnenlandredactie?'

'Ik weet niet of daar iemand is,' zei de telefoniste.

'En de nieuwsredactie?'

'Het is hier nogal uitgestorven, dat snapt u waarschijnlijk wel.' Ze klonk alsof ze zelf ook liever ergens anders was geweest, maar verbond hem toch door. Het duurde even voordat er iemand opnam.

'Met inspecteur Rebus van bureau Gayfield.'

'Altijd fijn om een dienaar der wet te spreken,' zei de verslaggever monter. 'Zowel officieel als officieus...'

'Ik heb niks te verkopen, knul. Ik wil Mairie Henderson spreken.'

'Die freelancet tegenwoordig. En ze valt onder de binnenlandredactie, niet onder nieuws.'

'Je had haar en Big Ger Cafferty anders wel pontificaal op de voorpagina.'

'Ik had er jaren geleden al aan gedacht...' De verslaggever klonk alsof hij ervoor ging zitten en zin had in een praatje. 'Maar dan niet alleen Cafferty. Interviews met alle gangsters, aan de oost- en westkust. Hoe ze begonnen zijn, hun erecodes...'

'Bedankt voor de informatie, maar zit ik ineens midden in een talkshow of zo?'

De verslaggever snoof verontwaardigd. 'Sorry dat ik vriendelijk probeer te doen, hoor.'

'Laat me raden: het is daar uitgestorven, hè? Ze zijn zeker allemaal de hort op met hun laptop om een elegant stuk proza te schrijven over de demonstratie? Maar weet je wat het is? Gisteravond is er een kerel van de borstwering van het kasteel gevallen, en daarover heb ik vanochtend niks in de krant gelezen.'

'We hoorden het te laat.' De verslaggever zweeg even. 'Het was toch ook gewoon zelfmoord?'

'Wat denk je zelf?'

'Ik vroeg het eerst.'

'Nee, ik was het eerst met mijn vraag. Het nummer van Mairie Henderson.'

'Waarom?'

'Als je me haar nummer geeft, vertel ik jou iets wat ik haar niet ga vertellen.'

De verslaggever dacht een ogenblik na en vroeg Rebus toen om te blijven hangen. Een halve minuut later was hij terug. Ondertussen had op de lijn een piepje geklonken, ten teken dat iemand anders hem probeerde te bellen. Hij negeerde het en schreef het nummer op dat hij van de verslaggever kreeg.

'Bedankt.'

'En mijn traktatie?'

'Denk hier eens over na: als het gewoon zelfmoord is, waarom bemoeit een eikel van de Special Branch, ene Steelforth, zich er dan tegenaan?'

'Steelforth? Hoe spel je –'

Maar Rebus had al opgehangen. Zijn telefoon ging meteen over. Hij nam niet op; hij had wel zo'n vermoeden wie het was. Operatie Sorbus had zijn nummer; binnen een minuut kon Steelforth te weten komen welk adres daarbij hoorde. Nog een minuut om Derek Starr te bellen en vast te stellen dat die van niets wist.

Trrrrring-trrrrring-trrrring.

Rebus zette de tv weer aan en schakelde het geluid uit. Geen nieuws, alleen kinderprogramma's en videoclips. De helikopter cirkelde weer rond. Hij controleerde even of het niet boven zijn woning was.

'Omdat je nou toevallig paranoïde bent, wil dat nog niet zeggen...' mompelde hij in zichzelf. Zijn telefoon ging niet meer over. Hij belde Mairie Henderson. Een paar jaar geleden waren ze goed bevriend geweest; hij kreeg tips van haar in ruil voor verhalen. En toen had ze ineens een boek over Cafferty geschreven – met medewerking van de gangster zelf. Ze had Rebus ook om een interview gevraagd, maar dat had hij geweigerd. Later had ze het nog eens gevraagd.

'Zoals Big Ger over jou praat...' had ze hem proberen te paaien. 'Ik vind echt dat je jouw kant van het verhaal moet laten horen.'

Daar dacht Rebus heel anders over.

Maar het boek was een groot succes geweest, tot ver buiten Schotland: de vs, Canada, Australië. Vertaald in zestien talen. Een tijdlang kon hij geen krant openslaan zonder er iets over te lezen. Het had een paar prijzen gewonnen; was ter sprake gekomen in talkshows op tv. Het was nog niet genoeg dat Cafferty zijn leven lang mensen en hele wijken te gronde had gericht, geterroriseerd... Nu was hij ook nog een regelrechte beroemdheid.

Ze had Rebus het boek opgestuurd, maar hij stuurde het per kerende post terug. Twee weken later had hij het zelf gekocht – in de opruiming op Princes Street. Hij had er even doorheen gebladerd, maar had geen zin om het helemaal te lezen. Niets was zo om te kotsen als een berouwvolle crimineel...

'Hallo?'

'Mairie, met John Rebus.'

'Sorry, de enige Rebus die ik ken is dood.'

'Dat is niet aardig.'

'Je hebt mijn boek teruggestuurd! En ik had het speciaal voor je gesigneerd.'

'Gesigneerd?'

'Heb je de opdracht niet eens gelezen die ik erin geschreven had?'

'Wat stond er dan?'

'Er stond: "Ik weet niet wat je wil, maar je kan de pot op."'

'Sorry, Mairie. Ik wil het goedmaken.'

'Door me om een gunst te vragen?'

'Hoe raad je het zo?' Hij glimlachte naar de hoorn. 'Ga je naar de demonstratie?'

'Overweeg ik nog.'

'Krijg je een tofoeburger van me.'

Ze snoof even. 'Zó goedkoop laat ik me allang niet meer lijmen.'

'Kop décaf erbij...'

'Wat wil je nou van me, John?' De woorden bleven ijzig, maar de stem ontdooide een beetje.

'Informatie over een bedrijf, Pennen Industries. Vroeger een onderdeel van het ministerie van Defensie. Volgens mij zijn ze nu in de stad.'

'En waarom zou mij dat interesseren?'

'Jou interesseert het niet, maar mij wel...' Hij zweeg even om een sigaret op te steken; blies de rook uit toen hij verder ging: 'Heb je al gehoord over Cafferty's makker?'

'Welke?' Ze probeerde onverschillig te klinken.

'Cyril Colliar. Dat ontbrekende stukje stof uit zijn jas is opgedoken.'

'Met een bekentenis van Cafferty erop? Hij zei al tegen me dat jij het niet zou opgeven.'

'Ik dacht, ik geef het even door. Niemand weet er nog van.'

Ze zweeg even. 'En Pennen Industries?'

'Dat is een heel andere zaak. Al gehoord over Ben Webster?'

'Het was op het nieuws.'

'Pennen betaalde zijn kamer in het Balmoral.'

'Nou en?'

'Ik wil gewoon wat meer over ze weten.'

'De directeur heet Richard Pennen.' Ze lachte, voelde zijn verbazing aan. 'Ooit van Google gehoord?'

'Dat heb je gedaan terwijl wij aan het praten waren?'

'Heb je wel een computer thuis?'

'Ik heb een laptop gekocht.'

'Dus je hebt internet?'

'Theoretisch,' bekende hij. 'Maar ik kan heel goed mijnenvegen...'

Ze lachte weer, en hij wist dat het wel weer goed kwam tussen hen. Hij hoorde gesis op de achtergrond, gerinkel van kopjes.

'In welke koffieshop zit je?' vroeg hij.

'Montpelier's. Buiten lopen allemaal mensen in het wit.'

Montpelier's was in Bruntsfield; vijf minuten met de auto. 'Als ik je koffie nou kom betalen? Kun jij me uitleggen hoe mijn laptop werkt.'

'Ik ga net weg. Wil je afspreken in de Meadows?'

'Niet echt. Een borrel ergens?'

'Misschien. Ik zal zien wat ik over Pennen kan vinden, ik bel wel als ik klaar ben.'

'Je bent geweldig, Mairie.'

'En een bestsellerauteur ook nog.' Ze zweeg even. 'Cafferty heeft zijn deel aan een goed doel geschonken.'

'Hij kan het zich veroorloven. Ik spreek je nog.' Rebus hing op en luisterde zijn voicemail af. Eén bericht maar. Na tien woorden van Steelforth drukte Rebus hem weg. Het onvoltooide dreigement klonk nog na in zijn hoofd toen hij naar de stereo liep en de kamer vulde met het geluid van de Groundhogs...

Probeer mij geen loer te draaien, Rebus, want ik laat –

'... geen bot heel,' zei professor Gates. Hij haalde zijn schouders op. 'Kun je verwachten bij zo'n val.'

Hij was aan het werk omdat Ben Webster het nieuws had gehaald. Haastklus: iedereen wilde dit zo snel mogelijk afsluiten.

'Ze willen een braaf rapport dat het zelfmoord was,' zo had Gates het eerder geformuleerd. Hij had in de sectiekamer gezelschap gekregen van dr. Curt. De Schotse wet vereiste de aanwezigheid van een tweede lijkschouwer, om de uitslag te bevestigen. Dan kreeg je geen geharrewar in de rechtbank. Gates was de dikke van het stel: rood dooraderd gezicht, neus misvormd door strapatsen op het rugbyveld (volgens hem) of een onbesuisde knokpartij in zijn studententijd. Curt, slechts vier of vijf jaar jonger, was iets langer en een stuk magerder. Ze doceerden allebei aan de universiteit. Nu het semester erop zat, hadden ze allang naar de zon kunnen vliegen, maar bij Rebus' weten had geen van de twee ooit vakantie genomen. Beiden zouden het beschouwen als een teken van zwakte.

'Moet je niet demonstreren, John?' vroeg Curt. Ze stonden gedrieën rond een stalen snijtafel in het mortuarium in de Cowgate. Achter hen was een assistent in de weer met pannen en instrumenten, wat gepaard ging met veel gekletter en geschuur van metaal op metaal.

'Al dat tamme gedoe,' zei Rebus. 'Maandag, dan trek ik erop uit.'

'Samen met de andere anarchisten,' zei Gates, terwijl hij zijn scalpel in het lijk zette. Er was een aparte ruimte voor toeschouwers en normaal zou Rebus daar gebleven zijn, achter het plexiglas en op veilige afstand van dit ritueel. Maar 'omdat het weekend was', zo had Gates gezegd, konden ze zich 'een zekere mate van spontaniteit veroorloven'.

Rebus had wel eens eerder gezien hoe een mens er vanbinnen uitzag, maar toch wendde hij zijn blik af.

'Hoe oud was ie? Vier-, vijfendertig?' vroeg Gates.

'Vierendertig,' bevestigde de assistent.

'Dan was hij nog in goede conditie.'

'Zijn zus zei dat hij veel sportte: joggen, zwemmen, fitness.'

'Heeft zij hem geïdentificeerd?' vroeg Rebus, blij dat hij de assistent kon aankijken.

'De ouders zijn dood.'

'Stond toch in de krant?' zei Curt lijzig, terwijl hij het werk van zijn collega met argusogen volgde. 'Scalpel scherp genoeg, Sandy?'

Gates negeerde zijn vraag. 'Moeder vermoord bij een inbraak. Tragisch, hoor. De vader kon niet zonder haar.'

'Weggekwijnd, hè?' voegde Curt eraan toe. 'Zal ik het overnemen, Sandy? Ik kan me voorstellen dat je moe bent, na zo'n week...'

'Zit niet te zeuren.'

Curt zuchtte en haalde zijn schouders op, met een blik op Rebus.

'Is de zus uit Dundee gekomen?' vroeg die aan de assistent.

'Ze werkt in Londen. Bij de politie. Mooier dan de meeste agenten die ik ken.'

'Jij krijgt volgend jaar geen valentijnskaart,' repliceerde Rebus.

'Afgezien van jou, bedoelde ik natuurlijk.'

'Arme meid,' zei Curt. 'Je hele familie verliezen...'

'Hadden ze een hechte band?' Rebus kon zichzelf er niet van weerhouden die vraag te stellen. Gates vond het een vreemde vraag; hij keek op van zijn werk. Rebus negeerde hem.

'Ik had niet de indruk dat ze hem de laatste tijd vaak had gezien,' zei de assistent.

Net als Michael en ik...

'Maar ze was er goed kapot van.'

'Ze was toch niet helemaal in haar eentje hierheen gekomen?' vroeg Rebus.

'Er was niemand bij haar toen ze hem kwam identificeren,' zei de assistent droog. 'Ik heb haar naar de wachtruimte gebracht en een kop thee gegeven.'

'Is ze hier dan nog?' zei Gates bits.

De assistent keek om zich heen en begreep niet wat hij verkeerd had gedaan. 'Ik moest de instrumenten klaarleggen...'

'Het hele gebouw is uitgestorven,' blafte Gates. 'Ga kijken hoe het met haar gaat.'

'Ik ga wel,' zei Rebus.

Gates draaide zich naar hem, een hoop glimmende ingewanden in zijn handen. 'Wat is er, John? Last van je maag?'

In de wachtruimte was niemand. Een lege mok met het wapen van de Glasgow Rangers stond naast een stoel op de vloer. Rebus voelde eraan: nog warm. Hij liep naar de hoofdingang. Nietwerknemers betraden het gebouw via een ingang in een zijsteeg van de Cowgate. Rebus keek links en rechts maar zag niemand. Hij sloeg de hoek om, de Cowgate in, en zag haar op het lage muurtje voor het mortuarium zitten. Ze staarde naar de crèche aan de overkant. Rebus bleef voor haar staan.

'Heeft u een sigaret?' vroeg ze.

'Wil je er een?'

'Als ik dan toch een keer moet beginnen.'

'Je rookt dus niet?'

'Nou en?'

'Ik ga je niet op het slechte pad brengen.'

Nu keek ze hem pas aan. Ze had kort blond haar en een rond gezicht met een vooruitstekende kin. Een rok tot op de knieën, een centimeter of twee huid zichtbaar boven de bruine laarzen met bontranden. Naast haar op het muurtje stond een grote tas, waarschijnlijk met alles wat ze – snel, lukraak – had gepakt voordat ze zich hierheen had gehaast.

'Inspecteur Rebus,' zei hij. 'Gecondoleerd met je broer.'

Ze knikte langzaam en haar blik dwaalde weer naar de kinderopvang. 'Is die in bedrijf?' vroeg ze, met een gebaar naar de overkant.

'Voor zover ik weet wel. Vandaag is hij natuurlijk niet open...'

'Maar het is wel een kinderopvang.' Ze draaide zich om en keek naar het gebouw achter zich. 'Pal hiertegenover. Het is maar een korte reis, nietwaar, inspecteur Rebus?'

'Dat kan ik niet ontkennen. Het spijt me dat ik er niet was toen je hem kwam identificeren.'

'Hoezo? Kende u Ben?'

'Nee... Ik dacht gewoon... Hoe komt het dat er niemand meegekomen is?'

'Aan wie had u gedacht?'

'Iemand uit zijn kiesdistrict... uit de partij.'

'Dacht u dat Labour nu nog een reet om hem geeft?' Ze lachte even. 'Die staan zich allemaal te verdringen bij de demonstratie, om met hun gezicht in de krant te komen. Ben zei altijd dat hij steeds dichter bij "het centrum van de macht" kwam. Nou, daar heeft ie veel aan gehad.'

'Pas maar op,' waarschuwde Rebus. 'Je klinkt zelf bijna als een demonstrant.' Ze snoof schamper, maar zei niets. 'Enig idee waarom hij...?' Rebus maakte zijn zin niet af. 'Je weet dat ik het moet vragen, hè?'

'Ik werk ook bij de politie.' Ze keek toe terwijl hij zijn sigaretten tevoorschijn haalde. 'Eentje maar,' bedelde ze. Hoe kon hij weigeren? Hij stak ze allebei aan en ging naast haar staan, leunend tegen het muurtje.

'Geen auto te bekennen,' zei ze.

'De stad zit potdicht,' legde hij uit. 'Je zult moeite hebben om een taxi te vinden. Maar mijn auto staat...'

'Ik loop wel,' zei ze. 'Hij heeft geen briefje achtergelaten, als u dat soms wilde weten. Gisteravond leek er niets aan de hand, hij was heel ontspannen, enzovoort. Zijn collega's begrijpen er ook niets van... geen problemen op het werk.' Ze zweeg, keek naar de lucht. 'Behalve dan dat hij altíjd problemen op het werk had.'

'Zo te horen was je nogal dik met hem.'

'Door de week zat hij meestal in Londen. We hadden elkaar misschien al een maand niet gezien – nou ja, waarschijnlijk al twee maanden – maar we sms'ten wel, we mailden...' Ze nam een trek van haar sigaret.

'En hij had problemen op het werk?' vroeg Rebus.

'Ben hield zich bezig met ontwikkelingshulp. Met de vraag welke walgelijke Afrikaanse dictatuur onze hulp verdiende.'

'Dat verklaart wat hij hier deed,' zei Rebus, min of meer tegen zichzelf.

Ze knikte langzaam en keek triest voor zich uit. 'Dichter bij het centrum van de macht. De armoede en de honger in de wereld bespreken onder het genot van een luxueus diner in Edinburgh Castle.'

'Hij zou de ironie wel inzien?' gokte Rebus.

'Nou en of.'

'En de nutteloosheid?'

Ze keek hem aan. 'Nooit,' zei ze zacht. 'Dat lag niet in zijn aard.' Ze vocht tegen de tranen, haalde haar neus op, zuchtte en mikte de nog niet half opgerookte sigaret op het wegdek. 'Ik moet gaan.' Ze trok een portemonnee uit haar tas en gaf Rebus een visitekaartje. Alleen haar naam – Stacey Webster – en een mobiel nummer.

'Hoe lang zit je al bij de politie, Stacey?'

'Acht jaar. De laatste drie bij Scotland Yard.' Ze keek hem aan. 'U heeft vast nog vragen voor me: of Ben vijanden had, geldnood, vervelend geëindigde relaties. Later misschien, oké? Bel me over een dag of zo maar.'

'Oké.'

'Was er niets in de...' Ze had moeite om het volgende woord uit haar keel te krijgen; haalde diep adem en probeerde het opnieuw. 'Geen aanwijzingen dat hij niet gewoon gevallen is?'

'Hij had een paar glazen wijn op. Misschien niet al te vast meer op zijn benen.'

'Heeft niemand iets gezien?'

Rebus haalde zijn schouders op. 'Weet je zeker dat ik je niet even moet brengen?'

Ze schudde haar hoofd. 'Ik moet lopen.'

'Ik zou de route van de protestlopers maar mijden. Misschien zie ik je nog... Ik vind het echt erg van Ben.'

Haar blik boorde zich in zijn ogen. 'Dat klinkt alsof u het meent.'

Hij had bijna zijn hart bij haar uitgestort – *ik heb gisteren mijn eigen broer in een kist weggebracht* – maar vertrok alleen zijn mond even. Dan zou ze misschien vragen gaan stellen: *Waren jullie erg close? Hoe voelt u zich eronder?* Vragen waar hij het antwoord niet op wist. Hij keek hoe ze begon aan haar lange, eenzame wandeling door de Cowgate en ging naar binnen voor het laatste bedrijf van de lijkschouwing.

4

Toen Siobhan in de Meadows aankwam, strekte de rij wachtende demonstranten zich al uit tot bij het oude ziekenhuis, en over
de speelvelden tot aan de rijen geparkeerde bussen. Iemand met
een megafoon waarschuwde dat het nog twee uur kon duren voordat de mensen achteraan in beweging zouden komen.

'Komt door de wouten,' legde iemand uit. 'Ze laten maar groepjes van veertig of vijftig man tegelijk door.'

Siobhan had even de neiging om die tactiek te verdedigen, maar
dan zou iedereen weten wat ze was. Ze schuifelde mee in de ge-
duldige menigte en vroeg zich af hoe ze haar ouders hier moest
vinden. Er waren minstens honderdduizend mensen, misschien
wel tweemaal zoveel. Ze had nog nooit zoveel mensen bij elkaar
gezien. Popfestival T in the Park trok er hooguit zestigduizend.
De plaatselijke voetbalderby misschien achttienduizend, op een
goede dag. En het oudejaarsfestival Hogmanay rond Princes Street
misschien honderdduizend.

Dit was groter.

En allemaal lachende gezichten.

Nauwelijks een uniform te zien; ook niet veel stewards. Hele
gezinnen die toestroomden vanuit Morningside en Tolcross en Ne-
wington. Ze was al verschillende buren en kennissen tegengekomen. De burgemeester liep voorop in de betoging. Volgens sommigen was Gordon Brown er ook. Hij zou later nog een toespraak
houden, beschermd door een peloton politieagenten, hoewel hij
op de risicolijst van Operatie Sorbus vrij laag stond, vanwege zijn
uitspraken over ontwikkelingshulp en *fair trade*. Ze had een lijst
gezien van de beroemdheden die de stad zouden aandoen: Geldof
en Bono natuurlijk; Ewan McGregor misschien (die toch naar een
evenement in Dunblane moest), Julie Christie, Claudia Schiffer,
George Clooney, Susan Sarandon...

Toen ze het park binnen was, liep ze naar het hoofdpodium.

Er speelde een band, een paar mensen waren enthousiast aan het dansen. De meesten zaten gewoon op het gras te kijken. In het tentendorpje vlakbij waren activiteiten voor kinderen, een eerstehulppost, kramen met petities en tentoonstellingen. Er werden handwerkproducten verkocht en folders uitgedeeld. Een van de tabloids had blijkbaar posters met de tekst HELP ARMOEDE DE WERELD UIT uitgedeeld. Mensen stonden het bovenste deel van die posters af te scheuren om de naam van de krant te verwijderen. Heliumballonnen gingen de lucht in. Een dweilorkest zigzagde over het veld, gevolgd door een Afrikaanse steelband. Nog meer dansende mensen, en lachende gezichten. En ze wist: het zou goed gaan. Vandaag zouden er geen rellen zijn. Niet bij deze demonstratie.

Ze keek op haar mobiel. Geen berichten. Ze had haar ouders al tweemaal gebeld, maar die namen niet op. Dus liep ze het terrein nog een keer over. Bij een geparkeerde bus met een open dak was een kleiner podium gebouwd. Hier waren tv-camera's en er werden mensen geïnterviewd. Ze zag Peter Postlethwaite en Billy Boyd; ving een glimp op van Billy Bragg. De acteur die ze eigenlijk hoopte te zien was Gael Garcia Bernal, om te zien of hij in het echt ook zo knap was...

Bij de kramen met vegetarische hapjes stonden langere rijen dan bij de hamburgers. Ze was zelf een tijdje vegetariër geweest, maar daar was een paar jaar geleden de klad in gekomen. Ze gaf de schuld aan Rebus en de broodjes bacon die hij steeds voor haar neus hield. Ze overwoog hem te sms'en of hij kwam. Wat had hij anders te doen? Als hij niet thuis op de bank hing, zat hij op een kruk in de Oxford Bar. Maar ze sms'te alleen haar ouders en liep weer naar de rijen wachtenden. Er waren spandoeken geheven, er werd op fluitjes geblazen en op trommels geslagen. Al die activiteit... verspilde energie zou Rebus het noemen. Hij zou zeggen dat de politieke besluiten allang genomen waren. En hij had gelijk: dat had die kerel op het hoofdkwartier van Sorbus ook gezegd. Gleneagles was slechts een gelegenheid voor informele gesprekken en fotomomenten. De echte onderhandelingen waren al eerder uitgevoerd door de mindere goden, met name de minister van Financiën. Alles in stilte voorgekookt, om uiteindelijk met acht handtekeningen geratificeerd te worden op de laatste dag van de G8.

'En hoeveel kost dat hele circus?' had Siobhan gevraagd.

'Een slordige honderdvijftig miljoen pond.'

Bij dat antwoord had hoofdinspecteur Macrae zijn adem even

ingehouden. Siobhan had haar lippen getuit, maar niets gezegd.

'Ik weet wat je denkt,' had haar informant gezegd. 'Voor dat geld kun je een hoop medicijnen kopen...'

Elk pad door de Meadows was nu gevuld met wachtende demonstranten, vier rijen dik. Er had zich een nieuwe rij gevormd bij de tennisbanen en Buccleuch Street. Siobhan wurmde zich erlangs maar zag haar ouders nog steeds nergens. Toen zag ze in haar ooghoek felle kleuren bewegen. Gele jassen die door Meadow Lane holden. Ze liep erachteraan, de hoek om naar Buccleuch Place.

En bleef daar als versteend staan.

Een stuk of zestig in het zwart geklede demonstranten waren omsingeld door tweemaal zoveel politieagenten. De demonstranten maakten een oorverdovend kabaal met misthoorns. Ze droegen allemaal een zonnebril en een zwarte sjaal om hun gezicht. Sommigen hadden een capuchon op. Zwarte legerbroeken en kistjes, hier en daar een bandana. Ze droegen geen borden met teksten en er zaten geen lachende gezichten bij. Het enige wat hen scheidde van de agenten was een rij ME-schilden. Op minstens één zo'n doorzichtig schild had iemand het anarchistensymbool gespoten. De demonstranten drongen naar voren, ze wilden het park in. Maar de ME dacht daar anders over: isoleren was het devies. Als je een groep relschoppers kon isoleren, hield je de boel in de hand. Vol bewondering bedacht Siobhan dat haar collega's moesten hebben geweten dat dit groepje eraan kwam. Ze hadden snel hun posities ingenomen en waren vastbesloten om dit niet verder uit de hand te laten lopen. Er stonden ook wat omstanders die heen en weer werden geslingerd tussen hun nieuwsgierigheid en hun drang om zich bij de grote mars te voegen. Een aantal van hen stond foto's te maken met hun mobiel. Siobhan keek om zich heen of ze inmiddels zelf niet was ingesloten door een nieuwe lading ME'ers. De stemmen van de demonstranten klonken buitenlands, misschien Spaans of Italiaans. Ze kende de namen van een paar van die groeperingen: Ya Basta, Black Bloc. Zo te zien ging het hier nog niet om zulke buitenissige clubjes als de Wombles of de Rebel Clown Army.

Ze stak haar hand in haar zak en klemde hem om haar legitimatiekaart. Als het spannend werd wilde ze hem snel kunnen tonen. In de lucht cirkelde een helikopter en op de trap van een van de universiteitsgebouwen stond een agent in uniform de gebeurtenissen te filmen. Hij liet zijn camera over de menigte glijden, bleef even bij haar hangen en richtte zich daarna op andere omstanders. Maar Siobhan was zich ineens bewust van een andere camera, die juist op hém gericht was. Santal bevond zich binnen het kordon en filmde alles met haar digitale camera. Ze droeg net zulke kleren als de anderen, had een rugzak over haar schouder geslagen, maar stond niet te zingen en roepen zoals de anderen: ze ging helemaal op in haar taak. De demonstranten wilden hun eigen verslag, om later naar te kijken en van te genieten; om te leren hoe de politie de zaak aanpakt en hoe ze daar beter op konden inspelen; en in het geval van – misschien zelfs in de hoop op – excessief geweld. Ze wisten hoe je de media moest bespelen, ze telden advocaten onder hun sympathisanten. Beelden van de top in Genua waren de hele wereld overgegaan. Geen reden te denken dat nieuwe beelden van gewelddadig politieoptreden niet hetzelfde succes zouden hebben.

Siobhan realiseerde zich dat Santal haar had gezien. De camera ging haar kant op en de mond onder de lens kreeg een smalende uitdrukking. Dit leek Siobhan niet het moment om naar haar toe te lopen en te vragen of zij wist waar haar ouders waren... Haar telefoon begon te trillen, ze werd gebeld. Ze keek naar het nummer, herkende het niet.

'Siobhan Clarke,' zei ze in het toestel.

'Shiv? Met Ray Duff. Dat dagje uit heb ik verdorie wel verdiend, lijkt me zo.'

'Welk dagje uit?'

'Dat ik van jou te goed heb...' Hij viel stil. 'Maar dat had je niet met Rebus afgesproken, zeker?'

Siobhan glimlachte. 'Hangt ervan af. Zit je in het lab?'

'Ik zit me voor jou uit de naad te werken.'

'De spullen van de Clootie Well?'

'Misschien heb ik iets voor je, al weet ik niet of je er blij mee zult zijn. Hoe snel kun je hier zijn?'

'Halfuurtje.' Ze draaide zich met haar rug naar het plotselinge getoeter van de misthoorn.

'Ik hoor al waar jij zit,' zei Duff. 'Ik zie het hier op tv.'

'De mars of de relschoppers?'

'De relschoppers natuurlijk. Blije en brave demonstranten leveren geen verhaal op, ook al zijn het er een kwart miljoen.'

'Een kwart miljoen?'

'Dat zeggen ze. Tot over een halfuur.'

'Tot zo.' Ze verbrak de verbinding. Zoveel mensen... meer dan de helft van het inwonertal van Edinburgh. Alsof er in Londen drie miljoen mensen de straat op zouden gaan. En de komende twee uur zou het nieuws bepaald worden door zestig types in het zwart.

Want daarna zouden alle ogen gericht zijn op het Live 8-concert in Londen.

Nee, nee, nee, dacht ze: niet zo cynisch, Siobhan. Je lijkt verdorie John Rebus wel. Niemand kon de ogen sluiten voor die menselijke keten die de stad omspande, een wit lint vol passie en hoop...

En nu met een vrouw minder.

Was ze eigenlijk echt van plan geweest om mee te doen, haar eigen steentje aan de statistieken bij te dragen? Het zat er nu in ieder geval niet meer in. Bij haar ouders zou ze zich later wel verontschuldigen. Nu moest ze eerst op pad, en ze keerde het park de rug toe. De beste optie was St. Leonard, het dichtstbijzijnde politiebureau. Een lift versieren in een surveillancewagen, of desnoods zelf een auto kapen. Haar eigen auto stond in de garage die Rebus haar had aangeraden. De monteur had gezegd dat ze maandag kon bellen. Ze moest denken aan het verhaal van een automobiliste die haar terreinwagen buiten de stad stalde zolang de top duurde, zodat hij niet door relschoppers zou worden vernield. Allemaal bangmakerij – althans, dat had ze tóén gedacht.

Santal leek niet in de gaten te hebben dat ze vertrok.

'... kunt nog geen brief posten,' zei Ray Duff. 'Alle brievenbussen zitten dicht, zodat niemand er een bom in kan stoppen.'

'Sommige etalages in Princes Street zijn dichtgespijkerd,' voegde Siobhan eraan toe. 'Waar zou die seksshop bang voor zijn?'

'Opgewonden standjes?' opperde Rebus. 'Kunnen we misschien ter zake komen?'

Duff snoof verongelijkt. 'Och gut, bang dat hij de grote reünie misloopt.'

'Reünie?' Siobhan keek Rebus aan.

'Pink Floyd,' antwoordde Rebus. 'Maar als het ook maar enigszins lijkt op McCartney en U2, mis ik er niks aan.'

Ze stonden in een onderzoekkamer van de forensische afdeling van Lothian and Borders aan Howdenhall Road. Duff, halverwege de dertig, kort bruin haar met diepe inhammen, stond zijn brillenglazen te poetsen met een puntje van zijn witte labjas. Rebus vond dat het succes van de CSI-series een slechte invloed had op de forensische bollebozen. Ondanks hun totale gebrek aan middelen, glamour en een opwindende soundtrack, waanden ze zich nu allemaal acteurs. Sommige rechercheurs gingen erin mee en vroegen hun om het soort onwaarschijnlijke forensische hoog-standjes dat ze van de tv kenden. Duff had blijkbaar gekozen voor de rol van het excentrieke genie. Hij was dan ook van lenzen over-gestapt op een ouderwetse Buddy Holly-bril, die goed paste bij het kleurige rijtje pennen in zijn borstzak. Aan één lapel van zijn labjas zat bovendien een reeks papierklemmen. Zoals Rebus bij aankomst hardop had gezegd, zag hij eruit alsof hij was wegge-lopen uit een Devo-clip.

En nu hield hij ze aan het lijntje.

'Neem rustig de tijd, hoor,' jutte Rebus hem op. Ze stonden bij een werkbank waarop een aantal kledingstukken lagen. Naast elk kledingstuk had Duff een papiertje met een cijfer gelegd, en bij elke vlek op het textiel een kleiner stukje papier in uiteenlo-pende kleuren, zo te zien volgens een of andere kleurencode. 'Hoe sneller we klaar zijn, hoe sneller jij je MG weer kan gaan poet-sen.'

'Dat doet me eraan denken,' zei Siobhan. 'Fijn dat je mij aan Ray hebt aangeboden.'

'Had je de eerste prijs moeten zien,' mompelde Rebus. 'Wat zien we hier liggen, professor?'

'Voornamelijk modder en vogelpoep.' Duff zette zijn handen in zijn zij. 'Het eerste is bruin, het tweede grijs,' zei hij met een knikje naar de gekleurde papiertjes.

'En blauw en roze?'

'Blauw is alles wat nader geanalyseerd moet worden.'

'En roze is lippenstift,' zei Siobhan zacht.

'Nee, bloed,' zei Duff op theatrale toon.

'Aha, mooi,' zei Rebus, en hij keek Siobhan aan. 'Hoeveel?'

'Twee tot nu toe... Nummer één en twee. Eén is een bruine rib-broek. Bloed is soms verdomd lastig te vinden op bruin – het is net roest. Twee is een polo, lichtgeel zoals je ziet.'

'Niet echt,' zei Rebus, en hij boog zich naar de tafel toe. Het shirt was enorm vuil. 'Wat zit daar op de linkerborst? Een vignet of zo?'

'Een tekst, Keogh's Garage. De bloedspatten zitten op de rug.'

'Spatten?'

Duff knikte. 'Kan komen van een klap tegen het achterhoofd. Met een hamer bijvoorbeeld. Hij raakt het hoofd, haalt de huid open, en als je de hamer weer weghaalt spat het bloed alle kan-ten op.'

'Keogh's Garage?' Siobhans vraag was aan Rebus gericht. Die haalde slechts zijn schouders op.

Maar Duff schraapte zijn keel: 'Niks in het telefoonboek van Perthshire. Of van Edinburgh.'

'Snel zoekwerk, Ray,' zei Siobhan goedkeurend.

'Puntjes voor Ray,' zei Rebus met een knipoog. 'Hoe zit het met kandidaat nummer 1?'

Duff knikte. 'Geen spatten, maar grote druppels op het rechterbeen, rond de knie. Als je iemand een knal tegen zijn kop geeft, krijg je daar al snel vlekken.'

'We hebben dus drie slachtoffers en één dader?'

Duff schokschouderde. 'Dat valt natuurlijk niet te bewijzen. Maar zeg nou zelf: hoe waarschijnlijk is het dat kleren van drie slachtoffers die vermoord zijn door drie verschillende daders terechtkomen op een en dezelfde afgelegen locatie?'

'Daar zit wat in,' zei Rebus.

'En wij zitten dus met een seriemoordenaar,' doorbrak Siobhan de stilte die volgde. 'Verschillende bloedgroepen zeker?' Ze zag Duff knikken. 'Enig idee in welke volgorde ze gestorven zijn?'

'CC RIDER is de jongste. En die polo schat ik de oudste.'

'En die ribbroek, geen andere sporen?'

Duff schudde langzaam van nee, stak toen zijn hand in de zak van zijn labjas en haalde er een plastic zakje uit. 'Tenzij je dit meetelt, natuurlijk.'

'Wat is dat?' vroeg Siobhan.

'Bankpas,' zei Duff, en hij genoot van zijn succes. 'Op naam van Trevor Guest. Je kunt niet zeggen dat ik mijn beloning niet eerlijk verdien...'

Eenmaal terug in de openlucht stak Rebus een sigaret op. Siobhan liep met haar armen over elkaar te ijsberen op de parkeerplaats.

'Eén dader,' zei ze.

'Ja.'

'Twee slachtoffers bij naam bekend, de derde een automonteur...'

'Of een autodealer,' vulde Rebus aan. 'Of gewoon iemand die een poloshirt had met de naam van een garage erop.'

'Fijn dat je het even afbakent.'

Hij haalde zijn schouders op. 'Als we een sjaal van Hibernian hadden gevonden, zouden we dan alleen in het eerste elftal gaan zoeken?'

'Oké, je hebt gelijk.' Ze bleef stilstaan. 'Wil je terug naar het mortuarium?'

Hij schudde zijn hoofd. 'Een van ons zal het Macrae moeten vertellen.'

Ze knikte. 'Doe ik wel.'

'Verder valt er vandaag niet veel meer te doen.'

'Terug naar Live 8 dan maar?'

Hij haalde zijn schouders weer op. 'En jij naar het park?' gokte hij.

Ze knikte, maar was elders met haar gedachten. 'Dit is wel zo'n beetje de slechtste week waarin dit kon gebeuren, hè?'

'Daar krijgen we die riante salarissen voor,' zei Rebus tegen haar, en zoog de nicotine gretig op.

Voor de deur van Rebus' woning lag een dikke envelop op hem te wachten. Siobhan was weer naar de Meadows gegaan. Rebus had haar gevraagd om later nog iets bij hem te komen drinken. Hij besefte dat zijn kamer muf rook, dus duwde hij het raam open. Hij hoorde geluiden van de protestmars: weergalmende stemmen, tromgeroffel en fluitjes. Live 8 was op tv, maar het was geen band die hij kende. Hij liet het geluid zacht staan en opende het pakje. Er zat een briefje bij van Mairie – NIET DAT JE HET VERDIENT – en een hele stapel computeruitdraaien. Krantenartikelen over Pennen Industries, vanaf de tijd dat het bedrijf geprivatiseerd was. Stukjes uit het economiekatern over de stijgende winsten. Lovende profielen van Richard Pennen, met foto: op en top een succesvol zakenman, goed verzorgd, krijtstreeppak, vlot gekapt. Grijsblond haar, ook al was hij nog maar halverwege de veertig. Een stalen brilmontuur en een gedecideerde kaaklijn onder een perfect gebit.

Richard Pennen had op het ministerie van Defensie gewerkt, hij was een beetje een wonderkind met microchips en software. Hij benadrukte dat zijn bedrijf niet zozeer wapens verkocht, als wel middelen om wapens zo efficiënt mogelijk te gebruiken. 'Dat moet voor alle betrokkenen uiteindelijk toch te verkiezen zijn,' werd hij ergens geciteerd. Rebus bladerde snel door de interviews en achtergrondartikelen. Niets suggereerde enig verband tussen Richard Pennen en Ben Webster, behalve dat ze zich allebei bezighielden met het onderwerp 'handel'. Geen enkele reden waarom het bedrijf parlementsleden níet zou trakteren op een kamer in een vijfsterrenhotel. Rebus pakte het volgende stapeltje aaneengeniete pagina's en bedankte Mairie in stilte. Ze had er een hoop informatie over Ben Webster zelf bij gedaan. Niet dat er veel was geschreven over zijn carrière in het parlement. Maar vijf jaar geleden hadden de media ineens bijzonder veel interesse opgevat voor zijn familie, na de gewelddadige dood van zijn moeder. Ze was met haar man op vakantie geweest in de Borders, waar ze een huisje hadden gehuurd op het platteland bij Kelso. Toen hij op een middag boodschappen was gaan doen in de stad, bleek bij terugkomst de bungalow overhoop te zijn gehaald en was zijn vrouw vermoord, gewurgd met een koord van de zonwering. Ze was geslagen maar niet aangerand. Uit haar tas was geld en een mobiele telefoon gestolen. Verder was er niets weg.

Een handvol geld en een telefoon.

En het leven van een vrouw.

Het onderzoek had zich wekenlang voortgesleept. Rebus bekeek foto's van de afgelegen bungalow, het slachtoffer, haar treurende echtgenoot, de twee kinderen – Ben en Stacey. Hij viste het kaartje uit zijn zak dat Stacey hem had gegeven en wreef met zijn vingers langs de randen terwijl hij verder las. Ben was parlementslid voor Dundee North; Stacey was werkzaam bij de Londense politie, door collega's werd ze omschreven als 'hardwerkend en geliefd'. Het huisje lag aan de rand van het bos in een glooiend heuvellandschap, ver van de bewoonde wereld. Het echtpaar maakte graag lange wandelingen en werd regelmatig gesignaleerd in de bars en eettentjes in Kelso. Al jarenlang gingen ze in deze streek op vakantie. Lokale politici haastten zich te onderstrepen dat de streek 'zeer lage misdaadcijfers' kende en een 'oase van rust' was. De toeristen mochten eens worden afgeschrikt...

De dader was nooit gepakt. Het verhaal dreef langzaam van de voorpagina naar de binnenlandpagina's, zonk steeds dieper weg in de krant en kwam af en toe weer in een paar alinea's bovendrijven als Ben Webster in het nieuws was. Hij was eenmaal geïnterviewd, toen hij net was benoemd tot parlementair woordvoerder. Over de tragedie wilde hij niet praten.

Tragedies, meervoud nu. De vader had na de moord op zijn vrouw niet lang meer geleefd. Natuurlijke dood. 'Het hoefde voor hem gewoon niet meer,' zo had een van zijn buren in Broughty Ferry het verwoord. 'En nu vindt hij rust bij de vrouw van zijn leven.'

Rebus keek nog eens naar de foto van Stacey, op de dag van haar moeders begrafenis. Ze had toen blijkbaar een oproep om meer informatie gedaan op tv. Ze was sterker dan haar broer, die had besloten niet aanwezig te zijn bij de persconferentie. Rebus hoopte maar dat ze zo sterk bleef.

Zelfmoord leek een logisch gevolg. De verweesde zoon die uiteindelijk bezweek onder het verdriet. Maar Ben Webster gilde toen hij viel. En de wachtposten hadden een indringer gesignaleerd. En waarom juist op díe avond? Op die plaats? Net nu de wereldpers in de stad neerstreek...

Een wel heel theatraal gebaar.

En Steelforth... ach, Steelforth wilde het gewoon allemaal onder de mat vegen. Niets mocht de aandacht afleiden van de G8. Niets mocht de rust van de diverse delegaties verstoren. Rebus moest toegeven dat hij zich daarom des te feller in de zaak vastbeet: hij wilde de man van de Special Branch graag op de kast jagen. Hij stond op en ging naar de keuken, zette nog een kop koffie en liep ermee terug naar de woonkamer. Hij zapte even langs de kanalen op tv maar vond nergens een verslag van de protestmars. De menigte in Hyde Park leek het naar haar zin te hebben, maar vlak voor het podium was een stuk grasland waar bijna niemand stond. Veiligheidsmaatregel wellicht; of een perszone. Geldof vroeg ditmaal niet om geld. Live 8 wilde slechts bereiken dat mensen oog kregen voor de problemen. Rebus vroeg zich af hoeveel concertgangers na afloop gehoor zouden geven aan zijn oproep en zeshonderd kilometer noordwaarts naar Schotland zouden afreizen. Hij stak een sigaret op bij zijn koffie, ging in een leunstoel zitten en staarde naar het scherm. Hij moest weer denken aan de Clootie Well, het ritueel dat daar was uitgevoerd. Als het klopte wat Ray Duff zei, hadden ze minstens drie slachtoffers, en een moordenaar die daar een soort gedenkteken had ingericht. Moest de moordenaar daar in de buurt worden gezocht? Hoeveel mensen buiten Auchterarder wisten van het bestaan van de Clootie Well? Stond hij vermeld in reisboeken en toeristische folders? Had de dader de locatie gekozen omdat die dicht bij de G8-top was? Zodat hij er dankzij de extra beveiliging zeker van kon zijn dat de gruwelijke trofeeën gevonden werden? En wilde dat zeggen dat hij nu klaar was met zijn moordpartijen?

Drie slachtoffers... dat konden ze nooit stilhouden. CC RIDER... Keogh's garage... een bankpasje... De moordenaar maakte het hen gemakkelijk; hij wílde dat ze hem op het spoor kwamen. De internationale pers was in Schotland verzameld, zodat hij zich verzekerd wist van de aandacht van de hele wereld. Macrae zou zich in de handen wrijven. Die zou de pers maar wat graag te woord staan – borst vooruit, Derek Starr aan zijn zijde.

Siobhan had gezegd dat ze de resultaten van het lab aan Macrae zou doorbellen vanuit de demonstratie. Ray Duff ging verder met zijn onderzoek: hij zou DNA-materiaal proberen te isoleren

uit het bloed, zoeken naar haren of vezels die sporen konden opleveren. Rebus dacht weer aan Cyril Colliar. Geen typisch slachtoffer. Seriemoordenaars aasden meestal op zwakkeren en randfi-
guren. Toevallig op het verkeerde moment op de verkeerde plaats?
Vermoord in Edinburgh, maar een stuk van zijn jas duikt op in
Auchterarder, net als Operatie Sorbus daar op gang komt. Sorbus: een soort boom... het stuk stof met CC RIDER werd gevonden op een open plek in een bos... Als er ook maar het geringste
spoor van een verband was met de G8, wist Rebus dat de geheime agenten de zaak uit hun handen zouden rukken. Dan zou Steelforth onverbiddelijk zijn. De moordenaar daagde hen uit...

Liet visitekaartjes achter.

Er werd op de deur geklopt. Dat moest Siobhan zijn. Hij drukte zijn sigaret uit, stond op en keek even rond in de kamer. Het
viel mee: geen lege bierblikjes of pizzadozen. Een whiskyfles bij
de stoel: hij raapte hem op en zette hem op de schoorsteenmantel. Zette de tv op een nieuwszender en liep naar de deur. Zwaaide hem open, herkende het gezicht en voelde meteen een knoop
in zijn maag.

'Probeer je je geweten te sussen?' vroeg hij, gemaakt onverschillig.

'Dat is zo rein als verse sneeuw, Rebus. Kun jij dat ook zeggen?'

Niet Siobhan. Morris Gerald Cafferty. In een wit T-shirt met
de tekst HELP ARMOEDE DE WERELD UIT. Zijn handen in zijn zakken. Hij haalde ze er langzaam uit en hield ze omhoog om aan
Rebus te laten zien dat ze leeg waren. Een hoofd zo groot als een
bowlingbal, glimmend en zo goed als kaal. Kleine, diepliggende
oogjes. Glimmende lippen. Geen hals. Rebus wilde de deur weer
dichtdoen maar Cafferty zette zijn hand ertegen.

'Zo ga je toch niet om met een ouwe vriend?'

'Krijg de klere.'

'Over kleren gesproken. Heb je dat shirt van een vogelver-
schrikker gejat?'

'Door wie laat jij je dan kleden? Die twee tutjes van de BBC?'

Cafferty snoof schamper. 'Ik heb ze wel een keer ontmoet, in
een ontbijtprogramma... Kijk, dit is toch veel leuker? Even gezellig kletsen.'

Rebus probeerde niet meer om de deur dicht te duwen. 'Wat
kom je doen, Cafferty?'

Cafferty keek naar zijn handen, veegde denkbeeldig vuil weg.
'Hoe lang woon je hier al, Rebus? Jaar of dertig, volgens mij.'

'En wat dan nog?'

'Wel eens gehoord van doorstroming op de huizenmarkt?'

'Jezus, als het mijn kleren niet zijn, is het mijn huis wel...'

'Je hebt nooit geprobeerd om iets beters te krijgen, dat begrijp ik gewoon niet.'

'Misschien moet ik er eens een boek over schrijven.'

Cafferty grijnsde. 'Ik zit te denken aan een vervolg, over een paar van onze "akkefietjes".'

'Ben je daarom gekomen? Heeft je geheugen een opfrisser nodig?'

Cafferty's gezicht betrok. 'Ik kom voor mijn Cyril.'

'Wat is daarmee?'

'Ik heb gehoord dat er schot in de zaak zit. Ik wil weten hoe het ervoor staat.'

'Wie heeft je dat gezegd?'

'Het is dus waar?'

'Denk je dat ik het je zou vertellen als het zo was?'

Cafferty gromde en zijn hand schoot naar voren, hij duwde Rebus achteruit de hal in tot hij tegen de muur stond. Cafferty stak nog een hand uit, zijn tanden waren ontbloot, maar nu was Rebus erop bedacht en wist hij hem bij zijn T-shirt te pakken. De twee mannen bewogen zich duwend en trekkend door de hal tot ze in de deuropening van de woonkamer stonden. Geen van beiden zei iets, ze lieten hun ogen en handen spreken. Maar toen Cafferty een blik op de woonkamer wierp, verstijfde hij ineens. Rebus wist zich los te maken uit zijn greep.

'Jezus Christus...' Cafferty staarde naar de twee dozen op de bank – een deel van de stukken in de zaak-Colliar die hij de avond tevoren mee had genomen van het bureau. Bovenop lag een foto van de sectie, en daaronder was een hoekje van een oudere foto van Cafferty zelf te zien. 'Wat doen al die spullen hier?' vroeg Cafferty hijgend.

'Dat gaat je geen donder aan.'

'Je probeert nog steeds om mij dit in de schoenen te schuiven...'

'Niet meer,' gaf Rebus toe. Hij liep naar de schouw en pakte de whisky. Raapte zijn glas van de vloer en schonk zichzelf in. 'Het zal snel genoeg bekend worden,' zei hij, en was even stil om een slok te nemen. 'We denken dat Colliar niet het enige slachtoffer was.'

Cafferty's ogen vernauwden zich terwijl hij dit probeerde te verwerken. 'Wie nog meer?'

Rebus schudde langzaam zijn hoofd. 'Nu oprotten.'

'Ik kan helpen,' zei Cafferty. 'Ik ken mensen...'

'O ja? Zegt de naam Trevor Guest je iets?'

Cafferty dacht even na maar moest ontkennend zijn hoofd schudden.

'En een garage die Keogh's heet?'

Cafferty trok zijn schouders op. 'Ik kan er wel achter komen, Rebus. De contacten die ik heb... Je zou er bang van worden.'

'Alles aan jou maakt me bang, Cafferty. Smetvrees, denk ik. Waarom ben je zo opgewonden over Colliar?'

Cafferty liet zijn blik naar de whiskyfles dwalen. 'Heb je nog een glas?' vroeg hij.

Rebus haalde er een uit de keuken. Toen hij terugkwam, stond Cafferty het begeleidende briefje van Mairie te lezen.

'Ik zie dat juffrouw Henderson een handje geholpen heeft.' Cafferty glimlachte emotieloos. 'Ik herken haar handschrift.'

Rebus zei niets; hij schonk een beetje whisky in.

Cafferty hield het glas onder zijn neus. 'Ik hou meer van malt,' klaagde hij. 'Waarom ben je geïnteresseerd in Pennen Industries?'

Rebus negeerde zijn vraag. 'Je ging me vertellen over Cyril Colliar.' Cafferty maakte aanstalten te gaan zitten. 'Blijf maar staan,' beval Rebus. 'Zo lang blijf je hier niet.'

Cafferty liet zijn hand zakken en zette het glas op tafel. 'Het gaat me niet zozeer om Cyril,' gaf hij toe. 'Maar als zoiets gebeurt komen er praatjes in de wereld. Praatjes dat er iemand rondloopt die een wrok koestert. Dat is slecht voor de zaken. Je weet dat ik in het verleden vijanden heb gehad...'

'Typisch dat ik die tegenwoordig nooit meer zie.'

'Genoeg hyena's daarbuiten die allemaal azen op een stukje van de buit... míjn buit.' Hij priemde een vinger tegen zijn borst.

'Je wordt oud, Cafferty.'

'Jij ook. Maar in mijn branche is er geen pensioen.'

'En ondertussen worden de hyena's steeds jonger en hongeriger?' opperde Rebus. 'En moet jij je blijven bewijzen.'

'Ik ben nog nooit voor iemand opzij gestapt, Rebus. Zal ik ook nooit doen.'

'Het duurt niet lang meer voor het bekend wordt, Cafferty. Als er geen link is tussen jou en de andere slachtoffers, kan ook niemand het nog opvatten als een campagne tegen jou.'

'Maar ondertussen...'

'Ondertussen wat?'

Cafferty knipoogde. 'Keogh's Garage en Trevor Guest.'

'Laat die maar aan ons over.'

'Wie weet, Rebus, misschien kijk ik ook nog wat ik voor je kan uitvinden over Pennen Industries.' Cafferty liep de kamer uit. 'Bedankt voor de whisky en de fitnessoefening. Ik denk dat ik nog even het laatste stukje meeloop in de mars. Ik heb me altijd erg bekommerd om armoede.' Hij bleef even staan in de hal en keek nog eens rond in Rebus' flat. 'Al heb ik het nog nooit zo erg gezien,' zei hij ten slotte, terwijl hij naar het trappenhuis liep.

5

Zijne excellentie Gordon Brown, minister van Financiën, was al begonnen aan zijn toespraak toen Siobhan de zaal betrad. Negenhonderd mensen hadden zich verzameld in de Assembly Hall boven op de Mound. De laatste keer dat Siobhan hier geweest was, fungeerde dit nog als het tijdelijk onderkomen van het Schotse parlement. Maar dat had nu zijn eigen luxe gebouw, tegenover de residentie van de koningin in Holyrood Palace, zodat de Assembly Hall weer helemaal in handen was van de Church of Scotland, die deze bijeenkomst samen met de hulporganisatie Christian Aid had georganiseerd.

Siobhan kwam voor hoofdcommissaris James Corbyn. Corbyn was nog maar een jaar in functie, hij was Sir David Strathern opgevolgd. Er was gemord over zijn benoeming. Corbyn was een Engelsman, hij zou 'een boekhouder' zijn en 'veel te jong'. Maar hij had zich ontpopt als een echte diender met voeling voor het vak, die vaak in de frontlinies zijn gezicht kwam laten zien. Hij zat een paar rijen verder, in vol ornaat, pet op zijn schoot. Siobhan wist dat ze verwacht werd, dus koos ze positie bij de deur en luisterde naar de talrijke beloften die de minister deed. Toen hij aankondigde dat de schuld van de achtendertig armste Afrikaanse landen zou worden kwijtgescholden, klonk er spontaan applaus. Maar toen het applaus wegstierf, hoorde Siobhan een stem die protesteerde. Een eenzame demonstrant was opgestaan. Hij droeg een kilt, en toen hij die optilde bleek er een foto met het gezicht van Tony Blair op zijn onderbroek te zitten. De stewards snelden erheen, en de mensen rondom de man hielpen hun een handje. Toen de demonstrant naar de deur werd gesleept, klonk er applaus voor de stewards. De minister had even met zijn papieren staan schuiven en ging verder waar hij gebleven was.

Maar de commotie had James Corbyn de kans gegeven om weg te glippen. Siobhan liep achter hem aan de zaal uit en stelde zich voor. Van de demonstrant en zijn bewakers was geen spoor meer te bekennen. Er liepen alleen wat ambtenaren die wachtten tot hun chef klaar was. Ze hadden dossiers en telefoons in hun handen en leken afgemat door de lange dag.

'Hoofdinspecteur Macrae zegt dat we een probleem hebben,' zei Corbyn. Geen blabla, meteen naar de kern van de zaak. Hij was begin veertig en had zwart haar met een scheiding links. Stevig postuur, bijna een meter vijfentachtig. Op zijn rechterwang zat een grote moedervlek. Siobhan was gewaarschuwd daar vooral niet naar te staren.

'Verdomd lastig om hem in de ogen te kijken,' had Macrae tegen haar gezegd. 'Met dat ding dat voortdurend voor je ogen zweeft...'

'We hebben misschien wel drie slachtoffers,' zei ze.

'Gevonden op de stoep van de G8?' bitste Corbyn.

'Dat niet, commissaris. Ik denk niet dat we daar lijken zullen vinden. Alleen sporen.'

'Vrijdag zijn ze weer weg uit Gleneagles. Het onderzoek kan wel zolang wachten.'

'Aan de andere kant...' opperde Siobhan. 'De wereldleiders komen woensdag pas. Dat geeft ons nog drie dagen...'

'Wat stel je voor?'

'We doen in stilte zoveel als we kunnen. De TR kan de locatie voor die tijd grondig doorzoeken. Het enige slachtoffer dat we tot nu toe kennen is een Edinburghse ex-crimineel. Daarvoor hoeven we de heren politici niet lastig te vallen.'

Corbyn bekeek haar eens goed. 'Jij bent brigadier, nietwaar?'

Siobhan knikte.

'Lage rang om zo'n onderzoek te leiden.' Het klonk niet als kritiek, simpelweg als constatering van een feit.

'Ik was op de vindplaats samen met een inspecteur van mijn bureau, commissaris. We hadden allebei aan het oorspronkelijke onderzoek gewerkt.'

'Hoeveel hulp heb je nodig?'

'Ik denk niet dat er veel mensen gemist kunnen worden.'

Corbyn glimlachte. 'Het is een lastige tijd, brigadier Clarke.'

'Dat begrijp ik.'

'Dat geloof ik graag. En die inspecteur van je... is die betrouwbaar?'

Siobhan knikte en bleef hem strak aankijken zonder met haar ogen te knipperen. Ze dacht: *misschien is hij te nieuw om over John Rebus gehoord te hebben.*

'Geen probleem om op zondag te werken?' vroeg hij.

'Absoluut niet. Maar van de TR weet ik het niet...'

'Wat zachte dwang van mij zal wel helpen.' Zijn gezicht kreeg een peinzende uitdrukking. 'De mars is zonder incidenten verlopen... misschien wordt het makkelijker dan we hebben gedacht.'

'Inderdaad, commissaris.'

Hij nam haar nog eens op. 'Je hebt een Engels accent,' merkte hij op.

'Klopt, commissaris.'

'Nooit last van?'

'Af en toe wat plagerijtjes...'

Hij knikte langzaam. 'Goed.' Rechtte zijn rug. 'Kijk wat je voor woensdag nog gedaan kunt krijgen. Laat maar horen als je problemen hebt. Maar probeer niemand voor het hoofd te stoten.' Hij wierp een blik in de richting van de ambtenaren.

'Er is iemand van SO12, commissaris, ene Steelforth. Die zou moeilijk kunnen doen.'

Corbyn keek op zijn horloge. 'Stuur hem dan maar naar mij.' Hij zette zijn pet op. 'Ik moet weg. Je beseft dat het een enorme verantwoordelijkheid is...?'

'Ja, commissaris.'

'Doordring je collega daar ook van.'

'Hij begrijpt dat wel.'

Hij stak zijn hand uit. 'Prima. Afgesproken, brigadier Clarke.' Ze schudden elkaar de hand.

Op de radio was een verslag van de demonstratie te horen, met op het eind nog de toevoeging dat de dood van parlementariër Ben Webster 'door de politie beschouwd werd als een tragisch ongeval'. De meeste aandacht ging echter uit naar het concert in Hyde Park. Siobhan had de mensen in de Meadows er die dag vaak genoeg over horen morren. Ze waren bang dat de popsterren de aandacht van de demonstratie zouden afleiden.

'Publiciteit en platen verkopen, dat is het enige waar ze op uit zijn,' had iemand gezegd. 'Stelletje vuile egotrippers...'

Volgens de laatste schatting bedroeg het aantal demonstranten 225.000. Siobhan wist niet hoeveel mensen het concert in Londen hadden bijgewoond, maar ze vermoedde dat het nog niet de helft was. 's Avonds was het op straat nog een drukte van belang, veel auto's en voetgangers. En veel bussen die in zuidelijke richting de stad uit reden. Sommige winkels en restaurants waar ze langs liep hadden teksten op de ramen: WIJ STAAN ACHTER DE

PROTESTEN... WIJ GEBRUIKEN ALLEEN FAIRTRADE-PRODUCTEN...
KLEINE ZELFSTANDIGE... DEMONSTRANTEN WELKOM... En graffiti:
anarchistensymbolen en oproepen tot verzet. Ook las ze ergens
dat 'Rome niet op één dag is gesloopt'. Ze hoopte dat de hoofdcommissaris gelijk zou krijgen, maar het viel nog te bezien.

Bij het kampeerterrein in Niddrie stonden bussen. Het tenten-
dorp was gegroeid. Dezelfde bewaker als de avond ervoor had de
leiding. Ze vroeg hoe hij heette.

'Bobby Greig.'

'Ik ben Siobhan. Ziet er druk uit vanavond.'

Hij haalde zijn schouders op. 'Paar duizend, denk ik. Veel druk-
ker zal het niet worden.'

'Je klinkt een beetje teleurgesteld.'

'De gemeenteraad heeft hier een miljoen pond in gestoken.
Daar had je ze allemaal een hotelkamer voor kunnen geven, in
plaats van een plekje in de wildernis.' Hij knikte in de richting
van de auto die ze net had afgesloten. 'Ik zie dat je al een andere hebt.'

'Geleend van bureau St. Leonard. Heb je nog problemen gehad met de inboorlingen?'

'Ze houden zich rustig,' zei hij. 'Maar als het straks donker
wordt... komen ze uit hun holen. Weet je hoe het hier voelt?' Hij
liet zijn blik over het terrein dwalen. 'Alsof je in zo'n zombiefilm
zit.'

Siobhan glimlachte. 'Dan ben jij de laatste hoop der mensheid,
Bobby. Een hele eer.'

'Om middernacht zit mijn dienst erop!' riep hij haar na toen
zij naar de tent van haar ouders liep. Er was niemand. Ze ritste
hem open en keek binnen. Tafel en stoeltjes opgeklapt, slaapzak-
ken strak opgerold. Ze scheurde een vel papier uit haar notitieblok en liet een boodschap achter. Ook in de omringende tenten
geen teken van leven. Siobhan vroeg zich af of haar vader en moeder iets waren gaan drinken met Santal.

Santal: voor het laatst gezien bij het relletje op Buccleuch Place.
Dat betekende dat ze wel eens problemen kon veroorzaken... in
de problemen kon raken.

*Moet je jou nou horen, meid! Bang dat je linkse ouders op het
verkeerde pad raken!*

Ze sprak zichzelf vermanend toe en besloot de tijd te doden
door een kijkje te nemen op het terrein. Het was niet veel anders
dan de avond tevoren: gitaarklanken, mensen die in kleermakerszit in een kring zaten te zingen, kinderen die blootsvoets in

het gras speelden, een goedkope maaltijd bij de partytent. Nieuw-komers, vermoeid van de protestmars, kregen een polsbandje en werden naar hun plek gebracht. Arthur's Seat tekende zich in-drukwekkend af tegen de horizon in het weinige daglicht dat res-teerde. Als ze daar morgen nou eens ging wandelen, dacht ze, even een uurtje voor zichzelf. Het uitzicht vanaf de top was altijd schit-terend... even aangenomen dat ze een uur voor zichzelf kon vrij-maken. Ze moest Rebus bellen, laten weten hoe het ervoor stond. Hij zat waarschijnlijk nog thuis voor de tv. Ze had nog tijd ge-noeg om hem te bellen.

'Het is zaterdagavond, hoor,' zei Bobby Greig. Hij stond vlak achter haar, met een zaklamp en zijn portofoon. 'Je zou aan het stappen moeten zijn.'

'Dat doen mijn vrienden blijkbaar.' Ze knikte in de richting van de tent van haar ouders.

'Ik ga nog wat drinken als ik klaar ben,' opperde hij.

'Ik moet morgen werken.'

'Dubbel uitbetaald, mag ik hopen.'

'Maar bedankt voor het aanbod... een andere keer misschien.'

Hij haalde ostentatief zijn schouders op. 'Ik probeer me niet afgewezen te voelen.' Met veel geruis kwam zijn portofoon tot le-ven. Hij hield hem bij zijn mond. 'Zeg dat nog eens, toren.'

'Daar komen ze weer,' zei de vervormde stem.

Siobhan keek naar de omheining, maar kon niets ontwaren. Ze liep met Bobby Greig naar het hek. Ja, hoor: een man of tien, ca-puchon strak om het hoofd, de ogen verscholen achter de klep van een honkbalpetje. Geen spoor van wapens, afgezien van een literfles goedkope drank die ze aan elkaar doorgaven. Bij het hek stonden een stuk of vijf bewakers te wachten op een teken van Greig. De opgeschoten jongeren stonden te gebaren: kom maar op. Greig staarde terug, schijnbaar verveeld door het hele to-neelstukje.

'Moeten we het melden?' vroeg een van de andere bewakers.

'Ik zie geen wapens,' zei Greig. 'We kunnen ze wel aan.'

De jongens waren langzaam naar de omheining gelopen. Sio-bhan herkende de jongen in het midden als de leider van de avond tevoren. De garagemonteur had gezegd dat de reparatie van haar auto zeshonderd pond kon gaan kosten.

'De verzekering betaalt misschien ook een deel,' was zijn enige kruimeltje troost. Ze had hem gevraagd of hij wel eens van Keogh's Garage had gehoord, maar toen had hij zijn hoofd geschud.

'Kun je het eens aan collega's vragen?'

Dat zou hij doen, maar hij wilde wel een aanbetaling. Honderd pond van haar rekening, zomaar ineens. Daar kwamen er straks nog vijfhonderd bij, en hier liepen de daders, nog geen tien meter van haar vandaan. Ze wilde dat ze Santals camera had... wat plaatjes schieten en kijken of een rechercheur van bureau Craigmillar er een paar herkende. Er moesten ook beelden van bewakingscamera's zijn. Als ze nou eens...

Natuurlijk kon ze dat. Maar ze wist dat ze het niet zou doen.

'Hoepel nou maar weer op,' riep Bobby Greig vastberaden.

'Niddrie is van óns,' snauwde de leider. 'Pleuren jullie maar een eind op!'

'Dat begrijp ik, maar dat gaat niet.'

'Je voelt je heel wat, hè? Babysitter spelen voor dat langharig tuig.'

'Stelletje teringhippies,' viel een van zijn volgelingen hem bij.

'Dat weten we dan ook weer,' was het enige wat Bobby Greig zei.

De leider van het stel stootte een soort blaffend gelach uit. Een van de jongens spuwde naar het hek. Een ander volgde zijn voorbeeld.

'We kunnen ze pakken, Bobby,' zei een van de bewakers zachtjes.

'Hoeft niet.'

'Vetzak,' begon de leider hem te jennen.

'Vieze vette reetkever,' voegde een van zijn hulpjes eraan toe.

'Pedo.'

'Zatlap.'

'Lelijke kale kontlikker...'

Greig keek naar Siobhan. Hij leek een besluit te nemen. Ze schudde langzaam van nee. *Geef ze hun zin niet.*

'Lamzak.'

'Baardaap.'

'Dikke strontzak.'

Bobby Greig draaide zijn hoofd naar de bewaker naast hem, hij knikte even. 'Ik tel tot drie,' fluisterde hij.

'Hoeft niet, Bobby.' De bewaker spurtte naar het hek, zijn maten erachteraan. De jongens stoven uiteen maar verzamelden zich weer aan de overkant van de weg.

'Kom op!'

'Laat maar eens wat zien!'

'Zocht je ons? Hier zijn we, hoor...'

Siobhan wist waar ze op uit waren. Ze hoopten dat de bewakers hen achterna zouden rennen in het doolhof van straatjes. Stadsguerrilla, waarbij bekendheid met het terrein altijd meer waard is dan vuurkracht. Er konden wapens klaarliggen, kant en klaar of geïmproviseerd. Er kon een groter leger schuilgaan achter de hagen en in de donkere steegjes. En ondertussen was het kampeerterrein onbewaakt...

Ze aarzelde niet en meldde het meteen met haar mobiel. 'Ik heb assistentie nodig.' Ze gaf een korte beschrijving van waar ze zich bevond. Over een minuut of twee, drie zouden ze hier zijn. Bureau Craigmillar was vlakbij. De bendeleider boog voorover en wiegelde met zijn kont naar Bobby Greig. Een van Greigs mannen vatte het persoonlijk op en rende op de knul af. Die deed precies waar Siobhan bang voor was: hij trok zich verder terug in de brandgang.

Het hart van de woonwijk in.

'Pas op!' waarschuwde ze, maar niemand luisterde naar haar. Toen ze zich omdraaide zag ze dat een paar kampeerders naar het spektakel stonden te kijken. 'De politie komt zo,' stelde ze hen gerust.

'Fascisten,' zei een van de kampeerders met openlijke walging.

Siobhan rende de weg op. De jongens hadden zich echt verspreid. Daar leek het tenminste op. Ze liep naar waar ze Bobby Greig had zien verdwijnen, een doodlopend steegje in. Overal goedkope portiekflats, de laatste en slechtste van de oude straten. Een skelet van een fiets op het trottoir. Een karkas van een winkelwagen bij de stoep. Schimmen, geschuifel, geroep. Geluid van brekend glas. Als er al gevochten werd, kon zij het niet zien. Het slagveld bevond zich in de achtertuinen. Trappenhuizen. Gezichten achter sommige ramen, maar die verdwenen meteen, zodat je alleen nog het kille blauwe licht van de tv zag flakkeren. Siobhan bleef lopen, ze keek links en rechts om zich heen. Ze vroeg zich af wat Greig gedaan zou hebben als zij geen getuige was geweest van het getreiter. Stomme kerels altijd, met hun macho-gezeik...

Eind van de straat: nog steeds niets. Ze sloeg links af, daarna rechts af. Een voortuin met een auto die op blokken stond. Een lantaarnpaal die van onderen open was gemaakt, de bedrading was losgerukt. Het was hier echt een doolhof, en waarom hoorde ze geen sirenes? Ze hoorde ook geen kreten meer, afgezien van een ruzie in een van de huizen. Een kind op een skateboard reed haar tegemoet, tien of elf jaar hooguit, en bleef haar de hele tijd strak aankijken. Als ze nu nog eens links afsloeg kwam ze weer op de weg, dacht ze. Maar het was weer een doodlopend steegje, en ze vloekte binnensmonds. Geen paadje te zien. Het snelst, wist ze, zou het zijn om naar het laatste huis te gaan en daar over het hek te klimmen. Eén blok verder en ze was de wijk weer uit.

Misschien.

'Wie niet waagt,' zei ze, en liep erheen. Achter de huizen was weinig te zien: onkruid en gras tot over je enkels, de resten van een droogmolen. De omheining was beschadigd, daar kon ze zo overheen naar de volgende reeks achtertuinen.

'Dat zijn mijn plantjes,' riep een stem op gemaakt klaaglijke toon. Siobhan keek om. Ze staarde in de vaalblauwe ogen van de bendeleider.

'Lekker,' zei hij terwijl hij zijn blik over haar lichaam liet glijden.

'Vind je niet dat je al genoeg in de nesten zit?' vroeg ze.

'Hoezo?'

'Dat was mijn auto die je gisteravond onder handen hebt genomen.'

'Waar heb je 't over?' Hij had een stap dichterbij gezet. Twee schimmen links en rechts van hem.

'Ik zou hem maar smeren als ik jullie was,' waarschuwde ze. Het antwoord: gelach.

'Ik ben rechercheur,' zei ze, en hoopte dat haar stem niet ging trillen. 'Als hier iets gebeurt, zul je daar je hele leven voor boeten.'

'Waarom doe jij het dan in je broek?'

Siobhan had zich niet verroerd, was geen centimeter geweken. Hij stond nu vlak voor haar. Ze zou hem een knietje kunnen geven. Ze voelde haar zelfvertrouwen langzaam terugkeren.

'Smeer 'm,' zei ze kalm.

'En als ik daar nou geen zin in heb?'

'Dan maak je maar zin,' zei een diepe basstem.

Siobhan keek om. Het was raadslid Tench. Hij stond met de benen gespreid, zijn handen voor zich gevouwen. Hij leek haar hele blikveld te vullen.

'Het gaat jou niks aan,' zei de bendeleider klaaglijk, en hij priemde met zijn vinger naar Tench.

'Alles wat hier gebeurt gaat mij aan. Als je mij een beetje kent dan weet je dat. Kruip terug in je hol en we doen of er niks gebeurd is.'

'Hij denkt dat hij de baas is,' schamperde een van de bendeleden.

'In mijn wereld is er maar één de baas, knul, en die zit daarboven.' Tench wees hemelwaarts.

'Droom maar verder, dominee,' zei de leider. Maar hij draaide zich om en verdween met zijn kompanen in het duister.

Tench liet zijn handen langs zijn zij vallen en ontspande zijn schouders. 'Dat had lelijk kunnen aflopen,' zei hij.

'Had gekund,' stemde Siobhan in. Ze stelde zich aan hem voor en hij knikte.

'Ik dacht gisteravond al: die meid is vast van de politie.'

'U heeft het zelf anders ook druk als ordehandhaver,' zei ze.

Hij trok een bescheiden gezicht. 'Meestal is het hier rustig. Je hebt gewoon een ongelukkige week uitgekozen voor een bezoek aan de wijk.' Zijn oren vingen het geluid op van een sirene die dichterbij kwam. 'Moet dat de cavalerie zijn?' vroeg Tench terwijl hij haar voorging naar het kampeerterrein.

Op de auto – haar leenwagen van St. Leonard – was NYT gespoten.

'Dit is niet leuk meer,' zei Siobhan knarsetandend. Ze vroeg Tench of hij een paar namen voor haar had.

'Geen namen,' stelde hij.

'Maar u weet wie het zijn.'

'Wat maakt dat uit?'

Ze wendde zich tot de agenten van bureau Craigmillar en gaf hun een beschrijving van het postuur, de kleren en de ogen van de bendeleider. Ze schudden langzaam het hoofd.

'Met het kampeerterrein is niks gebeurd,' zei een van hen. 'Daar gaat het om.' Zijn toon sprak boekdelen: zíj was degene die hen hierheen had geroepen, en er viel niets te zien of te doen. Een beetje gescheld en een paar (vermeende) klappen over en weer. Geen van de bewakers had verwondingen te melden. Ze zagen er opgetogen uit, wapenbroeders. Geen reële bedreiging voor het kampeerterrein, geen schade te melden – behalve aan Siobhans auto.

Met andere woorden: veel drukte om niets.

Tench begaf zich tussen de tenten, begon zich weer voor te stellen en handen te schudden, hij aaide kinderen over de bol en kreeg een mok kruidenthee in zijn handen gedrukt. Bobby Greig wreef over zijn geschaafde vuist, waarmee hij volgens een van zijn mannen alleen een dakgoot had geraakt.

'Geeft een beetje afleiding, hè,' zei hij tegen Siobhan.

Ze gaf geen antwoord. Ze liep naar de partytent, waar iemand een kop kamillethee voor haar inschonk. Daar stond ze in te blazen toen ze zag dat Tench gezelschap had gekregen van iemand met een draagbare cassetterecorder. Ze herkende de verslaggeefster, een oude vriendin van Rebus... Mairie Henderson, zo heette ze. Siobhan liep erheen en hoorde Tench over de wijk praten.

'Het is allemaal heel leuk en aardig, zo'n G8. Maar de gemeente moet ook eens kijken naar wat er dichter bij huis allemaal mis is. De jongelui hebben gewoon geen toekomstperspectief. Investeringen, infrastructuur, industrie. Er moet hier een complete gemeenschap opnieuw worden opgebouwd. Deze wijk is naar de knoppen gegaan, maar daar kun je iets aan doen. Een stevige injectie en deze kinderen krijgen weer iets om trots op te zijn, iets om ze bezig te houden en productief te maken. Het is allemaal goed en wel om mondiaal te denken, zoals nu de leus is... maar je moet niet vergeten om thuis de handen uit de mouwen te steken. Dank u wel.'

En daar ging hij weer, hier een hand, daar een aai over de bol. De verslaggeefster had Siobhan opgemerkt en snelde met de uitgestoken cassetterecorder naar haar toe.

'Wilt u zeggen hoe de politie daar tegenaan kijkt, brigadier Clarke?'

'Nee.'

'Ik hoor dat dit al de tweede avond is dat u hier bent... Wat trekt u hier zo aan?'

'Ik ben nu niet in de stemming, Mairie.' Siobhan zweeg even. 'Ga je hier echt over schrijven?'

'De wereld kijkt toe.' Ze zette haar cassetterecorder uit. 'Zeg maar tegen John dat ik hoop dat hij zijn pakje heeft gekregen.'

'Welk pakje?'

'De informatie over Pennen Industries en Ben Webster. Ik vraag me nog steeds af wat hij daarmee denkt te kunnen.'

'Hij verzint wel iets.'

Mairie knikte. 'Als ie dan maar niet vergeet dat ik hem geholpen heb.' Ze keek naar Siobhans kop thee. 'Is dat thee? Ik verga van de dorst.'

'In die tent,' zei Siobhan, met een knikje naar de partytent. 'Maar hij is nogal slap. Zeg maar dat je hem graag sterk hebt.'

'Bedankt,' zei de verslaggeefster, en ze liep naar de tent.

'Niks te danken,' zei Siobhan zacht, en kiepte haar beker om boven het gras.

Het Live 8-concert was op het late avondjournaal. Niet alleen de optredens in Londen, maar ook die in Philadelphia, het Eden Project en optredens elders. De kijkcijfers liepen in de honderden miljoenen en men sprak de zorg uit dat de concertgangers door de massale opkomst in de openlucht zouden moeten overnachten.

'Nou nou,' zei Rebus, en leegde een laatste blikje bier. Nu kwam de protestmars op het scherm, een schreeuwerige beroemdheid zei dat hij de behoefte had gevoeld 'om hier vandaag bij te zijn, om geschiedenis te schrijven door de armoede de wereld uit te helpen'. Rebus zapte naar Channel 5: *Law And Order: Special Victims Unit.* Hij begreep de titel niet: was niet elk slachtoffer speciaal? Maar toen moest hij aan Cyril Colliar denken en besefte dat het antwoord 'nee' was.

Cyril Colliar, een van Cafferty's zware jongens. Het leek aanvankelijk op een liquidatie, maar dat was nu hoogst onwaarschijnlijk. Gewoon op de verkeerde plaats op het verkeerde moment.

Trevor Guest... tot nu toe alleen een stukje plastic, maar de cijfers daarop zouden zeker een identiteit opleveren. Rebus had in het telefoonboek naar Guests gezocht en er zeker twintig gevonden. Hij had de helft opgebeld en slechts vier hadden opgenomen. Geen van hen kende een Trevor.

Keogh's Garage... Er stonden een stuk of tien Keoghs in het telefoonboek van Edinburgh, maar inmiddels had Rebus de theorie dat alle drie de slachtoffers uit dezelfde stad kwamen al opgegeven. Als je een cirkel trok met Auchterarder als middelpunt, kon die net zo goed Dundee en Stirling bevatten als Edinburgh – en Glasgow en Aberdeen ook, als het moest. De slachtoffers konden overal vandaan komen. Dat zou moeten wachten tot maandag.

Nu viel er niets anders te doen dan thuis zitten piekeren, biertjes drinken en even naar de buurtsuper lopen om een kant-en-klaarmaaltijd te kopen, Lincolnshire worst met uienjus en aardappelpuree. En nog vier biertjes. De mensen in de rij bij de kassa hadden hem lachend aangekeken. Ze droegen nog steeds een wit T-shirt en hadden het over 'een ongelooflijke middag'.

Rebus had instemmend geknikt.

Er was sectie verricht op een parlementslid. Drie slachtoffers gevonden van een anonieme moordenaar.

Om een of andere reden klonk 'ongelooflijk' nogal zwak.

KANT TWEE

Dans met de Duivel

Zondag 3 juli

6

'En, hoe was The Who?' vroeg Siobhan. Het was zondag, eind van de ochtend, en ze had Rebus gevraagd om bij haar te komen brunchen. Zijn bijdrage: een pak worstjes en vier vloerkadetten. Ze had ze op het aanrecht gelegd en roereieren gebakken, die ze serveerde met plakjes gerookte zalm en kappertjes.

'The Who was goed,' zei Rebus, en met zijn vork duwde hij de kappertjes naar de rand van zijn bord.

'Proef er eens eentje,' spoorde ze hem aan. Hij trok zijn neus op en liet ze liggen.

'Floyd was ook goed,' zei hij. 'Geen knallende ruzie.' Ze zaten tegenover elkaar aan het kleine opklaptafeltje in haar woonkamer. Ze woonde in een appartement om de hoek van Broughton Street, vijf minuten lopen van Gayfield Square. 'En jij?' vroeg hij, terwijl hij de kamer rondkeek. 'Geen sporen van zaterdagse uitspattingen.'

'Het lot is me niet gunstig gezind.' Met een wrange glimlach vertelde ze hem over Niddrie.

'Je boft dat je daar heelhuids uit gekomen bent,' was zijn commentaar.

'Je vriendin Mairie was er ook, ze schrijft een stuk over raadsman Tench. Ze zei iets over informatie die ze je had gestuurd.'

'Richard Pennen en Ben Webster,' bevestigde hij.

'Kom je daar al wat verder mee?'

'Stukje bij beetje. Ik heb ook een paar Guests en Keoghs gebeld, maar zonder resultaat. Ik had net zo goed in een woonwijk achter een stel opgeschoten jongeren aan kunnen jagen.' Hij had zijn bord leeggegeten, behalve de kappertjes, en leunde achterover in zijn stoel. Hij verlangde naar een sigaret, maar wist dat hij moest wachten tot zij uitgegeten was. 'O, en ik heb zelf ook nog een interessante ontmoeting gehad, toevallig.'

Hij vertelde haar over Cafferty, en toen hij daarmee klaar was had zij ook haar bord leeg.

'Hij is wel de laatste waar we op zitten te wachten,' zei ze terwijl ze opstond. Rebus maakte even aanstalten om te helpen met afruimen, maar ze knikte in de richting van het raam. Glimlachend liep hij erheen en zette het open. De koele buitenlucht stroomde naar binnen en hij ging zitten en stak een sigaret op. Zorgde ervoor dat hij de rook naar buiten blies en hield zijn sigaret tussendoor telkens uit het raam.

Siobhans regels.

'Nog koffie?' riep ze.

'Laat maar doorkomen,' antwoordde hij.

Ze kwam de keuken uit met een volle cafetière. 'Straks is er weer een protestmars,' zei ze. 'Tegen de oorlogscoalitie.'

'Beetje aan de late kant, lijkt me.'

'En de alternatieve G8... George Galloway houdt een toespraak.'

Rebus snoof schamper en drukte zijn sigaret uit op het raamkozijn. Siobhan had de tafel schoongeveegd en er een van de dozen op gezet. De dozen die Rebus van haar had moeten meenemen.

De zaak-Colliar.

De belofte van uitbetaalde overuren – waarvoor James Corbyn toestemming had gegeven – had de Technische Recherche overgehaald om een team op te trommelen. Dat was nu onderweg naar de Clootie Well. Siobhan had ze gemaand om onopvallend te werk te gaan: 'Zorg dat onze lokale collega's er geen lucht van krijgen.' Toen ze had verteld dat de TR uit Stirling de locatie twee dagen eerder al had doorzocht, had haar eigen collega gegrinnikt.

'Tijd dat de grote mensen eens gaan kijken dan,' was het enige wat hij zei.

Siobhan had weinig hoop op nieuwe sporen. Maar toch: vrijdag hadden ze sporen lopen verzamelen voor één misdaad. Nu wees alles in de richting van nog twee moorden. Het was wel wat zoek- en graafwerk waard. Ze begon dossiers en mappen uit de dozen te halen.

'Dus jij hebt dit allemaal al doorgenomen?' vroeg ze.

Rebus sloot het raam. 'En het enige wat ik eruit opmaak, is dat Colliar een enorme klootzak was. Hij had waarschijnlijk meer vijanden dan vrienden.'

'En de kans dat hij per ongeluk ten prooi is gevallen aan een loslopende seriemoordenaar...?'

'Klein. Dat weet jij ook.'

'En toch lijkt dat gebeurd te zijn.'

Rebus hield een vinger omhoog. 'We speculeren er maar een eind op los, enkel aan de hand van een paar kledingstukken van onbekende eigenaars.'

'Ik heb Trevor Guest opgevraagd bij Vermiste Personen.'

'En?'

Ze schudde haar hoofd. 'Nergens geregistreerd.' Ze gooide een lege doos op de bank. 'Een zondagochtend in juli, John... we kunnen vandaag niet veel meer doen.'

Hij knikte. 'En de bankpas van Guest?'

'Van HSBC. Ze hebben maar één filiaal in Edinburgh. Sowieso weinig vestigingen in Schotland.'

'Is dat een goed of een slecht teken?'

Ze zuchtte. 'Ik kreeg een callcenter aan de lijn. Ze zeiden dat ik de lokale vestiging maandagochtend maar moest bellen.'

'Op dat pasje staat toch wel een code waaraan je kunt zien bij welke vestiging hij bankierde?'

Siobhan knikte. 'Dat soort informatie geven ze niet over de telefoon.'

Rebus ging aan de tafel zitten. 'Keogh's Garage?'

'Inlichtingen kon hem nergens vinden. Staat ook nergens op internet.'

'Het is een Ierse naam.'

'Er staan een stuk of tien Keoghs in het telefoonboek.'

Hij keek haar aan en glimlachte. 'Jij hebt dus ook gezocht?'

'Zodra ik de TR op pad had gestuurd.'

'Je bent goed bezig geweest.' Rebus opende een van de mappen. Er zat niets in wat hij nog niet kende.

'Ray Duff heeft me beloofd dat hij vandaag naar het lab gaat.'

'Hij weet waar hij het voor doet...'

Ze wierp hem een afgemeten blik toe voordat ze de laatste doos leeghaalde. Bij de aanblik van de hoeveelheid papieren liet ze moedeloos haar schouders zakken.

'De heilige rustdag,' zei Rebus. Er ging een telefoon.

'Die van jou,' zei Siobhan. Hij liep naar de bank en viste zijn mobiel uit de binnenzak van zijn colbert.

'Rebus,' zei hij. Hij luisterde even en zijn gezicht betrok. 'Omdat ik niet thuis ben...' De ander zei weer iets. 'Nee, ik kom wel naar jou toe. Waar moet je zijn?' Hij keek op zijn horloge. 'Drie kwartier?' Hij keek naar Siobhan. 'Ik zal er zijn.'

Hij klapte zijn telefoon dicht.

'Cafferty?' vroeg ze.

'Hoe raad je het zo?'

'Hij doet iets met je. Je stem, je gezicht. Wat wil hij?'

'Hij staat bij mij voor de deur. Zegt dat hij iets heeft wat ik moet zien. Maar ik laat hem echt niet hier komen.'

'Gelukkig.'

'Hij is bezig met een onroerendgoedzaak, moet naar de bouwplaats.'

'Ik ga mee.'

Rebus wist dat hij daar niet onderuit kwam.

Queen Street, Charlotte Square, Lothian Road. De Saab van Rebus, met Siobhan als angstige passagier, haar hand stevig om de handgreep in het portier geklemd. Ze moesten een paar maal stoppen bij wegversperringen om hun legitimatie te tonen. De versterking stroomde de stad in: zondag was de dag waarop de grote toevloed van politieagenten naar het noorden op gang kwam. Dat had Siobhan gehoord tijdens de twee dagen dat ze met Macrae op pad was, en dat vertelde ze nu aan Rebus.

'Je hebt ineens een heel nieuw specialisme,' zei hij. 'Iedereen doodvervelen op bruiloften en partijen.'

Toen ze in Lothian Road voor het stoplicht stonden, zagen ze bij de Usher Hall een rij wachtende mensen.

'De alternatieve G8,' zei Siobhan. 'Bianca Jagger spreekt daar.'

Rebus hief zijn ogen ten hemel. Ze sloeg met haar vuist tegen zijn dij.

'Heb je de demonstratie op tv gezien? Tweehonderdduizend mensen!'

'Leuk uitje voor de mensen,' zei Rebus. 'Maar mijn wereld is er niet door veranderd.' Hij keek haar aan. 'En gisteravond in Niddrie? Reikten al die positieve *vibes* zover niet?'

'Een stuk of tien opgeschoten jongelui, John. Tegen tweeduizend kampeerders.'

'Ik weet wel op wie ik mijn geld zou zetten...'

Waarna ze allebei zwegen tot ze bij Fountainbridge waren.

Vroeger was het een wijk van fabrieken en brouwerijen, waar Sean Connery in zijn jonge jaren had gewoond. Maar Fountainbridge was aan het veranderen; de oude fabrieken waren bijna allemaal verdwenen. Het aangrenzende financiële district rukte op. Er verschenen hippe bars. Een van Rebus' favoriete oude kroegen was al gesloopt, en hij vermoedde dat de bingozaal ernaast – het voormalige Palais de Danse – snel zou volgen. Het kanaal, vroeger niet veel meer dan een open riool, was opgeknapt. Nu zag je er gezinnen die een fietstochtje maakten of de zwanen voerden. Niet ver van het CineWorld bioscoopcomplex stond nog één overjarige brouwerij. Rebus stopte bij de gesloten poort en claxonneerde. Er verscheen een jongeman in pak die het hangslot opende en een van de hekken openzwaaide – de Saab kon er net doorheen.

'Meneer Rebus?' vroeg hij door het zijraampje.

'Inderdaad.'

De jongeman wachtte even af of hij Siobhan ook ging voorstellen. Toen glimlachte hij nerveus en gaf hem een folder. Rebus wierp er een blik op en gaf hem aan Siobhan.

'Ben je makelaar?'

'Ik werk voor Bishops Advocaten, meneer Rebus. Kantoorpanden. Ik zal u mijn kaartje geven...' Zijn hand verdween in zijn binnenzak.

'Waar is Cafferty?'

Zijn toon maakte de jongeman nog nerveuzer. 'Die staat aan de andere kant van het gebouw...'

Rebus wachtte de rest van zijn verhaal niet af.

'Hij houdt jou duidelijk voor een van Cafferty's mensen,' zei Siobhan. 'En naar de zweetdruppeltjes op zijn bovenlip te oordelen, weet hij wie Cafferty is.'

'Kan me niet schelen wat hij denkt. Het is een goed teken dat hij hier is.'

'Hoezo?'

Rebus keek haar aan. 'Maakt het minder waarschijnlijk dat dit een valstrik is.'

Cafferty's auto was een donkerblauwe Bentley GT. Hij stond gebogen over een plattegrond van het gebouw die hij op de motorkap gedrukt hield zodat hij niet weg kon waaien.

'Wil je even een hoek vasthouden?' zei hij. Siobhan deed wat haar gevraagd werd. Cafferty glimlachte naar haar. 'Brigadier Clarke. Wat een genoegen. Die promotie zit er wel aan te komen, hè? Zeker nu de hoofdcommissaris u zo'n grote zaak toevertrouwt.'

Siobhan wierp een blik op Rebus, die zijn hoofd schudde om aan te geven dat hij dat niet had verteld.

'De recherche is zo lek als een mandje,' was Cafferty's verklaring. 'Altijd geweest, zal ook altijd zo blijven.'

'Wat wilt u hiermee doen?' vroeg Siobhan onwillekeurig.

Cafferty sloeg met zijn hand op het weerspannige papier. 'Grond, brigadier. We beseffen niet altijd hoe kostbaar die is in Edinburgh. De Firth of Forth in het noorden, de Noordzee in het oosten, en de Pentland Hills in het zuiden. Projectontwikkelaars zoeken zich suf naar nieuwe bouwmogelijkheden, ze zetten de gemeente onder druk om delen van de groene gordel vrij te geven. En hier heb je een lap grond van tien hectare op hooguit vijf minuten lopen van het financieel district.'

'Wat wilt u er dan mee doen?'

'Afgezien van het dumpen van lijken in de fundering,' voegde Rebus toe.

Cafferty besloot erom te lachen. 'Ik heb een aardig zakcentje verdiend met dat boek. Daar moet ik toch iets mee doen.'

'Mairie Henderson denkt dat jouw deel van de opbrengst naar een goed doel is gegaan,' zei Rebus.

Cafferty ging er niet op in. 'Heeft u het gelezen, brigadier?' Ze aarzelde voordat ze het toegaf. 'Mooi?' vroeg hij.

'Er staat me niet veel meer van bij.'

'Ze zitten al aan een film te denken. Van de eerste hoofdstukken in ieder geval.' Hij vouwde de plattegrond op en gooide hem op de stoel van de Bentley. 'Maar iets aan deze plek bevalt me niet...' Hij wendde zich tot Rebus. 'Je hebt het over mensen laten verdwijnen. Dat gevoel roept deze plek op. Al die mensen die hier vroeger werkten... Allemaal weg, en de hele Schotse industrie ook. Ik kom uit een familie van mijnwerkers – dat wist je zeker niet, hè?' Hij zweeg even. 'Jij komt uit Fife, Rebus. Jij bent vast ook opgegroeid tussen de steenkool.' Nog steeds stilte. 'Gecondoleerd met je broer.'

'Medeleven van de duivel,' zei Rebus. 'Net wat ik nodig had.'

'Een moordenaar met een sociaal geweten,' voegde Siobhan er op gedempte toon aan toe.

'Ik zou niet de eerste zijn...' Cafferty viel weer stil. Hij wreef met een vinger onder zijn neus. 'En misschien is dat ook wat jullie nu op je bord hebben.' Hij verdween met zijn hoofd in de auto en opende het dashboardkastje, haalde er een paar opgerolde vellen papier uit en stak ze Siobhan toe.

'Ik wil eerst weten wat dat is,' zei ze, met haar handen in haar zij.

'Dat is voor jullie onderzoek, brigadier. Bewijs dat we te maken hebben met een smeerlap. Een vuile smeerlap die het op andere vuile smeerlappen heeft gemunt.'

Ze nam de papieren aan maar keek er niet naar. 'Dat "we" te maken hebben?' herhaalde ze.

Cafferty keerde zich weer naar Rebus. 'Weet ze niet wat we hebben afgesproken?'

'We hebben niks afgesproken,' zei Rebus.

'Of je het nou leuk vindt of niet, in deze zaak sta ik aan jullie kant.' Cafferty keek Siobhan weer aan. 'Het heeft me flink wat gekost om hieraan te komen. Als het jullie helpt om hem te pakken te krijgen, vind ik dat allang best. Maar ik ga zelf ook achter hem aan... met of zonder jullie hulp.'

'Waarom zou je ons dan helpen?'

Cafferty vertrok zijn mond even in een glimlach. 'Dat houdt de wedstrijd spannend.' Hij schoof de passagiersstoel naar voren. 'Zeeën van ruimte achterin... maak het je gemakkelijk.'

Rebus ging naast Siobhan op de achterbank zitten, terwijl Cafferty voorin plaatsnam. Ze waren zich allebei bewust van zijn blik. Hij wilde dat ze onder de indruk waren.

Het kostte Rebus moeite niets te laten merken. Hij was meer dan onder de indruk: hij was verbluft.

Keogh's Garage was in Carlisle. Een van de monteurs, Edward Isley, was drie maanden geleden vermoord, zijn lichaam was gevonden op een vuilnisbelt buiten de stad. Een klap op zijn hoofd en een dodelijke dosis heroïne. Het lijk was gevonden met ontbloot bovenlijf. Geen getuigen, geen aanwijzingen, geen verdachten.

Siobhan en Rebus keken elkaar aan.

'Heeft hij een broer?' vroeg Rebus.

'Is dat weer een obscure verwijzing naar muziek?' raadde ze.

'Lees nou maar door,' zei Cafferty.

De aantekeningen waren officiële stukken – uit politieverslagen. Daarin stond te lezen dat Isley amper een maand in de bewuste garage werkte, en dat hij net was vrijgekomen na een celstraf van zes jaar wegens verkrachting en aanranding. De twee slachtoffers waren prostituees: een had hij opgepikt in Penrith en de andere verder naar het zuiden, in Lancaster. Ze werkten langs de m6, vooral voor vrachtwagenchauffeurs. Men vermoedde dat hij meer slachtoffers had gemaakt, maar dat die te bang waren om een getuigenis af te leggen of zelfs maar met de politie in aanraking te komen.

'Hoe kom je hieraan?' barstte Rebus uit. Cafferty moest erom grinniken.

'Een netwerk is zoiets moois, Rebus. Dat weet je toch wel?'

'Als je maar kwistig genoeg met steekpenningen strooit.'

'Jezus, John,' bracht Siobhan uit. 'Moet je kijken.'

Rebus las verder. Trevor Guest. De aantekeningen begonnen met zijn bank- en adresgegevens – in Newcastle. Guest was werkloos en had net drie jaar gezeten wegens inbraak met geweld en de mishandeling van een man bij de ingang van een pub. Bij één inbraak had hij geprobeerd een kinderoppas, een tiener nog, aan te randen.

'Weer zo'n fijn portret,' mompelde Rebus.

'En op dezelfde manier aan zijn einde gekomen.' Siobhan liet haar vinger langs de belangrijkste woorden glijden. Lichaam gedumpt langs de kust bij Tynemouth, ten oosten van Newcastle. Hersens ingeslagen... dodelijke dosis heroïne. De moord dateerde van twee maanden geleden.

'Hij was nog maar twee weken vrij...'

Edward Isley: drie maanden geleden.

Trevor Guest: twee.

Cyril Colliar: zes weken.

'Zo te zien heeft Guest zich verzet,' zei Siobhan.

Inderdaad: vier gebroken vingers; wonden in het gezicht en op de borstkas. Stevig afgeranseld.

'We hebben dus een moordenaar die het op uitschot heeft gemunt,' vatte Rebus het samen.

'En jij denkt: laat hem zijn gang maar gaan?' raadde Cafferty.

'Eigenrichting,' zei Siobhan. 'Alle verkrachters opruimen...'

'Onze inbreker heeft niemand verkracht,' wees Rebus haar terecht.

'Maar het scheelde niet veel,' zei Cafferty. 'Vertel eens, maakt dit je werk nu moeilijker of makkelijker?'

Siobhan haalde haar schouders op. 'Hij moordt met regelmatige tussenpozen,' zei ze tegen Rebus.

'Twaalf, acht en zes weken,' stemde hij in. 'Dan hadden we er onderhand weer een moeten hebben.'

'Misschien hebben we niet hard genoeg gezocht.'

'Waarom Auchterarder?' vroeg Cafferty. Een goede vraag.

'Soms nemen ze een trofee mee.'

'En die hangen ze vol in het zicht?' Cafferty fronste.

'De Clootie Well is niet zo drukbezocht...' Siobhan dacht even na, bladerde terug naar de eerste pagina en las weer verder. Rebus stapte uit de auto. De leergeur werd hem te veel. Hij probeerde een sigaret op te steken maar de vlam werd steeds gedoofd door de bries. Hij hoorde het portier van de Bentley open en dicht gaan.

'Hier,' zei Cafferty, en hij gaf hem de verchroomde aansteker uit de auto. Rebus nam hem aan, stak zijn sigaret op en gaf hem terug met een hoofdknikje.

'Voor mij was het altijd puur zakelijk, Rebus, die dingen van vroeger...'

'Moordenaars als jij komen altijd met die rotsmoes aanzetten. Je vergeet dat ik heb gezíén wat jij met mensen hebt gedaan, Cafferty.'

Cafferty haalde langzaam zijn schouders op. 'Dat was toen...'

Rebus blies de rook uit. 'Hoe dan ook, jij kunt rustig slapen. Jouw man was een bewust doelwit, maar niet omdat hij voor jou werkte.'

'De moordenaar is wel iemand die een wrok koestert.'

'Dat kun je wel zeggen,' gaf Rebus toe.

'En hij heeft informatie over bajesklanten... wanneer ze vrijkomen en waar ze dan heen gaan.'

Rebus knikte en schraapte met de hak van zijn schoen over het versleten asfalt.

'En jij blijft gewoon naar hem zoeken?' raadde Cafferty.

'Daar word ik voor betaald.'

'Het gaat jou helemaal niet om het geld, Rebus... voor jou is het meer dan gewoon wérk.'

'Wat weet jij daarvan?'

'Alles.' Cafferty stond te knikken. 'Anders had ik wel geprobeerd om je op mijn loonlijst te krijgen, zoals tientallen collega's van je.'

Rebus schoot zijn peuk weg. De zachte wind blies de as op Cafferty's kostuum. 'Ga je deze bouwval echt kopen?' vroeg Rebus.

'Ik denk het niet. Maar als ik wou, zou ik het zo kunnen doen.'

'En daar krijg je een kick van?'

'De meeste dingen liggen binnen ons bereik, Rebus. We zijn alleen bang voor wat we aantreffen als we ze krijgen.'

Siobhan was uitgestapt en stond te wijzen naar een stuk tekst onder aan de laatste bladzijde. 'Wat is dit?' vroeg ze terwijl ze om de Bentley kwam gelopen. Cafferty kneep zijn ogen half dicht.

'Een website, denk ik,' zei hij.

'Natuurlijk is het een website,' bitste ze. 'Daar komt de helft van dit materiaal vandaan.' Ze zwaaide de pagina's in zijn gezicht.

'Is dat een aanwijzing?' zei hij spottend.

Ze had zich omgedraaid en liep naar de Saab, met een armgebaar naar Rebus ten teken dat ze weg wilde.

'Ze groeit er echt in, hè?' zei Cafferty op gedempte toon. Het klonk niet zozeer als een compliment: Rebus had de indruk dat de gangster met een deel van de eer wilde strijken.

Op de terugweg zette Rebus de radio op een lokale nieuwszender. In Dunblane werd een alternatieve G8 voor kinderen gehouden.

'Ik kan de naam van die stad niet horen zonder te huiveren,' biechtte Siobhan op.

'Ik zal je eens wat vertellen: professor Gates was daar een van de lijkschouwers.'

'Daar heb ik hem nooit over gehoord.'

'Hij wil er niet over praten,' zei Rebus. Hij zette de radio iets luider. Bianca Jagger sprak het publiek in de Usher Hall toe.

'Op briljante wijze kapen ze onze campagne tegen de armoede in de wereld...'

'Ze heeft het over Bono en co,' zei Siobhan. Rebus knikte.

'Bob Geldof danst niet alleen met de duivel, hij gaat naar bed met de vijand...'

Bij het applaus draaide Rebus het volume weer omlaag. De verslaggever zei dat het publiek uit Hyde Park geen aanstalten leek te maken om af te reizen naar het noorden. Sterker nog, veel van de demonstranten van zaterdag waren alweer uit Edinburgh vertrokken.

'Dance with the Devil,' mijmerde Rebus. 'Nummer van Cozy Powell, als ik me niet vergis.' Zijn stem stokte en hij trapte met alle macht rem en koppeling in. Een konvooi witte busjes kwam over de verkeerde weghelft met grote snelheid op hen afgestormd. Knipperend met de koplampen, maar zonder sirene. Op de voorruit van de busjes was een traliewerk gemonteerd. Ze reden op Rebus' weghelft om een rits auto's te passeren. Door de zijraampjes waren ME'ers te zien. Het eerste busje zwenkte pal voor Rebus terug naar zijn eigen weghelft en scheerde rakelings langs de neus van zijn Saab. De anderen volgden het voorbeeld.

'Kolere.' Siobhan hapte naar adem.

'Welkom in de politiestaat,' voegde Rebus eraan toe. De motor was stilgevallen, dus hij startte hem weer. 'Maar die noodstop was niet slecht.'

'Waren dat er van ons?' Siobhan had zich omgedraaid in haar stoel om de busjes na te kijken.

'Er zat geen striping op de wagens.'

'Zouden er ergens rellen zijn?' Ze moest aan Niddrie denken.

Rebus schudde zijn hoofd. 'Als je 't mij vraagt, zijn ze op weg naar Pollock Halls voor thee en een koekje, en halen ze zo'n stunt gewoon uit omdat ze het kunnen maken.'

'Je hebt het over "ze", alsof we niet aan dezelfde kant staan.'

'Dat staat ook nog niet vast. Koffie? Ik kan wel wat gebruiken om mijn hart weer op gang te krijgen...'

Op de hoek van Lothian Road en Bread Street was een Starbucks. Geen parkeerplaats te vinden. Te dicht bij Usher Hall, vermoedde Rebus. Hij zette de auto maar bij een gele lijn en legde zijn politiekaart op het dashboard. In de koffiebar vroeg Siobhan aan de tiener achter de kassa of hij niet bang was voor demonstranten. Hij haalde zijn schouders op.

'We hebben onze instructies.'

Siobhan stopte een pond in de fooienpot. Ze had haar schoudertas meegenomen. Aan tafel haalde ze haar laptop eruit en zette hem aan.

'Krijg ik computerles?' vroeg Rebus, en hij blies op zijn koffie. Hij had een gewone filterkoffie genomen, klagend dat hij daarvan een hele pot kon kopen voor de prijs van één kopje van de duurdere opties. Siobhan stak haar vinger in de slagroom van haar chocolademelk.

'Kun je het scherm zo lezen?' vroeg ze. Rebus knikte. 'Moet je kijken.' In een paar seconden was ze online en typte een paar namen in bij een zoekmachine:

Edward Isley.

Trevor Guest.

Cyril Colliar.

'Een hoop hits,' zei ze, en scrolde omlaag. 'Maar er zit er maar een bij waar ze alle drie op voorkomen.' Ze scrolde terug naar de eerste treffer. Tikte tweemaal op het touchpad en wachtte.

'We hadden dit anders natuurlijk zelf ook nagetrokken,' zei ze.

'Natuurlijk.'

'Nou ja... sommigen van ons in ieder geval. Maar dan hadden we eerst Isleys naam moeten hebben.' Ze keek Rebus even aan. 'Cafferty heeft ons een dag saai zoekwerk bespaard.'

'Toch meld ik me niet aan voor zijn fanclub.'

Ze zagen de welkomstpagina van een website. Siobhan las hem door. Rebus schoof iets dichterbij om het goed te kunnen zien. De site heette BeastWatch. Er stonden grofkorrelige pasfoto's op van een stuk of zes mannen, en rechts daarvan stond een begeleidend tekstje.

'Moet je horen,' zei Siobhan, en ze liet haar vinger langs de tekst glijden. '*Als ouders van een slachtoffer van verkrachting vinden wij dat het ons recht is te weten waar de verkrachter zich na zijn vrijlating ophoudt. Met deze site willen we familie en vrienden van slachtoffers – en slachtoffers zelf – de gelegenheid bieden om gegevens te publiceren over de vrijlating van daders, met een* foto en een signalement, zodat de samenleving voorbereid is op deze beesten die in ons midden leven...' Haar stem stierf weg en haar lippen bleven bewegen terwijl ze in stilte doorlas. Er stonden links bij naar een fotopagina die Beast in View heette, plus een forum en een online petitie. Siobhan verplaatste de cursor naar de foto van Edward Isley en tikte op het touchpad. Er verscheen een pagina met informatie, daaronder de datum van zijn vrijlating, zijn bijnaam – 'Snelle Eddie' – en plaatsen waar hij zich waarschijnlijk zou vertonen.

'Er staat "verwachte datum van vrijlating",' zei Siobhan.

Rebus knikte. 'En niks van later datum... geen teken dat ze wisten waar hij werkte.'

'Maar er staat wel dat hij was opgeleid tot automonteur... Carlisle staat er ook bij. Geplaatst door...' Siobhan zocht naar de naam. 'Er staat alleen "bezorgd".'

Ze klikte door naar Trevor Guest.

'Zelfde idee,' zei Rebus.

'En anoniem geplaatst.'

Ze keerde terug naar de beginpagina en klikte op Cyril Colliar. 'Die foto zit ook in ons dossier,' zei ze.

'Komt uit de krant,' zei Rebus, en hij zag nog meer foto's van Colliar verschijnen. Siobhan vloekte binnensmonds. 'Wat is er?'

'Moet je horen: *Deze smeerlap heeft onze dochter door een hel laten gaan en heeft onze levens verwoest. Binnenkort komt hij weer vrij. Hij heeft nooit enig berouw getoond, ondanks alle onweerlegbare bewijzen heeft hij zelfs nooit schuld bekend. We waren zo geschokt dat hij binnenkort weer vrij rondloopt, dat we iets wilden doen, en deze website is het resultaat. We willen jullie allemaal hartelijk danken voor je steun. In Groot-Brittannië is dit waarschijnlijk de eerste site in zijn soort, maar elders bestaan er al meer van deze sites, en vooral onze vrienden in de VS hebben ons enorm geholpen bij het opzetten ervan.'*

'Is dit allemaal het werk van Vicky Jensen d'r ouders?' zei Rebus.

'Blijkbaar.'

'Waarom wisten wij daar niks van?'

Siobhan haalde haar schouders op en las ingespannen verder.

'Hij ruimt ze een voor een op,' zei Rebus. 'Zo is het toch?'

'Hij of zij,' corrigeerde Siobhan.

'Dan moeten we dus weten wie deze site hebben bezocht.'

'Misschien kan Eric Bain op het hoofdbureau ons daarmee helpen.'

Rebus keek haar aan. 'Brains? Praat die nog met je?'

'Ik heb hem al een tijdje niet gezien.'

'Sinds je hem aan de dijk hebt gezet, bedoel je?'

Ze wierp Rebus een vernietigende blik toe, en hij hield bezwerend zijn handen op. 'De moeite van het proberen waard,' gaf hij toe. 'Ik wil het hem ook best vragen, als je dat liever hebt.'

Ze leunde achterover in haar stoel en legde haar armen over elkaar. 'Het zit je wel dwars, hè?'

'Wat?'

'Ik ben brigadier en jij inspecteur, maar toch laat Corbyn míj het onderzoek leiden.'

'Alsof mij dat iets kan schelen.' Hij probeerde beledigd te klinken.

'Echt niet? Want als we hier samen aan gaan werken...'

'Ik vroeg alleen of je wou dat ik met Brains ging praten.' Hij wist zijn irritatie niet langer te verbergen.

Siobhan haalde haar armen van elkaar en boog het hoofd. 'Sorry, John.'

'Nog mazzel dat je geen espresso genomen hebt,' was het enige wat hij zei.

'Een dagje vrij was wel fijn geweest,' zei Siobhan glimlachend.

'Je kunt altijd naar huis gaan om bij te komen.'

'Of?'

'Of we kunnen eens gaan babbelen met meneer en mevrouw Jensen.' Hij gebaarde naar de laptop. 'Eens zien wat ze ons kunnen vertellen over hun bijdrage aan het wereldwijde web.'

Siobhan knikte langzaam en nam weer een lik slagroom. 'Laten we dat dan maar doen,' zei ze.

De Jensens woonden in een oud huis van vier verdiepingen met uitzicht op de Leith Links. Het souterrain was het domein van dochter Vicky. Het had een aparte ingang, waar een stenen trapje naartoe voerde. Boven aan de trap zat een hek met een slot erop, en voor de ramen aan weerskanten van de deur zaten tralies en een sticker die aangaf dat er een inbraakalarm was geïnstalleerd.

Voordat Colliar haar had verkracht hadden ze al die maatregelen niet nodig geacht. Toen was Vicky gewoon een slimme achttienjarige studente op Napier College. Nu, tien jaar later, woonde ze nog steeds thuis, voor zover Rebus wist.

Op de stoep aarzelde hij even.

'Diplomatie is niet echt mijn sterkste kant,' zei hij tegen Siobhan.

'Laat mij dan het woord maar doen.' Ze stak haar arm voor hem langs en drukte op de bel.

Thomas Jensen deed zijn leesbril af terwijl hij de deur opende. Toen hij Rebus herkende, keek hij verrast.

'Wat is er gebeurd?'

'Niks om u zorgen over te maken, meneer Jensen,' stelde Siobhan hem gerust terwijl ze haar legitimatie toonde. 'We willen u alleen een paar vragen stellen.'

'Bent u nog steeds op zoek naar zijn moordenaar?' raadde Jensen. Hij was begin vijftig, grijzend bij de slapen, normaal postuur. Droeg een rode spencer die er nieuw en duur uitzag. Kasjmier misschien. 'Dacht u soms dat ik u daarbij ging helpen?'

'We zijn benieuwd naar uw website.'

Jensen fronste. 'Dat hoort er tegenwoordig bij als je een dierenartsenpraktijk hebt...'

'Niet die van uw praktijk, meneer,' legde Siobhan uit.

'BeastWatch,' zei Siobhan.

'O, die.' Jensen keek naar de vloer en zuchtte. 'Dolly's hobby.'

'Dolly is uw vrouw?'

'Dorothy, ja.'

'Is ze thuis?'

Hij schudde zijn hoofd. Tuurde over hun schouder, alsof hij de straat afzocht. 'Ze is naar Usher Hall.'

Rebus knikte alsof dit alles verklaarde. 'Weet u, we hebben alleen een probleem...'

'O?'

'In verband met de website.' Rebus gebaarde in de richting van de hal. 'Mogen we dat binnen even vertellen...?'

Jensens goede manieren wonnen het van zijn tegenzin. Hij ging ze voor naar de woonkamer. Die grensde aan de eetkamer, waar de tafel bezaaid was met kranten. 'Het kost je de hele zondag om ze te lezen,' zei Jensen, terwijl hij zijn bril in zijn zak stopte. Hij gebaarde dat ze moesten gaan zitten. Siobhan ging op de bank zitten, Jensen in een leunstoel. Rebus bleef bij de glazen schuifdeuren van de eetkamer staan en keek naar de uitgespreide kranten. Niks bijzonders... geen opvallende keuze van artikelen of onderstreepte alinea's.

'Dit is het probleem, meneer Jensen,' zei Siobhan afgemeten. 'Cyril Colliar is dood, en daarnaast nog twee mannen.'

'Ik kan u niet volgen.'

'En wij denken dat ze vermoord zijn door dezelfde dader.'

'Maar...'

'Een dader die de namen van alle drie de slachtoffers mogelijk van uw website heeft gehaald.'

'Alle drie?'

'Edward Isley en Trevor Guest,' somde Rebus op. 'En u heeft nog heel wat meer mannen aan de schandpaal genageld. Ik ben benieuwd wie de volgende wordt.'

'Dit moet een vergissing zijn.' Jensen was wit weggetrokken.

'Kent u Auchterarder?' vroeg Rebus.

'Nee, niet echt.'

'Gleneagles?'

'We zijn daar wel eens geweest. Een dierenartsencongres.'

'Met een excursie naar de Clootie Well?'

Jensen schudde zijn hoofd. 'Alleen wat lezingen en een diner dansant.' Hij klonk niet-begrijpend. 'Luister, ik denk niet dat u iets aan mij heeft...'

'Was de website het idee van uw vrouw?' vroeg Siobhan zacht.

'Het was haar manier van... Ze had op internet naar hulp gezocht.'

'Hulp?'

'Voor families van slachtoffers. Ze wilde advies over hoe ze Vicky kon helpen. En zo is het idee langzaam ontstaan.'

'Kreeg ze hulp bij het opzetten van de site?'

'We hebben een ontwerpbureau ingehuurd.'

'En die andere sites in Amerika?'

'O ja, die hielpen met de opzet. En toen de site eenmaal was gebouwd...' Jensen haalde zijn schouders op. 'Ik geloof dat het min of meer vanzelf gaat.'

'Abonneren mensen zich erop?'

Jensen knikte. 'Op de nieuwsbrief. Die zou elk kwartaal verstuurd moeten worden, maar ik weet niet of dat Dolly wel lukt.'

'U heeft dus een lijst met abonnees?' vroeg Rebus.

Siobhan keek naar hem. 'Niet dat je erop geabonneerd moet zijn om de site te kunnen lezen.'

'Ze zal wel ergens een lijst hebben,' zei Jensen.

'Hoe lang is de site al online?' vroeg Siobhan.

'Een maand of acht, negen. Naarmate zijn vrijlating dichterbij kwam... werd Dolly steeds ongeruster.' Hij zweeg even, keek op zijn horloge. 'Over Vicky, bedoel ik.'

Alsof het afgesproken werk was ging de voordeur open en dicht. Een opgewonden stem riep buiten adem: 'Het is gelukt, pap! Helemaal naar The Shore en terug!' De vrouw die in de deuropening verscheen was rood aangelopen en te zwaar. Ze gilde toen ze zag dat haar vader gezelschap had.

'Rustig maar, Vicky...'

Maar ze had zich al omgekeerd en de benen genomen. Een andere deur werd opengerukt en dichtgeslagen. Haar voetstappen bonsden de trap af naar haar plekje in het souterrain. Thomas Jensen liet moedeloos zijn schouders zakken.

'Verder redt ze het op eigen houtje nog niet,' legde hij uit.

Rebus knikte. The Shore was nog geen kilometer verderop. Nu begreep hij waarom Jensen zo nerveus had gedaan toen ze kwamen, en waarom hij achter hen op straat had staan kijken.

'We betalen iemand om door de week bij haar te blijven,' ging Jensen verder. Zijn handen lagen in zijn schoot. 'Zodat we allebei kunnen blijven werken.'

'Hebt u haar verteld dat Colliar dood is?' vroeg Rebus.

'Ja.'

'Is ze daarover gehoord?'

Jensen schudde zijn hoofd. 'De agent die kwam praten... was heel begripvol toen we uitlegden hoe het met haar gaat.' Rebus en Siobhan keken elkaar aan: *verplicht nummertje... niet het vuur uit de sloffen gelopen...* 'Wij hebben hem niet vermoord. Al had hij ineens voor mijn neus gestaan...' Jensen staarde in de verte. 'Dan nog weet ik niet of ik het had kunnen doen.'

'Ze zijn allemaal omgebracht met een injectie, meneer Jensen,' zei Siobhan.

De dierenarts knipperde een paar maal met zijn ogen, bracht zijn hand langzaam naar zijn ogen en kneep in zijn neusbrug. 'Als u me ergens van gaat beschuldigen, heb ik liever dat mijn advocaat erbij is.'

'We vragen alleen uw hulp.'

Hij staarde haar aan. 'En dat is nou net het enige wat ik u niet zal geven.'

'We moeten uw vrouw en dochter ook spreken,' zei Siobhan, maar Jensen was al opgestaan.

'Ik wil dat u nu vertrekt. Ik moet naar Vicky toe.'

'Natuurlijk,' zei Rebus.

'Maar we komen terug,' vulde Siobhan aan. 'Advocaat of geen advocaat. En bedenk goed, meneer Jensen, dat knoeien met bewijsmateriaal ook strafbaar is.' Ze beende naar de deur en Rebus liep achter haar aan. Buiten stak hij een sigaret op en keek naar een stel voetballende jongens op het gras aan de overkant.

'En ik maar zeggen dat diplomatie niet mijn sterkste kant is...'

'Wat nou?'

'Nog vijf minuten en je had erop los geslagen.'

'Doe niet zo stom.' Maar ze was rood aangelopen. Ze bolde haar wangen en blies geïrriteerd weer uit.

'Wat bedoelde je met dat verhaal over bewijsmateriaal?' vroeg Rebus.

'Een website kun je opheffen,' legde ze uit. 'En lijsten met abonnees kunnen "zoek" raken.'

'Dus hoe eerder we met Brains gaan praten, hoe beter.'

Eric Bain zat op zijn computer naar het Live 8-concert te kijken. Althans, dat dacht Rebus, maar Bain corrigeerde hem meteen.

'Ik zit het te monteren.'

'Gedownload?' raadde Siobhan, maar Bain schudde zijn hoofd.

'Op dvd gezet. Nu snij ik alles eruit wat ik niet hoef.'

'Dat zou mij een hoop tijd kosten,' zei Rebus.

'Het is heel simpel, als je eenmaal doorhebt hoe het programma werkt.'

'Ik denk dat inspecteur Rebus bedoelt dat hij er veel uit zou snijden,' legde Siobhan uit.

Hier moest Bain om lachen. Hij was niet opgestaan toen ze binnenkwamen, had zijn ogen nog niet van het scherm gehaald. Het was zijn vriendin Molly die hen had binnengelaten en had gevraagd of ze thee wilden. Nu stond ze in de keuken te wachten tot het water kookte terwijl Bain in de woonkamer doorging met waar hij mee bezig was.

Het was de bovenste flat in een oud pakhuis bij Slateford Road. In de brochure was het waarschijnlijk een penthouse genoemd. De kleine ramen boden een weids uitzicht, voornamelijk op schoorstenen en afgedankte fabrieken. In de verte kon je nog net de top van de Corstorphine Hill ontwaren. De woning was netter dan Rebus had verwacht. Geen wirwar van kabels, of stapels dozen, soldeerijzers en game consoles. Niet de typische woning van een computernerd.

'Hoe lang woon je hier al, Eric?' vroeg Rebus.

'Paar maanden.'

'Zijn jullie hier samen ingetrokken?'

'Zoiets. Ik ben zo klaar, hoor...'

Rebus knikte, liep naar de sofa en maakte het zich gemakkelijk. Molly drentelde de kamer in met een dienblad, barstend van de energie. Ze droeg muiltjes. Een strakke blauwe spijkerbroek, caprimodel. Een rood t-shirt met Che Guevara erop. Geweldig figuur en lang blond haar – geblondeerd, maar het stond haar goed. Rebus moest toegeven dat hij onder de indruk was. Hij wierp een paar steelse blikken op Siobhan, die naar Molly zat te kijken als een wetenschapper naar een laboratoriumrat. Zij vond duidelijk ook dat Bain niet slecht geboerd had.

En Molly had haar stempel op Bain gedrukt: hij was goed gedresseerd. Hoe ging dat nummer van Elton John ook weer? *You Nearly Had Me Roped and Tied...* Van Bernie Taupin eigenlijk. Niet Captain Fantastic, maar de Brown Dirt Cowboy.

'Mooi huis,' zei Rebus tegen Molly toen ze hem een mok gaf. Hij werd beloond met een stralende glimlach van roze lippen en een hagelwit gebit. 'Wat was je achternaam nou...?'

'Clark,' zei ze.

'Net als Siobhan,' zei Rebus. Molly keek vragend naar Siobhan.

'Bij mij eindigt het op een e,' zei Siobhan.

'Bij mij niet,' antwoordde Molly. Ze was naast Rebus op de bank gaan zitten maar zat steeds met haar kont te schuifelen, alsof ze niet lekker zat.

'Evengoed. Hebben jullie toch iets gemeen,' zei Rebus plagerig. Siobhan wierp hem een boze blik toe. 'Hoe lang zijn jullie al samen?'

'Vijftien weken,' zei ze snel. 'Lijkt nog niet zo lang, hè? Maar soms wéét je het gewoon.'

Rebus knikte. 'Ik zeg tegen Siobhan ook altijd dat het tijd is om een nestje te bouwen. Het doet een mens goed, nietwaar Molly?'

Molly leek niet overtuigd, maar keek nog steeds met iets van medeleven naar Siobhan. 'Echt wel,' zei ze nadrukkelijk. Siobhan keek strak naar Rebus en nam haar eigen kop thee aan.

'Het heeft er trouwens nog even op geleken,' ging Rebus door, 'dat Siobhan en Eric iets met elkaar zouden krijgen.'

'We waren gewoon vrienden,' zei Siobhan, en ze lachte geforceerd. Bain zat als versteend achter zijn computerscherm, zijn hand roerloos op de muis.

'Is dat zo, Eric?' riep Rebus naar hem.

'John zit je maar te plagen,' stelde Siobhan Molly gerust. 'Let maar niet op hem.'

Rebus knipoogde naar Molly. 'Lekkere thee,' zei hij. Ze zat nog steeds ongedurig te schuifelen.

'En sorry dat we je op zondag lastigvallen,' zei Siobhan. 'Het is echt een soort noodgeval...'

Bains stoel kraakte toen hij opstond. Rebus zag dat hij flink was afgevallen, misschien wel een kilo of vijf. Zijn bleke gezicht was nog vlezig, maar de buik was geslonken.

'Zit je nog steeds op de afdeling Forensische ICT?' vroeg Siobhan hem.

'Ja.' Hij nam een kop thee en ging naast Molly zitten. Ze sloeg een beschermende arm om hem heen, zodat haar T-shirt nog strakker om haar borsten spande. Rebus probeerde zich op Bain te concentreren. 'We zijn bezig geweest met de G8,' zat die te vertellen. 'Rapporten van de inlichtingendiensten verwerken.'

'Waarover zoal?' vroeg Rebus, en hij stond op als om zijn benen te strekken. Met Bain er ook nog bij was het een beetje krap op de bank. Hij liep in de richting van de computer.

'Geheime dingen,' zei Bain.

'Ben je de naam Steelforth wel eens tegengekomen?'

'Had dat gemoeten?'

'Hij is van SO12... Lijkt nu de lakens uit te delen.'

Maar Bain schudde langzaam van nee en vroeg waar ze voor kwamen. Siobhan gaf hem de computeruitdraai.

'Dat is een website,' legde ze uit. 'Hij zal wel snel uit de lucht gehaald worden. We moeten alles weten wat je te weten kunt komen: een lijst met abonnees, wie de site heeft bezocht, dingen heeft gedownload...'

'Dat is nogal wat.'

'Dat weet ik, Eric.' De manier waarop ze zijn naam uitsprak leek een snaar te raken. Hij stond op en liep naar het raam, misschien om de blos die op zijn wangen was verschenen te verbergen voor Molly.

Rebus had een blaadje gepakt dat naast de computer lag. Een brief van Axios Systems, getekend door ene Tasos Symeonides. 'Klinkt Grieks,' zei hij. Eric Bain leek opgelucht dat hij over iets anders kon praten.

'Bedrijf van hier,' zei hij. 'IT.'

Rebus wapperde de brief heen en weer. 'Sorry dat ik zo nieuwsgierig ben, Eric...'

'Ze bieden hem een baan aan,' legde Molly uit. 'Eric krijgt de hele tijd aanbiedingen.' Ze was opgestaan en naar het raam gelopen, waar ze haar arm om Eric sloeg. 'Ik moet hem er steeds van overtuigen dat zijn werk bij de politie veel belangrijker is.'

Rebus legde de brief terug en ging weer op de bank zitten. 'Heb je nog een kopje?' vroeg hij. Molly snelde toe om bij te schenken. Bain nam de gelegenheid te baat Siobhan aan te staren: tientallen onuitgesproken woorden werden uitgewisseld met één blik.

'Heerlijk,' zei Rebus, en liet haar een wolkje melk toevoegen. Molly zat weer naast hem.

'Hoe snel denk je dat ze de site uit de lucht halen?' vroeg Bain.

'Dat weet ik niet,' gaf Siobhan toe.

'Vanavond?'

'Ik denk eerder morgen.'

Bain bekeek de informatie op het papier. 'Goed,' zei hij.

'Gezellig, hè?' Rebus' vraag leek aan iedereen gericht te zijn, maar Molly hoorde hem niet. Ze had haar handen voor haar gezicht geslagen en haar mond was opengevallen.

'Ik ben de koekjes vergeten!' Ze sprong weer op. 'Hoe kan ik dat nou doen? En ook niemand die iets zegt...' Ze keek Bain aan. 'Dat had je toch even kunnen zéggen!' Met een vuurrood gezicht vluchtte ze de kamer uit.

En nu viel het Rebus pas op dat de kamer niet gewoon netjes aan kant was.

Eerder neurotisch netjes.

7

Siobhan had staan kijken naar de mars, met de leuzen en spandoeken tegen de oorlog. Overal langs de route stond politie, beducht op problemen. Siobhan rook de zoete lucht van cannabis,
maar betwijfelde of iemand daarvoor zou worden opgepakt; de
instructies voor Sorbus waren duidelijk geweest op dat punt.

*Als ze heroïne gaan spuiten waar je bij staat, pak je ze op; an-
ders laat je het gaan...*

Degene die de verkrachters van BeastWatch had vermoord, wist
hoe hij aan zuivere heroïne moest komen. Ze moest weer denken
aan de ogenschijnlijk zo rustige Thomas Jensen. Dierenartsen hadden zelf geen heroïne, maar ze hadden altijd wel spul dat ze ervoor konden ruilen.

Heroïne, en haat. Vicky's twee vriendinnen, de meisjes die haar
hadden vergezeld in de club en in de bus... misschien moesten ze
die eens aan de tand gaan voelen.

De klap op het hoofd... telkens van achteren. Iemand die zwak-
ker was dan de slachtoffers. Die ze wilde uitschakelen alvorens
de injectie te geven. En was Trevor Guest afgeranseld omdat hij
niet meteen bewusteloos was geweest? Of was het een teken dat
de moordenaar verder ontspoorde, brutaler werd, er plezier in begon te krijgen?

Maar Guest was het tweede slachtoffer geweest. Het derde,
Cyril Colliar, was niet zo mishandeld. Was de moordenaar misschien in zijn werk gestoord, zodat hij moest vluchten voordat hij
zich kon uitleven?

Had hij daarna nog een moord gepleegd? In dat geval... Siobhan corrigeerde zichzelf. 'Hij óf zij,' hield ze zichzelf voor.

Bush, Blair, CIA, kinderen sterven overzee!

Dat was de leus die de menigte had overgenomen. Ze stroomden Calton Hill op, Siobhan ging erachteraan. Een paar duizend
man, op weg naar de verzamelplaats. Er stond een felle wind, die

op de heuveltop vrij spel had. Uitzicht tot aan Fife en over de stad naar het westen. Aan de zuidkant Holyrood en het parlement, dag en nacht bewaakt door de politie. Calton Hill was een van Edinburghs gedoofde vulkanen, meende Siobhan zich te herinneren. Het kasteel was op zo'n vulkaan gebouwd; Arthur's Seat was er ook een. Op de top stonden een uitkijkpost en een paar monumenten. Het mooiste was de *folly*: één enkele muur van wat een replica had moeten worden van het Atheense Parthenon, op ware grootte. Door de voortijdige dood van de krankzinnige geldschieter was het bouwwerk onvoltooid gebleven. Sommige demonstranten klommen erop. Anderen dromden eromheen in afwachting van toespraken. Eén jonge vrouw die helemaal opging in een eigen wereldje liep aan de rand van de menigte in zichzelf te zingen.

'We hadden je hier niet verwacht, schat.'

'Nee, maar ik dacht dat ik jullie wel zou zien.' Siobhan omhelsde haar ouders. 'Gisteren op de Meadows kon ik je niet vinden.'

'Wat was het geweldig, hè?'

Siobhans vader moest lachen. 'Je moeder had de hele tijd tranen in haar ogen.'

'Zo emotioneel,' beaamde zijn vrouw.

'Ik ben gisteren nog bij jullie tent geweest.'

'We zijn wat wezen drinken.'

'Met Santal?' Siobhan probeerde het terloops te laten klinken. Ze streek met haar hand over haar haar, als om die stem in haar hoofd het zwijgen op te leggen: *Ik ben verdorie jullie dochter, zij niet!*

'Die was er ook even bij... ze leek er niet veel aan te vinden.'

De menigte begroette de eerste spreker met gejuich en applaus.

'Straks komt Billy Bragg,' zei Teddy Clarke.

'Ik wou eigenlijk even wat gaan eten,' zei Siobhan. 'Ik weet een tentje op Waterloo Place...'

'Heb jij al honger, schat?' vroeg Eve Clarke aan haar man.

'Niet echt.'

'Ik ook niet.'

Siobhan haalde haar schouders op. 'Misschien later dan?'

Haar vader legde zijn vinger op zijn lippen. 'Ze beginnen,' fluisterde hij.

'Waarmee?' vroeg Siobhan.

'Gedenk de Doden.'

En inderdaad: de namen van duizend slachtoffers van de oorlog in Irak werden voorgelezen, mensen van alle partijen in het conflict. Duizend namen, door verschillende sprekers om beurten voorgelezen. Het publiek was muisstil. Zelfs de jonge vrouw hield op met dansen. Ze stond stil en staarde in de verte. Op een gegeven moment trok Siobhan zich een eindje terug omdat ze besefte dat haar mobiel nog aan stond. Stel dat Eric Bain ineens belde dat hij nieuws had. Ze pakte het toestel en zette het op de trilstand. Ze dwaalde nog wat verder af, maar bleef binnen gehoorsafstand van de namenlijst. Beneden zag ze het stadion van Hibernian liggen, leeg, nu het seizoen voorbij was. De Noordzee was kalm. Berwick Law in het oosten leek ook wel op een gedoofde vulkaan. De namen bleven maar komen, en onwillekeurig verscheen er een peinzende, meewarige glimlach op haar gezicht.

Want dit was wat zij deed, haar hele werkende leven lang al. De doden een naam geven. Ze legde alle details over het eind van hun leven vast, probeerde uit te zoeken wat voor mensen het waren geweest en waarom ze aan hun eind waren gekomen. Ze gaf een stem aan de vergetenen en gemisten. Een wereld gevuld met slachtoffers die lagen te wachten op haar en rechercheurs zoals zij. Rechercheurs zoals Rebus, die zich in een zaak vastbeten, maar zich er ook door lieten opvreten. En die nooit opgaven, want dat zou de ultieme belediging voor die namen zijn geweest. Haar telefoon trilde. Ze hield hem bij haar oor.

'Ze zijn snel geweest,' zei Eric Bain.

'De site is al verdwenen?'

'Yep.'

Ze vloekte binnensmonds. 'Heb je nog iets kunnen vinden?'

'Een paar dingetjes. Ik kwam er niet diep genoeg in met de spullen die ik thuis heb.'

'Geen lijst van abonnees?'

'Helaas.'

Er was een andere lezer bij de microfoon gaan staan... de namen bleven komen.

'Is er nog iets wat je kunt doen?' vroeg ze.

'Op het werk, ja. Een of twee trucjes die ik kan proberen.'

'Morgen dan?'

'Als de G8-bazen me even kunnen missen.' Hij zweeg even. 'Het was leuk om je te zien, Siobhan. Sorry dat je meteen kennis moest maken –'

'Niet doen, Eric,' waarschuwde ze.

'Wat niet?'

'Alles... niets. Laten we het er gewoon niet over hebben, oké?'
Een lange stilte. 'Vrienden?' vroeg hij uiteindelijk.

'Absoluut. Bel me morgen.' Ze hing op. Moest wel, anders had ze tegen hem gezegd: blijf bij je nerveuze, pruilende, rondborstige vriendin... misschien heb je dan een toekomst.

De wonderen waren de wereld nog niet uit.

Ze zag haar ouders op de rug. Ze stonden hand in hand, haar moeder met haar hoofd op haar vaders schouder. De tranen sprongen Siobhan in de ogen, maar ze drukte ze weg. Ze moest denken aan Vicky Jensen, en hoe ze uit de kamer was gevlucht; aan Molly, die hetzelfde deed. Allebei bang voor het leven zelf. In haar tienerjaren was Siobhan zelf ook vaak genoeg de kamer uit gevlucht, de kamer waar haar ouders waren. Woedeaanvallen, ruzies, een uitputtingsslag om te zien wie het slimste en het sterkste was. En het enige wat ze nu wilde was daar tussen hen in staan. Ze wilde, maar ze kon het niet. Nee, ze kon alleen vijftien meter achter hen staan en vurig hopen dat ze hun hoofd zouden omdraaien.

Maar in plaats daarvan stonden ze te luisteren naar de namen... namen van mensen die ze nooit hadden gekend.

'Ik stel dit zeer op prijs,' zei Steelforth, en hij stond op uit zijn stoel om Rebus de hand te schudden. Hij had zitten wachten in de lobby van het Balmoral, één been over het andere geslagen. Rebus had hem een kwartier laten wachten en was eerst een paar keer heen en weer gelopen voor de ingang om te bepalen welke valstrikken hem binnen konden wachten. De demonstratie tegen de oorlog was hier al voorbij, maar hij had het grootste deel nog langs zien komen, langzaam richting Waterloo Place lopend. Siobhan had hem gezegd dat ze daarheen ging in de hoop haar ouders te vinden.

'Je hebt niet veel tijd voor ze gehad,' had hij meelevend gezegd.

'Zij ook niet voor mij,' had ze gemompeld.

Bij de ingang van het hotel stond beveiliging: niet alleen de geüniformeerde portier en de kruier – een andere dan zaterdagavond – maar ook wat volgens Rebus politieagenten in burger waren, waarschijnlijk mannen van Steelforth. De man van SO12 zag er zo mogelijk nog flitsender uit dan daarvoor, in een double-breasted krijtstreeppak. Toen ze elkaar de hand hadden geschud gebaarde hij naar de bar.

'Klein glaasje whisky misschien?'

'Hangt ervan af wie er trakteert.'

'Ik.'

'Doe dan maar een grote,' zei Rebus.

Steelforths lach klonk hard genoeg, maar hol. Ze gingen zitten aan een tafel in de hoek. Een serveerster verscheen alsof ze door hun komst ineens tevoorschijn was getoverd.

'Carla,' zei Steelforth tegen haar, 'we willen allebei graag een whisky. Een dubbele.' Hij keek Rebus aan.

'Laphroaig,' antwoordde die. 'Hoe ouder hoe beter.'

Carla knikte en liep weg. Steelforth trok zijn colbert goed en wachtte met praten tot ze buiten gehoorsafstand was. Rebus besloot hem die kans te ontnemen.

'Lukt het een beetje om de dood van onze parlementariër in de doofpot te stoppen?' vroeg hij op luide toon.

'Wat voor doofpot zou er moeten zijn?'

'Zegt u het maar.'

'Voor zover ik kan nagaan, inspecteur, bestaat uw eigen onderzoek tot dusver uit één officieus gesprek met de zus van de overledene.' Steelforth was gestopt met het verschikken van zijn colbert en vouwde zijn handen voor zich op tafel. 'Een gesprek dat betreurenswaardig genoeg ook nog plaatsvond vlak nadat ze hem had moeten identificeren.' Een theatrale pauze. 'Dat is geen kritiek, hoor.'

'Zo vat ik het ook niet op, commandant.'

'Het kan natuurlijk zijn dat u nog andere dingen in uw schild voert. Ik heb al twee journalisten van hier aan de lijn gehad die erin beginnen te wroeten.'

Rebus probeerde verrast te kijken. Mairie Henderson, plus de man die hij bij de *Scotsman* had gesproken. Nu was hij hen allebei iets verschuldigd...

'Ach,' zei Rebus, 'als er geen doofpot is, zal de pers ook weinig kunnen vinden.' Hij zweeg even. 'U zei eerder dat mij het onderzoek uit handen genomen zou worden... dat lijkt nog niet gebeurd te zijn.'

Steelforth haalde zijn schouders op. 'Omdat er niks te onderzoeken valt. Het staat vast dat het een ongeval was.' Hij haalde zijn handen uit elkaar toen de whisky's arriveerden, met een kannetje water en een schaaltje boordevol ijsklontjes.

'Wilt u de rekening open laten staan?' vroeg Carla. Steelforth keek even naar Rebus en schudde van nee.

'We nemen er maar een.' Hij tekende voor de whisky's met zijn kamernummer.

'Is het op kosten van de belastingbetaler?' vroeg Rebus. 'Of drinken we op kosten van meneer Pennen?'

'Richard Pennen bewijst zijn land een grote dienst,' beweerde Steelforth, en goot te veel water bij zijn whisky. 'Zeker de Schotse economie zou een stuk slechter af zijn zonder hem.'

'Ik wist niet dat het Balmoral zo duur was.'

Steelforth fronste zijn wenkbrauwen. 'Ik heb het over banen in de defensiesector, dat weet u best.'

'En als ik hem wat vragen stel over de dood van Ben Webster kunnen we die banen ineens schudden?'

Steelforth boog voorover. 'We moeten hem te vriend houden, dat begrijpt u toch wel?'

Rebus snoof de geur van de malt op en zette het glas aan zijn lippen.

'Proost,' zei Steelforth nors.

'*Slainte*,' antwoordde Rebus.

'Ik heb gehoord dat u wel een whisky lust,' ging Steelforth verder. 'En meer dan één ook.'

'U heeft gesproken met mensen die er verstand van hebben.'

'Ik heb niks tegen een man die drinkt... als het maar geen slechte invloed heeft op zijn werk. Maar ik heb ook gehoord dat het uw oordeel wel eens vertroebelt.'

'Niet als het gaat om het karakter van mensen,' zei Rebus, en hij zette het glas neer. 'Nuchter of niet, ik zie meteen dat u een lul van de bovenste plank bent.'

Steelforth hief spottend zijn glas. 'Ik wou u juist iets aanbieden,' zei hij. 'Als troost voor de teleurstelling.'

'Zie ik er teleurgesteld uit?'

'U komt nergens met Ben Webster, zelfmoord of niet.'

'Behoort zelfmoord nu ineens weer tot de mogelijkheden? Heeft hij misschien een briefje achtergelaten?'

Steelforth verloor zijn geduld. 'Er is geen briefje,' snauwde hij. 'Er is helemaal niks.'

'Rare zelfmoord dan, vindt u ook niet?'

'Het was een ongeval.'

'De officiële lezing.' Rebus hief zijn glas weer. 'Wat wou u me aanbieden?'

Steelforth keek hem even aan voordat hij antwoord gaf. 'Mijn eigen mensen,' zei hij. 'Die moordzaak die u heeft... ik heb gehoord dat u nu al op drie slachtoffers zit. En ik stel me zo voor dat jullie krap in je personeel zitten. Op dit moment doet u het toch alleen met brigadier Clarke?'

'Min of meer.'

'Ik heb hier een hoop mensen, Rebus. Goeie krachten. Met allerlei speciale vaardigheden en specialiteiten.'

'En die krijgen wij dan in bruikleen?'

'Dat was het idee.'

'Zodat we ons helemaal kunnen richten op die moorden en het parlementslid vergeten?' Rebus deed alsof hij over het voorstel nadacht; hij zette zelfs zijn handen tegen elkaar en legde zijn kin op zijn vingertoppen. 'Volgens de wachtposten bij het kasteel was er een indringer gesignaleerd,' zei hij rustig, alsof hij hardop nadacht.

'Geen spoor van te vinden,' flapte Steelforth eruit.

'Wat deed Webster op de borstwering? Die vraag is nog niet beantwoord.'

'Een luchtje scheppen.'

'Zomaar ineens van tafel weggelopen?'

'Het diner liep op zijn eind... port en sigaren.'

'Had hij gezegd dat hij naar buiten ging?' Rebus keek Steelforth in de ogen.

'Niet expliciet. Er waren meer tafelgasten die even de benen gingen strekken...'

'U heeft ze allemaal gehoord?' raadde Rebus.

'De meeste.'

'De minister ook?' Rebus wachtte op een antwoord, maar dat bleef uit. 'Nee, dat dacht ik al. De mensen van de buitenlandse delegaties dan?'

'Sommigen wel, ja. Ik heb zo'n beetje alles gedaan wat u ook gedaan zou hebben, inspecteur.'

'U wéét niet wat ik gedaan zou hebben.'

Steelforth erkende het met een korte knik. Hij had nog geen druppel gedronken.

'U zit er niet mee?' vroeg Rebus. 'U heeft geen vragen meer?'

'Volstrekt niet.'

'Terwijl u geen idee heeft waarom het is gebeurd.' Rebus schudde langzaam het hoofd. 'Als politieman stelt u niet veel voor, hè Steelforth? U bent vast een kei in handjes schudden en briefings geven, maar als het op speurwerk aankomt, weet u van voren niet dat u van achteren leeft. U doet maar wat, u rotzooit wat aan voor de show, meer is het niet.' Rebus stond op.

'En wat bent u dan precies, inspecteur Rebus?'

'Ik?' Rebus dacht er even over na. 'De conciërge, denk ik... de man die de vloer achter u aanveegt.' Hij zweeg even, vond zijn punchline: 'Achter u... en met u ook, als het moet.'

En exit rechts.

Voordat hij uit het Balmoral vertrok, liep hij eerst nog even naar het restaurant in het souterrain om – ondanks het gesputter van de kelners – een kijkje te nemen in de eetzaal. Die zat vol, maar Richard Pennen was er niet te bekennen. Toen hij de trap naar Princes Street weer opliep, bedacht hij dat hij wel even naar het Café Royal kon gaan.

Het was verrassend stil in de pub.

'De hele tijd al,' klaagde de caféhouder. 'De mensen van hier blijven voor de duur van de top liever thuis.'

Na twee glazen liep hij George Street in. De wegwerkzaamheden waren door de gemeente stilgelegd. Ze waren bezig er een-richtingsverkeer van te maken, wat tot grote verwarring leidde bij automobilisten. Zelfs de verkeerspolitie vond het een bela-chelijk plan en kneep een oogje dicht als mensen het inrijverbod negeerden. Het was weer stil op straat. Geen spoor van Geldofs leger te bekennen. De portiers bij de Dome zeiden dat het binnen uitgestorven was. In Young Street was de rijrichting van de en-kele rijbaan veranderd. Rebus duwde de deur van de Oxford Bar open en glimlachte om iets wat hij gehoord had over die ver-keersaanpassing: *Het wordt gefaseerd ingevoerd. Momenteel mag je nog even zelf kiezen in welke richting je rijdt...*

'Een pint IPA, Harry,' zei Rebus, en hij zocht zijn sigaretten.

'Nog acht maanden,' mompelde Harry terwijl hij het bier tap-te.

'Hou op.'

Harry telde de dagen af tot in Schotland het rookverbod van kracht werd...

'Nog iets gebeurd daarbuiten?' vroeg een van de stamgasten. Rebus schudde zijn hoofd, hij wist dat in het besloten wereldje van de drinkers het nieuws over een seriemoordenaar niet in de categorie 'iets gebeurd' viel.

'Is er niet ergens een demonstratie?' zei Harry.

'Calton Hill,' zei een andere gast. 'Van het geld dat dit kost hadden we elk kind in Afrika een volle picknickmand kunnen stu-ren.'

'We zetten Schotland wel op de kaart,' wierp Harry tegen, en hij gaf een knik in de richting van Charlotte Square, waar de Schotse Eerste Minister woonde. 'Minister Jack zegt dat het zijn geld meer dan waard is.'

'Omdat het zijn geld niet is,' mopperde de gast. 'Mijn vrouw werkt in die nieuwe schoenwinkel in Frederick Street, en zij zegt dat ze deze week net zo goed kunnen sluiten.'

'De Royal Bank is morgen ook de hele dag dicht,' zei Harry.

'Ja, morgen wordt het erg,' mompelde de gast.

'Lieve hemel,' klaagde Rebus. 'Ik wou me hier een beetje laten opmonteren.'

Harry staarde hem met gespeelde verbazing aan. 'Je weet onderhand toch wel beter, John. Nog eentje?'

Rebus twijfelde of dat verstandig was, maar knikte toch.

Een paar glazen later, toen hij ook het laatste gevulde broodje van de zaak had verorberd, besloot hij dat het tijd werd om naar huis te gaan. Hij had de *Evening News* gelezen, de hoogtepunten van de Tour de France op tv gezien, en de rest van het gekanker op het nieuwe verkeersplan aangehoord.

'Als ze het niet veranderen, zegt mijn vrouw dat de winkel waar ze werkt wel kan opdoeken. Had ik dat trouwens al gezegd? Ze werkt in die nieuwe schoenwinkel in Frederick Street...'

Harry rolde met zijn ogen en Rebus liep naar de deur. Hij overwoog wat hij zou doen: naar huis lopen, of het bureau bellen om te zien of er een surveillanceauto in de buurt was die hem kon ophalen. De meeste taxi's meden het centrum, maar hij kon het erop wagen bij het Roxburghe Hotel, proberen zich voor te doen als een rijke toerist.

Hij hoorde de portieren opengaan maar draaide zich niet op tijd om. Iemand pakte hem van achteren bij de armen en drukte ze tegen zijn rug.

'Slokkie te veel op?' blafte iemand. 'Een nachtje in de cel zal je goeddoen, makker.'

'Laat me los!' Rebus stribbelde tegen, maar zonder succes. Hij voelde hoe de plastic boeien zich rond zijn polsen sloten, net strak genoeg om de bloedsomloop te belemmeren. Als je ze eenmaal om had, konden ze niet meer losser: dan kon je ze alleen nog doorknippen.

'Wat krijgen we verdomme nou?' siste Rebus. 'Ik ben rechercheur.'

'Zo zie je er anders niet uit,' zei de stem. 'Je stinkt naar bier en sigaretten en je ziet eruit als een zwerver...' Engels accent; Londen misschien. Rebus zag een uniform, toen nog twee. De gezichten waren schimmig – zongebruind wellicht – maar hadden scherpe, harde gelaatstrekken. Het busje was klein en had geen striping. De achterportieren stonden open en ze duwden hem naar binnen.

'Mijn legitimatie zit in mijn zak,' zei hij. Er was een bankje waar hij op kon zitten. De ramen waren geblindeerd en werden aan de buitenkant beschermd door een metalen rooster. Er hing een vage kotslucht. Er zat ook een metalen rooster achter de cabine van het busje, en spaanplaat om de scheiding compleet te maken.

'Je maakt een grote fout!' riep Rebus.

'Maak dat de kat wijs,' zei iemand.

Het busje zette zich in beweging. Door het achterraam zag Rebus koplampen. Logisch: ze konden niet met z'n drieën voorin; ze moesten met twee auto's zijn. Maar waar ze hem ook heen brachten – bureau Gayfield Square, West End of St. Leonard –, hij was een bekend gezicht. Hij hoefde zich geen zorgen te maken, behalve om zijn vingers die begonnen op te zwellen omdat zijn polsen werden afgekneld. Zijn schouders deden ook verrekte pijn, met zijn armen zo strak achter op zijn rug gebonden. Hij moest zijn benen spreiden om te voorkomen dat hij heen en weer werd geslingerd in de auto. Ze reden misschien wel tachtig en stopten niet voor rood. Hij hoorde twee voetgangers brullen die bijna van de sokken werden gereden. Geen sirene, maar het zwaailicht aan. De volgauto zo te zien zonder sirene of zwaailicht. Geen surveillanceauto dus, en dit was ook niet direct een normale dienstwagen. Rebus had de indruk dat ze in oostelijke richting reden, naar bureau Gayfield. Maar toen sloegen ze ineens links af richting New Town en stoven zo hard heuvelafwaarts dat Rebus zijn hoofd stootte tegen het dak.

'Wat krijgen we godverdomme nou...?' Als hij al dronken was geweest, was hij nu wel ontnuchterd. De enige bestemming die hij nog kon bedenken was Fettes, maar dat was het hoofdbureau. Daar liet je een dronkenlap zijn roes niet uitslapen. Daar zaten de hoge omes, James Corbyn en kornuiten. Ja hoor, linksaf Ferry Road in. Maar ze sloegen niet de straat naar Fettes in...

Dan was bureau Drylaw nog de enige mogelijkheid; een afgelegen voorpost in het noorden van de stad – 'Precinct 13' werd het door sommigen genoemd. Een naargeestige barak, en daar stopten ze. Rebus werd uit de auto gehaald en mee naar binnen gesleurd, waar hij met zijn ogen knipperde tegen het felle tl-licht. Er zat niemand achter de balie; het leek uitgestorven. Ze sleurden hem mee naar de twee cellen achterin, waarvan de deuren wijd openstonden. Hij voelde aan één pols de druk wegvallen, en het bloed begon weer naar zijn tintelende vingers te stromen. Hij kreeg een duw in zijn rug en struikelde de cel in. De deur werd dichtgeslagen.

'Hé!' riep Rebus. 'Wat is dit voor misselijke ongein?'

'Zien wij eruit als clowns, makker? Dacht je soms dat je beland was in een aflevering van *Jackass*?' Er klonk gelach.

'Ga maar lekker slapen,' zei iemand anders. 'En niet moeilijk doen, of we komen je een slaapmiddeltje geven, nietwaar Jacko?'

Rebus dacht dat hij iemand hoorde sissen. Het werd doodstil en hij begreep waarom. Een foutje: ze hadden hem een naam gegeven.

Jacko.

Hij probeerde zich te herinneren hoe ze eruitzagen, om later wraak te kunnen nemen. Het enige wat hij nog kon bedenken was dat ze zongebruinde, verweerde gezichten hadden. Maar die stemmen zou hij nooit vergeten. Niets bijzonders te zien aan hun uniformen... behalve dat de insignes en epauletten er waren afgehaald. Dat maakte ze moeilijker te identificeren.

Rebus trapte een paar keer tegen de deur en voelde toen in zijn binnenzak naar zijn telefoon.

En merkte dat die weg was. Die hadden ze afgepakt of hij had hem laten vallen. Zijn portefeuille en legitimatie had hij nog, evenals zijn sigaretten en aansteker. Hij ging zitten op de koude betonnen verhoging die dienstdeed als bed, en hij keek naar zijn polsen. Om de linker zat nog steeds een plastic handboei. Die om zijn rechter hadden ze doorgesneden. Hij wreef met zijn vrije hand over de arm en masseerde zijn pols, hand en vingers om het bloed een beetje op gang te krijgen. Met zijn aansteker kon hij het plastic misschien wegsmelten, maar niet zonder zich te branden. Hij stak dus maar een sigaret op en probeerde zijn hart tot bedaren te laten komen. Hij liep weer naar de deur en sloeg erop met zijn vuist, draaide zich om en trapte er achterwaarts tegen.

Bij een bezoek aan de arrestantencellen op bureau Gayfield of St. Leonard hoorde hij ook altijd van die drumconcerten. Kadoem-kadoem-kadoem-kadoem. Daar maakte hij dan grappen over met de dienstdoende agent.

Kadoem-kadoem-kadoem-kadoem.

Het geluid van hoop tegen beter weten in. Rebus ging weer zitten. Geen wc of wasbak, alleen een metalen emmer in de hoek, en strontvegen op de muur. In de muur gekraste teksten: Grote Malky is de baas; Wardie Young Team; Hearts Krijg de Kanker. Raar maar waar, er had zelfs iemand gezeten die een beetje Latijn kende: *Nemo me Impune Lacessit*. In het Schots: '*Whau Daur Meddle Wi' Me?*' En vrij vertaald: 'Als ik genaaid word, naai ik je terug.'

Rebus stond weer op; hij begreep ineens wat hier gaande was, dat had hij meteen moeten beseffen.

Steelforth.

Makkelijk genoeg voor hem om aan een paar uniformen te komen... drie van zijn mannen erop uit te sturen... dezelfde die hij eerder die avond nog aan Rebus had aangeboden. Ze hadden hem waarschijnlijk al in de gaten gehouden toen hij het hotel verliet. Waren hem van pub naar pub gevolgd tot ze een mooi plekje hadden gevonden. Het straatje bij de Oxford Bar was perfect.

'Steelforth!' brulde Rebus tegen de deur. 'Kom hier en praat met me, klootzak! Of ben je nog een lafaard ook?' Hij drukte zijn oor tegen de deur maar hoorde niets. Het spionnetje was dicht. Het luik waardoor maaltijden naar binnen werden geschoven zat op slot. Hij ijsbeerde in de cel, duwde zijn doosje sigaretten open maar bedacht dat hij er beter zuinig mee kon zijn. Hij veranderde van gedachten en stak er toch een op. De aansteker sputterde al: bijna op. Het hing erom wat het eerst op zou raken: de aansteker of de sigaretten. Tien uur, zei zijn horloge. Dat werd een lange nacht...

Maandag 4 juli

8

Het geluid van het slot wekte hem. De deur ging piepend open. Eerst zag hij een jonge geüniformeerde agent, met zijn mond wijd open van verbazing. Links van hem hoofdinspecteur James Macrae, met een kwaad gezicht en ongekamd haar. Rebus keek op zijn horloge: bijna vier uur, maandagochtend.

'Mesje voor me?' vroeg hij met een droge mond. Hij hield zijn pols op. Die was gezwollen, zijn hand en vingers waren verkleurd. De agent haalde een zakmes uit zijn zak.

'Hoe bent u hier beland?' vroeg hij met overslaande stem.

'Wie paste hier op de winkel om tien uur gisteravond?'

'We waren naar een melding toe,' zei de agent. 'We hadden de boel afgesloten.'

Rebus zag geen reden om hem niet te geloven. 'Wat voor melding was dat?'

'Vals alarm. Het spijt me ontzettend... Waarom heeft u niet geroepen of zo?'

'Er staat zeker niets in het log?' De handboei viel op de vloer. Rebus begon zijn pols te masseren.

'Niks. En we controleren de cellen niet als ze leeg zijn.'

'Je wist dat ze leeg waren?'

'We moesten ze leeg houden om ruimte te maken voor relschoppers.'

Macrae stond naar Rebus' linkerhand te kijken. 'Moet daar iemand naar kijken?'

'Het gaat wel.' Rebus trok een grimas. 'Hoe heb je me gevonden?'

'Sms. Mijn telefoon lag aan de oplader in mijn werkkamer. Mijn vrouw werd wakker van het piepje.'

'Mag ik het zien?'

Macrae gaf hem de telefoon. Boven aan het scherm stond het nummer van de beller, en daaronder in hoofdletters het bericht –

REBUS IN CEL DRYLAW. Rebus toetste op 'terugbellen' maar kreeg te horen dat het nummer niet in gebruik was. Hij gaf het toestel weer aan Macrae.

'Daar staat dat het bericht om middernacht is verstuurd.'

Macrae ontweek Rebus' blik. 'Het duurde even voor we het hoorden,' zei hij zacht. Toen herinnerde hij zich wie hij was en rechtte zijn rug. 'Krijg ik nog te horen wat er gebeurd is?'

'Paar van de jongens die een geintje wilden uithalen,' verzon Rebus snel. Hij bleef zijn hand heen en weer bewegen en probeerde niet te laten merken dat hij verging van de pijn.

'Namen?'

'Geen namen, geen straf, inspecteur.'

'Dus als ik het nummer van dat sms-bericht bel...?'

'Dat nummer bestaat al niet meer, inspecteur.'

Macrae keek eens goed naar Rebus. 'Paar borrels gehad gisteren, hè?'

'Een paar.' Hij wendde zich tot de agent. 'Er is niet toevallig een mobiele telefoon achtergelaten bij de balie?'

De jongeman schudde zijn hoofd. Rebus boog zich naar hem toe. 'Als dit bekend wordt... dan zal ik hier en daar wel worden uitgelachen, maar jullie staan pas echt voor paal. De cellen niet controleren, bureau onbemand achterlaten, voordeur open...'

'De deur was op slot,' wierp de agent tegen.

'Toch sla je geen fraai figuur, hè?'

Macrae gaf de agent een klopje op de schouder. 'Laten we het maar onder ons houden. Kom Rebus, ik breng je naar huis voordat alle straten weer zijn afgezet.'

Buiten wachtte Macrae even voordat hij het portier van zijn Rover opende. 'Ik snap dat je dit stil wil houden, maar wees gerust: als ik de daders vind, zullen ze ervoor boeten.'

'Begrijp ik, inspecteur,' zei Rebus. 'Het spijt me dat ik de aanleiding ben.'

'Kun jij niks aan doen, John. Stap in.'

Ze reden zwijgend door de stad. In het oosten brak de dag aan. Een paar bestelbusjes en slaperige voetgangers op straat, maar nog geen tekenen van wat de dag zou brengen. Het thema van maandag was 'Kermis van het Opperste Genot'. De politie wist dat dit een eufemisme was voor trammelant. Naar verwachting zouden vandaag de Clown Army, de Wombles en het Black Bloc toeslaan. Ze zouden proberen de stad ontoegankelijk te maken. Macrae had de radio op een lokale zender gezet en ze hoorden nog net een laatste nieuwsflits: een poging om de benzinepompen bij een tankstation aan de Queensferry Road te vergrendelen.

'Het weekend was nog maar een voorproefje,' zei Macrae toen hij in Arden Street stopte. 'Ik hoop dat je ervan genoten hebt.'

'Heerlijk ontspannen, chef,' zei Rebus, en hij opende zijn portier. 'Bedankt voor de lift.' Hij gaf een klopje op het dak van de auto en keek hem na, hij liep de twee trappen naar zijn voordeur op en voelde in zijn zakken.

Geen sleutels.

Natuurlijk niet: die staken in zijn voordeur. Hij vloekte en deed de deur open, trok de sleutels eruit en klemde ze in zijn rechtervuist. Liep op zijn tenen de hal in. Geen geluid, geen licht. Op kousenvoeten langs de deuren van de keuken en de slaapkamers. Naar de woonkamer. De stukken van de zaak-Colliar lagen er natuurlijk niet meer: die had hij naar Siobhan gebracht. Maar de informatie die Mairie Henderson voor hem had opgeduikeld over Pennen Industries en Ben Webster lag verspreid door de kamer. Hij pakte zijn mobiel, dat op tafel lag. Aardig dat ze dat hadden teruggebracht. Hij vroeg zich af hoeveel moeite ze hadden gedaan om zijn telefoonverkeer te achterhalen, de voicemail- en sms-berichten. Het kon hem niet veel schelen: aan het eind van de dag wiste hij altijd alles. Hoewel het natuurlijk nog ergens op de chip te achterhalen kon zijn... En ze hadden de bevoegdheid om gegevens op te vragen bij zijn telefoonaanbieder. Als je bij SO12 zat, kon je zo'n beetje alles.

Hij ging naar de badkamer en draaide de kraan van de wastafel open. Het duurde altijd even voor het water goed warm was. Een kwartiertje douchen had hij wel nodig, dacht hij. Hij keek in de keuken en de slaapkamers: alles leek op zijn plaats te staan, maar dat hoefde niets te betekenen. Hij vulde de waterkoker en zette hem aan. Zouden ze afluisterapparatuur geplaatst hebben? Hij had geen idee; daar kwam je tegenwoordig vast niet meer achter door even je telefoon open te schroeven. De papieren over Pennen waren rondgestrooid, maar niet meegenomen. Waarom? Omdat ze wisten dat hij die informatie makkelijk opnieuw kon vinden. Het was allemaal openbaar, met een muisklik te achterhalen.

Ze hadden het laten liggen omdat het geen waarde had.

Omdat Rebus in de verste verte niet in de buurt kwam van wat Steelforth wilde beschermen.

En als extra klap in zijn gezicht hadden ze de sleutels in het slot laten zitten en zijn gsm hier op tafel laten liggen. Hij strekte zijn linkerhand weer en vroeg zich af hoe je moest weten of je een bloedprop had, of trombose. Hij nam zijn thee mee naar de badkamer, draaide de kraan dicht, kleedde zich uit en stapte onder de douche. Probeerde de afgelopen tweeënzeventig uur uit zijn hoofd te zetten. Begon in zijn hoofd zijn top tien aller tijden op een rijtje te zetten. Twijfelde welk nummer van *Argus* hij zou nemen. Was daarover nog aan het dubben toen hij uit de douche stapte en zich begon af te drogen; en merkte dat hij stond te neuriën: 'Throw Down the Sword'.

'Van mijn leven niet,' zei hij tegen de spiegel.

Hij was vastbesloten om nog wat te slapen. Vijf rusteloze uren op beton telden niet echt. Maar eerst moest hij zijn telefoon opladen. Hij hing hem aan de oplader en besloot nog even te kijken of er nieuwe berichten waren. Eén sms-bericht, van dezelfde anonieme beller.

WAPENSTILSTAND?

Een halfuur geleden verstuurd. Dat hield twee dingen in. Ze wisten dat hij thuis was. En het nummer dat 'niet in gebruik' was, was toch in gebruik. Rebus kon wel tien antwoorden op dat bericht verzinnen, maar hij zette het toestel gewoon uit. Maakte nog een kop thee en liep naar de slaapkamer.

Paniek in de straten van Edinburgh.

Zo'n gespannen sfeer had Siobhan nog nooit meegemaakt. Niet tijdens de stadsderby tussen Hibernian en Heart, zelfs niet tijdens de marsen van de Republikeinen of de Orangisten. Het was alsof de lucht elektrisch geladen was. En niet alleen in Edinburgh: in Stirling was een 'vredeskamp' ingericht. Daar hadden kortstondige uitbarstingen van geweld plaatsgevonden. Het duurde nog twee dagen voordat de G8 begon, maar de demonstranten wisten dat een groot aantal delegaties al aanwezig waren. Veel Amerikanen zaten in Dunblane Hydro, niet ver van Gleneagles. Sommige buitenlandse journalisten zaten helemaal in hotels in Glasgow. Japanse ambtenaren hadden een groot deel van de kamers in het Sheraton in Edinburgh bezet, vlak bij het financiële district. Siobhan had gebruik willen maken van het parkeerterrein van het hotel, maar er hing een ketting voor de ingang. Een agent in uniform liep naar haar auto. Siobhan draaide het zijraampje omlaag en toonde haar legitimatie.

'Het spijt me, brigadier,' zei de beleefde agent met een Engels accent. 'Ik kan u niet helpen. Bevel van hogerop. U zult moeten omkeren.' Hij wees naar de Western Approach Road. 'Er staan een paar idioten op de snelweg... we proberen ze naar Canning Street te drijven. Stelletje clowns, in alle opzichten.'

Ze volgde zijn advies en vond uiteindelijk een plaatsje bij een gele lijn voor het Lyceum Theatre. Ze stak over bij de stoplichten, maar passeerde de hoofdingang van Standard Life en sloeg een van de vele nauwe straatjes tussen de kantoorflats in. In Canning Street stuitte ze op een politiekordon, met daartegenover een groep in het zwart geklede demonstranten, met hier en daar wat circusfiguren. Een stelletje clowns ja, maar dan letterlijk. Voor het eerst zag Siobhan de leden van de Rebel Clown Army in het echt. Rode en paarse pruiken, wit geschminkte gezichten. Sommigen zwaaiden met een grote plumeau, anderen met anjers. Op een van de ME-schilden was een smiley getekend. De ME'ers waren ook in het zwart, met knie- en elleboogbeschermers, steek werende vesten en helmen met vizier. Een van de demonstranten was een hoge muur opgeklauterd en schudde daar met zijn blote billen naar de politie. Rondom stonden achter de ramen kantoormensen te kijken. Er werd een hoop kabaal gemaakt, maar het bleef geweldloos. Er kwamen nog meer agenten aangerend en Siobhan trok zich terug op de voetgangersbrug over de Western Approach Road. De demonstranten waren weer ver in de minderheid. Een van hen zat in een rolstoel, waar een vlag met de Schotse leeuw aan hing te wapperen. Het autoverkeer was op deze belangrijke invalsweg naar de stad compleet geblokkeerd. De demonstranten bliezen op fluitjes, maar dat bracht de politiepaarden niet van de wijs. Toen een groep agenten onder de voetgangersbrug doorliep, hielden ze hun schilden boven het hoofd ter bescherming.

De situatie leek onder controle en zou waarschijnlijk niet snel veranderen, dus ging Siobhan naar het eigenlijke doel van haar tocht.

De draaideur bij de receptie van het Standard Life-gebouw zat op slot. Een bewaker staarde haar eerst aan voordat hij haar binnenliet.

'Mag ik uw pas zien?'

'Ik werk hier niet.' Ze toonde haar legitimatie.

Hij nam hem aan en bekeek hem zorgvuldig. Gaf hem terug en knikte in de richting van de balie.

'Problemen?'

'Stelletje mafkezen die probeerden binnen te komen. Een ervan is aan de westkant de gevel op geklommen. Hij zit nu vast op de derde verdieping.'

'Leuk verzetje voor het personeel.'

'Brood op de plank voor mij.' Hij gebaarde nogmaals in de richting van de receptie. 'Gina helpt u wel verder.'

Gina hielp Siobhan inderdaad verder. Eerst een bezoekerspas – 'zichtbaar opspelden, alstublieft' –, toen een belletje naar boven. De wachtruimte was luxueus, met sofa's en tijdschriften, koffie en een flatscreen-tv waarop een ontbijtshow over woninginrichting te zien was.

Er kwam een vrouw naar Siobhan toe gelopen.

'Brigadier Clarke? Komt u maar mee.'

'Mevrouw Jensen?'

Ze schudde haar hoofd. 'Sorry dat u moest wachten. Maar u begrijpt dat de situatie een beetje gespannen is...'

'Geeft niks. Ik weet nu welke schemerlamp ik moet kopen.'

De vrouw glimlachte, al begreep ze niet waar ze het over had, en ging Siobhan voor naar de lift. Terwijl ze stonden te wachten bekeek ze haar eigen kleren. 'We zijn vandaag allemaal in burger,' zei ze ter verklaring voor de broek en bloes die ze droeg.

'Goed idee.'

'Grappig om de mannen ineens in spijkerbroek en t-shirt te zien. Sommigen herken je niet terug.' Ze zweeg even. 'Komt u vanwege de rellen?'

'Nee.'

'Mevrouw Jensen tastte namelijk nogal in het duister over de reden...'

'Dan zal ik daar wat licht op moeten werpen, hè?' antwoordde Siobhan glimlachend, terwijl de liftdeuren openschoven.

Op het naambordje bij Dolly Jensens kantoor stond haar naam vermeld als Dorothy Jensen, maar haar functie stond er niet bij. Die was dus behoorlijk hoog, dacht Siobhan. Jensens assistent had op de deur geklopt en daarna plaatsgenomen achter haar eigen bureau. Het grootste deel van de verdieping werd in beslag genomen door een kantoortuin, waar veel mensen vanachter hun computer naar de nieuwkomer zaten te gluren. Een paar stonden er met een mok koffie uit het raam te kijken.

'Kom binnen,' zei een stem. Siobhan ging naar binnen en trok de deur achter zich dicht, ze gaf Dorothy Jensen een hand en werd uitgenodigd te gaan zitten.

'U weet waar ik voor kom?' vroeg Siobhan.

Jensen leunde achterover in haar stoel. 'Tom heeft me alles verteld.'

'U bent direct aan de slag gegaan, hè?'

Jensen overzag haar bureau. Ze was even oud als haar man. Breedgeschouderd, mannelijke gelaatstrekken. Dik zwart haar – het grijs weggewerkt met een kleurspoeling, vermoedde Siobhan

– viel in fraaie golven op haar schouders. Om haar hals droeg ze een eenvoudige parelketting.

'Ik bedoel niet hier, mevrouw,' legde Siobhan uit, en ze deed geen moeite haar irritatie te verbergen. 'Thuis bedoel ik. Alle sporen van uw website uitwissen.'

'Is dat een misdrijf?'

'Wij noemen dat "de voortgang van het onderzoek belemmeren". Er zijn mensen voor minder voor de rechter gesleept. Soms kunnen we er zelfs "criminele opzet" van maken. Als we dat nodig vinden...'

Jensen pakte een pen van haar bureau, draaide aan de dop, haalde hem eraf en deed hem er weer op. Siobhan wist dat ze door haar pantser was gebroken.

'Ik moet alles hebben wat u heeft, mevrouw Jensen. Informatie op papier, e-mailadressen, namen. We moeten iedereen natrekken, ook u en uw echtgenoot, als we de moordenaar willen vinden.' Ze zweeg even. 'Ik weet wat u denkt. Uw man heeft ook al zoiets gezegd, en ik begrijp u volkomen. Maar u moet ook begrijpen... degene die dit heeft gedaan, houdt er niet zomaar mee op. Hij kan alle namen op uw site gedownload hebben, en dat maakt die mannen tot potentiële slachtoffers. Net als Vicky, in feite.'

Bij het horen van die naam wierp Jensen haar een woedende blik toe. Maar meteen sprongen ook de tranen in haar ogen. Ze liet de pen vallen en trok een la open, haalde er een zakdoek uit en snoot haar neus.

'Ik heb het geprobeerd, weet u... om hem te vergeven. Dat moet ons immers dichter bij God brengen?' Ze lachte nerveus. 'We geven die mannen celstraf, maar we hopen ook dat ze een ander mens worden. En als ze niet veranderen... wat heb je er dan aan? Ze komen terug in de samenleving en beginnen van voren af aan.'

Siobhan kende de argumenten, ze had er zelf ook vaak mee geworsteld. Maar ze zweeg.

'Hij toonde geen spoor van berouw, geen schuldgevoel, geen medeleven... Wat is dat voor mens? Is het wel een mens? In het proces bleef zijn advocaat maar hameren op zijn ongelukkige jeugd en de drugs die hij gebruikte. Een "chaotische levensstijl" noemden ze dat. Maar het was zíjn keuze om Vicky kapot te maken, hij deed het gewoon voor de kick. Daar was niks chaotisch aan, dat kan ik u verzekeren.' Jensens stem was gaan trillen. Ze haalde diep adem en ging even verzitten om te kalmeren. 'Ik doe in verzekeringen. Keuzes en risico's, dat is ons vak. Ik heb wel énig idee waar ik over praat.'

'Heeft u gegevens op papier, mevrouw Jensen?' vroeg Siobhan kalm.

'Wel wat,' gaf ze toe. 'Niet veel.'

'En e-mails? U heeft vast gecorrespondeerd met bezoekers van de site.'

Jensen knikte langzaam. 'Familieleden van slachtoffers, ja. Zijn dat nu ook allemaal verdachten?'

'Hoe snel kan ik dat allemaal krijgen?'

'Moet ik met mijn advocaat praten?'

'Misschien een goed idee. Verder is er nog iemand die ik bij u langs wil sturen. Hij heeft verstand van computers. Als hij u een bezoek mag brengen, hoeven we de harde schijf niet mee te nemen.'

'Prima.'

'Hij heet Bain.' *Eric Bain met zijn vriendin met de opblaastieten...* Siobhan ging even verzitten en schraapte haar keel. 'Een brigadier, net als ik. Hoe laat zou het vanavond schikken?'

'Je ziet er verkreukeld uit,' zei Mairie Henderson toen Rebus zich in de passagiersstoel van haar sportauto probeerde te wurmen.

'Onrustige nacht,' zei hij. Wat hij niet zei, was dat ze hem om tien uur wakker had gebeld. 'Kan dit ding ook verder naar achteren?'

Ze boog zich over hem heen en trok aan een hendel zodat zijn stoel achteruit schoot. Rebus keek even achter zich hoeveel ruimte daar nog over was.

'Het is net een schietstoel ja, ik weet het,' zei ze. 'En een mobiele amputatie-eenheid.'

'Die grap hoef ik dus niet meer te maken,' zei Rebus, en hij deed zijn veiligheidsgordel om. 'Bedankt voor de uitnodiging trouwens.'

'Dan mag jij de drankjes betalen.'

'Welke drankjes?'

'Ons excuus om daar te zijn.' Ze reed Arden Street uit. Eenmaal links, daarna rechts en nog eens links, en ze zaten op Grange Road, en dan was het nog maar vijf minuten naar Prestonfield House.

Het Prestonfield House Hotel was een van de best bewaarde geheimen van de stad. Omringd als het was door bungalows uit de jaren dertig, en uitkijkend op de sociale huisvesting van Craigmillar en Niddrie, leek het geen ideale locatie voor een groot, statig herenhuis. Maar het was aangenaam rustig omdat er een groot landgoed omheen lag, en een golfbaan ernaast. De enige keer dat het in het nieuws was gekomen, voor zover Rebus wist, was toen een lid van het Schotse parlement na een feest had geprobeerd de gordijnen in brand te steken.

'Ik wou je aan de telefoon al vragen...' zei Rebus tegen Mairie.

'Wat?'

'Hoe je hiervan weet?'

'Contacten, John. Een goeie journalist kan niet zonder.'

'Weet je waar een journalist blijkbaar wel zonder kan? Een goed stel remmen op zo'n doodskist.'

'Het is een sportwagen,' zei ze tegen hem. 'Klinkt niet goed als je te sloom rijdt.' Maar ze nam toch wat gas terug.

'Dank je,' zei hij. 'Wat houdt die bijeenkomst in?'

'Kop koffie, verkooppraatje, lunch.'

'Waar precies?'

Ze haalde haar schouders op. 'Vergaderzaal denk ik. De lunch is misschien in het restaurant.' Ze gaf richting aan en reed de oprit van het hotel op.

'En wij zijn...?'

'Gewoon twee mensen die een beetje rust zoeken in het gekkenhuis dat Edinburgh nu is. Rust en een pot thee.'

Bij de deur werden ze opgewacht door personeel. Mairie legde uit waar ze voor kwamen. Ze konden terecht in een kamer aan de linkerkant, of rechts, aan de andere kant van een gesloten deur.

'Is daar iets aan de gang?' vroeg Mairie.

'Vergadering,' zei de hotelmedewerker.

'Zolang ze daar dan geen ruzie krijgen, zitten we hier prima.' Ze liep de belendende kamer in. Rebus hoorde buiten pauwen krijsen.

'Thee wilt u?' vroeg de jongeman.

'Koffie voor mij,' zei Rebus.

'Thee. Muntthee als je dat hebt. Anders kamille.' De jongeman liep weg en Mairie drukte haar oor tegen de wand.

'Ik dacht dat afluisteren tegenwoordig elektronisch gebeurde,' zei Rebus.

'Als je het kunt betalen,' fluisterde Mairie. Ze maakte zich weer los van de muur. 'Ik hoor alleen geroezemoes.'

'Stop de persen.'

Ze ging er niet op in en trok een stoel in de richting van de deuropening, zodat ze kon zien wie de andere kamer betrad of verliet.

'Lunch stipt om twaalf uur, gok ik. Om ze goedgestemd te krijgen.' Ze keek op haar horloge.

'Ik heb hier eens een dame mee uit eten genomen,' mijmerde Rebus. 'Koffie in de bibliotheek na afloop. Die is boven. Wanden met donkerrode bekleding. Ik geloof dat iemand zei dat het leer was.'

'Leren wandbekleding? Kinky,' zei Mairie glimlachend.

'Nog bedankt trouwens. Dat je het nieuws over Cyril Colliar meteen hebt doorgespeeld aan Cafferty...' Hij keek haar strak aan en zij had het fatsoen om een beetje rood te kleuren bij de nek.

'Geen dank,' zei ze.

'Fijn om te weten dat als ik jou vertrouwelijke informatie geef, jij daarmee meteen naar de grootste crimineel van de stad holt.'

'Alleen deze ene keer, John.'

'Eén keer te veel.'

'De moord op Colliar vreet aan hem.'

'Dat mag ik graag zien.'

Een vermoeide glimlach. 'Eén keertje maar,' herhaalde ze. 'En bedenk dat ik jou hier ook een enorme dienst bewijs.'

Rebus gaf geen antwoord maar liep de ontvangsthal weer in. Die was veranderd sinds de tijd dat Rebus hier zijn halve salaris aan een maaltijd had uitgegeven. Zware gordijnen, exotisch meubilair, overal van die kwastjes. Een zwarte man in een blauw zijden kostuum stapte opzij met een kleine buiging om Rebus langs te laten.

'Goeiemorgen,' zei Rebus.

'Goedemorgen,' zei de man monter, en bleef staan. 'Is de bijeenkomst al afgelopen?'

'Ik zou het niet weten.'

De man boog zijn hoofd weer. 'Excuses. Ik dacht dat u misschien...' Maar hij maakte zijn zin niet af en liep verder naar de deur, klopte eenmaal en verdween de kamer in. Mairie was de hal in gekomen.

'Niet echt een ingewikkeld klopsignaal,' zei Rebus.

'Het zijn de vrijmetselaars niet.'

Wat scheelde het, dacht Rebus. Wat was de G8 anders dan een exclusief eliteclubje?

De deur ging weer open en twee mannen kwamen de zaal uit. Ze liepen naar buiten en hielden even stil om hun sigaret op te steken.

'Tijd voor de lunch?' gokte Rebus. Hij volgde Mairie terug naar hun eigen kamertje en keek toe terwijl de mannen de vergaderzaal uit stroomden. Een stuk of twintig. Afrikanen, Aziaten en Arabieren. Sommigen in wat – zo vermoedde Rebus – hun nationale dracht was.

'Misschien Kenia, Sierra Leone, Nigeria...' fluisterde Mairie.

'Met andere woorden: je hebt geen flauw idee?' fluisterde Rebus terug.

'Ik ben nooit goed geweest in aardrijkskunde.' Ze viel stil en pakte hem bij de arm. Een lange, imposante gestalte voegde zich bij de anderen om te babbelen en wat handen te drukken. Rebus herkende hem uit Mairies knipselmap. Zijn lange gegroefde gelaat was zongebruind en zijn haar was met een kleurspoeling wat donkerder gemaakt. Krijtstreeppak, witte manchetten die uit de mouwen staken. Hij lachte naar iedereen, leek iedereen persoonlijk te kennen. Mairie was weer verdwenen in hun kamer, maar Rebus bleef in de deuropening staan. Foto's flatteerden Richard Pennen. In het echt was hij iets magerder, had hij hangende oogleden. Maar hij zag er walgelijk gezond uit, alsof hij zo van een tropisch strand kwam. Hij werd geflankeerd door assistenten die in zijn oor stonden te fluisteren om te zorgen dat ook dit deel van de dag even rimpelloos zou verlopen als de rest.

Ineens werd Rebus' uitzicht geblokkeerd door een hotelmedewerker die hun thee en koffie bracht. Toen die was langsgelopen, zag hij dat Pennen hem had opgemerkt.

'Jouw rondje, dacht ik,' zei Mairie. Rebus kwam de kamer weer in en rekende af.

'Bent u niet inspecteur Rebus?' De lage stem van Richard Pennen. Hij stond een meter verder, nog steeds geflankeerd door zijn assistenten.

Mairie stapte op hem af en stak haar hand uit.

'Mairie Henderson, meneer Pennen. Vreselijke tragedie in het kasteel dit weekend...'

'Vreselijk,' beaamde Pennen.

'U was daar aanwezig, meen ik.'

'Inderdaad.'

'Mevrouw is een journaliste, meneer,' zei een van de assistenten.

'Je meent het,' glimlachte Pennen.

'Ik vroeg me af,' ging Mairie door, 'waarom u meneer Websters hotelkamer betaalde.'

'Dat deed ik niet, dat deed mijn bedrijf.'

'Waarom interesseert u zich voor schuldsanering in de derde wereld?'

Maar Pennen had al zijn aandacht op Rebus gericht. 'Er was me verteld dat ik u zou kunnen tegenkomen.'

'Fijn om commandant Steelforth in je team te hebben...'

Pennen liet zijn blik over Rebus glijden. 'Zijn beschrijving deed u geen recht, inspecteur.'

'Evengoed aardig dat hij de moeite nam.' Rebus had eraan toe kunnen voegen: *want dat wil zeggen dat het hem niet lekker zit.*

'U beseft natuurlijk dat er wat zwaait als ik melding maak van uw opdringerigheid?'

'We komen hier alleen voor een bakje troost, meneer,' zei Rebus. 'Voor zover ik zie bent u degene die zich opdringt.'

Pennen glimlachte weer. 'Leuk gebracht.' Hij wendde zich tot Mairie. 'Ben Webster was een prima parlementariër en een uitstekende woordvoerder op het gebied van Internationale Ontwikkeling, mevrouw Henderson. En een scrupuleus man op de koop toe. Als hij al giften van mijn bedrijf ontving, zou hij die zeker hebben gemeld.'

'Dat is geen antwoord op mijn vraag.'

Pennens gezicht vertrok even. Hij haalde diep adem. 'Pennen Industries doet vooral zaken met het buitenland. Vraag maar aan uw redacteur Economie of hij u eens bijpraat. Dan zult u zien wat ons aandeel in de nationale export is.'

'Wapens,' zei Mairie.

'Technologie,' corrigeerde Pennen. 'En we sluizen ook geld terug naar enkele van de armste landen. Daar was Ben Webster bij betrokken.' Hij richtte zijn blik weer op Rebus. 'Geen doofpot, inspecteur. David Steelforth doet gewoon zijn werk. Er kunnen de komende dagen een hoop contracten worden getekend... groen licht voor grote projecten. We kunnen contacten leggen, en daarmee kunnen we werkgelegenheid creëren. Maar in zulk goed nieuws is de pers blijkbaar niet geïnteresseerd. Als u me nu wilt excuseren...' Hij liep weg en Rebus zag met voldoening dat op de hak van een van de zwarte leren brogues een smerig prutje zat. Rebus was geen expert maar hij wedde dat het pauwenpoep was.

Mairie liet zich op een bank vallen, die met luid gekraak protesteerde tegen deze mishandeling.

'Godsamme,' zei ze, en schonk zichzelf wat thee in. Rebus rook de pepermunt. Hij schonk zichzelf koffie in uit het kleine kannetje.

'Vertel me nog eens,' zei hij, 'hoeveel dit allemaal kost.'

'De G8?' Ze wachtte tot hij knikte, blies haar wangen bol en probeerde het zich te herinneren. 'Honderdvijftig?'

'Miljoen?'

'Miljoen.'

'Allemaal om te zorgen dat zakenlui zoals Pennen hun gang kunnen blijven gaan.'

'Misschien niet alleen dáárvoor...' Mairie glimlachte. 'Maar in zekere zin heb je gelijk: de besluiten zijn al genomen.'

'Die top is dus alleen maar een reeks banketten en wat handjes schudden voor het oog van de camera. Wat heb je daaraan?'

'Schotland op de kaart zetten?' opperde ze.

'Ja hoor.' Rebus leegde zijn kop koffie. 'Misschien moeten we blijven lunchen en kijken of we Pennen nog verder op stang kunnen jagen.'

'Kun je je dat wel veroorloven?'

Rebus keek om zich heen. 'Waar blijft die knul trouwens met mijn wisselgeld?'

'Wisselgeld?' Mairie lachte. Toen Rebus begreep wat ze bedoelde, besloot hij het kannetje koffie tot de laatste druppel leeg te drinken.

Volgens het tv-journaal was het centrum van Edinburgh een oorlogsgebied.

Halfdrie maandagmiddag. Normaal gesproken trof je in Princes Street zwaarbeladen winkelpubliek, en zouden in de Gardens mensen een wandelingetje maken of uitrusten op een van de banken.

Maar vandaag niet.

Vanuit de studio werd overgeschakeld naar protesten bij marinebasis Faslane, waar Groot-Brittanniës vier Trident-onderzeeërs lagen. De basis werd belaagd door zo'n tweeduizend demonstranten. Voor het eerst in de geschiedenis had de politie de Forth Road Bridge afgezet. Auto's die naar het noorden reden, werden aangehouden en doorzocht. De uitvalswegen van de hoofdstad waren geblokkeerd door sit-ins. Bij het vredeskamp in Stirling waren schermutselingen geweest.

En in Princes Street ontstond een opstootje. ME'ers zwaaiden met hun wapenstok. Ze droegen ronde schilden die Siobhan nooit eerder had gezien. Rond Canning Street was het nog onrustig. Het verkeer op de Western Approach was nog steeds gestremd door demonstraties. De studio schakelde weer over naar Princes Street. Er waren niet alleen meer agenten dan demonstranten, ook meer camera's. Veel geduw en getrek over en weer.

'Ze proberen geweld uit te lokken,' zei Eric Bain. Hij was naar het bureau gekomen om te laten zien hoe weinig hij tot nu toe had kunnen vinden.

'Dat had ook kunnen wachten tot na je bezoekje aan mevrouw Jensen,' had ze meteen gezegd, waarop hij zijn schouders had opgehaald.

Ze zaten alleen in de recherchekamer. 'Zie je wat ze doen?' zei Bain, op het scherm wijzend. 'Een relschopper doet een uitval en laat zich meteen weer in de menigte terugzakken. De dichtstbijzijnde agent heft zijn wapenstok en pats, een foto van hoe hij inhakt op de arme donder die toevallig vooraan staat. Ondertussen zit de relschopper ergens veilig achteraan en wacht op een kans om dat nog eens te flikken.'

Siobhan knikte. 'Zodat het lijkt alsof wij overmatig geweld gebruiken.'

'Daar zijn die relschoppers op uit.' Hij sloeg zijn armen over elkaar. 'Ze hebben wat trucjes bijgeleerd sinds Genua...'

'Maar wij ook,' zei Siobhan. 'Isoleren bijvoorbeeld. Dat groepje in Canning Street staat daar nu al vier uur vast.'

In de studio had een presentator verbinding met popster en organisator Midge Ure. Hij deed een oproep aan de herrieschoppers om naar huis te gaan.

'Jammer dat die nou niet zitten te kijken,' was Bains commentaar.

'Ga je nog met mevrouw Jensen praten?' hintte Siobhan.

'Ja, baas. Hoe hard moet ik haar aanpakken?'

'Ik heb haar al gewaarschuwd dat we haar kunnen pakken voor belemmering van de rechtsgang. Herinner haar daar maar aan.' Siobhan schreef het adres van de Jensens op haar notitieblok, scheurde de bladzij af en gaf die aan Bain. Die zat weer naar de tv te kijken. Nog meer livebeelden uit Princes Street. Een paar demonstranten waren op het Scott Monument geklommen. Anderen waren over de hekken van de Gardens geklauterd. Er werd tegen schilden getrapt. Graspollen vlogen door de lucht. Even later ook banken en prullenbakken.

'Dat loopt mis,' mompelde Bain. Er werd overgeschakeld. Een andere locatie: Torphichen Street, bij bureau West End. Er werd met stokken en flessen gegooid. 'Blij dat wij daar niet zijn,' was het enige wat Bain zei.

'Alsof we hier zo lekker zitten.'

Hij keek haar aan. 'Zou jij je liever in het strijdgewoel storten?'

Ze haalde haar schouders op en staarde naar het scherm. De studio had verbinding met een mobiele beller, iemand uit het winkelend publiek dat nu opgesloten zat in het filiaal van British Home Stores in Princes Street.

'Wij hebben er niks mee te maken,' gilde de vrouw. 'Wij willen hier alleen maar weg, maar de politie behandelt iedereen hetzelfde... moeders met kinderen, bejaarden...'

'Zegt u nu dat de politie te hard optreedt?' vroeg de presentator in de studio. Siobhan zapte naar de andere zenders: *Columbo* op de ene, *Diagnosis: Murder* op de andere... en op Channel 4 een film.

'Dat is *Kidnapped*,' zei Bain. 'Schitterend.'

'Jammer voor je,' zei ze, en schakelde door naar een andere nieuwszender. Dezelfde rellen, andere camerastandpunten. De demonstrant die ze in Canning Street op de muur had zien klimmen, zat er nog steeds, zijn benen bungelend over de rand, alleen zijn ogen zichtbaar door zijn bivakmuts. Hij hield een telefoon aan zijn oor.

'Dat is waar ook,' zei Bain. 'Rebus belde me om te vragen hoe een nummer dat niet meer in gebruik is, toch nog actief kan zijn.'

Siobhan keek hem aan. 'Zei hij ook waarom hij dat wou weten?' Bain schudde van nee. 'Wat heb je gezegd?'

'Je kunt de simkaart klonen, of opgeven dat het nummer alleen voor uitgaande gesprekken gebruikt moet worden.' Hij haalde zijn schouders op. 'Allerlei manieren.'

Siobhan knikte en keek weer naar de tv. Bain wreef met zijn hand in zijn nek.

'Wat vond je van Molly?' vroeg hij.

'Je boft, Eric.'

Een brede grijns. 'Dat zou ik denken.'

'Maar vertel eens,' zei Siobhan, en ze haatte zichzelf omdat ze de verleiding niet kon weerstaan: 'Is ze altijd zo'n zenuwpees?'

Bains grijns smolt weg.

'Sorry Eric, dat was lullig.'

'Ze zei dat ze je aardig vond,' zei hij. 'Ze heeft geen greintje kwaad in zich.'

'Het is een fijne meid,' beaamde Siobhan. Het klonk haar vreselijk onoprecht in de oren. 'Hoe hebben jullie elkaar ontmoet?'

Bain verstijfde even. 'Een club,' zei hij uiteindelijk.

'Ik heb nooit een danser achter jou gezocht, Eric.' Siobhan keek hem even aan.

'Molly kan geweldig dansen.'

'Ze heeft er het lijf voor...' Ze voelde een golf van opluchting toen haar mobiel overging. Ze hoopte vurig dat het haar een excuus zou geven hier zo snel mogelijk te vertrekken... Het was het nummer van haar ouders.

'Hallo?'

Eerst dacht ze dat ze ruis op de lijn hoorde, maar toen besefte ze wat het was: geschreeuw en gejoel en gefluit. Hetzelfde kabaal dat ze net had gehoord in het tv-verslag over Princes Street.

'Mama?' zei ze. 'Pap?'

En een stem: van haar vader. 'Siobhan? Hoor je me?'

'Pap? Wat doen jullie daar in godsnaam?'

'Je moeder...'

'Wat? Geef haar even, pap.'

'Je moeder is...'

'Is er iets ge–'

'Ze bloedde... ziekenwagen...'

'Pa, je valt weg. Waar zit je precies?'

'Kiosk... Gardens.'

Hij viel helemaal weg. Ze keek naar het scherm. Verbinding verbroken.

'Verbinding verbroken,' prevelde ze.

'Wat is er aan de hand?' vroeg Bain.

'Mijn vader en moeder... die zitten daar.' Ze knikte in de richting van de tv. 'Kun je me een lift geven?'

'Waarheen?'

'Daarheen.' Ze priemde met haar vinger naar het scherm.

'Dáárheen?'

'Daarheen.'

9

Ze kwamen niet verder dan George Street. Siobhan stapte uit en zei tegen Bain dat hij niet moest vergeten naar de Jensens te gaan. Hij drukte haar op het hart om voorzichtig te zijn, maar voor hij was uitgesproken had ze het portier al dichtgeslagen.

Hier waren ook demonstranten die uit Frederick Street kwamen. Vanuit de winkels keek het personeel toe met een mengeling van afgrijzen en fascinatie. Omstanders drukten zich tegen de muur om geen mikpunt te worden. De straat lag bezaaid met rommel. De demonstranten werden teruggedreven naar Princes Street. Niemand hield Siobhan tegen toen ze door de politielinie in die richting liep. Je kwam er wel in; eruit komen, dat was het probleem.

Ze kende daar maar één kiosk: niet ver van het Scott Monument. De toegangspoort van de Gardens was dicht, dus liep ze naar het hek. De rellen hadden zich van de straat verplaatst naar het park zelf. Er vloog afval door de lucht, en ook stenen en andere voorwerpen. Iemand greep haar bij haar jas.

'Hier blijven.'

Ze draaide zich om en stond tegenover een agent. Op zijn helm was boven het vizier 'xs' te lezen. Heel even dacht ze dat ze het moest lezen als 'exces'. Heel geruststellend. Ze had haar legitimatie al in de aanslag.

'Recherche,' schreeuwde ze.

'Dan ben je getikt.' Hij liet haar los.

'Dat hoor ik wel vaker,' zei ze, en klom over de spijlen van het hek. Ze zag dat de relschoppers versterking hadden gekregen van wat eruitzag als de plaatselijke voetbalvandalen. Fijn excuus voor een knokpartij. Je kreeg niet elke dag zo'n mooie kans om je ongestraft uit te leven op een stel smerissen. Ze verhulden hun identiteit door een voetbalsjaal om hun gezicht te slaan en hun jack dicht te ritsen tot aan de kin. Gelukkig droegen ze tegenwoordig tenminste sportschoenen in plaats van Doc Martens.

De kiosk: ijs en frisdrank. Er lag glas op de grond en hij was gesloten. Op haar hurken schuifelde ze eromheen. Geen spoor van haar vader. Bloeddruppels op de grond, ze volgde het spoor: dat leidde naar het hek. Ze liep nog eens rond de kiosk. Ze bonsde op het dichte loket. Nog eens. Ze hoorde een gedempte stem van binnen.

'Siobhan?'

'Pap? Zit jij daar?'

De deur aan de zijkant werd opengerukt. Haar vader stond in de deuropening, naast de doodsbange eigenares van de kiosk.

'Waar is mama?' vroeg Siobhan met bevende stem.

'Met de ambulance mee. Ik kon niet... Ze lieten me niet door het kordon.'

Siobhan kon zich niet herinneren dat ze haar vader ooit had zien huilen, maar nu was hij in tranen. In tranen, en duidelijk ook in shock.

'Jullie moeten hier weg.'

'Ik niet,' zei de vrouw hoofdschuddend. 'Ik bewaak mijn boeltje. Maar ik heb gezien wat er gebeurd is... rotpolitie. Ze stond daar alleen maar...'

'Een wapenstok,' vulde Siobhans vader aan. 'Midden in haar gezicht.'

'Het bloed stroomde eruit...'

Met een blik legde Siobhan de vrouw het zwijgen op. 'Hoe heet u?' vroeg ze.

'Frances... Frances Neagley.'

'Nou, Frances Neagley, ik raad je aan hier weg te gaan.' En tegen haar bevende vader zei ze: 'Kom, we gaan.'

'Wat?'

'Naar mama.'

'Maar hoe gaan we...?'

'Dat komt wel goed. Kom nou maar.' Ze trok aan zijn arm, ze had het gevoel dat ze hem hier fysiek weg zou slepen als het moest. Frances Neagley trok de deur weer dicht en vergrendelde hem.

Er scheerde een graspol langs hun hoofd. Siobhan wist nu al dat er morgen – typisch Edinburgh – vooral geklaagd zou worden over de schade aan de befaamde bloembedden. Het hek was opengebroken door de demonstranten uit Frederick Street. Een als Pictische krijger verklede man werd aan zijn armen meegesleurd door de politie. Vlak voor het kordon zat een vrouw doodgemoedereerd de luier van haar in het roze geklede baby te verschonen. Er werd een bord de lucht in gestoken: GEEN GOD, GEEN MEESTER. De letters X en S... de baby in het roze... de boodschap op het bord... de beelden brandden zich in haar netvlies, snapshots met een overduidelijke betekenis die haar niettemin ontging.

Hier schuilt een patroon in, een diepere betekenis.

Moet ik pap nog eens vragen...

Vijftien jaar geleden had hij, om haar te helpen met een schoolopstel, uitgelegd wat semiotiek was, maar hij had haar alleen maar verder in verwarring gebracht. Toen had ze het in de klas per ongeluk verbasterd tot 'semi-erotiek' en was haar leraar in de lach geschoten...

Siobhan zocht naar bekende gezichten maar zag er geen. Wel een agent met een hesje met een rood kruis erop. Ze liep met haar vader naar hem toe en toonde haar legitimatie.

'Recherche,' legde ze uit. 'De vrouw van deze man is naar het ziekenhuis gebracht. Daar moeten we heen.'

De agent knikte en loodste hen door de politielinie.

'Welk ziekenhuis?' vroeg hij.

'Wat is het waarschijnlijkst?'

Hij keek haar aan. 'Geen idee,' gaf hij toe. 'Ik kom uit Aberdeen.'

'Western General is het dichtst bij,' zei Siobhan. 'Is er vervoer beschikbaar?'

Hij wees naar Frederick Street. 'Bij de kruising op de heuvel.'

'George Street?'

Hij schudde zijn hoofd. 'De volgende.'

'Queen Street?' Hij knikte. 'Bedankt,' zei ze. 'Ga jij maar weer terug.'

'Ik zal wel moeten,' zei hij zonder enthousiasme. 'Sommigen kleunen er nogal hard in... Niet die van ons. Die lui uit Londen.'

Siobhan keek haar vader aan. 'Zou je hem herkennen?'

'Wie?'

'Degene die mama geslagen heeft.'

Hij wreef met zijn hand over zijn ogen. 'Ik denk het niet.'

Ze klakte geïrriteerd met haar tong en troonde hem mee heuvelopwaarts, naar Queen Street.

Daar stond een rij surveillanceauto's geparkeerd. Verbazingwekkend genoeg was er ook gewoon verkeer: alle auto's en vrachtwagens die van de hoofdroute werden omgeleid en hier langzaam voorbij kropen alsof het een gewone dag was. Siobhan legde een van de chauffeurs uit wat ze wilde. Hij leek opgelucht dat hij weg kon. Ze ging met haar vader achterin zitten.

'Toeters en bellen,' zei ze tegen de chauffeur. Oftewel zwaai-licht en sirene. Ze passeerden de file en waren op weg.

'Rij ik zo goed?' riep de chauffeur.

'Waar kom je vandaan?'

'Peterborough.'

'Rechtdoor, ik zeg wel wanneer je moet afslaan.' Ze kneep haar vader even in zijn hand. 'Heb jij je niet bezeerd?'

Hij schudde zijn hoofd en bleef haar aankijken. 'En jij dan.'

'Wat is er met mij?'

'Jij bent geweldig.' Teddy Clarke glimlachte flauwtjes. 'Zoals je het daar deed, het voortouw nam...'

'Meer dan alleen een mooi koppie, hè?'

'Ik heb nooit beseft...' De tranen sprongen hem weer in de ogen. Hij beet even op zijn onderlip en knipperde met zijn ogen. Ze kneep nog eens in zijn hand.

'Ik heb nooit echt beseft,' zei hij, 'hoe goed jij in je werk zou kunnen zijn.'

'Wees blij dat ik niet meer bij de uniformdienst zit. Dan had ík daar met een wapenstok kunnen staan.'

'Jij zou geen onschuldige vrouw slaan,' beweerde haar vader.

'Bij die lichten rechtdoor,' zei ze tegen de chauffeur, en keerde zich toen weer naar haar vader. 'Dat kun je nooit weten, hè. We weten nooit wat we gaan doen voor het zover is.'

'Dat zou jij niet doen,' hield hij vol.

'Waarschijnlijk niet,' gaf ze toe. 'Maar wat deden jullie daar verdorie ook? Had Santal je meegesleept?'

Hij schudde van nee. 'We waren misschien... we dachten dat we alleen maar toekeken. Maar de politie zag het anders.'

'Als ik de kerel vind die...'

'Ik heb zijn gezicht niet echt gezien.'

'Er waren genoeg camera's in de buurt. Moeilijk om iets uit te halen wat niet wordt vastgelegd.'

'Foto's?'

Ze knikte. 'En bewakingscamera's, de media, en onze eigen mensen natuurlijk.' Ze keek hem aan. 'De politie heeft daar ook alles gefilmd.'

'Maar dat is...'

'Wat?'

'Dat kun je toch niet allemaal gaan bekijken?'

'Wedden?'

Hij keek haar even aan. 'Nee, liever niet.'

Bijna honderd arrestaties. Dinsdag zou een drukke dag worden voor de rechtbanken. Tegen de avond had het front zich verlegd van de Princes Street Gardens naar Rose Street. Daar werden klinkers uit het wegdek gewrikt om naar de politie te smijten. Er waren schermutselingen op de Waverley Bridge en in Cockburn Street en Infirmary Street. Tegen halftien werd het rustiger. Het laatste opstootje had plaatsgevonden bij de McDonald's in South St. Andrew Street. De agenten waren terug op het bureau en hadden hamburgers bij zich, waarvan de geur de recherchekamer bereikte. Rebus had de tv aan staan – een documentaire over een slachthuis. Eric Bain had hem net een lijst mailadressen gestuurd – vaste bezoekers van BeastWatch. Zijn e-mail was geëindigd met de woorden: 'Laat even weten of alles goed is, Shiv!!' Rebus had haar mobiel gebeld maar kreeg geen gehoor. Bain had in zijn mail geschreven dat de Jensens niet lastig hadden gedaan maar slechts 'met tegenzin hadden meegewerkt'.

Rebus had de *Evening News* opengeslagen op het bureau liggen. Op de voorpagina stond een foto van de protestmars op zaterdag met de kop STEMMEN MET JE VOETEN. Die konden ze morgen weer gebruiken, bij een foto van een relschopper die tegen een politieschild trapte. Op de tv-pagina's vond hij de titel van de documentaire – *Slachthuis: Bloedwerk*. Rebus stond op en liep naar een leeg bureau. Daar lagen de papieren uit het dossier Colliar. Siobhan had niet stilgezeten. Ze had er politie- en gevangenisverslagen over Snelle Eddie Isley en Trevor Guest bijgevoegd.

Guest: inbreker, vechtersbaas, aanrander.

Isley: verkrachter.

Colliar: verkrachter.

Rebus pakte de informatie over BeastWatch. Er waren gegevens geplaatst over nog achtentwintig andere verkrachters en pedofielen. Er stond een lang en boos artikel van iemand die zichzelf 'Kapotvanbinnen' noemde – Rebus had het gevoel dat het een vrouw was. Ze ging tekeer tegen het rechtssysteem en het strikte onderscheid tussen aanranding en verkrachting. Het was moeilijk om iemand veroordeeld te krijgen voor verkrachting, maar aanranding kon net zo vreselijk, gewelddadig en vernederend zijn, en toch leidde het tot lagere straffen. Ze leek te schrijven met kennis van zaken. Het was niet goed te bepalen of ze uit Schotland kwam. Hij keek of hij ergens in de tekst het woord 'inbraak' of 'inbreker' zag staan. In Schotland was 'huisvredebreuk' de juridische term. Maar ze schreef alleen over aanranders en slachtoffers. Toch vond Rebus dat haar stuk om een reactie vroeg. Hij zette Siobhans computer aan en logde in op haar Hotmailaccount. Ze gebruikte voor alles hetzelfde wachtwoord: Hibsgirl. Hij liet zijn vinger langs Eric Bains lijst glijden tot hij het mailadres van Kapotvanbinnen vond, en begon te typen:

Ik heb je stuk op BeastWatch net gelezen. Ik vond het heel interessant en zou er graag 's met je over praten. Ik heb informatie die je misschien wel interessant vindt. Bel me op nummer...

Hij dacht even na. Hij wist niet hoe lang Siobhans nummer onbereikbaar zou blijven, dus typte hij zijn eigen mobiele nummer in. Hij ondertekende met 'Siobhan Clarke'. Meer kans op een reactie als het mailtje van een vrouw kwam, dacht hij. Hij las het bericht nog eens door en vond dat het eruitzag als een mail van een rechercheur. Tweede poging:

Ik zag wat je op BeastWatch hebt geschreven. Heb je al gezien dat de site uit de lucht is? Ik wil je graag spreken – misschien even bellen?

En dan zijn nummer en Siobhans naam. Alleen de voornaam; minder formeel. Hij klikte op 'verzenden'. Toen zijn telefoon een paar minuten later al overging, wist hij dat dat te mooi was om waar te zijn.

En inderdaad: 'Stroman,' zei een lijzige stem. Cafferty.

'Word je die bijnaam nooit beu?'

Cafferty grinnikte. 'Hoe lang is het geleden?'

Een jaar of zestien. Rebus als getuige, Cafferty in de beklaagdenbank... en een van de advocaten verwarde Rebus met een andere getuige, die Stroman heette.

'Niks te melden?' vroeg Cafferty.

'Waarom zou ik jou dat vertellen?'

Weer gegrinnik, nog killer dan de eerste keer. 'Stel dat je hem vangt en hij wordt berecht... hoe zou het dan staan als ik ineens laat weten dat ik je geholpen heb? Dan heb je wat uit te leggen... kan zelfs tot vrijspraak leiden.'

'Ik dacht dat je wou dat ie gepakt werd?' Cafferty zweeg. Rebus overwoog wat hij moest zeggen. 'We boeken vooruitgang.'

'Hoeveel?'

'Het gaat langzaam.'

'Dat is niet zo gek, het is ook een zooitje in de stad.' Weer gegrinnik. Rebus vroeg zich af of Cafferty gedronken had. 'Ik had vandaag een bank kunnen leegroven zonder dat jullie het merkten.'

'Waarom heb je dat dan niet gedaan?'

'Ik ben een ander mens, Rebus. Ik sta nu toch aan jullie kant?

Dus als ik ergens mee kan helpen...'

'Op dit moment niet.'

'Maar als je mijn hulp nodig had, zou je het vragen?'

'Het is net wat je zelf zegt, Cafferty: hoe meer jij erbij betrokken bent, hoe lastiger het wordt om een veroordeling te krijgen.'

'Ik weet hoe het spelletje werkt, Rebus.'

'Dan weet je ook wanneer het beter is om een beurt over te slaan.' Rebus ging met zijn rug naar de tv zitten. Een machine stroopte het vel van een karkas.

'Hou me op de hoogte, Rebus.'

'Er is wel iets...'

'Ja?'

'Er zijn een paar agenten die ik graag eens wil spreken. Engelsen, die hier zijn voor de G8.'

'Ga dan met ze praten.'

'Dat is nog niet zo makkelijk. Ze dragen geen insignes en karren hier rond in een auto en een busje zonder striping.'

'Waarom moet je ze hebben?'

'Dat vertel ik later wel.'

'Signalement?'

'Ik denk dat ze uit Londen komen. Groepje van drie. Zongebruind gezicht...'

'Dan vallen ze dus nogal op hier in het noorden,' viel Cafferty hem in de rede.

'De leider van het stel heet Jacko. Ze zouden wel eens kunnen werken voor een kerel van SO12, ene David Steelforth.'

'Steelforth ken ik.'

Rebus leunde tegen een van de bureaus. 'Waarvan?'

'Hij heeft in de loop der jaren een paar kennissen van me opgeborgen.' Rebus herinnerde zich dat Cafferty banden had met de oude Londense maffia. 'Is hij hier ook?'

'Hij slaapt in het Balmoral.' Rebus zweeg even. 'Ik ben benieuwd wie zijn kamer betaalt.'

'Net als je denkt dat je alles hebt gehad,' zei Cafferty. 'Komt John Rebus je vragen om SO12 te bespioneren... Ik krijg het gevoel dat dit niks te maken heeft met Cyril Colliar.'

'Ik zeg toch, dat vertel ik later wel.'

'Wat ben je nu aan het doen?'

'Aan het werken.'

'Wil je ergens wat gaan drinken?'

'Zo wanhopig ben ik nog niet.'

'Ik ook niet, maar ik dacht ik vraag het even.'

Rebus dacht een ogenblik na en kwam bijna in de verleiding. Maar Cafferty had al opgehangen. Hij ging zitten en pakte een kladblok. Daarop zette hij het volledige resultaat van zijn werk van die avond onder elkaar:

Wrok jegens?
Slachtoffer?
Kan aan h komen
Auchterarder – lokale connectie?
Wie volgt?

Hij kneep zijn ogen half dicht bij de laatste regel. *Who's next* was de titel van een album van The Who, ook een van Michaels favoriete albums. Het bevatte onder meer het nummer 'Won't Get Fooled Again', dat tegenwoordig gebruikt werd als tune van een van die csi-series... Hij voelde ineens een enorme behoefte met iemand te praten, zijn dochter misschien, of zijn ex. De kracht van familiebanden. Hij moest denken aan Siobhan en haar ouders. Hij probeerde zich niet beledigd te voelen om het feit dat ze die niet aan hem wilde voorstellen. Ze sprak nooit over ze; hij wist eigenlijk niet eens hoeveel familie ze had.

'Omdat je er nooit naar vraagt,' berispte hij zichzelf. Zijn telefoon piepte, een sms-bericht. Afzender: Shiv. Hij opende het.

Kom ajb zsm naar WGH

WGH, het Western General Hospital. Hij had nog niets gehoord over gewonde agenten... ze had ook niets te zoeken in de buurt van Princes Street.

Laat even weten of alles goed is!!

Terwijl hij naar zijn auto liep probeerde hij haar nog eens te bellen. In gesprek. Hij sprong in zijn auto en gooide het toestel op de passagiersstoel. Hij was nog geen vijftig meter onderweg voordat het overging. Hij graaide ernaar en klapte het open.

'Siobhan?' vroeg hij.

'Wat?' Een vrouwenstem.

'Hallo?' Hij klemde zijn kaken op elkaar en probeerde zo goed mogelijk met één hand door te rijden.

'Is dit... ik dacht... Nee, laat maar.' De lijn werd verbroken en hij gooide het toestel terug op de stoel. Het stuiterde eraf en viel op de grond. Hij greep het stuur met beide handen vast en gaf plankgas.

10

Er stond een file voor de Forth Road Bridge. Ze vonden het allebei niet erg. Ze hadden genoeg te bespreken, en genoeg te overdenken ook. Siobhan had Rebus alles verteld. Teddy Clarke wilde niet van het bed van zijn vrouw wijken. De verpleegkundigen hadden gezegd dat ze hem wel een bed zouden geven. Ze wilden de volgende ochtend meteen een scan maken om te kijken of er hersenletsel was. De wapenstok had haar aan de bovenkant van haar gezicht geraakt: haar ogen waren bont en blauw, eentje zat nog helemaal dicht. Verbandgaas op haar neus, maar niet gebroken.

Rebus had gevraagd of de kans bestond dat ze blind zou worden. Misschien aan één oog, had Siobhan gezegd.

'Na de scan gaat ze naar het oogpaviljoen. Maar weet je wat nog het moeilijkst was, John?'

'Het besef dat je moeder ook maar een mens is?' was zijn gok.

Siobhan had langzaam haar hoofd geschud. 'Dat ze haar kwamen horen.'

'Wie?'

'Politie.'

'Nou ja, dat is tenminste iets.'

Toen had ze schamper gelachen. 'Ze waren niet op zoek naar de man die haar geslagen had. Ze kwamen vragen wat zíj had gedaan...'

Ja, natuurlijk, want was zij niet een van de relschoppers geweest? Had ze niet in de frontlinie gestaan?

'Jezus,' had Rebus gemompeld. 'Was jij daarbij?'

'Als ik erbij was geweest, hadden ze de wind van voren gekregen.' En even later, bijna fluisterend: 'Ik heb gezien hoe het eraan toeging, John.'

'Het zag er nogal hachelijk uit, op tv.'

'De politie ging te ver.' Ze keek hem strak aan, wachtend op tegenspraak.

'Je bent boos,' was het enige wat hij zei, en hij draaide zijn raampje omlaag voor de controle.

Toen ze bij Glenrothes waren, had hij haar verteld wat hij die avond zelf had gedaan, en gewaarschuwd dat ze e-mail kon verwachten van 'Kapotvanbinnen'. Ze leek nauwelijks te luisteren. Op het hoofdbureau van Fife moesten ze zich driemaal legitimeren voordat ze de ruimtes van Operatie Sorbus konden betreden. Over zijn nachtje in de cel had Rebus Siobhan maar niets gezegd – dat was haar probleem niet. Zijn linkerhand voelde eindelijk weer enigszins normaal aan. Een doosje ibuprofen deed wonderen.

Het was een controlekamer zoals alle andere: monitors met beelden van bewakingscamera's; burgerpersoneel met headsets; kaarten van Midden-Schotland. Er waren livebeelden van de omheining bij Gleneagles, waar elke wachttoren was uitgerust met een camera. En ook beelden van Edinburgh, Stirling, de Forth Bridge. Een verkeerscamera op de M9, de snelweg die langs Auchterarder liep.

De nachtploeg was al begonnen, dus werd er gepraat met gedempte stem en heerste er een kalme sfeer. Stille concentratie, geen haast. Rebus zag nergens hoge functionarissen, en geen Steelforth. Siobhan herkende een of twee gezichten van haar bezoek van de vorige week. Ze stapte erop af om haar verzoek te doen en liet Rebus even aan zichzelf over. Die zag ook een bekende. Bobby Hogan was gepromoveerd tot hoofdinspecteur na een succesvol onderzoek naar een schietpartij in South Queensferry. De promotie ging gepaard met overplaatsing naar Tayside. Rebus had hem al ongeveer een jaar niet gezien, maar herkende direct de dikke zilvergrijze haardos, het hoofd dat zich terugtrok tussen de schouders.

'Bobby,' zei hij met uitgestoken hand.

Hogan zette grote ogen op. 'Jezus, John. Zitten ze zo om mensen te springen?' Hij gaf hem een hand.

'Wees maar niet bang, ik heb alleen iemand een lift gegeven. Hoe gaat het met je?'

'Mag niet klagen. Is dat Siobhan?' Rebus knikte. 'Waarom staat ze met mijn mensen te flirten?'

'Ze wil wat camerabeelden zien.'

'Daar hebben we hier geen gebrek aan. Waar heeft ze die voor nodig?'

'Een zaak waar we aan werken, Bobby. De verdachte was misschien aanwezig bij die rel vanmiddag.'

'Speld in een hooiberg,' zei Hogan met gefronste wenkbrauwen.

Hij was een paar jaar jonger dan Rebus maar zijn gezicht was dieper getekend.

'Bevalt het leven als hoofdinspecteur?' vroeg Rebus, om zijn aandacht van Siobhan af te leiden.

'Probeer het ook eens.'

Rebus schudde zijn hoofd. 'Voor mij is het te laat. Hoe bevalt het in Dundee?'

'Ik heb een fraai vrijgezellenflatje.'

'Ik dacht dat jij en Cora weer bij elkaar waren?'

Hogans gezicht verkreukelde nog meer. Hij schudde nadrukkelijk van nee om aan te geven dat Rebus er beter niet op door kon gaan.

'Indrukwekkende controlekamer hier,' zei hij daarom maar.

'Commandocentrum,' zei Hogan, en zijn borst zwol van trots. 'We staan in contact met Edinburgh, Stirling en Gleneagles.'

'En als de pleuris echt uitbreekt?'

'Dan wordt de G8 verplaatst naar ons ouwe stekkie – Tulliallan.'

De Schotse politieacademie. Rebus knikte bewonderend.

'Directe lijn met SO12?'

Hogan haalde zijn schouders op. 'Als puntje bij paaltje komt hebben wij het voor het zeggen, John. Niet zij.'

Rebus knikte weer, maar nu met geveinsde instemming. 'Ik ben er toch een paar tegengekomen...'

'Steelforth?'

'Die paradeert door Edinburgh alsof de stad van hem is.'

'Het is een fraai portret,' gaf Hogan toe.

'Ik weet nog wel een paar andere bewoordingen,' vertrouwde Rebus hem toe. 'Maar die kan ik beter niet noemen... misschien zijn jullie de beste maatjes.'

'Ha! Weinig kans,' schamperde Hogan luidkeels.

'Het gaat niet alleen om hem, weet je.' Rebus ging nog zachter praten. 'Ik heb het aan de stok gehad met een paar van zijn mannen. Ze waren in uniform, maar zonder insigne. Eén burgerauto en een busje, met zwaailicht maar geen sirene.'

'Wat is er gebeurd?'

'Ik probeerde aardig te doen, Bobby...'

'En?'

'Laten we zeggen dat ik tegen een muur ben opgelopen.'

Hogan keek hem aan. 'Letterlijk?'

'Zo goed als.'

Hogan knikte begrijpend. 'Je zou graag een paar namen op die gezichten plakken?'

'Ik heb niet echt een goed signalement,' zei Rebus verontschuldigend. 'Ze waren erg bruin, en een van hen heet Jacko. Ik denk dat ze uit Zuidoost-Engeland komen.'

Hogan dacht even na. 'Ik zal zien wat ik kan doen.'

'Als je er zelf geen last mee krijgt, Bobby.'

'Maak je niet druk. Ik zeg je toch, ik trek hier aan de touwtjes.' En hij legde een geruststellende hand op Rebus' arm.

Rebus bedankte hem met een knikje; hij besloot hem maar in die waan te laten.

Siobhan had een heel specifiek verzoek: ze zocht alleen beelden van de Gardens, binnen een tijdsbestek van een halfuur. Toch zou zelfs dat nog ruim duizend foto's opleveren, en videobeelden vanuit een stuk of tien verschillende camerastandpunten. Verder had je bewakingscamera's, en foto's en videobeelden die waren gemaakt door demonstranten en omstanders.

'Plus de media,' kreeg ze te horen. BBC News, ITV, Channel 4 en 5, Sky en CNN. Om nog maar te zwijgen van de fotografen van alle Schotse kranten.

'Laten we gewoon beginnen met wat hier voorhanden is,' had ze gezegd.

'Daar is een kamertje waar je kunt zitten...'

Ze had Rebus bedankt voor de lift en gezegd dat hij maar naar huis moest gaan. Ze zou later wel een lift naar huis versieren.

'Blijf je hier de hele nacht?'

'Misschien is dat niet nodig.' Ze wisten allebei wel beter. 'De kantine is vierentwintig uur open.'

'En je ouders?'

'Ga ik morgenochtend meteen naartoe.' Ze zweeg even. 'Als jij me kunt missen?'

'We moeten maar zien, hè.'

'Bedankt.' En ze had hem even omhelsd, zonder zelf goed te weten waarom. Misschien om even het gevoel te krijgen dat ze een mens was, met de lange nacht voor de boeg.

'Siobhan... als je hem al vindt, wat dan? Hij zal zeggen dat hij gewoon zijn werk deed.'

'Dan heb ik bewijs dat dat niet zo was.'

'Als je te veel doordramt...'

Ze knikte even, gaf een knipoog en glimlachte. Lichaamstaal

die ze van hem had geleerd, die hij altijd gebruikte als hij van plan was om over de schreef te gaan.

Een knipoog en een glimlach, en weg was ze.

Iemand had een groot anarchistensymbool gespoten op de deuren van het bureau van de C Division, op Torphichen Place. Het was een oud, vervallen gebouw, oneindig veel sfeervoller dan bureau Gayfield Square. Buiten maakten straatvegers overuren om de rotzooi van de rellen op te ruimen: gebroken glas, bakstenen en stoeptegels, frietbakjes.

De brigadier aan de balie drukte op de knop om Rebus binnen te laten. Een aantal opgepakte demonstranten van Canning Street was hierheen gebracht. Ze hadden de nacht doorgebracht in cellen die speciaal daarvoor waren vrijgemaakt. Rebus wilde liever niet denken aan hoeveel junks en overvallers momenteel de straten van Edinburgh onveilig maakten omdat ze waren vrijgelaten uit de cel waar ze eigenlijk in hoorden. De rechercheafdeling was een lange, smalle kamer waar altijd een vage zweetlucht hing, iets wat Rebus toeschreef aan de regelmatige aanwezigheid van agent Ray Reynolds, die bekendstond als Reynolds de Rat. Daar zat hij weer, voeten op het bureau, stropdas losgetrokken en een blik bier in zijn knuist. Aan een ander bureau zat zijn chef, inspecteur Shug Davidson. Davidson had zijn stropdas helemaal afgedaan maar leek nog wel aan het werk te zijn, hij zat ingespannen te typen met twee vingers. Het blikje bier naast zijn computer was nog dicht.

Reynolds deed geen moeite om een boer te onderdrukken toen Rebus de kamer binnenkwam. 'Daar hebben we het spook van de opera!' riep hij uit. 'Ik heb gehoord dat jij op de G8 al even welkom bent als de Rebel Clown Army.' Maar hij hief zijn blikje bij wijze van toost.

'Au, Ray. Die komt aan. Druk gehad, zo te zien?'

'We zouden een bonus moeten krijgen.' Reynolds stak een blikje omhoog, maar Rebus schudde van nee.

'Kom je kijken waar het allemaal gebeurt?' zei Davidson.

'Ik wil alleen Ellen even spreken,' legde Rebus uit, met een knikje in de richting van de enige andere aanwezige rechercheur. Brigadier Ellen Wylie keek op van het rapport waarachter ze zich verscholen had. Ze droeg haar blonde haar kort, met een scheiding in het midden. Ze was wat aangekomen sinds de dagen dat Rebus met haar aan een paar zaken had gewerkt. Haar wangen stonden boller en waren nu rood – iets wat Reynolds natuurlijk moest benadrukken door in zijn handen te wrijven en ze naar haar uit te steken, als om ze te warmen aan een haardvuur.

Ze stond op maar keek de nieuwkomer niet direct in de ogen. Davidson vroeg of het om iets ging waar hij van moest weten, maar Rebus haalde slechts zijn schouders op. Wylie had haar jasje van de rugleuning van haar stoel geplukt en pakte haar schoudertas.

'Ik wou er toch net een punt achter zetten,' zei ze tegen de mannen. Reynolds floot en stootte met zijn elleboog in het luchtledige.

'Wat zeg je daarvan, Shug? Mooi toch, als liefde opbloeit tussen twee collega's?' Begeleid door een lachsalvo verliet ze de kamer. In de gang leunde ze tegen de muur en liet het hoofd hangen.

'Lange dag?' raadde Rebus.

'Heb jij wel eens geprobeerd om een Duitse anarchosyndicalist te verhoren?'

'De laatste tijd niet.'

'Het moest allemaal vanavond nog worden verwerkt, zodat ze morgen kunnen voorkomen.'

'Vandaag,' corrigeerde Rebus haar, en tikte op zijn pols. Ze keek op haar horloge.

'Is het echt al zo laat?' Ze klonk uitgeput. 'Over zes uur sta ik hier weer.'

'Als de pubs nog open waren, zou ik je een drankje aanbieden.'

'Geen trek in.'

'Een lift naar huis?'

'Mijn auto staat buiten.' Ze dacht even na. 'Of nee – ik ben vandaag niet met de auto gekomen.'

'Verstandig.'

'Ze hadden ons gewaarschuwd.'

'Een gewaarschuwd mens telt voor twee. En dan kan ik je dus toch naar huis brengen.' Rebus wachtte tot ze hem aankeek. Hij glimlachte. 'Je hebt me nog niet gevraagd wat ik wil.'

'Ik wéét wat je wil.' Ze keek boos en hij stak sussend zijn handen op.

'Rustig maar,' zei hij. 'Straks gaat er nog iets...'

'Wat?'

Ze trapte er met open ogen in.

'Kapot vanbinnen,' kopte hij in.

Ellen Wylie deelde haar huis met haar gescheiden zus.

Een tussenwoning in Cramond. Aan het eind van de achtertuin voerde een steile helling omlaag naar de rivier de Almond. Omdat het een zwoele avond was en Rebus behoefte had aan een sigaret, gingen ze aan een tafel in de tuin zitten. Wylie praatte met gedempte stem – ze wilde geen ruzie met de buren, en het slaapkamerraam van haar zus stond open. Ze kwam naar buiten met twee koppen thee met veel melk.

'Fijn plekje,' zei Rebus. 'Leuk dat je het water hier hoort.'

'Daar is een stuwdam.' Ze wees in het duister. 'Het helpt een beetje tegen het lawaai van de vliegtuigen.' Rebus knikte om aan te geven dat hij het begreep: ze zaten pal onder de aanvliegroute naar Turnhouse Airport. Ze waren in een kwartier van Torphichen Place hierheen gereden. Onderweg had ze hem verteld hoe het zat.

'Ik heb iets voor die website geschreven, ja... Is toch niet verboden? Ik was zo pisnijdig over het systeem. Wij werken ons uit de naad om die klootzakken voor de rechter te slepen, en vervolgens halen de advocaten al hun trucs uit de kast om te zorgen dat ze een straf van niks krijgen.'

'Is dat het hele verhaal?'

Ze was even gaan verzitten. 'Wat anders?'

'Kapot vanbinnen... dat klinkt alsof het persoonlijker is.'

Ze had uit het raam gestaard. 'Nee, John, gewoon woede. Al die uren dat je bezig bent met het oplossen van verkrachtingszaken, aanrandingen, mishandelde vrouwen... Misschien kan alleen een vrouw dat begrijpen.'

'Belde je daarom zodra je Siobhans mailtje kreeg? Ik herkende je stem meteen.'

'Ja, heel achterbaks van je.'

'Mijn handelsmerk.'

Nu zaten ze in haar tuin en stak er een fris briesje op. Rebus knoopte zijn jas dicht en vroeg haar naar de website. Hoe had ze die gevonden? Kende ze de Jensens? Had ze hen wel eens ontmoet?

'Ik herinner me die zaak,' was het enige wat ze zei.

'Vicky Jensen?' Ze knikte langzaam. 'Heb jij daaraan gewerkt?'

Ze schudde haar hoofd. 'Maar ik ben blij dat hij dood is. Als je me naar zijn graf brengt, doe ik er een dansje op.'

'Edward Isley en Trevor Guest zijn ook dood.'

'Ik heb alleen een stukje op een blog geschreven, John... om wat stoom af te blazen.'

'En nu zijn drie van de mannen op die site dood. Knal voor

hun kop en een overdosis heroïne. Jij doet wel eens een moordzaak, Ellen... wat denk je als je die werkwijze hoort?'

'Iemand die aan harddrugs kan komen.'

'En verder?'

Ze dacht even na. 'Zeg jij het maar.'

'De moordenaar benaderde zijn slachtoffers van achteren. Misschien omdat ze groter en sterker waren. Wilde ze ook niet onnodig laten lijden. Meteen knock-out slaan en dan een dodelijke
injectie. Doet dat niet aan een vrouw denken?'

'Vind je de thee lekker, John?'

'Ellen...'

Ze sloeg met haar hand op de tafel. 'Als ze op BeastWatch stonden, waren het klootzakken van de bovenste plank. Dan moet je
van mij geen medelijden verwachten.'

'En de moordenaar dan?'

'Wat is daarmee?'

'Moeten we die maar laten lopen?'

Ze staarde weer voor zich uit in het donker. De wind ruiste in
de bomen. 'Weet je wat we vandaag hadden, John? Een oorlog.
Lekker duidelijk... De goeien tegen de slechten...'

Dat moet je 's tegen Siobhan zeggen, dacht Rebus.

'Maar zo is het niet de hele tijd, hè,' ging ze door. 'Soms is het
onderscheid niet zo duidelijk.' Ze keek hem aan. 'Als iemand dat
moet begrijpen ben jij het wel, met je gesjoemel altijd.'

'Aan mij moet niemand een voorbeeld nemen, Ellen.'

'Kan zijn. Maar je wilt hem dus vinden, hè?'

'Hem of haar. Daarom moet jij een verklaring afleggen.' Ze
opende haar mond om te protesteren maar hij hield zijn hand op.
'Jij bent de enige gebruiker van de site die ik ken. De Jensens hebben hem opgedoekt, dus ik kan niet meer achterhalen wat er precies op stond.'

'En ik moet je helpen?'

'Door een paar vragen te beantwoorden.'

Ze stootte een zachte, schampere lach uit. 'Je weet dat ik vandaag nog naar de rechtszaal moet?'

Rebus stak nog een sigaret op. 'Waarom Cramond?' vroeg hij.
Ze keek op, verrast dat hij daar ineens over begon.

'Het is een dorp,' legde ze uit. 'Een dorp binnen de stad. Het
beste van twee werelden.' Ze zweeg even. 'Is het verhoor al begonnen? Is dit een afleidingsmanoeuvre?'

Rebus schudde zijn hoofd. 'Ik vroeg me gewoon af wiens idee
het was.'

'Het is mijn huis, John. Denise is bij me ingetrokken nadat ze...'
Ze schraapte haar keel. 'Een vliegje in mijn keel,' verontschuldigde ze zich. 'Ik wou zeggen, na haar scheiding.'

Rebus knikte. 'Het is wel rustig. Hier kun je je werk even van je afzetten.'

In het licht dat door het keukenraam naar buiten viel zag hij haar glimlachen. 'Volgens mij zou dat voor jou niet opgaan. Volgens mij krijg jij alleen met een grote voorhamer het werk uit je kop geramd.'

'Of met een paar van die daar,' zei Rebus, en hij knikte in de richting van de rij lege wijnflessen onder het keukenraam.

Hij reed op zijn gemakje terug de stad in. Hij hield van de stad bij nacht, de taxi's en rondwankelende nachtbrakers, de warme gloed van de straatverlichting, winkels met alle lichten uit, huizen met de gordijnen dicht. Er waren wel plaatsen waar hij heen kon gaan – een bakkerij, de balie van een nachtportier, een casino –, plaatsen waar ze hem kenden en waar hij terechtkon voor een kop thee en de laatste roddels. Vroeger had hij een praatje kunnen gaan maken met de tippelaarsters in Coburg Street, maar die waren nu bijna allemaal vertrokken of overleden. En als hijzelf er straks niet meer was, zou Edinburgh wel blijven bestaan. Dezelfde taferelen zouden zich herhalen, een toneelstuk zonder einde. Moordenaars zouden opgepakt en bestraft worden; anderen zouden de dans ontspringen. De wereld en de onderwereld, die al eeuwenlang naast elkaar bestonden. Tegen het eind van de week zou het G8-circus weer zijn opgekrast. Geldof en Bono zouden weer een ander goed doel vinden om zich op te storten. Richard Pennen zou in zijn directiekamer zitten, David Steelforth bij Scotland Yard.

Soms bekroop Rebus het gevoel dat hij de contouren ontwaarde van het mechanisme dat alles met alles verbond. Bijna... maar nooit helemaal.

De Meadows leek verlaten toen hij Marchmont Road inreed. Hij parkeerde boven aan Arden Street en liep de heuvel af naar zijn huis. Twee- of driemaal per week kreeg hij een folder in zijn brievenbus van een makelaar die hem graag van zijn flat af wilde helpen. De woning van zijn bovenbuurman had twee ton opgeleverd. Als hij dat kapitaaltje optelde bij zijn politiepensioen had hij, zoals Siobhan al had gezegd, zijn schaapjes wel op het droge. Maar schapen hoeden had hem nooit aangetrokken. Hij bukte om de post op te rapen die achter de voordeur lag. Er zat een menu bij van een nieuw Indiaas afhaalrestaurant. Dat zou hij in de keuken naast de andere hangen. Hij maakte een boterham met ham en at hem staande in de keuken op terwijl hij zijn blik liet gaan over de lege blikjes op het aanrecht. Hoeveel lege flessen hadden er in Ellen Wylies tuin gestaan? Vijftien, misschien wel twintig. Ze bracht de flessen waarschijnlijk regelmatig naar de glasbak, elke keer als ze boodschappen deed. Zeg, eens in de twee weken... twintig flessen per twee weken, tien per week – *Denise trok bij me in nadat ze... na haar scheiding.* Rebus had in het licht van het keukenraam geen insecten zien rondvliegen. Ellen zag er afgemat uit. Ze had natuurlijk een lange dag achter de rug, maar Rebus wist dat het niet alleen dat was. Die wallen onder haar bloeddoorlopen ogen hadden zich gevormd in de loop van meerdere weken. Die gewichtstoename was ook niet van de laatste dagen. Hij wist dat Siobhan haar ooit had beschouwd als een rivale – twee brigadiers die wedijverden om promotie. Maar de laatste tijd hoorde hij Siobhan nooit meer over Ellen. Misschien omdat ze haar niet meer als een serieuze rivaal beschouwde...

Hij vulde een glas met water en liep ermee naar de woonkamer, dronk het op tot er nog een centimeter water over was en gooide daar een scheut malt bij. Hij sloeg het achterover en voelde het in zijn keel branden. Hij vulde het glas bij en ging in zijn stoel zitten. Te laat om nog muziek op te zetten. Hij hield het glas tegen zijn voorhoofd, sloot zijn ogen.

Hij sliep.

Dinsdag 5 juli

11

Meer dan een lift naar het treinstation Markinch wist ze op Glenrothes niet te versieren.

Siobhan zat in de trein – het was nog te vroeg voor de forenzendrukte – en keek naar het voorbijglijdende landschap. Niet dat ze er veel van zag: in haar hoofd speelde ze de beelden van de onlusten af, al die uren beeldmateriaal die ze net achter zich had gelaten. Gejouw en geschreeuw, geduw en getrek, gekletter van projectielen en gehijg van mensen. Haar duim was slap van het geduw op de afstandsbediening. Pauze... langzaam terugspoelen... langzaam vooruit... afspelen. Vooruitspoelen... terugspoelen... pauze... afspelen. Op de foto's waren soms gezichten omcirkeld – mensen die de politie wilde ondervragen. Ogen die fonkelden van haat. Sommigen waren natuurlijk helemaal geen demonstranten – gewoon lokale herrieschoppertjes die zin hadden in een verzetje en zich verscholen achter Burberry-sjaals en honkbalpetjes. Kaalgeschoren kop, trainingspak: in Schotland werden ze *neds* genoemd, gabbers. Zoals een collega had gezegd, die haar koffie en een reep chocola bracht en toen even meekeek over haar schouder:

'Neddy de Ned uit Nedstad.'

De vrouw tegenover haar in de trein zat de krant te lezen. De rellen hadden de voorpagina gehaald. Maar Tony Blair ook. Hij zat in Singapore om te proberen voor Londen de Olympische Spelen in de wacht te slepen. 2012 leek ver weg, en Singapore ook. Siobhan kon zich niet voorstellen dat hij straks weer op tijd in Gleneagles zou zijn om al die handen te schudden – Bush en Poetin, Schröder en Chirac. De krant schreef ook dat het publiek uit Hyde Park zo te zien niet massaal naar Edinburgh trok.

'Kan ik hier zitten?'

Siobhan knikte en de man perste zich naast haar op de bank.

'Vreselijke dag gisteren, hè?' zei hij. Siobhan bromde alleen bevestigend, maar de vrouw tegenover haar zei dat ze aan het winkelen was geweest in Rose Street en de dans maar net ontsprongen was. De twee begonnen strijdverhalen uit te wisselen en Siobhan staarde weer uit het raam. Schermutselingen waren het geweest, en niet meer dan dat. De tactiek van de politie was ongewijzigd: hard optreden, laten merken dat de stad van ons is, niet van hen. Naar de beelden te oordelen waren ze zwaar geprovoceerd. Maar daar waren ze ook voor gewaarschuwd. Wat had een demonstratie immers voor zin als je het nieuws niet haalde? De anarchisten hadden geen geld voor reclamecampagnes. Knuppelende ME'ers waren een vorm van gratis publiciteit. Dat bewezen de foto's in de kranten wel: agenten die met de wapenstok zwaaiden; relschoppers die weerloos op de grond lagen of werden weggesleurd door agenten wier gezichten je niet zag. Alsof het zo uit George Orwell kwam. En het had Siobhan geen stap verder geholpen op haar zoektocht naar wie haar moeder had geslagen, of waarom.

Maar ze gaf het niet op.

Haar ogen prikten als ze ermee knipperde, en af en toe werd alles wazig. Ze had slaap nodig, maar ze stond nog strak van de cafeïne en de suiker.

'Pardon, maar gaat het een beetje?'

Haar buurman weer. Haar hand was tegen zijn arm gestoten. Toen ze haar ogen weer open dwong, voelde ze een traan over haar wang rollen. Ze veegde hem weg.

'Ja, hoor,' zei ze. 'Beetje moe, dat is alles.'

'Ik was bang dat wij je overstuur hadden gemaakt,' zei de vrouw tegenover haar. 'Met onze verhalen over gisteren...'

Siobhan schudde haar hoofd en zag dat de vrouw de krant uit had. 'Mag ik even...?'

'Natuurlijk, kind. Ga je gang.'

Siobhan perste er een glimlach uit en opende het tabloid, bekeek de foto's en zocht de naam van de fotograaf...

Bij Haymarket nam ze een taxi. Hij reed naar het Western General en liep meteen door naar de afdeling waar haar moeder lag. Haar vader zat thee te drinken bij de receptie. Hij had in zijn kleren geslapen en zich niet geschoren, ze zag grijze stoppels op zijn kin en wangen. Ze vond hem er oud uitzien, oud en ineens ook sterfelijk.

'Hoe gaat het met haar?' vroeg ze.

'Valt wel mee. Tegen het middaguur krijgt ze de scan. Hoe is het met jou?'

'Ik heb die smeerlap nog niet gevonden.'

'Hoe voel je je, bedoel ik.'

'Het gaat wel.'

'Je hebt de halve nacht op gezeten, hè?'

'Iets langer,' gaf ze glimlachend toe. Haar telefoon piepte: geen bericht, maar een waarschuwing dat de batterij bijna op was. Ze zette hem uit. 'Mag ik bij haar?'

'Ze zijn even met haar bezig. Ze komen het zeggen als ze klaar zijn. Hoe is het in de buitenwereld?'

'Klaar voor een nieuwe dag.'

'Wil je koffie?'

Ze schudde haar hoofd. 'Ik sta al stijf van de koffie.'

'Je moet een beetje gaan slapen, schat. Kom vanmiddag maar, als de onderzoeken gedaan zijn.'

'Eerst even goeiedag zeggen.' Ze knikte in de richting van de toegangsdeuren van de afdeling.

'En ga je dan naar huis?'

'Dat beloof ik.'

Het ochtendnieuws: de demonstranten die de vorige dag waren opgepakt, werden naar het gerecht in Chambers Street overgebracht. Publiek werd bij de rechtbank weggehouden. Bij de immigratiedienst werd gedemonstreerd. De dienst was gewaarschuwd en had buitenlanders die op uitzetting zaten te wachten al elders ondergebracht. De organisatoren zeiden dat de demonstratie niettemin doorging.

Ook bij het vredeskamp in Stirling was het onrustig. De mensen begonnen zich in de richting van Gleneagles te bewegen, de politie was vastbesloten om ze tegen te houden en beriep zich op een speciale verordening om zonder verdenking mensen te kunnen aanhouden en fouilleren. In Edinburgh vorderde het schoonmaakwerk naar wens. Er was een vrachtwagen met driehonderdvijftig liter spijsolie aangehouden. De olie had kunnen worden gebruikt om gladheid en daarmee een verkeerschaos te veroorzaken. In Murrayfield vonden de laatste voorbereidingen plaats voor het 'Final Push'-concert de volgende dag. Het podium was gebouwd, de belichting opgehangen. Midge Ure sprak zijn hoop op 'fatsoenlijk Schots zomerweer' uit. Popartiesten en andere beroemdheden kwamen in de stad aan. Richard Branson was overgevlogen met een van zijn privéjets. Prestwick Airport maakte zich op voor de kopstukken, die de volgende dag zouden landen. Een voorhoede van diplomaten was al gearriveerd. President Bush zou met zijn eigen speurhond komen, en een mountainbike voor zijn dagelijkse portie lichaamsbeweging. In de studio las de presentator een e-mail voor van een kijker die vond dat men de hele top ook had kunnen houden op een van de vele afgedankte olieplatforms in de Noordzee, 'wat een klein fortuin zou hebben gescheeld in de kosten van de beveiliging, en het organiseren van een protestmars tot een interessante uitdaging zou hebben gemaakt'.

Rebus leegde zijn mok koffie en zette het geluid uit. Beneden op het parkeerterrein arriveerden arrestantenbusjes om demonstranten naar de rechtbank te vervoeren. Ellen Wylie zou over anderhalf uur komen om een verklaring af te leggen. Hij had Siobhans mobiel een paar keer gebeld maar kreeg steeds meteen de voicemail, wat betekende dat haar toestel uit stond. Toen hij het hoofdkwartier van Operatie Sorbus belde, zeiden ze dat ze was teruggekeerd naar Edinburgh. In het Western General wilden ze alleen kwijt dat mevrouw Clarke 'een rustige nacht' had gehad. Hoe vaak hij dat in zijn leven al niet had gehoord... Een rustige nacht. Met andere woorden: 'Ze leeft nog, als u daar soms bang voor bent'. Hij keek op en zag dat een man de recherchekamer was binnengekomen.

'Zoekt u iets?' vroeg Rebus. Toen herkende hij het uniform. 'O, pardon, commissaris.'

'Wij hebben elkaar nog niet ontmoet,' zei de hoofdcommissaris, en hij stak zijn hand uit. 'James Corbyn.'

Rebus gaf hem een hand en merkte dat Corbyn geen vrijmetselaar was. 'Inspecteur Rebus,' zei hij.

'U werkt met brigadier Clarke aan de zaak-Auchterarder?'

'Inderdaad, commissaris.'

'Ik heb haar proberen te bellen. Ze zou me op de hoogte houden.'

'Paar interessante ontwikkelingen, meneer. Een echtpaar van hier heeft een website opgezet die de moordenaar kan hebben geholpen bij het uitkiezen van zijn slachtoffers.'

'Weet u al wie de drie slachtoffers zijn?'

'Jawel, commissaris. En driemaal dezelfde werkwijze.'

'Kunnen er nog meer slachtoffers zijn?'

'Wie zal het zeggen.'

'Zou hij nu ophouden?'

'Ook dat valt niet te zeggen, commissaris.'

De hoofdcommissaris liep door de kamer en wierp een aandachtige blik op de kaarten aan de muur, de bureaus en de computerschermen. 'Ik heb tegen Clarke gezegd dat ze tot morgen de tijd had. Daarna leggen we het onderzoek stil tot de G8 erop zit.'

'Ik weet niet of dat zo'n goed idee is.'

'De media hebben er nog geen lucht van gekregen. We kunnen het best een paar dagen onder ons houden.'

'Dan kunnen er sporen verdwijnen, commissaris. Zo geven we verdachten meer tijd om hun verhaal op orde te krijgen...'

'Heb je verdachten?' Corbyn had zich omgedraaid naar Rebus.

'Dat nog niet, maar wel mensen die we willen horen.'

'De G8 gaat voor, Rebus.'

'Mag ik vragen waarom, commissaris?'

Corbyn keek hem geërgerd aan. 'Omdat de acht machtigste mannen ter wereld straks in Schotland zijn, in het beste hotel van het land. Dat is het verhaal dat iedereen wil horen. Het feit dat er in Schotland ook een seriemoordenaar rondsluipt, leidt daar maar onnodig van af, vind je ook niet?'

'In feite komt maar een van de slachtoffers uit Schotland, commissaris.'

De korpschef liep op hem af en ging vlak voor hem staan. 'Ga nou niet de wijsneus uithangen, inspecteur Rebus. En denk niet dat ik niet vaker met jouw slag te maken heb gehad.'

'Wat voor slag is dat, commissaris?'

'Het slag dat alles beter denkt te weten omdat ze hier al zo lang zitten. Je weet toch wat ze over auto's zeggen? Hoe meer kilometers op de teller, hoe dichter bij de schroothoop.'

'Ach commissaris, ik ben toch meer gecharmeerd van antieke auto's dan van de rotzooi die ze tegenwoordig produceren. Zal ik de boodschap doorgeven aan brigadier Clarke? Ik neem aan dat u wel iets beters te doen hebt. Zelf ook nog van plan om naar Gleneagles te gaan?'

'Gaat je geen donder aan.'

'Boodschap begrepen.' Rebus maakte een gebaar dat de hoofdcommissaris met wat goede wil kon opvatten als een saluut.

'U legt het onderzoek stil.' Corbyn tikte met zijn hand tegen een stapel papier op Rebus' bureau. 'En bedenk wel dat brigadier Clarke dit onderzoek leidt, inspecteur, niet u.' Zijn ogen vernauwden zich. Toen hij zag dat Rebus niets ging zeggen, beende hij de kamer uit. Rebus wachtte bijna een volle minuut voor hij uitademde en pakte toen de telefoon.

'Mairie? Heb je al nieuws voor me?' Hij hoorde haar verontschuldiging aan. 'Geeft niks. Als jij op koffie trakteert, heb ik een aardigheidje voor je...'

Met tien minuten lopen was hij in Multrees Walk. Het was een nieuw complex naast het Harvey Nichols-warenhuis, sommige winkelpanden stonden er nog te huur. Maar het Vin Caffe serveerde al hapjes en Italiaanse koffie. Rebus bestelde een dubbele espresso.

'Zij betaalt,' voegde hij eraan toe, wijzend naar Mairie Henderson, die net binnenkwam.

'En wie mag er vanmiddag verslag doen van de voorgeleidingen?' Ze ging zitten.

'Is dat je excuus om niks meer aan Richard Pennen te doen?'

Ze keek hem kwaad aan. 'Wat maakt het nou uit of Pennen de hotelkamer van een parlementariër betaalde? Dat is nog geen bewijs dat hij hem omkocht om contracten binnen te slepen. Als Webster iets te zeggen had gehad over de aanschaf van defensiemateriaal, was het misschien de moeite van het uitzoeken waard.' Ze klakte geïrriteerd met haar tong en haalde theatraal haar schouders op. 'En ik geef het heus nog niet op. Ik wil eerst wat meer mensen uitvragen over Pennen.'

Rebus wreef met zijn hand over zijn gezicht. 'Het komt door de manier waarop ze hem in bescherming nemen. Niet alleen Pennen, trouwens. Alle aanwezigen die avond. Ze houden ons ver uit hun buurt.'

'Denk je echt dat Webster van de muur is geduwd?'

'Het zou kunnen. Een van de bewakers dacht dat hij een indringer gezien had.'

'Als het een indringer was, was het dus ook niet een van de aanwezigen.' Ze wierp een steelse blik op hem om te zien of ze zijn instemming kreeg. Toen die uitbleef, ging ze weer recht zitten. 'Weet je wat ik denk? Ik denk dat het komt omdat er in jou ook een kleine anarchist zit. Eigenlijk sta je aan hun kant, en je hebt de pest in dat je je op een of andere manier voor het karretje van het grootkapitaal hebt laten spannen.'

Rebus snoof schamper. 'Hoe kom je daarbij?'

Ze lachte mee. 'Zo is het toch? Je hebt jezelf altijd een beetje beschouwd als een buitenstaander...' Ze zweeg omdat hun koffie kwam, pakte het lepeltje en nam een hap schuim.

'Ik werk het best in de marge,' zei Rebus peinzend.

Ze knikte. 'Daarom kunnen wij het zo goed met elkaar vinden.'

'Tot jij ineens de voorkeur gaf aan Cafferty.'

Ze haalde haar schouders weer op. 'Hij lijkt meer op jou dan je wil toegeven.'

'En ik wou je nog wel een grote dienst gaan bewijzen...'

'Oké.' Ze kneep haar ogen half dicht. 'Jullie verschillen als dag en nacht.'

'Zo mag ik het horen.' Hij gaf haar een envelop. 'Met mijn eigen poezelige handjes uitgetikt, dus de spelling voldoet misschien niet helemaal aan jouw hoge journalistieke eisen.'

'Wat is het?' Ze vouwde het papier open.

'Iets wat we onder de pet houden: twee slachtoffers van dezelfde moordenaar die Cyril Colliar heeft vermoord. Ik kan niet alles vertellen wat we weten, maar hier kom je een heel eind mee.'

'Jezus, John...' Ze keek naar hem op.

'Wat?'

'Waarom geef je me dit?'

'Mijn sluimerende anarchistische inborst?' raadde hij.

'Het haalt misschien de voorpagina niet eens, althans deze week niet.'

'En dus?'

'Als het in een andere week zou zijn...'

'Je gaat een gegeven paard toch niet in de bek kijken?'

'Dat gedoe over die website...' Ze liet haar ogen nog eens over het papier glijden.

'Het is allemaal koosjer, Mairie. Als je het niet kunt gebruiken...' Hij stak zijn hand uit om het weer aan te nemen.

'Wat is een "sariemoordenaar"? Een moordenaar die zijn slachtoffers wurgt met een sari?'

'Geef terug.'

'Wie heeft je kwaad gemaakt?' vroeg ze glimlachend. 'Anders zou je dit niet doen.'

'Geef het nou maar gewoon terug en we praten er niet meer over.'

Maar ze stopte het vel met informatie terug in de envelop en schoof hem in haar zak. 'Als het vandaag een beetje rustig blijft, krijg ik mijn redacteur misschien wel zover.'

'Benadruk de link met die website,' adviseerde Rebus. 'Zodat de andere kerels die daarop vermeld stonden gewaarschuwd zijn.'

'Zijn die niet ingelicht?'

'Nog niet aan toegekomen. En als het aan de hoofdcommissaris ligt, horen ze het pas volgende week.'

'Als de moordenaar alweer kan hebben toegeslagen?'

Rebus knikte.

'Dus je doet het eigenlijk om het leven van die goorlappen te redden?'

'Bescherming van de openbare orde,' zei Rebus, en hij maakte weer een halfslachtig saluut.

'En niet omdat je ruzie hebt gehad met de hoofdcommissaris?'

Rebus schudde langzaam zijn hoofd en keek haar teleurgesteld aan: 'En ik dacht nog wel dat ik de cynicus van ons tweeën was... Blijf je echt onderzoek doen naar Richard Pennen?'

'Nog een beetje.' Ze zwaaide met de envelop voor zijn gezicht. 'Eerst dit maar eens allemaal overtikken. Ik wist niet dat Engels je tweede taal was.'

Siobhan was naar huis gegaan, had het bad gevuld en haar ogen gesloten zodra ze erin stapte, om weer wakker te schrikken toen haar kin het oppervlak van het afgekoelde water raakte. Ze was eruit gekomen, had zich omgekleed en een taxi gebeld om haar naar de garage te brengen waar haar gerepareerde auto stond te wachten. Toen was ze naar Niddrie gereden. Ze ging ervan uit dat de bliksem haar niet tweemaal zou treffen... of eigenlijk drie-maal, maar de leenwagen van bureau St. Leonard had ze onge-zien teruggezet op het parkeerterrein. Als iemand haar erop aan-sprak, kon ze altijd nog zeggen dat hij op het parkeerterrein van het bureau beklad moest zijn.

Bij het kamp stond een touringcar met draaiende motor te wachten. Een paar kampeerders liepen net met volle rugzakken en een slaperige glimlach het hek uit. Bobby Greig keek ze na. Siobhan keek om zich heen en zag dat meer mensen hun tent op-braken.

'Zaterdag was de drukste nacht,' legde Greig uit. 'Daarna is het elke dag een beetje stiller geworden.'

'Je hebt dus niemand hoeven weigeren?'

Zijn mond vertrok even. 'Capaciteit voor vijftienduizend man, en er zijn er hooguit tweeduizend gekomen.' Hij zweeg even. 'Je "vrienden" zijn gisteravond niet thuisgekomen.' Uit zijn toon bleek dat hij het doorhad.

'Mijn ouders,' bevestigde ze.

'Waarom wilde je niet dat ik dat wist?'

'Dat weet ik eigenlijk niet, Bobby. Misschien omdat ik het ge-voel had dat de ouders van een agent hier niet veilig zouden zijn.'

'Logeren ze nu bij jou?'

Ze schudde haar hoofd. 'Een ME'er heeft mijn moeder in haar gezicht geslagen. Ze heeft de nacht in het ziekenhuis doorge-bracht.'

'Ellende. Kan ik iets voor je doen?'

Ze schudde haar hoofd weer. 'Nog mot gehad met de jeugd?'

'Gisteren weer dat gesar.'

'Die eikeltjes blijven wel bezig, hè?'

'Het raadslid kwam weer langs en heeft de boel gesust.'

'Tench?'

Greig knikte. 'Hij was een hotemetoot aan het rondleiden. Een of ander project om de buurt nieuw leven in te blazen.'

'Dat kunnen ze hier wel gebruiken. Wat voor hotemetoot?'

Greig haalde zijn schouders op. 'Van de regering.' Hij harkte met zijn vingers over zijn gladgeschoren hoofd. 'Straks is het hier weer een dooie boel. Opgeruimd staat netjes.'

Siobhan vroeg niet of hij het kampeerterrein of Niddrie zelf bedoelde. Ze liep naar de tent van haar ouders, ritste hem open en stak haar hoofd naar binnen. Alles was nog heel, maar er waren spullen bij gekomen. Zo te zien hadden vertrekkende kampeerders hun overgebleven voedsel, kaarsen en water hier achtergelaten.

'Waar zijn ze?'

Siobhan herkende Santals stem. Ze trok haar hoofd weer uit de tent en kwam overeind. Santal had ook een rugzak om en een fles water in haar hand.

'Ga je ervandoor?' vroeg Siobhan.

'De bus naar Stirling. Ik kwam even afscheid nemen.'

'Ga je naar het Vredeskamp?' Siobhan zag Santals vlechten meedansen met haar knikkende hoofd. 'Was jij gisteren in Princes Street?'

'Daar heb ik je ouders voor het laatst gezien. Wat is er met ze gebeurd?'

'Iemand heeft mijn moeder het ziekenhuis in geslagen.'

'Jezus, wat vreselijk. Was het...' Ze zweeg even. 'Iemand van jullie?'

'Iemand van ons,' herhaalde Siobhan. 'En dat ga ik hem betaald zetten. Goed dat ik je nog even zie.'

'Hoezo?'

'Heb je foto's gemaakt? Als ik daar even naar mag kijken.'

Maar Santal schudde haar hoofd.

'Wees maar niet bang,' stelde Siobhan haar gerust. 'Ik wil niet... Het gaat me om de agenten, niet om de demonstratie zelf.' Maar Santal bleef nee schudden.

'Ik had mijn camera niet bij me.' Een overduidelijke leugen.

'Toe nou, Santal. Je wil me toch wel helpen.'

'Er waren genoeg mensen die foto's hebben genomen.' Ze zwaaide met haar arm om zich heen. 'Vraag maar aan hen.'

'Ik vraag het jou.'

'De bus vertrekt...' Ze wrong zich langs Siobhan.

'Moet ik nog iets zeggen tegen mijn moeder?' riep Siobhan haar na. 'Moet ik ze bij je langs sturen in het Vredeskamp?' Maar de rugzak verwijderde zich gestaag. Siobhan vloekte binnensmonds. Ze had beter kunnen weten: voor Santal was ze nog steeds een 'fascist', een juut, een smeris. De vijand. Ze keek met Bobby Greig toe hoe de bus zich vulde en de deur met een sis dichtging. Vanuit de bus klonk gezang. Een paar passagiers zwaaiden naar Greig. Hij zwaaide terug.

'Geen verkeerd volk,' zei hij tegen Siobhan, en bood haar een kauwgumpje aan. 'Voor hippies dan.' Hij stak zijn handen weer in zijn zak. 'Heb je een kaartje voor morgenavond?'

'Niet gelukt,' gaf ze toe.

'Wij doen daar namelijk de beveiliging...'

Ze staarde hem aan. 'Heb je een kaartje over?'

'Dat niet, maar ik loop daar wel rond, dus je kunt mee als mijn introducé.'

'Dat meen je niet.'

'Geen date of zo... maar als je wil, kan het.'

'Wat aardig van je, Bobby.'

'Je moet het zelf weten.' Hij vermeed angstvallig haar aan te kijken.

'Mag ik je nummer, dat ik het morgen laat weten?'

'Voor het geval zich iets beters aandient?'

Ze schudde haar hoofd. 'Voor het geval mijn werk zich aandient,' corrigeerde ze.

'Iedereen heeft recht op een avondje vrij, brigadier Clarke.'

'Zeg nou maar Siobhan,' zei ze.

'Waar ben je?' zei Rebus in zijn mobiel.

'Onderweg naar de *Scotsman*.'

'Wat moet je daar doen?'

'Foto's.'

'Je telefoon stond uit.'

'Ik moest hem opladen.'

'Ik heb Kapotvanbinnen net een verklaring laten afleggen.'

'Wie?'

'Dat heb ik je gisteren verteld...' Maar toen bedacht hij dat ze gisteren wel andere dingen aan haar hoofd had gehad. Dus vertelde hij nog een keer over het bericht op de website, dat hij daar een e-mail over had gestuurd en dat Ellen Wylie had teruggebeld.

'Ho, wacht even,' zei Siobhan. 'Onze Ellen Wylie?'

'Had een lang en boos stuk geplaatst op BeastWatch.'

'Waarom dat?'

'Omdat het systeem jullie zusters in de steek laat,' antwoordde Rebus.

'Zijn dat haar woorden?'

'Ik heb het op band. Wat ik alleen niet heb, is een toehoorder bij het verhoor, want er was niemand om me te helpen.'

'Sorry hoor. Is Ellen een verdachte?'

'Luister maar een keer naar de opname en vertel me dan wat jij ervan denkt.' Rebus liet zijn blik over de rechercheafdeling dwalen. De ramen mochten wel eens gelapt worden, maar wat had het voor zin als ze toch alleen maar uitkeken op de parkeerplaats aan de achterkant? Een likje verf zou de muren goed doen, maar zou binnen de kortste keren schuilgaan achter foto's van plaatsen delict en gegevens over slachtoffers.

'Misschien is het vanwege haar zus,' zei Siobhan.

'Wat?'

'Ellens zus Denise.'

'Wat is daarmee?'

'Die is bij Ellen ingetrokken, ongeveer een jaar geleden... misschien iets korter. Ze was weg bij haar man.'

'Ja, en?'

'Die man sloeg haar. Dat heb ik tenminste gehoord. Ze woonden in Glasgow. De politie was er een paar keer bij geroepen, maar van een aanklacht is het nooit gekomen. Ze hebben hem een straatverbod moeten geven, geloof ik.'

Is bij me ingetrokken nadat ze... na de scheiding. Nu snapte hij waar dat 'vliegje' in Ellens keel vandaan was gekomen.

'Dat wist ik niet,' zei Rebus zachtjes.

'Nee, nou ja...'

'Nou ja wat?'

'Dat is iets waar je liever met een vrouw over praat.'

'En niet met een man, bedoel je? Wie is hier nou seksistisch?' Rebus wreef met zijn hand in zijn nek. Die voelde gespannen aan. 'Dus Denise trekt in bij Ellen, en ineens zit Ellen te surfen naar sites zoals BeastWatch.'

En blijft ze 's avonds thuis bij haar zus, eet te veel, drinkt te veel...

'Als ik eens met ze ging praten,' stelde Siobhan voor.

'Heb jij al niet genoeg op je bord? Hoe gaat het eigenlijk met je moeder?'

'Ze krijgt een scan. Ik wou straks naar haar toe gaan.'

'Dan moet je dat doen. Ik neem aan dat Glenrothes niks heeft opgeleverd?'

'Alleen een stijve rug.'

'Ik krijg een telefoontje. Ik moet ophangen. Zien we elkaar vandaag nog?'

'Absoluut.'

'De hoofdcommissaris is namelijk langs geweest.'

'Dat klinkt onheilspellend.'

'Het heeft geen haast.' Rebus drukte op de knop om het andere gesprek aan te nemen. 'Inspecteur Rebus,' zei hij.

'Ik sta bij de rechtbank,' zei Mairie Henderson. 'Kom eens kijken wat ik voor je heb.' Op de achtergrond klonk geschreeuw en gejuich. 'Ik moet ophangen,' zei ze.

Rebus liep naar beneden en bietste een lift van een surveillanceauto. De twee agenten hadden niets meegekregen van de rellen.

'We waren reserve,' zeiden ze mokkend. 'Vier uur in een bus naar de radio zitten luisteren. Moet u getuigen, inspecteur?'

Rebus zweeg tot de auto Chambers Street inreed. 'Zet me hier maar af,' beval hij.

'Geen dank,' gromde de chauffeur, maar pas toen Rebus al was uitgestapt.

De wagen maakte met piepende banden een scherpe u-bocht en trok de aandacht van alle journalisten die zich op de stoep bij de rechtbank hadden verzameld. Rebus stond aan de overkant een sigaret te roken op de trap van het Royal Scottish Museum. Er kwam weer een demonstrant tevoorschijn uit de rechtbank, begeleid door gejuich en geschreeuw van zijn kameraden. Hij stond met opgeheven vuist terwijl ze hem op de schouder sloegen. Persfotografen legden het moment vast.

'Hoeveel?' vroeg Rebus, toen hij merkte dat Mairie Henderson naast hem stond, met een notitieblok en dictafoon in de hand.

'Stuk of twintig. Er zijn er ook een paar naar andere rechtbanken gestuurd.'

'Welke teksten kan ik morgen in de krant verwachten?'

'Wat dacht je van "vernietig het systeem"?' Ze keek even in haar aantekeningen. 'Of "toon me een kapitalist en ik toon je een bloedzuiger"?'

'En dan gelijk oversteken.'

'Citaat van Malcolm X, schijnt het.' Ze klapte haar notitieblok dicht. 'Ze krijgen allemaal straatverboden. Mogen zich niet vertonen in de omgeving van Gleneagles, Auchterarder, Stirling, het centrum van Edinburgh...' Ze zweeg even. 'Wat wel weer aardig was: één jongen zei dat hij een kaartje had voor het T in the Park-festival komend weekend, dus zei de rechter dat hij wel naar Kinross mocht.'

'Daar gaat Siobhan ook naartoe,' zei Rebus. 'Het zou fijn zijn als we de zaak-Colliar voor die tijd hebben opgelost.'

'Dan is dit misschien geen goed nieuws.'

'Wat dan?'

'De Clootie Well. Ik heb een vriend bij de krant wat achtergronden laten checken.'

'En?'

'Er zijn er nog meer.'

'Hoeveel?'

'Minstens één in Schotland. Op Black Isle.'

'Boven Inverness?'

Ze knikte. 'Kom mee,' zei ze, en liep naar de ingang van het museum. Binnen sloeg ze rechts af, meteen de tentoonstellingsruimte in. Er liepen veel gezinnen – schoolvakantie, kinderen met te veel energie. De kleinsten gilden en sprongen op en neer.

'Wat doen we hier?' vroeg Rebus. Maar Mairie stond al bij de lift. Boven aangekomen, namen ze nog een trap omhoog. Door het raam had Rebus een prachtig uitzicht op het voorplein van de rechtbank. Mairie ging hem voor naar de verste uithoek van het gebouw.

'Ik ben hier wel eens geweest,' zei Rebus tegen haar.

'De afdeling Dood en Bijgeloof,' legde ze uit.

'Ze hebben daar kleine doodskistjes met poppen erin...'

Bij die vitrine stopte ze, en Rebus zag dat er ook een oude zwart-witfoto achter het glas hing.

Een foto van de Clootie Well op Black Isle.

'Al eeuwenlang hangt de plaatselijke bevolking daar stukjes textiel op. Ik heb tegen die vriend gezegd dat hij ook maar eens moet zoeken in Engeland en Wales, voor het geval dat. De moeite waard om eens te gaan kijken?'

'Een uur of twee rijden naar Black Isle,' zei Rebus peinzend, zijn blik nog gericht op de foto. De stukjes stof zagen eruit als vleermuizen die zich aan de dunne, kale takken vastklampten. Naast de foto lagen toverstokjes, uitgeholde kiezels waar stukjes bot uit staken. Dood en bijgeloof...

'Eerder een uur of drie, in deze tijd van het jaar,' zei Mairie. 'Al die caravans op de weg.'

Rebus knikte. De A9 ten noorden van Perth was berucht. 'Misschien laat ik de plaatselijke politie wel even een kijkje nemen. Bedankt, Mairie.'

'Dit heb ik van internet.' Ze gaf hem een paar pagina's met gegevens over de Clootie Well bij Fortrose. Op de vage foto's – waaronder een kopie van de foto in het museum – leek hij praktisch identiek aan die in Auchterarder.

'Alweer bedankt.' Hij rolde de pagina's op en stak ze in de zak van zijn colbert. 'Had je redacteur er nog oren naar?' Ze liepen terug naar de lift.

'Hangt ervan af. Als er vanavond rellen uitbreken, belanden we op pagina vijf.'

'Het is de gok waard.'

'Kun je me nog iets vertellen, John?'

'Ik heb je een primeur gegeven – wat wil je nog meer?'

'Ik wil zeker weten dat je me niet gebruikt.' Ze drukte op de knop van de lift.

'Zou ik dat doen?'

'Natuurlijk zou je dat doen.' Ze zwegen tot ze buiten op de trap stonden. Mairie keek naar het rumoer aan de overkant. Weer een demonstrant, weer een gebalde vuist in de lucht.

'Je houdt dit al stil sinds vrijdag. Ben je niet bang dat de moordenaar onderduikt als hij het in de krant leest?'

'Hij kan niet dieper onderduiken dan hij nu al doet.' Hij keek haar aan. 'En vrijdag hadden we alleen nog Cyril Colliars naam. De rest hebben we van Cafferty gekregen.'

Haar gezicht verstrakte. 'Cafferty?'

'Jij had hem laten weten dat het ontbrekende stuk stof uit Colliars jas was gevonden. Toen kwam hij bij me langs. Ik gaf hem de andere twee namen, en hij kwam terug met informatie waaruit bleek dat die ook waren vermoord.'

'Je hebt Cafferty's hulp ingeroepen?' Er klonk ongeloof in haar stem.

'En hij heeft jou niet ingeseind, Mairie. Ik wil maar zeggen. Als je met hem zaken doet, trek je altijd aan het kortste eind. Alles wat ik je over de moorden heb verteld, wist hij ook al. Maar hij was niet van plan om het je te vertellen.'

'Je schijnt in de waan te verkeren dat ik erg dik met hem ben.'

'Dik genoeg om met het nieuws over Colliar meteen naar hem toe te stappen.'

'Dat was iets wat ik hem al eerder had beloofd. Hij wilde het weten als er nieuwe ontwikkelingen in die zaak waren. Daar ga ik me echt niet voor verontschuldigen.' Ze tuurde naar de overkant en wees iemand aan. 'Wat doet Gareth Tench daar?'

'Het raadslid?' Rebus keek wie ze aanwees. 'De heidenen bekeren misschien,' opperde hij. Tench schuifelde in krabbengang langs de verzamelde pers. 'Misschien wil hij je nog wel een interview geven.'

'Hoe wist je dat ik...? Dat heeft Siobhan zeker gezegd?'

'Wij hebben geen geheimen voor elkaar.' Rebus knipoogde.

'Waar is ze nu eigenlijk?'

'Op de burelen van de *Scotsman*.'

'Dan bedriegen mijn ogen me zeker.' Mairie wees weer. En inderdaad, daar stond Siobhan... en Tench was bij haar blijven staan, ze gaven elkaar een hand. 'Geen geheimen voor elkaar?'

Maar Rebus liep er al op af. Dit deel van de straat was afgezet, hij kon zo oversteken.

'Hé daar,' zei hij. 'Ineens van gedachten veranderd?'

Siobhan glimlachte even en stelde hem aan Tench voor.

'Inspecteur,' zei het raadslid met een knikje.

'Houdt u van straattheater, meneer Tench?'

'Tijdens het zomerfestival wel,' grinnikte Tench.

'Vroeger gaf u zelf ook voorstellingen, hè?'

Tench keerde zich naar Siobhan. 'De inspecteur doelt op mijn preken op zondagochtend, aan de voet van de Mound. Ongetwijfeld viel hem dat soms op als hij communie ging doen.'

'Ik zie u daar nooit meer,' ging Rebus verder. 'Van uw geloof gevallen?'

'Verre van, inspecteur. Maar er zijn meer manieren om iets te bereiken dan met preken.' Hij gaf zijn gezicht een professionelere uitdrukking. 'Ik ben hier omdat een paar bewoners van mijn wijk gisteren betrokken zijn geraakt bij de onlusten.'

'Onschuldige omstanders, ongetwijfeld,' zei Rebus.

Tench keek heen en weer van Siobhan naar Rebus. 'Het moet een genot zijn om met de inspecteur samen te werken.'

'Eén groot feest,' beaamde Siobhan.

'Aha, en daar hebben we onze vrienden van de pers!' riep Tench uit, en hij stak een hand uit naar Mairie, die zich uiteindelijk bij het groepje voegde. 'Wanneer komt uw stuk uit? Ik neem aan dat u deze twee hoeders van de waarheid kent?' Hij gebaarde naar Rebus en Siobhan. 'U had me wel beloofd dat ik het nog mocht lezen voordat het gepubliceerd werd,' bracht hij haar in herinnering.

'Is dat zo?' Ze probeerde verrast te kijken.

Tench trapte er niet in. 'Ik denk dat wij elkaar even onder vier ogen moeten spreken,' zei hij tegen Rebus en Siobhan.

'Geen probleem,' zei Rebus. 'Siobhan en ik ook.'

'O ja?' Maar Rebus was al weggelopen, zodat Siobhan hem wel moest volgen.

'De Sandy Bell's is open,' zei hij zodra ze buiten gehoorsafstand waren. Maar ze was blijven staan om naar de menigte te kijken.

'Ik zoek iemand,' legde ze uit. 'Een fotograaf die ik ken, die zou hier moeten zijn.' Ze ging op haar tenen staan. 'Aha...' Ze stortte zich in de kluwen journalisten. De fotografen stonden op de achterkant van elkaars camera's te kijken wat ze geschoten hadden. Rebus wachtte vol ongeduld terwijl Siobhan een mager type met kortgeknipt donkergrijs haar aansprak. Nu begreep hij hoe het zat: bij de *Scotsman* had ze te horen gekregen dat degene die ze wilde spreken hier was. De fotograaf moest even worden overgehaald, maar liep uiteindelijk mee naar Rebus, die met de armen over elkaar stond te wachten.

'Dit is Mungo,' zei Siobhan.

'En wil Mungo iets drinken?' vroeg Rebus.

'Dat wil ik heel graag,' zei de fotograaf, en hij veegde zijn voorhoofd af, dat glom van het zweet. Het grijs in zijn haar was geen indicatie van zijn leeftijd – hij was waarschijnlijk niet veel ouder dan Siobhan. Hij had een gegroefd, verweerd gezicht en een bijbehorend accent.

'Western Isles?' raadde Rebus.

'Lewis,' bevestigde Mungo, terwijl Rebus hen meetroonde naar Sandy Bell's. Achter hen klonk weer gejuich op. Toen ze omkeken zagen ze een jongeman de rechtbank uit komen.

'Volgens mij ken ik hem,' zei Siobhan zacht. 'Dat is de kerel die rotzooi uithaalt bij het kampeerterrein.'

'Dan waren ze gisteravond even van hem af,' stelde Rebus vast. 'Toen zat ie in de cel.' Hij besefte ineens dat hij met zijn rechterhand over zijn linker stond te wrijven terwijl hij het zei. Toen de jongeman naar de menigte zwaaide, zwaaiden verschillende mensen terug.

Onder wie, zo zag een verwonderde Mairie Henderson, raadslid Tench.

12

Sandy Bell's was net tien minuten open, maar aan de bar had zich al een aantal stamgasten genesteld.

'Een halve bitter,' was Mungo's antwoord op de vraag wat hij wou. Siobhan wilde een jus d'orange. Rebus besloot dat hij wel een pint aankon. Ze gingen aan een tafel zitten. In de smalle, donkere pub hing de geur van koperpoets en bleekmiddel. Siobhan legde Mungo uit waar ze naar op zoek was, en hij opende zijn cameratas en haalde er een wit doosje uit.

'iPod?' raadde Siobhan.

'Handig om je foto's op te slaan,' legde Mungo uit. Hij liet haar zien hoe het werkte en verontschuldigde zich voor het feit dat hij niet de hele dag had kunnen vastleggen.

'Hoeveel foto's staan daar nou op?' vroeg Rebus, terwijl Siobhan het kleurenschermpje aan hem liet zien en heen en terug door de foto's klikte.

'Een stuk of honderd,' zei Mungo. 'De grootste rommel heb ik er al uitgemikt.'

'Is het goed als ik ze nu even bekijk?' vroeg Siobhan. Mungo haalde alleen zijn schouders op. Rebus hield hem zijn sigaretten voor.

'Ik ben er allergisch voor,' waarschuwde de fotograaf. Dus ging Rebus zijn verslaving botvieren aan het andere eind van de bar, bij het raam. Toen hij naar buiten stond te kijken, zag hij raadslid Tench in de richting van de Meadows lopen, druk in gesprek met de jongeman die uit de rechtbank was gekomen. Tench gaf zijn wijkbewoner een geruststellend klopje op de schouders. Mairie was nergens te bekennen. Rebus rookte zijn sigaret op en ging weer aan tafel zitten. Siobhan draaide de iPod om zodat hij het scherm zag.

'Mijn moeder,' zei ze. Rebus pakte het apparaat en staarde ernaar.

'In de tweede rij?' zei hij. Siobhan knikte opgewonden. 'Zo te zien probeert ze daar weg te komen.'

'Precies.'

'Voordat ze geslagen was?' Rebus tuurde naar de gezichten achter de schilden, agenten met het vizier van hun helm omlaag, de tanden ontbloot.

'Dat precieze moment heb ik blijkbaar net niet gekiekt,' gaf Mungo toe.

'Ze probeert zich absoluut een weg terug door de menigte te banen,' zei Siobhan met klem. 'Ze wou daar weg.'

'Waarom kreeg ze dan een klap in haar gezicht?' vroeg Rebus.

'Zo ging dat,' vertelde Mungo, langzaam articulerend. 'De gangmakers haalden uit naar een agent en doken snel terug in de menigte. Wie dan toevallig vooraan stond, ving de klappen op. En dan maar afwachten welke foto's de krantenredacties eruit pikken.'

'En dat is meestal de foto met ME'ers die terugslaan?' raadde Rebus. Hij hield het scherm iets verder weg. 'Ik kan de agenten niet echt herkennen.'

'Op hun epauletten staat ook niks herkenbaars,' zei Siobhan. 'Alles lekker anoniem. Je kunt niet eens zien van welk korps ze zijn. Bij sommigen staan er wel letters op de helm. xs bijvoorbeeld. Zou dat een code zijn?'

Rebus schokschouderde. Hij moest denken aan Jacko en zijn maten... die hadden ook geen insignes op hun uniform.

Er schoot Siobhan ineens iets te binnen, ze keek op haar horloge. 'Ik moet het ziekenhuis bellen...' Ze stond op en liep naar buiten.

'Nog een?' Rebus wees naar Mungo's glas. De fotograaf schudde zijn hoofd. 'Vertel eens, wat moet je deze week allemaal fotograferen?'

Mungo blies zijn wangen bol. 'Van alles en nog wat.'

'De vips?'

'Als ik de kans krijg.'

'Je was vrijdagavond niet toevallig aan het werken?'

'Toevallig wel.'

'Dat grote diner op het kasteel?'

Mungo knikte. 'De redactie wilde een foto van de minister van Buitenlandse Zaken. Maar ze waren niet echt goed gelukt. Dat krijg je met de weerspiegeling van de flits in de autoruit.'

'En Ben Webster?'

Mungo schudde zijn hoofd. 'Ik had nog nooit van hem gehoord, helaas. Anders had ik de laatste foto van hem kunnen maken.'

'We hebben er in het mortuarium een paar gemaakt, als dat je geruststelt,' zei Rebus. En toen Mungo wrang glimlachte, zei hij: 'Ik zou de foto's die je daar maakte wel eens willen zien...'

'Ik zal zien wat ik kan doen.'

'Staan die niet op je apparaatje?'

De fotograaf schudde zijn hoofd. 'Die foto's staan op mijn laptop. Het zijn vooral auto's die de heuvel op snellen. We mochten de Esplanade niet op.' Toen viel hem iets in: 'Hé, ze hebben vast ook een officiële groepsfoto bij het diner genomen. Die kun je altijd opvragen, als het je interesseert.'

'Ik betwijfel of ze me die zomaar geven.'

Mungo knipoogde. 'Laat maar aan mij over,' zei hij. En terwijl hij Rebus zijn glas zag legen, zei hij: 'Volgende week weer droog brood en ouwe kleren.'

Rebus glimlachte en veegde met zijn duim over zijn mond. 'Dat zei mijn vader altijd als we terugkwamen van vakantie.'

'Ik denk niet dat Edinburgh ooit nog zoiets zal meemaken.'

'Niet zolang ik leef,' gaf Rebus toe.

'Denk je dat het effect zal hebben?' Rebus schudde slechts het hoofd. 'Van mijn vriendin heb ik een boek gekregen over 1968 – de Praagse lente, het oproer in Parijs.'

Rebus dacht aan de tekst van Elbow: hebben we het estafettestokje laten vallen? 'Ik heb 1968 nog bewust meegemaakt, knul. Het stelde destijds eigenlijk niks voor.' Hij zweeg even. 'En daarna evenmin.'

'Was jij geen hippie?'

'Ik zat in het leger. Kort haar, stoer doen.' Siobhan kwam weer aan tafel zitten. 'Is er nieuws?' vroeg hij haar.

'Ze hebben niks gevonden. Nu gaat ze naar het oogpaviljoen voor een paar onderzoeken, en dat is het dan.'

'Mag ze naar huis?' Rebus zag haar knikken.

Ze pakte de iPod weer. 'Ik wou je nog iets laten zien.' Rebus hoorde het wieltje klikken. Ze toonde hem het scherm. 'Zie je die vrouw helemaal rechts? Met vlechtjes?'

Rebus zag het. Mungo had de camera gericht op de linie van ME-schilden, maar rechts bovenaan stonden ook een paar omstanders, bijna allemaal met hun mobieltje voor hun gezicht. En de vrouw met de vlechten had een groot soort camera.

'Dat is Santal,' zei Siobhan.

'En wie mag dat dan wel zijn?'

'Heb ik dat niet verteld? Haar tent stond naast die van mijn ouders.'

'Rare naam... zou het haar echte zijn?'

'Het betekent sandelhout,' zei Siobhan.

'Lekkere zeepgeur,' zei Mungo. Siobhan negeerde hem.

'Zie je wat ze aan het doen is?' vroeg ze, en hield de iPod vlak voor Rebus' neus.

'Hetzelfde wat iedereen daar doet.'

'Niet helemaal.' Siobhan liet Mungo het scherm zien.

'Ze houden hun mobiel allemaal op de politie gericht,' zei hij knikkend.

'Iedereen, behalve Santal.' Siobhan liet het weer aan Rebus zien en wreef met haar duim over het wiel om door te bladeren naar de volgende foto. 'Zie je wel?'

Rebus zag het, maar wist niet goed wat hij ermee moest.

'Ze willen vooral foto's van de politie,' legde Mungo uit. 'Mooi propagandamateriaal.'

'Maar Santal maakt foto's van de demonstranten.'

'Dus misschien ook van je moeder,' opperde Rebus.

'Dat heb ik haar op het kampeerterrein al gevraagd, maar ze wou niks laten zien. En ik heb haar bij die rel op zaterdag ook gezien – daar stond ze te filmen.'

'Ik begrijp het niet zo goed,' erkende Rebus.

'Ik ook niet, maar misschien moet ik eens naar Stirling.' Ze keek Rebus aan.

'Waarom?' vroeg hij.

'Omdat ze vanochtend zei dat ze daarheen ging.' Ze zweeg even. 'Zouden ze me missen?'

'De hoofdcommissaris wil het onderzoek rond de Clootie Well toch stilleggen.' Hij stak zijn hand in zijn zak. 'Wat ik trouwens nog wou zeggen...' Hij gaf haar de opgerolde vellen papier. 'We hebben nóg een Clootie Well, op Black Isle.'

'Dat is geen echt eiland, wist je dat?' zei Mungo. 'Black Isle.'

'Straks ga je ook nog zeggen dat het niet zwart is,' vermaande Rebus hem.

'De grond zou er zwart moeten zijn,' gaf Mungo toe, 'maar niemand die het ziet. Ik ken die plek waar je het over hebt – we zijn daar vorige zomer op vakantie geweest. Allemaal lapjes stof die in de bomen hangen.' Hij trok een vies gezicht. Siobhan was klaar met lezen.

'Wil je er een kijkje gaan nemen?' vroeg ze. Rebus schudde zijn hoofd.

'Maar er moet wel iemand heen.'

'We moeten het onderzoek toch stilleggen?'

'Morgen pas,' zei Rebus. 'Dat zei de hoofdcommissaris expliciet. Maar hij heeft jou de leiding gegeven... jij mag bepalen hoe we het aanpakken.' Hij leunde achterover op zijn stoel, het hout protesteerde met luid gekraak.

'Het oogpaviljoen is vijf minuten lopen hiervandaan,' dacht Siobhan hardop. 'Ik denk dat ik er even naartoe loop.'

'En daarna een ritje naar Stirling?'

'Denk je dat ik voor hippie kan doorgaan?'

'Dat wordt lastig,' meende Mungo.

'Ik heb nog wel een camouflagebroek in mijn kast hangen,' wierp Siobhan tegen. Ze keek Rebus aan. 'Betekent wel dat ik het onderzoek aan jou overlaat, John. Als jij hier brokken maakt, krijg ik er last mee.'

'Begrepen, baas,' zei Rebus. 'Wie geeft het volgende rondje?'

Maar Mungo moest naar zijn volgende klus en Siobhan naar het ziekenhuis, zodat Rebus alleen achterbleef in de pub.

'Eentje om het af te leren,' mompelde hij in zichzelf. Terwijl hij aan de bar op zijn bier stond te wachten en naar de flessen keek, moest hij weer aan die foto denken... die vrouw met de vlechten. Siobhan noemde haar Santal, maar ze deed hem aan iemand denken. Het scherm was te klein om het goed te kunnen zien. Hij had Mungo om een afdruk moeten vragen.

'Vrije dag?' vroeg de barman toen hij de pint voor Rebus neerzette.

'Ja, ik heb het goed voor elkaar,' bevestigde Rebus, en hij zette het glas aan zijn mond.

'Bedankt dat je nog even wou komen,' zei Rebus. 'Hoe was het op de rechtbank?'

'Ze hadden me niet nodig.' Ellen Wylie zette in het recherchelokaal haar schoudertas en attachékoffer op de grond.

'Zal ik koffie voor je zetten?'

'Heb je een espressoapparaat?'

'Hier noemen we dat bij de echte Italiaanse naam.'

'Hoe dan?'

'Een waterkoker.'

'Dan zul je wel net zo'n slappe bak zetten als je grappen maakt. Waar kan ik je mee helpen, John?' Ze trok haar jasje uit. Rebus liep al in hemdsmouwen. Hartje zomer, maar de verwarming op het bureau stond aan. De radiatoren konden ze niet uitzetten. Als het eenmaal oktober was, zouden ze weer veel te koud zijn. Wylie keek naar de dossierstukken die over drie bureaus waren uitgespreid.

'Zit ik daar ook tussen?' vroeg ze.

'Nog niet.'

'Maar straks wel...' Ze pakte een van de politiefoto's van Cyril Colliar en hield hem tussen duim en wijsvinger aan een hoekje vast, alsof ze bang was voor besmetting.

'Je hebt me niks verteld over Denise,' zei Rebus.

'Heb je ook niet naar gevraagd.'

'Sloeg haar man haar?'

Wylie grimaste even. 'Fijne kerel was dat.'

'Was?'

Ze staarde hem aan. 'Ik bedoel alleen dat we hem nooit meer zien. Je zult hem heus niet in stukken gesneden bij de Clootie Well vinden.' Er hing een foto van de bron aan de muur. Ze hield haar hoofd scheef en bekeek hem eens goed. Toen draaide ze zich om en keek de kamer rond. 'Hier heb je een flinke kluif aan, John,' stelde ze.

'Een beetje hulp zou best van pas komen.'

'Waar is Siobhan?'

'Met iets anders bezig.' Hij keek haar verwachtingsvol aan.

'Waarom zou ik je in godsnaam helpen?'

Rebus haalde zijn schouders op. 'Ik kan maar één reden bedenken: omdat je nieuwsgierig bent.'

'Net als jij, bedoel je?'

Hij knikte. 'Twee moorden in Engeland, één in Schotland. Ik begrijp niet goed waar hij ze op uitkiest. Ze stonden niet onder elkaar op die site... kenden elkaar niet... de feiten waarvoor ze veroordeeld zijn lijken wel op elkaar, maar zijn niet precies hetzelfde. Ze hadden alle drie heel verschillende slachtoffers gemaakt...'

'En ze hadden alle drie gezeten, hè?'

'Ja, maar in verschillende gevangenissen.'

'Evengoed. Ex-gedetineerden kunnen de namen van smeerlappen aan elkaar doorspelen. Plegers van zedenmisdrijven zijn niet populair in de nor.'

'Dat is waar.' Rebus deed alsof hij het in overweging nam. Hij vond het volstrekt onwaarschijnlijk, maar wilde dat niet laten merken.

'Heb je contact gehad met de andere korpsen?' vroeg ze.

'Nog niet. Ik geloof dat Siobhan ze wel heeft aangeschreven.'

'Moet je ze niet persoonlijk benaderen? Kijken wat ze je kunnen vertellen over Isley en Guest?'

'Ik heb nogal veel te doen.'

Hun blikken kruisten elkaar. Hij zag dat hij haar mee had – voor nu.

'Wil je echt dat ik je help?' vroeg ze.

'Je bent geen verdachte, Ellen,' zei hij, en hij deed zijn best om het oprecht te laten klinken. 'En jij weet hier meer over dan Siobhan en ik.'

'Wat zal zij ervan vinden dat ik meedoe?'

'Dat vindt ze prima.'

'Dat weet ik nog zo net niet.' Ze dacht even na en slaakte een zucht. 'Ik heb maar één bericht op die site gezet, John. Ik heb de Jensens nooit ontmoet...'

Rebus haalde zijn schouders op. Ze dacht even na voor ze het zei. 'Ze hebben hem opgepakt, weet je, Denise d'r...' Het volgende woord slikte ze in, 'partner' of 'man' kreeg ze niet over haar lippen. 'Had allemaal geen effect.'

'Je bedoelt dat hij niet achter de tralies is verdwenen?'

'Ze is nog steeds doodsbang voor hem,' zei ze zacht. 'En hij loopt nog steeds vrij rond.' Ze knoopte de mouwen van haar blouse los en begon ze op te rollen. 'Goed, zeg maar wie ik moet bellen.'

Hij gaf haar de nummers van het korps Tyneside en Cumbria en pakte toen zelf de telefoon. In Inverness stuitte hij eerst op ongeloof. 'Wát moeten we?' Rebus hoorde de agent met z'n hand op de hoorn tegen een collega zeggen: 'Edinburgh wil dat we foto's gaan nemen van de Clootie Well. Als kind ging ik daar met mijn ouders picknicken...'

De telefoon werd doorgegeven. 'Brigadier Johnson. Met wie spreek ik?'

'Inspecteur Rebus, recherche Edinburgh.'

'Ik dacht dat jullie je handen wel vol hadden aan al die Trotski's en Mao's.' Gelach op de achtergrond.

'Dat kan zijn, maar we hebben ook drie moorden. Van alle drie zijn er sporen opgedoken in Auchterarder, op een plek die bekendstaat als de Clootie Well.'

'Er is maar één Clootie Well, inspecteur.'

'Blijkbaar niet. Het zou kunnen dat er bij jullie ook bewijsmateriaal aan de takken hangt.'

Met dat aas moest de brigadier wel bijten. Zoveel viel er in het noorden niet te beleven.

'Begin maar met foto's van de plek,' vervolgde Rebus. 'Veel close-ups, en let vooral op kledingstukken die nog heel zijn – jeans, jassen... Wij hebben in één broekzak nog een bankpas gevonden. Het handigste is als je me de foto's mailt. Als ik ze zelf niet kan openen, vind ik wel iemand die het kan.' Hij keek naar Ellen Wylie. Ze zat op de hoek van een bureau te bellen, haar rok spande om haar dij. Ze zat onder het gesprek met haar pen te spelen.

'Wat was uw naam ook weer?' vroeg brigadier Johnson.

'Inspecteur Rebus. Bureau Gayfield Square.' Hij gaf zijn telefoonnummer en mailadres en hoorde dat Johnson het opschreef.

'En als we hier inderdaad iets vinden?'

'Dan is hij weer bezig geweest.'

'Vindt u het goed als ik dit even natrek? Ik wil wel zeker weten dat u me niet in het ootje neemt.'

'Ga je gang. Mijn korpschef is James Corbyn, die weet er alles van. Maar neem niet te veel van zijn tijd in beslag.'

'We hebben hier een agent, z'n vader doet portretten en groepsfoto's.'

'Dat wil nog niet zeggen dat die knul met een camera overweg kan.'

'Nee, ik zat aan zijn vader te denken.'

'Wat het beste uitkomt,' zei Rebus, en hij legde de hoorn erop, precies tegelijk met Ellen Wylie.

'Succes?' vroeg ze.

'Ze sturen er een fotograaf heen, als die tussen zijn bruiloften en partijen door de tijd kan vinden. En jij?'

'De man die het onderzoek naar de moord op Guest heeft geleid kon ik niet te spreken krijgen, maar een van zijn collega's heeft me bijgepraat. Ze sturen ook nog wat informatie op papier. Ik kreeg de indruk dat ze zich niet echt uit de naad werken om die moord op te lossen.'

'Dat zeggen ze op de opleiding altijd: de perfecte moord is er een waarbij niemand het slachtoffer mist.'

Wylie knikte. 'Of waarbij niemand om hem treurt, zoals in dit geval. Ze dachten dat het misschien een ruzie om een drugsdeal was.'

'Briljant. Waren er aanwijzingen dat Guest gebruikte?'

'Blijkbaar wel. En misschien dealde hij ook, was hij een leverancier geld schuldig en had hij geen –' Ze stopte toen ze de uitdrukking op zijn gezicht zag.

'Gemakzucht, Ellen. Dat kan ook wel eens de reden zijn waarom niemand nog een verband had gelegd tussen de drie moorden.'

'Omdat niemand echt zijn best deed?' raadde ze.

Rebus knikte traag.

'Nou ja, je kunt het hem zelf vragen.'

'Wie?'

'Ik kon de leider van het onderzoek niet aan de lijn krijgen omdat hij hier zit.'

'Hier?'

'Gedetacheerd bij de recherche van Lothian and Borders.' Ze keek in haar aantekeningen. 'Een brigadier, Stan Hackman.'

'Waar vind ik die?'

'De studentenflats, volgens zijn maat.'

'Pollock Halls?'

Ze haalde haar schouders op, pakte haar notitieblok en stak het naar hem uit. 'Zijn mobiele nummer, als je daar wat aan hebt.' Hij liep naar haar toe. Ze trok het bovenste vel eraf en gaf het aan hem. Hij rukte het uit haar handen.

'Bel jij de leider van het onderzoek naar Isley,' zei hij. 'Kijk wat je van hem te weten kunt komen. Ik ga met Hackman praten.'

'Je hebt geen dankjewel gezegd.' Terwijl hij zijn armen in de mouwen van zijn jas liet glijden, zei ze: 'Herinner je je Brian Holmes nog?'

'Daar heb ik mee gewerkt.'

Ze knikte. 'Hij vertelde me een keer dat je een bijnaam voor hem had. Je noemde hem Schoenleer omdat hij je werkezel was.'

'Ezels dragen toch geen schoenen?'

'Je weet best wat ik bedoel, John. Jij gaat de hort op en je laat mij hier zitten... Dit is niet eens mijn bureau. Wat ben ik dan?' Ze had de telefoonhoorn gepakt en zwaaide ermee om haar woorden kracht bij te zetten.

'De telefooncentrale?' opperde hij, en liep de kamer uit.

13

Siobhan was niet te vermurwen.

'Misschien,' zei Teddy Clarke tegen zijn vrouw, 'moeten we ditmaal naar haar luisteren.'

Siobhans moeder had verbandgaas over één oog. Haar andere oog was blauw en ze had een wond naast haar neus. De pijnstillers leken haar eigenzinnigheid een beetje af te remmen; haar enige reactie op de woorden van haar echtgenoot was een knikje.

'Maar onze kleren dan?' zei vader Clarke toen ze in de taxi stapten.

'Je kunt later naar het kampeerterrein gaan om op te halen wat je nodig hebt,' zei Siobhan.

'We hadden voor morgen plaatsen geboekt in de bus,' zei hij, en Siobhan legde de chauffeur uit hoe hij bij haar flat moest komen. Ze wist dat haar vader doelde op een van de demonstrantenbussen: een konvooi naar de G8. Zijn vrouw zei iets wat hij niet verstond. Hij boog zijn oor naar haar toe en kneep even in haar hand.

'We gaan wel,' herhaalde haar moeder. Haar man leek te aarzelen. 'De dokter zegt dat het kan,' ging Eve Clarke door, op luide toon zodat Siobhan het ook kon horen.

'Dat kunnen we morgenochtend nog zien,' zei Siobhan. 'Laten we ons nu maar op vandaag richten, hè?'

Teddy Clarke glimlachte naar zijn vrouw. 'Ik zei toch dat ze veranderd is,' zei hij.

Eenmaal aangekomen wuifde Siobhan haar vaders aanbod om de taxi te betalen weg en rekende zelf af. Op de trap ging ze haar ouders voor om de woonkamer en slaapkamer te controleren. Gelukkig geen rondslingerende onderbroeken of Smirnoff-flessen.

'Kom binnen,' zei ze. 'Ik zet water op. Doe alsof je thuis bent.'

'Het is zeker tien jaar geleden dat we hier waren,' zei haar vader, terwijl hij door de woonkamer liep.

'Zonder jullie hulp had ik het nooit kunnen kopen,' riep Siobhan uit de keuken. Ze wist wel waar haar moeder naar zou uit-kijken: tekenen van mannelijk leven. Dat was de hele reden dat ze zich garant hadden gesteld: in de hoop dat ze zou 'settelen', dat geweldige eufemisme. Vaste vriend, trouwen, kinderen. Siobhan had het begin van dat traject niet eens gevonden. Ze droeg de theepot en drie mokken naar binnen en haar vader kwam over-eind om te helpen.

'Schenk jij maar in,' zei ze. 'Ik moet even wat uit de slaapka-mer pakken.'

Ze opende de klerenkast en pakte haar weekendtas. Trok la-den open op zoek naar wat ze nodig had. Met een beetje geluk had ze niets nodig, maar het was beter voorbereid te zijn. Een stel schone kleren, een tandenborstel, shampoo... Ze wroette onder in een paar laden op zoek naar de slonzigste, minst gestreken kle-ding die ze had. Een tuinbroek waarin ze de hal geverfd had, en waarvan één schouderband met een veiligheidsspeld moest wor-den vastgemaakt; een Indiase bloes, achtergelaten door een knul die een paar keer was blijven slapen.

'Jagen we je nu uit je eigen huis weg?' zei haar vader. Hij stond in de deuropening met een kop thee voor haar.

'Ik moet even ergens naartoe, maar dat heeft niks te maken met het feit dat jullie hier zijn. Het kan zijn dat ik morgen pas terug ben.'

'Dan zijn wij misschien al op weg naar Gleneagles.'

'Dan zie ik je daar wel,' zei ze met een knipoog. 'Redden jul-lie je vanavond? Er zitten een hoop winkels en eettentjes in de buurt. Ik geef je de sleutel...'

'Dat komt wel goed.' Hij zweeg even. 'Heeft jouw tochtje te maken met wat er met je moeder is gebeurd?'

'Misschien.'

'Want ik zat zo te denken...'

'Wat?' Ze stopte even met pakken.

'Jij bent ook een politievrouw, Siobhan. Als je hiermee door-gaat, kun je wel eens vijanden maken.'

'Het is geen populariteitswedstrijd, pap.'

'Evengoed...'

Ze ritste de tas dicht, liet hem op het bed staan en nam de kop thee van hem aan. 'Ik wil hem alleen maar horen zeggen dat hij fout zat.' Ze nam een slokje van de lauwe thee.

'Zit die kans erin?'

Ze haalde haar schouders op. 'Misschien.'

Haar vader was op de hoek van het bed gaan zitten. 'Ze is vastbesloten om naar Gleneagles te gaan, weet je.'

Siobhan knikte. 'Ik rij wel met je naar het kamp, kun je daar je spullen ophalen voordat ik vertrek.' Ze knielde voor hem en legde haar vrije hand op zijn knie. 'Zal het echt wel gaan?'

'Welja. Met jou ook?'

'Mij overkomt niks, pap. Ik heb een onzichtbaar krachtveld om me heen, had je dat nog niet gemerkt?'

'Ik geloof dat ik er een glimp van opving in Princes Street.' Hij legde zijn hand op de hare. 'Maar wees toch maar voorzichtig, hè.'

Ze glimlachte en stond op, zag dat haar moeder toekeek vanuit de hal, en glimlachte ook naar haar.

Rebus was al vaker in de mensa geweest. Tijdens het academisch jaar zat die altijd bomvol studenten, veel nieuwe studenten die behoedzaam of zelfs bang om zich heen keken. Een paar jaar geleden had Rebus hier aan het ontbijt een tweedejaarsstudent opgepakt die drugs dealde.

De studenten namen vaak een laptop of iPod mee, zodat het er zelfs bij grote drukte redelijk stil was – de stilte werd slechts doorbroken door ringtones van mobiele telefoons.

Maar vandaag schalden harde stemmen door de zaal. Rebus voelde het testosteron knetteren in de lucht. Twee tegen elkaar geschoven tafels vormden een geïmproviseerde bar waar kleine flesjes Frans bier werden verkocht. De 'niet roken'-stickers werden genegeerd door ME'ers die elkaar joviaal op de rug sloegen en onhandige high fives gaven. Ze hadden hun steek werende vesten uitgetrokken en tegen de muur gezet en de serveersters waren druk met het opdienen van eten, hun hoofden rood van de inspanning – of van de overdreven complimenten van de gasten.

Rebus was op zoek naar visuele hints, een of ander insigne uit Newcastle. Bij het poortgebouw was hij verwezen naar een oud en statig gebouw, waar een medewerkster van de universiteit het kamernummer van Hackman had opgezocht. Maar op Rebus' kloppen werd niet opengedaan, dus was hij op aanraden van de medewerkster hierheen gekomen.

'Het kan natuurlijk zijn dat hij nog "in het veld" is,' had ze gezegd, blij met de kans politiejargon te kunnen gebruiken.

'Boodschap ontvangen en begrepen,' had Rebus geantwoord, zodat haar dag helemaal compleet was.

In de hele mensa was geen Schots accent te horen. Rebus zag uniformen van de Londense politie en spoorwegpolitie, agenten uit South Wales en Yorkshire... Toen hij een kop thee wilde kopen kreeg hij te horen dat alles gratis was, dus nam hij ook maar een worstenbroodje en een Mars mee. Hij liep naar een tafel en vroeg of hij er nog bij kon, zodat ze wat opschoven.

'Recherche?' raadde een van de mannen. Zijn haar was plakkerig van het zweet en zijn gezicht rood aangelopen.

Rebus knikte en was zich er ineens van bewust dat hij de enige man was die hier niet rondliep in een wit overhemd zonder stropdas. Er waren ook een paar vrouwelijke agenten, maar die zaten bij elkaar aan tafel en negeerden de opmerkingen die ze naar het hoofd kregen geslingerd.

'Ik zoek een collega,' zei Rebus achteloos. 'Een brigadier Hackman.'

'U bent van hier, hè?' zei een van de agenten. Hij had Rebus' accent blijkbaar herkend. 'Verdomd mooie stad, hoor. Jammer dat we er een beetje moesten huishouden.' Zijn collega's lachten mee. 'Maar ik ken geen Hackman.'

'Hij komt uit Newcastle,' zei Rebus.

'O, de Geordies zitten daar.' Hij wees naar een tafel bij het raam.

'Die komen uit Liverpool, hoor,' corrigeerde zijn buurman hem.

'Allemaal één pot nat.' Weer werd er gelachen.

'Waar komen jullie dan vandaan?' vroeg Rebus.

'Nottingham,' zei de eerste agent. 'Wij zijn de sheriffs. Niet te vreten hier, hè?' Hij knikte in de richting van Rebus' half opgegeten worstenbroodje.

'Valt wel mee. Het is tenminste gratis.'

'Een echte Schot.' Hij lachte weer. 'Sorry dat we u niet kunnen helpen.'

Rebus haalde zijn schouders op. 'Zijn jullie gisteren in Princes Street geweest?' vroeg hij tussen neus en lippen door.

'De halve dag.'

'Lekker pak overuren,' voegde zijn buurman eraan toe.

'Zoiets hadden wij een paar jaar geleden ook,' zei Rebus. 'Bijeenkomst van de staatshoofden van het Gemenebest. En of we dat best vonden. Die week hebben een paar jongens een flink stuk van hun hypotheek kunnen aflossen.'

'Wij gaan ervan op vakantie,' zei de agent. 'M'n vrouw wil naar Barcelona.'

'En als zij daar zit,' zei zijn buurman, 'waar ga jij dan met je vriendin naartoe?' Meer gelach en elleboogstoten.

'Je hebt het gisteren anders wel verdiend,' zei Rebus, om het gesprek weer in de juiste richting te leiden.

'Sommigen wel,' was het antwoord. 'De meesten van ons hebben alleen maar in de bus zitten wachten tot het een keer echt zou beginnen.'

Zijn buurman knikte. 'Vergeleken met waar ze ons voor waarschuwden, was het een eitje.'

'Als je de krantenfoto's van vanochtend mag geloven, hebben een paar jongens er toch stevig op ingehakt.'

'Zullen die uit Londen wel zijn. Die mogen oefenen tegen Millwall-supporters, dus die zijn wel erger gewend.'

'Mag ik nog een andere naam uitproberen?' vroeg Rebus. 'Ene Jacko? Zou uit Londen kunnen komen.'

Ze schudden hun hoofd. Rebus dacht dat hij hier niet veel meer zou opsteken, dus stopte hij de Mars in zijn zak, stond op, nam afscheid van de jongens en liep de zaal nog even rond. Ook buiten stonden veel agenten. Het dreigde te gaan regenen, anders waren ze waarschijnlijk op het gras gaan liggen. Hij hoorde nergens iets wat leek op een Newcastle-accent, en ook niemand die stond op te scheppen over demonstranten die ze op hun donder hadden gegeven. Hij probeerde Hackmans mobiel, maar die stond nog uit. Hij wilde het al opgeven maar besloot nog één laatste keer bij zijn kamer langs te gaan.

Ditmaal ging de deur open.

'Brigadier Hackman?'

'En wie mag jij wel wezen?'

'Inspecteur Rebus.' Hij toonde zijn legitimatie. 'Kan ik u even spreken?'

'Niet hier. Je kunt hier je kont niet keren. En het moet ook nodig gelucht worden. Wacht even...' Hackman liep zijn kamer weer in en Rebus wierp er snel een blik in: rondslingerende kleren, lege sigarettenpakjes, seksblaadjes, een draagbare stereoset, een blik cider op de vloer naast het bed. Het geluid van de paardenrennen op tv. Hackman pakte een gsm en een aansteker. Klopte op zijn zakken tot hij de sleutel had gevonden en kwam de kamer weer uit. 'Buiten, oké?' zei hij, en hij ging Rebus voor zonder diens instemming af te wachten.

Hij was een stevige kerel: stierennek en kortgeknipt blond haar. Begin dertig misschien, pokdalig gezicht, scheefgeslagen neus. Zijn witte T-shirt was te vaak in de was geweest. Van achteren was het te kort, zodat het vrij zicht bood op de bovenrand van zijn onderbroek. Hij droeg een spijkerbroek en gympen.

'Aan het werk geweest?' vroeg Rebus.

'Ik was net terug.'

'In burger?'

Hackman knikte. 'Jan met de pet.'

'Kostte dat moeite?'

Hackman grijnsde even. 'Ben jij van hier?'

'Inderdaad.'

'Ik kan wel een paar tips gebruiken.' Hackman keek om naar Rebus. 'Aan Lothian Road zitten de striptenten, hè?'

'In die buurt in ieder geval.'

'In welke tent kan ik mijn zuurverdiende geld het beste stukslaan?'

'Ik ben geen expert.'

Hackman nam hem eens goed op. 'Zeker weten?' vroeg hij. Ze stonden inmiddels buiten. Hackman bood Rebus een sigaret aan, die hij gretig aannam, en wipte zijn aansteker open.

'In Leith zitten ook aardig wat hoerenkasten, hè?'

'Klopt.'

'En het is hier legaal?'

'We knijpen een oogje toe, zolang ze het binnenshuis houden.' Rebus nam een trek van zijn sigaret. 'Goed om te zien dat je hier niet alleen professioneel aan je trekken komt.'

Hackman stootte een schorre lach uit. 'Bij ons in Newcastle zijn de vrouwen mooier, sorry dat ik het zeg.'

'Je hebt anders geen Geordie-accent.'

'Ik kom uit de buurt van Brighton. Ik zit nu acht jaar in het noordoosten.'

'Gisteren nog in actie moeten komen?' Rebus keek ostentatief naar het uitzicht dat ze hadden – Arthur's Seat die naar de hemel reikte.

'Is dit mijn debriefing?'

'Ik vroeg het me gewoon af.'

Hackmans ogen vernauwden zich. 'Wat kan ik voor u doen, inspecteur Rebus?'

'Jij leidde het onderzoek naar de moord op Trevor Guest.'

'Dat was twee maanden geleden. Ik heb ondertussen alweer een boel andere zaken op mijn bord gekregen.'

'Mij gaat het om Guest. Zijn broek is gevonden in de buurt van Gleneagles, met zijn bankpas in de zak.'

Hackman staarde hem aan. 'Zijn lijk werd gevonden zonder broek aan.'

'Dan weet je nu waarom. De moordenaar nam trofeeën mee.'

Hackman was niet traag van begrip. 'Hoeveel?'

'Tot nu toe drie slachtoffers. Twee weken na Guest sloeg hij weer toe. Zelfde werkwijze, en ook weer een aandenken op dezelfde vindplaats.'

'Godsamme...' Hackman nam een stevige trek van zijn sigaret. 'Wij dachten dat het... nou ja, een smeerlap als Guest heeft altijd veel vijanden. Hij was ook verslaafd, vandaar die heroïne. Dat was een signaal.'

'Je gaf er dus geen prioriteit aan?' Rebus zag hem zijn brede schouders ophalen. 'Hadden jullie wel sporen?'

'We hebben iedereen gehoord die toegaf dat-ie hem kende. We hebben zijn laatste uren gereconstrueerd, maar dat leverde niks opzienbarends op. Ik kan het dossier laten overkomen...'

'Wordt al aan gewerkt.'

'Het was twee maanden geleden. En een paar weken daarna heeft hij weer toegeslagen, zeg je?' Hackman zag Rebus knikken. 'En het derde slachtoffer?'

'Drie maanden geleden.'

Hackman dacht er even over na. 'Twaalf weken geleden, dan acht, dan zes. Dat verwacht je bij seriemoordenaars. Ze krijgen de smaak te pakken en voeren de frequentie op. Elke nieuwe moord bevredigt ze weer een stukje minder dan de vorige. Maar wat is er sindsdien gebeurd? Nu alweer zes weken zonder moord?'

'Lijkt onwaarschijnlijk,' gaf Rebus toe.

'Tenzij we hem toevallig voor iets anders hebben opgepakt; of hij zijn kicks tegenwoordig ergens anders haalt.'

'Jouw manier van denken bevalt me wel,' gaf Rebus toe.

Hackman keek hem aan. 'Alles wat ik zeg had jij allang bedacht, zeker?'

'Vandaar dat jouw manier van denken me wel bevalt.'

Hackman krabde aan zijn kruis. 'Het enige waar ik de afgelopen dagen aan heb lopen denken is wijven. En dan kom jij ineens hiermee'

'Sorry.' Rebus trapte zijn peuk uit. 'Ik kwam eigenlijk vragen of je me nog iets over Trevor Guest kon vertellen. Iets wat je is bijgebleven.'

'Voor een biertje mag je me het hemd van het lijf vragen.'

Het probleem met hemden is dat sommige mensen ze beter aan kunnen houden, dacht Rebus terwijl ze naar de mensa liepen.

Het was er inmiddels wat rustiger en ze vonden een tafel waar ze alleen konden zitten. Maar eerst moest Hackman zich even voorstellen aan de vrouwelijke agenten, die hij allemaal de hand schudde.

'Fijn,' zei hij toen hij bij Rebus terugkwam. Hij sloeg zijn handen tegen elkaar en wreef erin terwijl hij ging zitten.

'Hoppa,' zei hij, en tilde zijn flesje op. Hij grinnikte even. 'Ze moesten een striptent beginnen met die naam.'

Rebus zei maar niet dat die er al was. In plaats daarvan herhaalde hij alleen de naam Trevor Guest.

In één teug leegde Hackman zijn flesje bier voor de helft. 'Een stuk tuig, zoals ik al zei. Zat continu achter de tralies voor van alles en nog wat. Inbraak, heling van de rotzooi die hij gejat had, nog wat andere kleine vergrijpen en een stukje geweldpleging. Een paar jaar geleden heeft hij een tijdje hier gewoond. Heeft ie niks uitgevreten, voor zover we konden achterhalen.'

'Met "hier" bedoel je Edinburgh?'

Hackman onderdrukte een boer. 'Vrekkenland in het algemeen. O, sorry.'

'Geeft niet,' loog Rebus. 'Ik vraag me af of hij in contact gekomen kan zijn met het derde slachtoffer. Een nachtclubportier, Cyril Colliar, drie maanden geleden vrijgekomen uit de gevangenis.'

'Naam zegt me niks. Jij ook nog een?'

'Ik haal ze wel.' Rebus kwam al overeind, maar Hackman gebaarde dat hij moest gaan zitten. Rebus zag hoe hij eerst naar de tafel van de vrouwen liep om te vragen of zij wat wilden drinken. Een van hen moest lachen, wat hem waarschijnlijk alweer hoop gaf. Hij kwam terug met vier flesjes bier.

'Kleine krengen,' verklaarde hij, en schoof twee pijpjes naar Rebus. 'Ach, geld moet rollen, nietwaar.'

'Ik zie dat niemand hier voor kost en inwoning betaalt.'

'Dat doet de plaatselijke belastingbetaler.' Hackman sperde zijn ogen open. 'Dat ben jij natuurlijk. Dus hartstikke bedankt.' Hij toostte op Rebus met een vers flesje. 'Je hebt vanavond zeker geen tijd om een rondleiding te geven.'

'Helaas.' Rebus schudde zijn hoofd.

'En als ik trakteer... Dat kan een volbloed Schot toch niet afslaan?'

'Toch wel.'

'Moet je zelf weten,' zei Hackman schouderophalend. 'Die moordenaar die je zoekt... heb je sporen?'

'Hij heeft het gemunt op smeerlappen. Misschien haalt hij ze van een website van slachtoffers.'

'Iemand die eigen rechter speelt? Dus iemand die een wrok koestert...'

'Dat is de theorie.'

'Het meest waarschijnlijke is dat hij iets te maken had met het eerste slachtoffer. Dat had de enige moeten zijn, maar hij kreeg de smaak te pakken.'

Rebus knikte langzaam, daar had hij ook al aan gedacht. Snelle Eddie Isley, die prostituees verkrachtte. De moordenaar was misschien een pooier of een vriendje van een van de vrouwen... die hem had opgespoord via BeastWatch, en zich toen had afgevraagd: waarom zou ik het hierbij laten?

'Hoe graag wil je die kerel vinden?' vroeg Hackman. 'Dat zou mijn probleem zijn. Hij lijkt eerder aan ónze kant te staan.'

'Geloof je niet dat mensen kunnen veranderen? Alle drie de slachtoffers hadden hun straf uitgezeten en leken niet te recidiveren.'

'Dan zouden ze zeker gelouterd zijn.' Hackman deed alsof hij spuwde. 'Daar heb ik zo'n bloedhekel aan, die *goody-good* bullshit.' Hij zweeg even. 'Wat zit je nou te lachen?'

'Dat komt uit een nummer van Pink Floyd.'

'O ja? Ook een hekel aan. Geef mij maar Motown of Stax, een deuntje waar je de wijven mee plat krijgt. Onze Trev hield ook van de vrouwtjes.'

'Trevor Guest?'

'Hij had ze wel graag jong, als je mag afgaan op de vriendinnetjes die we hebben opgeduikeld.' Hackman gniffelde. 'Werkelijk, als ze nog veel jonger waren geweest, hadden we een crèche nodig gehad in plaats van een verhoorkamer.' Dat vond hij zo grappig dat hij zijn volgende slok bier nauwelijks binnenhield. 'Ik heb liever wat rijper vlees,' zei hij uiteindelijk. Hij smakte met zijn lippen en liet zich meevoeren door zijn fantasieën. 'Een hoop escortdames in de lokale krantjes noemen zichzelf ook zo: "rijpe dame". Hoe oud denk je dat ze dan zijn? Bejaardenseks is ook weer niet mijn ding...'

'Guest had toch een kinderoppas aangerand?' vroeg Rebus.

'Hij brak ergens in waar zij op de bank lag te slapen. Voor zover ik weet wou hij alleen dat ze hem pijpte. Toen ze begon te gillen is ie 'm gesmeerd.' Hij haalde zijn schouders op.

Rebus' stoel schraapte over de grond toen hij opstond. 'Ik moet gaan,' zei hij.

'Je hebt je bier nog niet op.'

'Ik moet nog rijden.'

'Ik heb zo'n donkerbruin vermoeden dat je deze week wel wat kan flikken. Maar goed, alle beetjes helpen.' Hij schoof het fles-

je waar Rebus niet aan was begonnen naar zich toe. 'Wil je vanavond nog iets gaan drinken? Ik heb hier echt een sherpa nodig
om me de weg te wijzen...'

Rebus ging er niet op in en liep weg. Eenmaal buiten wierp hij
nog een blik door het raam en zag Hackman een danspasje maken voordat hij op de tafel van de vrouwen afliep.

14

Het zogenaamde Kamp Horizon aan de rand van Stirling, inge-
klemd tussen een voetbalveld en een bedrijventerrein, herinnerde
Siobhan aan de tijdelijke kampementen bij de luchtmachtbasis
Greenham Common in de jaren tachtig, waar ze als tiener naartoe was gegaan om te protesteren tegen kernraketten. Er stonden
niet alleen tenten, maar ook grote wigwams en een soort iglo's
van wilgentakken. Tussen de bomen waren tentdoeken opgehangen met regenbogen en vredestekens. Van kampvuurtjes kringel-
de rook omhoog en de scherpe geur van cannabis hing in de lucht.
Zonnepanelen en kleine windturbines leverden stroom voor opgehangen slingers met lampen in allerlei kleuren. In een stacaravan werden gratis juridisch advies en gratis condooms verstrekt,
en op de grond lagen weggegooide folders met informatie over
van alles en nog wat, van aids tot de schulden van de derde wereld.

Onderweg vanuit Edinburgh was ze vijfmaal staande gehouden bij controleposten. Ondanks haar legitimatie had één agent
zelfs in haar kofferbak willen kijken.

'Deze lui hebben sympathisanten in alle geledingen,' was zijn
uitleg.

'Ze zijn hard op weg om er een bij te krijgen,' had Siobhan gemompeld.

De bewoners van het kamp leken uiteen te vallen in duidelijk
herkenbare stammen. De anti-armoededivisie mengde zich niet
met de harde kern van anarchisten. Rode vlaggen leken de grens
tussen de twee groepen te markeren. Ook was er een kleinere
troep oude hippies, gegroepeerd rond een van de wigwams. Daar
stonden bonen te pruttelen op een gasstel, en op een bord stond
dat je er van vijf tot acht terechtkon voor 'Reiki en Holistische
Healing', 'met aangepaste tarieven voor baanlozen/studenten'.

Siobhan had een van de beveiligingsmensen bij de ingang naar

Santal gevraagd. Hij had zijn hoofd geschud.

'Wat niet weet wat niet deert.' Hij nam haar eens goed op. 'Mag ik je een goede raad geven?'

'Wat dan?'

'Je ziet eruit als een diender in burger.'

Ze bekeek haar kleren. 'Vanwege die tuinbroek?'

Hij schudde zijn hoofd weer. 'Geen ongewassen haar.'

Ze schudde het een beetje in de war, maar hij keek nog niet overtuigd. 'Lopen er meer politiemensen in burger rond?'

'Ongetwijfeld,' zei hij glimlachend. 'Maar als ze goed zijn pik ik ze er niet uit, hè.'

Haar auto stond in het centrum van de stad. In het ergste geval zou ze wel in de auto slapen, liever dan in de openlucht. Dit kampeerterrein was veel groter dan dat in Edinburgh, en de tenten stonden dichter op elkaar. De schemering viel in en ze moest uitkijken voor haringen en scheerlijnen. Tweemaal passeerde ze een jongeman met een vlassige baard die mensen 'ontspannende kruiden' aanbood. De derde keer keken ze elkaar aan.

'Zoek je iemand?' vroeg hij.

'Een vriendin, Santal heet ze.'

Hij schudde zijn hoofd. 'Ik ben niet goed met namen.' Dus beschreef ze haar. Hij schudde weer zijn hoofd. 'Als je gewoon even rustig gaat zitten komt ze misschien vanzelf langs.' Hij hield haar een joint voor. 'Van het huis.'

'Alleen voor nieuwe klanten?' raadde ze.

'Zelfs de arm der wet moet aan het eind van de dag even relaxen.'

Ze staarde hem even aan. 'Knap hoor. Komt het door mijn haar?'

'Die tas helpt ook niet echt,' zei hij. 'Je moet een modderig rugzakje hebben. Met dat ding...' en hij wees op de boosdoener, 'is het net alsof je onderweg bent naar de sportschool.'

'Bedankt voor de goede raad. Was je niet bang dat ik je wou oppakken?'

Hij haalde zijn schouders op. 'Als je een rel wil, ga je gang.'

Ze glimlachte even. 'Andere keer misschien.'

'Die "vriendin" van je, kan die toevallig bij de voorhoede zitten?'

'Ik weet niet wat je bedoelt.'

Hij zweeg even om de joint op te steken, nam een lange trek en ging weer verder terwijl hij de rook uitblies. 'De blokkades worden natuurlijk al in de vroege ochtend opgeworpen, om ons te beletten bij het hotel te komen.' Hij bood haar de joint aan, maar ze schudde haar hoofd.

'Als je het nooit probeert weet je ook nooit hoe het is,' zei hij plagerig.

'Geloof het of niet, maar ik ben ook een tiener geweest... Dus de voorhoede is al op pad gegaan?'

'Met stafkaarten. Alleen de Ochil Hills staan nog in tussen ons en de victorie.'

'In het donker door de heuvels? Is dat niet een beetje link?'

Hij haalde zijn schouders op en nam weer een trek van zijn joint. Er drentelde een jonge vrouw om hen heen. 'Wil je wat?' vroeg hij. De transactie was in een wip voorbij: een klein pakketje in plastic folie voor drie briefjes van tien pond.

'Bedankt,' zei de vrouw. En tegen Siobhan: 'Goedenavond, agent.' Giechelend liep ze weg. De dealer keek naar Siobhans tuinbroek.

'Ik geef het op,' zei ze.

'Goeie raad: ga gewoon ergens zitten chillen en relax een beetje. Misschien vind je iets waarvan je niet wist dat je het zocht.'

'Wauw... diepzinnig,' zei Siobhan, op een toon waaruit bleek dat ze het tegenovergestelde dacht.

'Je zult het wel zien,' zei hij, en liep de invallende duisternis in. Ze wandelde terug naar de ingang en belde Rebus. Hij nam niet op, dus sprak ze zijn voicemail in.

'Hoi, met mij. Ik ben in Stirling, Santal is nergens te bekennen. Ik zie je morgen wel, maar als je me nodig hebt, bel gerust.'

Een groepje vermoeide maar opgewonden mensen kwam het terrein op. Siobhan klapte haar telefoon dicht en liep naar ze toe, zodat ze kon horen wat ze vertelden aan de kameraden die hen verwelkomden.

'Warmtesensoren... honden...'

'Tot de tanden bewapend, man...'

'Amerikaans accent... mariniers volgens mij... geen insignes...'

'Helikopters... zoeklichten...'

'Meteen in de smiezen...'

'Zijn ons de halve weg terug nog gevolgd...'

Toen kwamen de vragen. Hoe ver waren ze gekomen? Zwakke punten in de beveiliging? Waren ze tot de rand van het landgoed gekomen? Waren daar nog mensen?

'We zijn uit elkaar gegaan...'

'Mitrailleurs, denk ik...'

'Veel te link...'

'Tien groepjes van drie... moeilijker te vinden...'

'Modernste technologie...'

Nog meer vragen. Siobhan begon de hoofden te tellen en kwam tot vijftien. Dan zaten er dus nog vijftien in de heuvels. In het geroezemoes stelde ze haar eigen vraag.

'Waar is Santal?'

Iemand schudde het hoofd. 'Niet meer gezien nadat we uit elkaar gegaan zijn.'

Een van hen had een kaart uitgevouwen om te laten zien hoe ver ze gekomen waren. Hij had met een elastiek een zaklamp op zijn voorhoofd gebonden en wees met een vuile vinger de route aan. Siobhan kwam dichter bij hem staan.

'In deze zone mag niemand komen...'

'Er moet toch een zwakke plek zijn...'

'Ons enige voordeel is dat we in de meerderheid zijn.'

'Morgenochtend zijn we met tienduizend man.'

'Een paar pretsigaretten voor onze dappere soldaten!' De dealer begon uit te delen en er steeg gelach op – de spanning die zich ontlaadde. Siobhan trok zich terug naar de rand van de groep. Iemand greep haar bij de arm. De jonge vrouw die iets bij de dealer gekocht had.

'Smeer 'm, smeris,' siste ze.

Siobhan keek haar woedend aan. 'En anders wat?'

De jonge vrouw grijnsde kwaadaardig. 'Anders ziet 't er smerig voor jou uit.'

Siobhan zei niets; ze hees haar tas wat hoger op haar schouder en liep weg. De jonge vrouw zwaaide haar na. Bij de poort stond nog dezelfde bewaker.

'Heeft de vermomming gewerkt?' vroeg hij, met wat nog net geen grijnslach was.

De hele weg terug naar haar auto probeerde Siobhan een snedig antwoord te bedenken.

Rebus was een heer: hij kwam terug op het bureau met twee bakjes Pot Noodles en wraps met kip tikka.

'Ik word maar weer verwend,' zei Ellen Wylie terwijl ze de waterkoker aanzette.

'Je krijgt zelfs de eerste keus. Kipchampignons of kerrierundvlees?'

'Kip.' Ze keek toe terwijl hij de bakjes opentrok. 'Hoe ging het?'

'Ik heb Hackman gevonden.'

'En?'

'Hij wou een vleeskeuring gaan houden in de rosse buurt.'

'Gadver.'

'Ik zei dat ik hem daar niet mee kon helpen, en hij bleek me maar weinig te kunnen vertellen wat we nog niet wisten.'

'Of konden raden?' Ze was bij Rebus komen staan, die wachtte tot het water kookte. Ze pakte een van de wraps en las de houdbaarheidsdatum: 5 juli. 'Afgeprijsd,' stelde ze vast.

'Ik wist dat je het op waarde zou schatten. Maar dit is nog niet alles.' Hij haalde de Mars uit zijn zak en gaf hem aan haar. 'Wat ben je te weten gekomen over Edward Isley?'

'Zij sturen ook informatie op,' zei ze. 'Maar de inspecteur die ik sprak was toevallig een van de grotere lichten in de boom. Hij kon de meeste informatie zo uit zijn hoofd opdissen.'

'Laat me raden: genoeg vijanden... iemand die een wrok koesterde... ze houden alle mogelijkheden open... geen schot in de zaak?'

'Daar komt het op neer,' gaf Wylie toe. 'Ik kreeg niet de indruk dat ze echt alle registers hadden opengetrokken.'

'Geen link tussen Snelle Eddie en de heer Guest?'

Ze schudde haar hoofd. 'Niet in dezelfde gevangenis gezeten, niks bekend over gemeenschappelijke kennissen. Isley kende Newcastle niet en Guest is nooit gesignaleerd in de buurt van Carlisle of de M6.'

'En Cyril Colliar kende waarschijnlijk ook geen van beiden.'

'Zodat we terug zijn bij af: het feit dat ze allemaal op Beast-Watch stonden.' Wylie keek toe terwijl Rebus water op de noedels schonk. Hij gaf haar een lepel en ze roerden in hun bakje.

'Ben je nog naar Torphichen geweest?' vroeg hij.

'Ik heb gezegd dat je hier hulp nodig had.'

'De Rat had zeker een grapje over wát voor hulp?'

'Je kent agent Reynolds goed,' zei ze glimlachend. 'Tussen haakjes, er zitten een paar foto's uit Inverness in de mail.'

'Dat is snel.' Hij keek toe terwijl zij op het systeem inlogde. De foto's verschenen eerst als *thumbnails*, maar Wylie maakte ze groter.

'Het lijkt als twee druppels water op Auchterarder,' zei Rebus.

'Hij heeft ook een paar close-ups gemaakt,' zei Wylie, en bladerde erheen. Gerafelde kledingresten, maar niets wat er recent uitzag. 'Wat denk je?' vroeg ze.

'Ik zie niks interessants. Jij wel?'

'Nee.' Een van de telefoons ging over. Ze nam op en luisterde. 'Laat maar komen,' zei ze, en legde de hoorn erop. 'Ene Mungo,' legde ze uit. 'Zegt dat hij een afspraak heeft.'

'Meer een staande uitnodiging,' zei Rebus, en hij rook aan de wrap die hij net uit de verpakking had gehaald. 'Eens zien of hij van kip tikka houdt...'

Dat bleek zo te zijn, en in twee grote happen werkte Mungo hem naar binnen terwijl Rebus en Wylie de foto's bekeken.

'Je bent snel,' zei Rebus om hem te bedanken.

'Waar kijken we naar?' vroeg Ellen Wylie.

'Vrijdagavond,' legde Rebus uit. 'Diner op het kasteel.'

'De zelfmoord van Ben Webster?'

Hij knikte. 'Dat is hem,' zei hij, en tikte op een van de gezichten. Zoals beloofd had Mungo niet alleen zijn eigen kiekjes van de stoet auto's en hun passagiers meegenomen, maar ook de officiële groepsfoto's. Een hoop lachende mannen in dure pakken die de hand schudden van andere lachende mannen in dure pakken. Rebus herkende er maar een paar: de minister van Buitenlandse Zaken, de minister van Defensie, Ben Webster, Richard Pennen...

'Hoe kom je hieraan?' vroeg Rebus.

'Vrij beschikbaar voor de media. Gewone pr-foto's, politici zijn dol op dit soort gelegenheden.'

'Kun je voor mij ook een naam op de gezichten plakken?'

'Dat is een klus voor een bureauredacteur,' zei de fotograaf, terwijl hij het laatste stuk van de wrap wegslikte. 'Maar ik heb meegenomen wat ik kon vinden.' Hij stak zijn hand in zijn tas en haalde er een bundel papieren uit.

'Bedankt,' zei Rebus. 'Die heb ik waarschijnlijk al gezien...'

'Maar ik niet,' zei Wylie, en nam ze aan. Rebus was meer geïnteresseerd in de foto's van het diner.

'Ik wist niet dat Corbyn er ook bij was,' zei hij peinzend.

'Wie is dat dan?' vroeg Mungo.

'Onze gewaardeerde korpschef.'

Mungo keek naar de man die Rebus aanwees. 'Die is niet lang gebleven,' zei hij, zoekend in zijn eigen foto's. 'Hier zie je hem vertrekken. Ik was net aan het inpakken...'

'Hoe lang na het begin van het diner was dat?'

'Nog geen halfuur. Ik had staan wachten op eventuele laatkomers.'

Richard Pennen stond niet op de officiële foto's, maar Mungo had zijn auto wel gekiekt toen hij het terrein op reed. Pennen was er niet op bedacht en had zijn mond wijd open.

'Hier staat dat Ben Webster bemiddelde in de onderhandelingen voor een wapenstilstand in Sierra Leone,' kwam Ellen Wylie tussenbeide. 'Hij is ook in Irak geweest, en Afghanistan en Oost-Timor.'

'Heeft ie heel wat airmiles gespaard,' zei Mungo.

'En hij was dus avontuurlijk ingesteld,' voegde Ellen eraan toe, en ze sloeg een bladzij om. 'Ik wist niet dat zijn zus bij de politie zat.'

Rebus knikte. 'Ik heb haar een paar dagen geleden ontmoet.' Hij zweeg even. 'Morgen is de uitvaart, geloof ik. Ik zou haar nog bellen...' Hij keek weer naar de officiële foto's. Allemaal geposeerd, hij werd er niet veel wijzer van. Geen onderonsjes op de achtergrond; deze machtige mannen lieten alleen zien wat de wereld moest zien. Precies zoals Mungo zei: pr-foto's. Rebus pakte de telefoon en belde Mairie op haar mobiel.

'Zie je kans om even langs te komen op bureau Gayfield?' vroeg hij. Hij hoorde haar toetsenbord ratelen.

'Eerst dit even afmaken.'

'Halfuurtje?'

'Ik doe mijn best.'

'Je kunt er een Mars mee winnen.' Wylie trok een boos gezicht. Toen Rebus ophing zag hij dat ze de wikkel van de Mars openscheurde en een hap nam.

'Daar gaat mijn lokkertje,' zei Rebus.

'Ik laat de foto's wel hier,' zei Mungo, terwijl hij bloem van zijn vingers wreef. 'Je mag ze houden. Als je ze maar niet publiceert.'

'Het blijft onder ons,' beloofde Rebus. Hij legde foto's van enkele arriverende gasten naast elkaar. De meeste waren vaag omdat de auto's niet wilden stoppen voor de fotograaf. Maar een paar buitenlandse hoogwaardigheidsbekleders zaten wel te lachen, misschien blij met de aandacht.

'En wil je deze aan Siobhan geven?' voegde Mungo eraan toe. Hij gaf hem een grote envelop. Rebus knikte en vroeg wat het was. 'De demonstratie in Princes Street. Ze was geïnteresseerd in de vrouw aan de rand van de menigte. Ik heb wat uitvergrotingen gemaakt.'

Rebus opende de envelop. De jonge vrouw met vlechtjes hield een camera voor haar gezicht. Heette ze niet Santal? Sandelhout. Rebus vroeg zich af of Siobhan de naam had laten natrekken bij Operatie Sorbus. Ze leek zich helemaal te richten op haar taak, de mond strak van concentratie. Toegewijd; misschien een beroeps. Op andere foto's hield ze de camera even opzij en keek om zich heen. Alsof ze iets zocht. Ze had geen oog voor de rij ME-schilden. Was niet bang voor het afval dat door de lucht vloog. Niet opgewonden of onder de indruk.

Gewoon aan het werk.

'Ik geef ze door,' zei Rebus tegen Mungo, die zijn tas dicht-maakte. 'En bedankt. Ik sta bij je in het krijt.'

Mungo knikte langzaam. 'Misschien kun je me tippen als je een keer als eerste op een plaats delict bent?'

'Gebeurt niet vaak, knul,' waarschuwde Rebus. 'Maar ik zal eraan denken.'

Mungo gaf hun allebei een hand. Wylie keek hem na toen hij de kamer uitliep. 'Je zult aan hem denken?' herhaalde ze.

'Weet je wat de ellende is, Ellen? Op mijn leeftijd is je geheu-gen niet meer wat het geweest is.' Rebus pakte zijn noedels en merkte dat die ondertussen steenkoud waren.

Mairie Henderson hield woord en verscheen binnen een half-uur op het bureau, waar ze met een zuur gezicht naar de lege Marswikkel op het bureau keek.

'Niet mijn schuld,' zei Rebus met opgeheven handen.

'Dit vind je misschien wel aardig,' zei ze, en ze vouwde een print van de voorpagina van de volgende dag open. 'We boffen, er is verder geen groot nieuws.'

POLITIE ONDERZOEKT MOORDMYSTERIE G8. Met foto's van de Clootie Well en het Gleneagles Hotel. Rebus las het artikel niet.

'Wat zei je daarnet ook weer tegen Mungo?' zei Wylie plagend. Rebus ging er niet op in en pakte de foto's van de politici erbij.

'Kun jij me voorlichten?' vroeg hij Mairie. Ze haalde diep adem en begon de namen af te ratelen. Ministers uit tal van landen, van Zuid-Afrika tot China en Mexico. Meestal hadden ze Handel of Economische Zaken in hun portefeuille, en bij twijfel belde Mai-rie een van de deskundigen van de krant, die het haarfijn wist te vertellen.

'Dus we kunnen ervan uitgaan dat de gesprekken over handel gingen, of over ontwikkelingshulp?' vroeg Rebus. 'Wat deed Richard Pennen daar dan? Of onze minister van Defensie?'

'Ook in wapens kun je handelen,' legde Mairie uit.

'En onze hoofdcommissaris?'

Ze haalde haar schouders op. 'Waarschijnlijk uitgenodigd voor de aardigheid. Deze man...' Ze tikte op een van de hoofden. 'Dat is dé man van de genetische manipulatie. Ik heb hem wel eens op tv in de clinch zien liggen met milieubeschermers.'

'Verkopen we technieken voor genetische manipulatie aan

Mexico?' vroeg Rebus zich af. Mairie haalde haar schouders weer op.

'Denk je nou echt dat ze iets in de doofpot stoppen?'

'Waarom zouden ze?' vroeg Rebus, alsof haar vraag hem verbaasde.

'Omdat ze de macht hebben?' zei Ellen Wylie.

'Zo dom zijn die mannen niet. Pennen was daar niet de enige zakenman.' Mairie wees twee andere gezichten aan. 'Bank, luchtvaartmaatschappij.'

'De vips zijn als de gesmeerde bliksem afgevoerd,' zei Rebus, 'zodra Websters lijk was gevonden.'

'Dat zal wel de standaardprocedure zijn,' wierp Mairie tegen.

Rebus liet zich op een stoel vallen. 'Pennen wil niet dat we onze neus erin steken en Steelforth doet zijn uiterste best om me pootje te lichten. Wat maak je daaruit op?'

'Niks. Soms wil je gewoon elke vorm van publiciteit mijden... als je zaken doet met bepaalde landen bijvoorbeeld.'

'Ik mag die kerel wel,' zei Wylie, die de informatie over Webster bijna uit had. 'Jammer dat hij dood is.' Ze keek Rebus aan. 'Ga je naar de uitvaart?'

'Ik zit erover te denken.'

'Om Pennen en SO12 nog een beetje te stangen?' raadde Mairie.

'Uit respect,' zei Rebus. 'En om zijn zus te vertellen dat het onderzoek niet opschiet.' Hij had een van Mungo's close-ups in Princes Street gepakt. Mairie stond er ook naar te kijken.

'Ik hoor dat jullie je daar flink hebben uitgeleefd,' zei ze.

'Gewoon krachtig optreden,' zei Wylie, geïrriteerd.

'Een handjevol heethoofden tegenover hele horden ME'ers.'

'En wie stookt het vuurtje op met gratis publiciteit?' Wylie had wel zin in deze discussie.

'Jullie en je wapenstokken,' repliceerde Mairie. 'Als er niks te melden viel, zou je ons er niet over horen.'

'De waarheid kan anders aardig verdraaid worden...' Wylie merkte dat Rebus was afgehaakt. Hij zat ingespannen naar één bepaalde foto te kijken. 'John?' zei ze. Toen dat geen effect had, gaf ze hem een por. 'Wil je me even bijstaan?'

'Jij dopt je eigen boontjes wel, Ellen.'

'Wat is er?' vroeg Mairie, en ze keek over zijn schouder naar de foto. 'Het lijkt wel of je een spook hebt gezien.'

'In zekere zin,' zei Rebus. Hij pakte de telefoonhoorn, maar bedacht zich en legde hem er weer op. 'Morgen komt er weer een dag,' zei hij.

'Niet gewoon weer een dag, John,' wees Mairie hem terecht. 'Morgen begint het allemaal echt.'

'En laten we hopen dat Londen de Spelen niet krijgt,' voegde Wylie eraan toe. 'Want dan gaat het de komende eeuw alleen nog maar daarover.'

Rebus was opgestaan en leek een beetje afwezig. 'Tijd voor een biertje,' zei hij. 'Ik trakteer.'

'Ik dacht dat je het nooit zou vragen,' zuchtte Mairie. Wylie pakte haar jas en tas en ze liepen achter Rebus aan.

'Neem je die mee?' zei Mairie met een knikje in de richting van de foto die hij nog in zijn hand had. Hij keek ernaar en stopte hem in zijn zak. Klopte op zijn andere zakken en legde zijn hand op Mairies schouder.

'Ik moet eigenlijk even pinnen. Of kun jij het anders voorschieten?'

Later die avond liep Mairie Henderson haar huis in Murrayfield binnen. Ze had samen met haar vriend Allan de bovenste twee verdiepingen van een victoriaans herenhuis gekocht. Allan werkte als cameraman voor de tv, zodat ze hem toch al niet vaak zag, maar deze week was helemaal een ramp. Van een van de extra slaapkamers hadden ze haar werkkamer gemaakt, en daar liep ze meteen naartoe, terwijl ze haar jas over een stoel gooide. Op het koffietafeltje kon je geen kop kwijt, het was bedolven onder stapels kranten. Haar eigen knipselmappen namen een hele muur in beslag, en boven de computer hingen een paar journalistieke prijzen waar ze trots op was. Ze ging achter haar bureau zitten en vroeg zich af waarom ze zich in dit kleine, bedompte kamertje zo thuis voelde. De keuken was licht en ruim, maar daar zat ze niet vaak. De woonkamer werd volledig in beslag genomen door Allans stereo en home cinema-set. Dit kamertje – haar werkkamer – was van haar en van haar alleen. Ze keek naar de rekken met cassettes, interviews die ze had afgenomen: elke opname een heel leven. Cafferty's verhaal had achtenveertig uur aan opnamen opgeleverd, in totaal zo'n duizend uitgetikte pagina's. Het boek dat daaruit was voortgekomen had ze heel zorgvuldig samengesteld, ze vond dat ze daar een medaille voor verdiende. Niet dat ze die gekregen had. De boeken vlogen als warme broodjes over de toonbank maar dat leverde haar niets op, want ze had het geschreven tegen een vooraf vastgesteld honorarium. En Cafferty was degene die verscheen in de praatprogramma's op tv, die signeersessies hield en de festivals en feestjes in Londen afging. Vanaf de derde druk hadden ze zijn naam zelfs groter op het omslag gezet, en haar naam kleiner.

Het gore lef.

En als ze Cafferty tegenwoordig sprak, zat hij haar alleen maar te jennen met zijn ideeën voor een vervolg, en met hints dat hij daar misschien 'een andere broodschrijver' bij zou zoeken – omdat hij donders goed wist dat ze zich ditmaal niet zo gemakkelijk zou laten beduvelen. Hoe ging het ook weer? Een ezel stoot zich in 't gemeen...

De rotzak.

Ze keek of ze mail had en dacht even terug aan de borrel met Rebus. Ze was nog steeds kwaad op hem. Kwaad dat ze hem niet had mogen interviewen voor het boek over Cafferty. Zonder hem had ze alleen Cafferty's versie van al de gebeurtenissen die hij opdiste. Dus ja, ze was nog steeds kwaad op Rebus.

Omdat ze wist dat hij gelijk had met zijn weigering.

Haar collega's dachten dat ze met het boek was binnengelopen. Sommigen wilden niet meer met haar praten of belden niet terug. Jaloezie speelde daarbij ongetwijfeld een rol, maar ze dachten ook dat ze geen werk meer nodig had. De opdrachtenstroom verdampte langzaam. Ze moest schnabbelen wat ze kon en zat weer artikelen te schrijven over gemeenteraadsvergaderingen en liefdadigheidswerk – emotiejournalistiek die niets om het lijf had. Redacteuren waren verbaasd als ze zei dat ze werk nodig had...

We dachten dat jij binnengelopen was, na Cafferty...

Ze kon natuurlijk niet vertellen hoe het echt zat, dus loog ze dat ze bezig wilde blijven.

Binnengelopen...

Haar resterende presentexemplaren lagen onder de koffietafel. Ze deelde ze niet meer uit aan familie en kennissen. Daar was ze mee gestopt toen ze Cafferty in een praatprogramma had gezien, waar hij zat te dollen met de presentator en het publiek aan zijn voeten lag. Dat gaf haar een nare smaak in de mond. Maar toen ze aan Cafferty dacht, moest ze onwillekeurig ook denken aan Richard Pennen – aan hoe hij, met zijn tot in de puntjes verzorgde uiterlijk, iedereen de hand stond te schudden in Prestonfield House, omringd door jaknikkers. Rebus had wel een beetje gelijk wat dat diner in het kasteel betrof. Dat daar een wapenhandelaar aan tafel zat, was nog niet eens zo vreemd. Wel dat niemand het opgemerkt leek te hebben. Pennen had gezegd dat alles wat hij Ben Webster had gegeven, gemeld zou zijn bij de Rekenkamer. Dat had Mairie nagetrokken, en Webster leek inderdaad onkreukbaar te zijn. Maar Pennen had al geweten dat ze het zou natrekken, bedacht ze. Hij wílde juist dat ze zich in Webster zou verdiepen. Waarom? Omdat hij wist dat ze daar toch niets zou vinden? Of om de reputatie van de overledene door het slijk te halen?

Ik mag die kerel wel, had Ellen Wylie gezegd. Ja, een paar korte gesprekken met parlementaire insiders waren genoeg geweest om een zekere sympathie voor Webster te gaan voelen. Wat haar wantrouwen jegens Pennen alleen maar had aangewakkerd. Ze haalde een glas kraanwater in de keuken en ging weer achter de computer zitten.

Ze besloot van voren af aan te beginnen.

Ze tikte de naam van Richard Pennen in de eerste van een hele reeks zoekmachines in.

15

Rebus was nog maar drie passen van zijn buitendeur verwijderd toen iemand zijn naam riep. In zijn jaszak balden zijn handen zich tot vuisten. Hij draaide zich om en keek Cafferty aan.

'Wat moet jij nou weer?'

Cafferty wapperde met een hand voor zijn neus. 'Ik ruik de drank helemaal hier.'

'Ik drink om mensen zoals jij te vergeten.'

'Dat was dan weggegooid geld vanavond.' Cafferty knikte in de richting van zijn auto. 'Ik wil je iets laten zien.'

Rebus bleef even staan, maar zijn nieuwsgierigheid kreeg de overhand. Cafferty deed zijn Bentley van het slot en gebaarde dat Rebus moest instappen. Rebus opende het portier en stak zijn hoofd naar binnen.

'Waar gaan we heen?'

'Niet naar een afgelegen plek, als je daar soms bang voor bent. Het zal er eerder afgeladen vol zitten.'

De motor kwam grommend tot leven. Rebus had twee bier en twee whisky's achter de kiezen, hij wist dat hij niet op zijn scherpst was.

Toch stapte hij in.

Cafferty bood hem kauwgum aan en Rebus pakte een strip uit.

'Hoe gaat het met mijn onderzoek?' vroeg Cafferty.

'Gaat prima zonder jouw hulp.'

'Als je maar niet vergeet hoe je op het juiste spoor bent gekomen.' Cafferty glimlachte even. Ze reden in oostelijke richting door Marchmont. 'Hoe gaat het met Siobhan?'

'Prima.'

'Heeft ze je niet in de steek gelaten?'

Rebus staarde naar Cafferty's profiel. 'Hoe bedoel je?'

'Ik hoorde dat ze zich een beetje drukt.'

'Zit je ons te bespioneren?'

Cafferty glimlachte alleen maar. Rebus merkte dat zijn handen op zijn schoot nog steeds tot vuisten waren gebald. Eén ruk aan het stuur en hij kon de Bentley tegen een muur laten knallen. Of zijn handen om Cafferty's dikke nek leggen en knijpen...

'Zit je op boze plannetjes te broeden, Rebus?' raadde Cafferty. 'Ik ben een belastingbetaler, hoor. Hoogste schijf ook nog. Eigenlijk ben ik jouw werkgever.'

'Geeft je zeker een warm gevoel vanbinnen?'

'Absoluut. Dat parlementslid dat van de borstwering is gesprongen... zit daar al een beetje schot in?'

'Wat kan jou dat schelen?'

'Niks.' Cafferty liet een korte stilte vallen. 'Maar ik ken Richard Pennen toevallig.' Hij keek naar Rebus, tevreden met het zichtbare effect dat zijn woorden sorteerden. 'Paar keer ontmoet,' ging hij verder.

'Zeg alsjeblieft dat hij je een partij dubieuze wapens probeerde aan te smeren.'

Cafferty lachte. 'Hij heeft aandelen in het concern dat mijn boek heeft uitgegeven. Hij was aanwezig bij de presentatie. Jammer dat jij niet kon, trouwens.'

'De uitnodiging kwam van pas toen mijn pleepapier op was.'

'Daarna heb ik met hem geluncht toen de eerste vijftigduizend exemplaren waren verkocht. Privékamertje in de Ivy. Dat is een tent in Londen...' Hij keek weer naar Rebus. 'Ik heb erover gedacht om daar te gaan wonen. Ik had er vroeger veel vrienden. Zakenpartners.'

'De lui die door Steelforth achter de tralies zijn gestopt?' Rebus dacht even na. 'Waarom heb je niet gezegd dat je Pennen ook kende?'

'Er moet toch iets te raden overblijven tussen ons,' zei Cafferty met een glimlach. 'Ik heb trouwens navraag gedaan naar je vriend Jacko. Heeft niks opgeleverd. Weet je zeker dat-ie van de politie is?'

Rebus antwoordde met een wedervraag. 'En wie betaalt Steelforths kamer in het Balmoral?'

'Jouw eigen korps.'

'Gul van ons.'

'Jij geeft nooit op, hè.'

'Waarom zou ik?'

'Omdat je sommige dingen van je af moet zetten. "Het verleden is een ander land." Dat zei Mairie tegen me toen we aan het boek werkten.'

'Ik ben net wat met haar wezen drinken.'

'En geen cassis, zo te ruiken.'

'Het is geen verkeerde meid. Alleen jammer dat je haar in de tang hebt.'

Ze reden Dalkeith Road af en Cafferty sloeg links af. Richting Craigmillar en Niddrie dus. Of anders naar de A1 ten zuiden van de stad...

'Waar gaan we heen?' vroeg Rebus weer.

'We zijn er bijna. En Mairie is groot genoeg om op zichzelf te passen, hoor.'

'Vertelt ze alles door?'

'Dat denk ik niet, maar ik blijf haar wel alles vragen. Wat Mairie nodig heeft is nog een bestseller, weet je. Ditmaal zou ze het niet voor een vast bedrag doen maar royalty's eisen. Dus ik maak haar steeds lekker met verhalen die het boek niet hebben gehaald... Ze moet me te vriend houden.'

'Knap stom van haar.'

'Grappig,' ging Cafferty door. 'Nu we het over Richard Pennen hebben, moet ik ineens ook denken aan een paar verhalen over hém. Niet dat jij die wil horen natuurlijk.' Hij begon weer te grinniken, zijn gezicht werd van onderaf belicht door het dashboard. Vage vlekken en schaduwen, het leek wel een ontwerp voor een grijnzende waterspuwer.

Ik ben in de hel, dacht Rebus. Zo gaat het als je sterft en wordt meegenomen naar beneden. Dan krijg je je eigen persoonlijke duivel...

'De verlossing is nabij!' riep Cafferty ineens, en met een harde zwiep aan het stuur liet hij de Bentley een toegangshek in zwenken. De kiezels spatten omhoog. Het was een zaal, binnen brandde licht. Een zaal van een parochiehuis.

'Tijd om het kwaad dat drank heet af te zweren,' treiterde Cafferty, en hij zette de motor uit en duwde zijn portier open. Maar op een bord bij de ingang las Rebus dat dit een openbare bijeenkomst was, een onderdeel van het alternatieve G8-programma: 'GEMEENSCHAPPEN IN ACTIE: HOE BEZWEREN WE DE CRISIS?' Gratis toegang voor studenten en mensen zonder werk.

'Zonder zeep, zullen ze bedoelen,' mompelde Cafferty toen hij de man met de baard zag die met een plastic emmertje bij de ingang stond. Hij had lang krulhaar, droeg een ziekenfondsbril en schudde met de emmer in hun richting. Er zat muntgeld in, maar niet veel. Met een theatraal gebaar trok Cafferty zijn portemonnee en haalde er een briefje van vijftig uit.

'Ik mag hopen dat het naar een goed doel gaat,' waarschuwde hij de man. Rebus volgde hem naar binnen en gebaarde dat Cafferty's bijdrage voor hen beiden was.

Achterin waren nog drie of vier rijen met lege stoelen, maar Cafferty besloot te blijven staan, met de benen gespreid en de armen over elkaar. Het was druk in de zaal, maar het publiek leek zich te vervelen of was misschien in gedachten verzonken. Op het podium zaten achter een tafel vier mannen en twee vrouwen, die het moesten doen met één microfoon die vooral veel gekraak produceerde. Achter hen hingen spandoeken met de teksten CRAIG-MILLAR HEET G8-DEMONSTRANTEN WELKOM en ONZE BUURT STAAT STERK ALS WE MET ÉÉN STEM SPREKEN. De ene stem die op dat moment sprak, was die van gemeenteraadslid Gareth Tench.

'Je kunt zeggen: geef ons de middelen en wij doen het werk wel,' baste hij. 'Maar dan moet dat werk er wel zijn! We hebben harde maatregelen nodig om het leven in onze wijken te verbeteren, en dat is waar ik op mijn eigen bescheiden manier aan werk.'

Niets bescheidens aan zijn presentatie. In een zaal van deze omvang had iemand als Tench eigenlijk geen microfoon nodig.

'Hij is verliefd op zijn eigen stem,' zei Cafferty droog. Daar gaf Rebus hem gelijk in. Zo was het al geweest toen hij Tench zag preken op de Mound. Hij stond daar niet te roepen om gehoord te worden; hij stond te roepen omdat zijn stemgeluid zijn eigen belang in de wereld onderstreepte.

'Maar vrienden... kameraden...' ging Tench zonder adempauze door. 'We zien onszelf allemaal als tandwieltjes in het grote politieke raderwerk. Hoe kunnen we onszelf laten horen? Hoe kunnen we een verschil maken? Denk er eens over na. De auto's en bussen waarin u vanavond hierheen bent gekomen... haal één tandwieltje uit de motor en het hele raderwerk staat stil. Omdat elk onderdeel even belangrijk is, evenveel waarde heeft... en dat geldt evengoed voor het menselijk leven als voor die rijdende filefabrieken.' Hij zweeg lang genoeg om te glimlachen om zijn eigen grap.

'Verwaande kloothommel,' mompelde Cafferty. 'Die man is zo dol op zichzelf, hij wou dat hij zichzelf kon pijpen.'

Rebus had geen verweer tegen de schaterlach die hem plots ontsnapte. Hij probeerde het nog te vermommen als een hoestbui, maar tevergeefs. Een paar mensen in de zaal hadden zich omgedraaid in hun stoel om te zien waar de commotie vandaan kwam. Zelfs Tench was even verstomd. Wat hij vanaf het podium zag, was Morris Gerald Cafferty die inspecteur John Rebus op de rug klopte. Rebus wist dat hij was herkend, ook al hield hij zijn hand voor zijn mond en neus. Tench was even van zijn stuk gebracht en deed wel zijn best om de draad van zijn toespraak weer op te pakken, maar iets van de kracht was er toch uit weggevloeid. Hij gaf de microfoon aan de vrouw naast hem, die wakker schrok uit haar trance en met een monotone dreun begon voor te lezen uit de dikke stapel aantekeningen die ze voor zich had.

Cafferty liep voor Rebus langs naar buiten. Rebus wachtte even en ging toen achter hem aan. Cafferty liep te ijsberen op de parkeerplaats. Rebus stak een sigaret op en wachtte tot zijn aartsvijand voor hem kwam staan.

'Ik begrijp het nog steeds niet,' gaf Rebus toe, en hij tikte de as van zijn sigaret.

Cafferty haalde zijn schouders op. 'En dat moet een rechercheur voorstellen.'

'Een aanwijzing of twee zou helpen.'

Cafferty strekte zijn armen zijwaarts. 'Dit is zijn territorium, Rebus, zijn koninkrijkje. Maar het begint te jeuken, hij wil uitbreiden.'

'Tench bedoel je?' Rebus kneep zijn ogen half dicht. 'Wil je zeggen dat hij degene is die jouw territorium binnendringt?'

'Onze hagenprediker in eigen persoon.' Om zijn bewering kracht bij te zetten liet Cafferty zijn handen op zijn dijen vallen.

'Ik begrijp het nog steeds niet.'

Cafferty keek Rebus kwaad aan. 'Hij schuift mij met het grootste gemak opzij, omdat hij overtuigd is van zijn morele gelijk. Door het kwaad eigenhandig aan te lijnen, zet hij het in voor goede zaken.' Cafferty zuchtte. 'Soms denk ik wel eens dat de halve wereld zo werkt. Het is niet de onderwereld waar je voor moet uitkijken, maar de bovenwereld. Types als Tench.'

'Het is maar een raadslid,' zei Rebus. 'Zal ie zich een enkele keer wat smeergeld laten toeschuiven...'

Cafferty schudde zijn hoofd. 'Hij wil mácht, Rebus. Hij wil de touwtjes in handen hebben. Je ziet toch hoe hij geniet van zo'n toespraak? Hoe sterker hij is, hoe meer hij kan oreren. En hoe meer gehoor hij vindt.'

'Laat je trawanten hem dan inpeperen dat je daar niet van gediend bent.'

Cafferty's ogen boorden zich in de zijne. 'Weet je niks beters?'

Rebus haalde zijn schouders op. 'Dit gaat tussen jou en hem.'

'Je bent me wel iets schuldig...'

'Ik ben je geen ene moer schuldig. Als hij jou vleugellam kan maken, wens ik hem veel succes.' Rebus mikte zijn peuk op de grond en trapte hem draaiend uit met zijn voet.

'Weet je dat zeker?' vroeg Cafferty kalm. 'Weet je zeker dat je liever hebt dat hij aan de touwtjes trekt? Man van het volk... met politieke macht? Denk je dat hij een makkelijker prooi is dan ik? Maar ach, jij gaat toch bijna met pensioen, dus laat Siobhan zich daar maar om bekommeren. Wat zeggen ze ook weer?' Cafferty keek schuin omhoog, alsof de woorden daar ergens geschreven stonden. ' "Beter de duivel die je kent..." ' declameerde hij.

Rebus sloeg zijn armen over elkaar. 'Je hebt me hier niet mee naartoe gesleept om me Gareth Tench te laten zien,' zei hij. 'Je wou míj aan hém laten zien. Wij tweeën naast elkaar, terwijl jij me op de rug klopt... Zal een fraai tafereel zijn geweest. Je wilt hem de indruk geven dat ik naar je pijpen dans. En met mij de hele recherche.'

Cafferty probeerde gekwetst te kijken. 'Je overschat me, Rebus.'

'Dat betwijfel ik. Je had je verhaal ook in Arden Street kunnen doen.'

'Maar dan had je de voorstelling gemist.'

'Ja, en Tench ook. Vertel eens hoe hij zijn overname moet financieren? En welk leger brengt ie daarvoor mee?'

Cafferty strekte zijn armen weer en draaide om zijn as. 'Deze hele wijk is van hem. Slecht en goed tezamen.'

'En het geld?'

'Dat praat hij wel los, Rebus. Praten kan ie als de beste.'

'Ik ben niet op mijn mondje gevallen, dat is waar.' Ze draaiden zich om en zagen Gareth Tench in de deuropening staan, met het licht dat van achteren op hem viel. 'En ik ben niet zo snel bang, Cafferty. Niet voor jou en niet voor je vrienden.' Rebus wilde protesteren, maar Tench was nog niet klaar. 'Ik veeg deze wijk schoon, en dat kan ik ook met de hele stad doen. En als je politievriendjes je niet buitenspel zetten, zullen de burgers het moeten doen.'

In de deuropening achter Tench zag Rebus twee kleerkasten staan.

'Kom mee,' zei hij tegen Cafferty. Het laatste wat hij wilde was Cafferty te hulp schieten als hij in elkaar werd geslagen.

Hij wist dat hij wel tussenbeide zou móéten komen.

Hij had zijn hand op Cafferty's arm gelegd. De gangster schudde hem af.

'Ik heb nog nooit een gevecht verloren,' waarschuwde hij

Tench. 'Bedenk dat goed voordat je begint.'

'Ik hoef helemaal niks te doen,' zei Tench. 'Je hele keizerrijk verbrokkelt onder je handen. Het wordt tijd dat je dat inziet. Heb je moeite om portiers voor je clubs te vinden? En huurders voor die krotten die je verhuurt? Komt je taxibedrijf wat chauffeurs tekort?' Er gleed een glimlach over Tench' gezicht. 'De schemering valt, Cafferty. De nacht wordt lang en zwart...'

Cafferty wilde hem aanvliegen. Rebus hield hem tegen en Tench' mannen kwamen de deur al uit. Rebus draaide Cafferty om en duwde hem in de richting van de Bentley.

'Instappen en rijden,' beval hij.

'Nooit een gevecht verloren!' Cafferty was woest, hij liep rood aan. Maar hij rukte het portier open en liet zich achter het stuur vallen. Rebus liep om de auto heen en keek achterom naar de deuropening. Tench wuifde triomfantelijk. Rebus wilde iets zeggen, al was het maar om te laten weten dat hij geen stroman van Cafferty was, maar het raadslid draaide zich al om en liet zijn handlangers toezien op hun vertrek.

'Ik ruk zijn ogen uit zijn kop en laat 'm ze opzuigen als toverballen,' raasde Cafferty. Het speeksel vloog tegen de voorruit. 'En als hij harde maatregelen voor verbetering wil, giet ik hem wel eigenhandig in het beton. Dát noem ik nog eens verbetering van het leven in de wijk!'

Cafferty viel stil zodra ze het parkeerterrein verlieten, maar hij bleef snel en luidruchtig ademhalen. Ten slotte keek hij naar zijn passagier. 'Ik zweer het je, als ik die klootzak in m'n vingers krijg...' Zijn handen omklemden het stuur zo stevig dat de knokkels wit waren weggetrokken.

'Maar als je iets zegt,' dreunde Rebus op, 'wat tegen je gebruikt kan worden...'

'Ze kunnen me nooit veroordelen.' Cafferty liet een harde, overslaande lach horen. 'Wat er dan van hem overblijft, kunnen ze met een theelepeltje opscheppen.'

'Maar als je iets zegt...' begon Rebus weer.

'Drie jaar geleden is het begonnen,' zei Cafferty, en hij probeerde rustiger te ademen. 'Gokvergunningen geweigerd, drankvergunningen geweigerd... Ik wou met m'n taxibedrijf een filiaal in zijn wijk openen, een paar buurtbewoners uit de bijstand halen. Elke keer kreeg ik dankzij hem nul op het rekest bij de gemeente.'

'Dus het is niet dat je eindelijk eens iemand hebt ontmoet die het tegen je op durft te nemen?'

Cafferty wierp een blik op Rebus. 'Ik dacht dat dat jóúw baan was?'

'Misschien.'

De stilte die volgde, werd uiteindelijk doorbroken door Cafferty. 'Ik moet een borrel hebben,' zei hij, en likte aan zijn lippen. Er zaten witte schuimvlekjes in zijn mondhoeken.

'Goed idee,' zei Rebus. 'Misschien drink je dan net als ik om te vergeten...'

De rest van de rit zwegen ze en zat Rebus hem te observeren. De man had moorden gepleegd en was ermee weggekomen – waarschijnlijk vaker dan Rebus wist. Hij had slachtoffers aan de varkens op een boerderij in de Borders gevoerd. Hij had ontelbare levens verwoest, viermaal in de gevangenis gezeten. Al sinds zijn tienerjaren was hij een beest, opgeleid als krachtpatser voor de Londense maffiosi...

Waarom had Rebus dan medelijden met hem?

'Ik heb thuis een dertig jaar oude malt staan,' zei Cafferty. 'Smaakt naar suikerstroop, heide en gesmolten boter...'

'Zet me af in Marchmont,' zei Rebus.

'En die borrel?'

Maar Rebus schudde zijn hoofd. 'Ik moest er toch mee stoppen?'

Cafferty snoof schamper, maar zei niets. Rebus voelde dat de gangster hoopte dat hij van gedachten zou veranderen. Hij wou samen met hem drinken, met een borrel tegenover elkaar aan tafel terwijl de nacht op kousenvoeten om hen heen sloop.

Maar Cafferty drong niet aan. Aandringen zou smeken zijn.

En smeken deed hij niet.

Nog niet.

Wat Cafferty vreesde, bedacht Rebus, was verlies van macht. Tirannen en politici zijn allebei voor hetzelfde bang, of ze nou behoren tot de onder- of de bovenwereld. Ooit komt de dag dat niemand meer naar ze luistert, dat hun bevelen worden genegeerd en hun reputatie keldert. Nieuwe uitdagingen, nieuwe rivalen en nieuwe kapers op de kust. Cafferty bezat waarschijnlijk miljoenen, maar een hele vloot dure sleeën woog niet op tegen status en respect.

Edinburgh was een kleine stad. Kon grotendeels door één man worden geregeerd. Tench of Cafferty? Cafferty of Tench?

Rebus vroeg zich onwillekeurig af of hij ooit een keuze zou moeten maken.

De bovenwereld.

Stuk voor stuk, van de G8-leiders tot Pennen en Steelforth, allemaal werden ze gedreven door machtshonger. Een hiërarchie die het leven van elk mens op aarde bepaalt. Rebus stond er nog over te mijmeren terwijl hij de wegrijdende Bentley nakeek. Tot hij ineens de schim bij zijn voordeur gewaarwerd. Hij balde zijn vuisten, bedacht op een tweede bezoekje van Jacko en zijn maten. Maar het was niet Jacko die uit de schaduw kwam. Het was Hackman.

'Goeienavond samen,' zei hij.

'Ik had je bijna een oplawaai verkocht,' zei Rebus, en zijn schouders ontspanden zich. 'Hoe heb je me in hemelsnaam gevonden?'

'Paar telefoontjes was genoeg. Heel behulpzaam, de politie hier. Maar ik moet zeggen dat ik niet had gedacht dat je in zo'n straat zou wonen.'

'Waar moet ik dan wonen?'

'Yuppenflatje bij de haven,' zei Hackman.

'O ja?'

'Met een blond mokkeltje om ontbijt voor je te maken in de weekenden.'

'Alleen in het weekend?' Rebus kon een glimlach niet bedwingen.

'Meer tijd heb je niet voor haar. De ouwe motor even goed doorsmeren en dan weer aan het werk.'

'Je hebt er goed over nagedacht. Maar nu weet ik nog niet wat je hier op dit uur komt doen.'

'Er schoten me een paar dingen te binnen over Trevor Guest.'

'En die vertel je me in ruil voor een borrel?' raadde Rebus.

Hackman knikte. 'Maar wel met een optredentje erbij.'

'Een optreden?'

'Wijven!'

'Dat meen je niet...'

Maar Rebus zag aan Hackmans gezicht dat hij het maar al te serieus meende.

Ze namen op Marchmont Road een taxi en reden naar Bread Street. De chauffeur glimlachte even in de achteruitkijkspiegel: twee mannen van middelbare leeftijd met een paar borrels achter de kiezen, op weg naar de vleesmarkt.

'Vertel eens,' zei Rebus.

'Wat?' vroeg Hackman.

'Over Trevor Guest.'

Maar Hackman zwaaide vermanend met een vinger. 'Als ik het nu al vertel, wat weerhoudt jou er dan van om me te laten stikken?'

'Mijn woord als gentleman?' opperde Rebus. Hij vond het vanavond welletjes geweest; geen sprake van dat hij een rondje langs de lapdancetenten op Lothian Road ging maken. Hij wilde de informatie, dan zette hij Hackman wel af en wees hem waar hij moest zijn.

'De hippies vertrekken morgen weer,' zei de Engelsman. 'Met bussen vol naar Gleneagles.'

'En jij?'

Hackman haalde zijn schouders op. 'Ik doe wat me opgedragen wordt.'

'En ik draag je op om me te vertellen wat je over Guest weet.'

'Goed dan... als je belooft dat je er niet vandoor gaat zodra de taxi stopt.'

'Erewoord.'

Hackman leunde achterover op de bank. 'Trevor Guest was nogal een opgewonden standje, hij maakte veel vijanden. Hij is een tijdje naar Londen gegaan, maar dat is nooit wat geworden. Opgelicht door een of ander wijf... sinds die tijd had hij een hekel aan vrouwen. Je zei toch dat hij op een website stond?'

'BeastWatch.'

'Enig idee wie hem erop heeft gezet?'

'Dat gebeurde anoniem.'

'Maar Trev was in feite een inbreker... een inbreker met een kort lontje, daarom vloog ie de bak in.'

'Dus?'

'Wie heeft hem op die website gezet, en waarom?'

'Zeg jij het maar.'

Hackman haalde zijn schouders op en hield zich vast aan het portier omdat de taxi een scherpe bocht maakte. 'Nog een verhaal,' zei hij, en hij keek of Rebus wel luisterde. 'Toen Trev naar Londen vertrok, ging het gerucht dat hij een aardige lading drugs meenam. Misschien zelfs smack.'

'Was hij verslaafd?'

'Hij gebruikte af en toe. Ik geloof niet dat hij spoot... tot de avond van zijn dood dan.'

'Heeft hij iemand geript?'

'Zou kunnen. Weet je... ik vraag me af of je ergens een verband over het hoofd ziet.'

'Wat voor verband dan?'

'Kleine jongens die het te hoog in de bol krijgen, of die de verkeerde persoon bedonderen.'

Rebus dacht na. 'Het slachtoffer uit Edinburgh werkte voor onze grootste gangster.'

Hackman klapte in zijn handen. 'Daar heb je het al.'

'En Eddie Isley kan natuurlijk...' Maar hij brak zijn zin af, hij was niet overtuigd. De taxi stopte en de chauffeur zei dat het vijf pond was. Rebus zag dat ze bij de Nook stonden, een van de nettere lapdancebars van de stad. Hackman was uit de auto gesprongen en betaalde de chauffeur door het raampje – hét kenmerk van de toerist; wie hier woonde, betaalde vanaf de achterbank. Rebus overwoog wat hij zou doen: in de taxi blijven zitten of uitstappen en tegen Hackman zeggen dat hij naar huis ging.

Het portier stond nog open en Hackman gebaarde ongeduldig.

Rebus stapte uit, en net op dat moment werd de deur van de Nook opengegooid en wankelde er een man uit het donkere deurgat. Gevolgd door de twee portiers.

'Maar ik heb haar niet aangeraakt!' protesteerde de man. Hij was lang, goedgekleed en zwart. Rebus meende het blauwe pak te herkennen.

'Vuile leugenaar!' riep een van de portiers, en hij prikte met zijn vinger in de borst van de klant.

'Ze heeft me bestolen,' protesteerde de man in pak. 'Ze probeerde mijn portemonnee uit mijn jas te vissen. Pas toen ik haar tegenhield begon ze te klagen.'

'Alweer een leugen,' snauwde de portier.

Hackman had Rebus een por gegeven. 'Jij weet de goeie tenten wel te vinden, John.' Maar hij leek tevreden. De andere portier stond in een microfoontje aan zijn pols te praten.

'Ze probeerde mijn portemonnee te pakken,' hield de man aan.

'Ze heeft je dus niet bestolen?'

'Als ze de kans had gekregen, had ze zeker –'

'Heeft ze je bestolen? Daarnet zwoer je nog dat ze je heeft bestolen. Ik heb getuigen.' De portier keek naar Rebus en Hackman. De klant draaide zich om en herkende Rebus meteen.

'Vriend, ziet u in wat voor situatie ik verkeer?'

'Min of meer,' moest Rebus toegeven. De man in pak schudde zijn hand.

'We hebben elkaar gezien in het hotel, nietwaar? Bij die heerlijke lunch van mijn goede vriend Richard Pennen.'

'Ik was niet bij de lunch,' hielp Rebus hem herinneren. 'We

hebben elkaar gesproken in de hal.'

'Jij komt nog eens ergens, John,' grinnikte Hackman, en hij gaf Rebus weer een por.

'Dit is een uiterst ongelukkige en ernstige situatie,' zei de man in het pak. 'Ik had dorst, en betrad wat ik aanzag voor een soort taveerne –'

De portiers snoven schamper. 'Ja hoor,' zei de portier die zich het meest opwond. 'Toen we zeiden wat het entreegeld was...'

Zelfs Hackman moest lachen. Maar hij stopte toen de deur weer openzwaaide. Er kwam een vrouw naar buiten. Duidelijk een van de danseressen, slechts gekleed in beha, string en hoge hakken. Het haar hoog opgestoken en te zwaar opgemaakt.

'Zegt ie dat ik hem bestolen heb?' brieste ze. Hackman zag eruit als een klein kind dat vooraan zat in het circus.

'Wij regelen het wel,' zei de opgewonden portier, en hij wierp een boze blik op zijn collega, die deze informatie blijkbaar naar binnen had doorgespeeld.

'Ik krijg nog vijftig pond van hem voor mijn dans!' riep de vrouw. Ze stak haar hand uit. 'En dan begint hij ineens aan me te zitten. Dat-ie z'n poten thuishoudt...'

Er reed een surveillanceauto langs, de agenten keken naar het tafereel. Rebus zag de remlichten opgloeien en wist dat ze zouden omkeren.

'Ik ben diplomaat,' zei de man in pak. 'Ik heb recht op bescherming tegen valse aantijgingen.'

'Die vent heeft een woordenboek ingeslikt,' zei Hackman lachend.

'Diplomatieke onschendbaarheid,' vervolgde de man, 'als lid van de Keniaanse delegatie...'

De politieauto was gestopt, de agenten stapten uit en zetten hun pet recht.

'Wat is hier aan de hand?' vroeg de chauffeur.

'We wijzen deze heer even de deur,' zei de inmiddels gekalmeerde portier.

'Ik ben met harde hand verwijderd!' protesteerde de Keniaan. 'En ook bijna beroofd van mijn geld!'

'Rustig aan, meneer. Laten we dit even rustig uitzoeken.' Hij draaide zich om naar Rebus, bij wie hij uit zijn ooghoek een beweging had bespeurd.

Rebus drukte hem zijn legitimatie onder de neus.

'Neem deze twee mee naar het dichtstbijzijnde bureau,' zei Rebus.

'Dat is nergens voor nodig,' begon de portier.

'Wil je ook mee, vriend?' vroeg Rebus, en dat legde de man het zwijgen op.

'Welk bureau is dat dan?' vroeg de agent.

Rebus staarde hem aan. 'Waar kom jij vandaan?'

'Hull.'

Rebus zuchtte geïrriteerd. 'West End,' zei hij. 'Torphichen Place.'

De agent knikte. 'Bij de Haymarket, hè?'

'Inderdaad,' bevestigde Rebus.

'Diplomatieke onschendbaarheid,' zei de Keniaan nog eens nadrukkelijk. Rebus wendde zich tot hem.

'We moeten de geëigende procedure doorlopen,' zei hij, zoekend naar woorden die lang genoeg waren om de man tevreden te stellen.

'Mij heb je niet nodig,' zei de vrouw, en ze wees naar haar ampele boezem. Rebus durfde Hackman niet aan te kijken, bang dat die stond te kwijlen.

'Helaas wel,' zei Rebus, en hij gebaarde naar de agent. Klant en danseres werden naar de politieauto gevoerd.

'Eén voorin, één achterin,' zei de chauffeur tegen zijn partner. De danseres keek Rebus aan terwijl ze op haar hoge hakken langs hem klikklakte.

'Wacht even,' zei hij, en hij trok zijn colbert uit en hing het over haar schouders. Toen draaide hij zich om naar Hackman. 'Ik moet even mee,' legde hij uit.

'Je denkt zeker dat je sjans hebt?' zei Hackman met een vette knipoog.

'Ik wil geen diplomatiek incident creëren,' corrigeerde Rebus. 'Red jij je wel?'

'Reken maar,' zei Hackman, en hij gaf Rebus een klap op zijn rug. 'Mijn vrienden hier,' zei hij, en hij verhief zijn stem ten behoeve van de portiers, 'zullen van een politieman toch geen entreegeld vragen.'

'Eén waarschuwing, Stan,' zei Rebus.

'Wat?'

'Hou je handjes thuis...'

De rechercheafdeling was uitgestorven, geen spoor van Reynolds de Rat of Shug Davidson. Geen probleem dus om de twee verhoorkamers in beslag te nemen. Geen probleem om twee overuren draaiende agenten in uniform voor kinderoppas te laten spelen.

'Blij dat we wat te doen krijgen,' zei een van de twee.

Eerst de danseres. Rebus bracht haar een plastic bekertje thee. 'Ik weet zelfs nog hoe je het drinkt,' zei hij tegen haar. Molly Clark zat met de armen over elkaar en nog steeds gekleed in weinig meer dan zijn colbert. Ze schuifelde met haar voeten en maakte een paar nerveuze grimassen.

'U had me wel even kunnen laten omkleden,' klaagde ze, en haalde luidruchtig haar neus op.

'Bang dat je kouvat? Maak je geen zorgen, over vijf minuten laat ik je terugbrengen.'

Ze keek hem aan. Opvallende eyeliner, te veel rouge op haar wangen. 'Moet u geen proces-verbaal opmaken?'

'Waarvoor? Onze vriend gaat er geen werk van maken, neem dat van mij aan.'

'Ik zou aangifte moeten doen tegen hém!'

'Wat je wil, Molly.' Rebus bood haar een sigaret aan.

'Daar staat "niet roken",' wees ze hem terecht.

'Verdomd,' zei hij, en stak er een op.

Ze aarzelde nog even. 'Oké dan.' Ze nam de sigaret van hem aan en leunde over de tafel heen zodat hij hem kon aansteken. Hij wist dat zijn colbert nog wekenlang naar haar parfum zou ruiken. Ze inhaleerde en hield de rook diep in haar longen vast.

'Toen we zondag bij jullie waren,' begon Rebus, 'vertelde Eric niet hoe jullie elkaar ontmoet hadden. Ik denk dat ik dat nu wel weet.'

'Knap van u.' Ze keek naar het gloeiende uiteinde van haar sigaret. Haar lichaam wiegde een beetje heen en weer, en Rebus realiseerde zich dat ze met één knie op en neer zat te wippen.

'Hij weet dus wat je voor de kost doet?' vroeg Rebus.

'Gaat u dat iets aan?'

'Niet echt.'

'Nou dan.' Nog een trek van haar sigaret, alsof het voedsel was. De rook walmde Rebus in het gezicht. 'Eric en ik hebben geen geheimen voor elkaar.'

'Prima dan.'

Eindelijk keek ze hem aan. 'Hij zat écht aan me. En dat gelul dat ik zijn portemonnee wou pakken...' Ze snoof verachtelijk. 'Andere cultuur, zelfde gezeik.' Ze kalmeerde een beetje. 'Daarom betekent Eric zoveel voor me.'

Rebus knikte dat hij het begreep. 'Het is onze Keniaanse vriend die in de nesten zit, jij niet,' verzekerde hij haar.

'Echt?' Weer die brede glimlach, dezelfde als zondag. De hele treurige kamer leek even op te fleuren.

'Eric boft maar.'

'U boft maar,' zei Rebus tegen de Keniaan. Verhoorkamer 2, tien minuten later. De Nook stuurde een auto om Molly op te halen – een auto en wat kleren. Ze had beloofd om Rebus' jasje achter te laten bij de balie.

'Ik ben Joseph Kamweze en ik geniet diplomatieke onschendbaarheid.'

'Dan wil je me vast je paspoort wel laten zien, Joseph.' Rebus stak zijn hand uit. 'Want dan heb je een diplomatenpaspoort.'

'Dat heb ik niet bij me.'

'Waar verblijf je?'

'In het Balmoral.'

'Wat een verrassing. Kamer betaald door Pennen Industries?'

'Meneer Pennen is een vriend van mijn land.'

Rebus leunde achterover in zijn stoel. 'Hoe dat zo?'

'Op het gebied van handel en humanitaire hulp.'

'Hij stopt microchips in wapens.'

'Ik zie het verband niet.'

'Wat kom je in Edinburgh doen, Joseph?'

'Ik maak deel uit van de handelsmissie van mijn land.'

'En welk onderdeel van jullie missie bracht je vanavond naar de Nook?'

'Ik had dorst, inspecteur.'

'En misschien ook een beetje zin?'

'Ik weet niet wat u wilt insinueren. Ik heb u al verteld dat ik diplomatieke onschendbaarheid...'

'Hartstikke leuk voor jou, Joseph. Vertel eens, ken je de Britse politicus Ben Webster?'

Kamweze knikte. 'Ik heb hem een keer ontmoet in Nairobi, bij het Hoge Commissariaat.'

'En op deze reis heb je hem niet gezien?'

'Ik heb geen kans gezien om hem te spreken op de avond dat hij het leven verloor.'

Rebus staarde hem aan. 'Was je op het kasteel?'

'Jazeker.'

'En je hebt meneer Webster daar gezien?'

De Keniaan knikte. 'Het leek me niet nodig om hem meteen te spreken te krijgen, aangezien hij ook zou aanzitten bij onze lunch in Prestonfield House.' Kamweze's gezicht betrok. 'Maar toen voltrok zich voor onze ogen die enorme tragedie.'

Rebus' spieren spanden zich. 'Hoe bedoel je?'

'Begrijpt u me niet verkeerd. Ik bedoel alleen dat zijn val een groot verlies was voor de internationale gemeenschap.'

'Heb je niet gezien wat er gebeurd is?'

'Dat heeft niemand gezien. Maar misschien dat de camerabeelden kunnen helpen.'

'Bewakingscamera's?' Rebus kon zich wel voor zijn kop slaan. Het kasteel was een militaire basis. Natuurlijk hingen daar bewakingscamera's.

'We hebben een rondleiding gekregen in de controlekamer. Indrukwekkende techniek. Maar ja, we leven ook dagelijks met de dreiging van terreur, nietwaar inspecteur?'

Rebus zweeg nog even.

'Wat zegt iedereen erover?' zei hij uiteindelijk.

'Ik geloof niet dat ik u begrijp...' Kamweze fronste de wenkbrauwen.

'De andere missies. Die kleine Volkenbond die ik daar in Prestonfield zag. Wordt daar niks over Webster gefluisterd?'

De Keniaan schudde het hoofd.

'Vertel eens, koestert iedereen net zulke warme gevoelens voor Richard Pennen als jij?'

'Nogmaals inspecteur, ik geloof niet dat ik...' Hij brak zijn zin af en stond ineens op, zodat zijn stoel omviel. 'Ik wil hier nu graag weg.'

'Heb je iets te verbergen, Joseph?'

'Volgens mij heeft u me hier onder valse voorwendselen heen gebracht.'

'We kunnen ook teruggaan naar de aanleiding. Jouw kleine eenmansmissie, je achtergrondonderzoek in de lapdancetenten van Edinburgh.' Rebus boog voorover, met zijn armen op tafel geleund. 'Daar hangen ook camera's, Joseph. Het is allemaal vastgelegd.'

'Onschendbaarheid...'

'Ik heb het niet over een aanklacht, Joseph. Maar over de familie thuis. Je hebt toch familie in Nairobi? Vader en moeder, vrouw en kinderen misschien?'

'Ik wil nu weg!' Kamweze sloeg met zijn vuist op tafel.

'Rustig nou maar,' zei Rebus met opgeheven handen. 'We zaten net zo lekker te kletsen...'

'Wilt u een diplomatieke rel veroorzaken, inspecteur?'

'Dat weet ik eigenlijk niet.' Rebus deed alsof hij erover nadacht. 'Jij?'

'Dit is een schande!' Hij sloeg weer op tafel en liep naar de deur. Rebus probeerde hem niet tegen te houden. Hij stak een sigaret op en legde zijn benen op tafel, de enkels over elkaar. Hij leunde achterover en staarde naar het plafond. Steelforth had natuurlijk niets gezegd over camerabeelden, en Rebus wist dat hij er niet makkelijk aan zou kunnen komen. Ze waren van het garnizoen, ze bevonden zich op hun terrein – strikt genomen buiten Rebus' jurisdictie.

Maar daarom zou hij het nog wel proberen...

Het duurde een minuut voordat er op de deur werd geklopt en een agent in de deuropening verscheen.

'Onze Afrikaanse vriend zegt dat hij naar het Balmoral gebracht wil worden.'

'Zeg maar dat een wandeling hem goed zal doen,' beval Rebus. 'En waarschuw hem dat hij beter moet uitkijken als hij dorst krijgt.'

'Pardon?' De agent dacht blijkbaar dat hij het verkeerd verstond.

'Zeg dat maar gewoon.'

'Jawel, inspecteur. O, en nog iets...'

'Wat?'

'U mag hier niet roken.'

Rebus draaide zijn hoofd en staarde de jonge agent de deur uit. Toen de deur dicht was viste hij zijn mobiel uit zijn zak. Hij drukte op de toetsen en wachtte tot er werd opgenomen.

'Mairie?' zei hij. 'Ik heb informatie waar je misschien wat aan hebt...'

KANT DRIE

Geen God, geen meester

Woensdag 6 juli

16

De meeste G8-leiders landden op de luchthaven Prestwick, ten zuid-westen van Glasgow. In totaal zouden er in de loop van de dag bijna honderdvijftig vliegtuigen arriveren. De leiders, hun echtge-notes en persoonlijke medewerkers zouden dan per helikopter naar Gleneagles worden overgebracht, terwijl er een armada van auto's met chauffeur klaarstond om de andere leden van de diverse de-legaties te verspreiden over hun eindbestemmingen. De speurhond van George Bush had een eigen auto. Bush werd vandaag negen-envijftig. Jack McConnell, Eerste Minister van het Schotse parle-ment, was op de landingsbaan om de wereldleiders te begroeten. Van protesten of ordeverstoringen geen spoor.

Niet op Prestwick.

Maar in Stirling filmde de ontbijt-tv gemaskerde demonstran-ten die auto's en bestelwagens aanvielen, de ramen van een Burg-er King insloegen, de A9 blokkeerden en benzinestations belaag-den. In Edinburgh brachten protestgroepen al het verkeer op Queensferry Road tot stilstand. Lothian Road stond vol politie-busjes en een keten van geüniformeerde agenten beschermde het Sheraton Hotel en de honderden delegatieleden. Politiepaarden paradeerden langs autoloze straten waar gewoonlijk de ochtend-spits zich doorheen drong. Bussen stonden over de volle lengte van Waterloo Place in de rij, klaar om marsdeelnemers naar Auch-terarder te brengen. Maar er kwamen tegenstrijdige signalen en niemand wist goed of de officiële route was opengesteld. De mars ging niet door, toen wel, toen weer niet. De buschauffeurs had-den opdracht hun voertuig aan de kant te houden tot de politie de situatie had opgehelderd.

En het regende; het Final Push-concert van die avond kon wel eens een waterballet worden. De muzikanten en beroemdheden waren in Murrayfield Stadium bezig met soundchecks en repeti-ties. Bob Geldof zat in het Balmoral Hotel maar bereidde zich voor op zijn bezoek aan Gleneagles met zijn vriend Bono. Ervan uitgaande, althans, dat ze door de diverse demonstraties konden komen. Ook de koningin was op weg naar het noorden en zou de delegatieleden een diner aanbieden.

De verslaggevers klonken buiten adem, opgekrikt met doses cafeïne. Siobhan, die een nacht in haar auto had doorgebracht, moest het doen met de slappe koffie van een bakker in de buurt. De andere klanten staarden gebiologeerd naar de tv aan de muur achter de toonbank.

'Dat is Bannockburn,' zei een van hen. 'En daar, Springkerse. Ze zitten overal!'

'Haal de bruggen op,' adviseerde haar vriendin, en een enkeling lachte. De demonstranten waren al om twee uur 's ochtends uit Kamp Horizon vertrokken, terwijl de politie letterlijk nog lag te slapen.

'Ik snap werkelijk niet hoe die verdomde politici ons durven te vertellen dat dit goed voor Schotland is,' sputterde een man in een schildersoverall, terwijl hij op zijn broodje bacon wachtte. 'Ik heb vandaag een klus in Dunblane en een in Crieff. Hoe moet ik daar in godsnaam komen?'

Terug in haar auto bracht de verwarming Siobhan snel weer op temperatuur, maar haar ruggengraat bleef krakerig, haar nek stijf. Ze was in Stirling gebleven, want als ze naar huis was gegaan, had ze vanochtend weer terug gemoeten, door dezelfde beveiligingskermis of misschien erger. Ze sloeg twee aspirines achterover en vertrok richting de A9. Ze was nog niet ver gevorderd op de snelweg toen de alarmlichten van de auto voor haar aankondigden dat beide rijbanen potdicht zaten. Chauffeurs waren uit hun auto gekomen om de mannen en vrouwen uit te jouwen die op de weg lagen, sommigen vastgeketend aan de vangrail in de middenberm. Politiemensen zaten andere 'vogelverschrikkers' achterna over de aangrenzende velden. Siobhan parkeerde in de berm en liep naar het begin van de file, waar ze haar legitimatie liet zien aan de sectiecommandant.

'Ik had al in Auchterarder moeten zijn,' zei ze tegen hem. Hij zwaaide met zijn zwarte gummistok in de richting van een politiemotor.

'Als Archie een extra helm bij zich heeft, is het voor hem maar twee keer gas geven.'

Archie gaf haar de benodigde helm aan. 'Denk erom dat je het achterop verrekt koud gaat krijgen,' waarschuwde hij.

'Dan moet ik maar gezellig tegen je aan kruipen, niet?'

Maar toen hij wegreed en optrok, bleek 'gezellig' ineens niet aan de orde. Siobhan moest zich aan hem vastklampen met alle kracht die ze bezat. In haar helm zat een koptelefoon waarmee ze de berichten over Operatie Sorbus kon volgen. Zo'n vijfduizend demonstranten waren onderweg naar Auchterarder, met het plan om langs de poort van het hotel te marcheren. Zinloos, wist Siobhan, want dan waren ze nog honderden meters van het hoofdgebouw verwijderd en zouden hun leuzen met de wind verwaaien. In het Gleneagles Hotel zelf zouden de hoogwaardigheidsbekleders niets vernemen van een mars of enig protest van betekenis. Betogers kwamen van alle kanten over het platteland aangezet, maar de agenten aan de andere kant van het veiligheidskordon waren voorbereid. Aan de rand van Stirling had Siobhan nieuwe graffiti opgemerkt op een fastfoodrestaurant: *Tienduizend farao's, zes miljard slaven.* Ze was er nog altijd niet uit wie waarmee werd bedoeld.

Archie remde onverwacht, zodat ze naar voren schoot en over zijn schouder het tafereel kon zien dat zich voor hen ontrolde.

Oproerschilden, hondenbegeleiders, bereden politie.

Een tweemotorige Chinookhelikopter die de hemel boven hen doorkliefde.

Vlammen die uit een Amerikaanse vlag sloegen.

Een sitdownactie over de volle breedte van de snelweg. De agenten begonnen net de blokkade op te ruimen en Archie gaf zijn motor de sporen richting het gat en koerste erdoorheen. Als Siobhans knokkels niet stijf en gevoelloos waren geweest van de kou, had ze hem net lang genoeg durven los te laten voor een schouderklopje. De koptelefoon liet haar weten dat het treinstation van Stirling zo dadelijk misschien weer kon worden vrijgegeven, maar dat het risico bestond dat anarchisten de spoorlijn gingen gebruiken als sluiproute naar Gleneagles. Ze herinnerde zich dat het hotel over een eigen treinstation beschikte, al lag het niet voor de hand dat er vandaag iemand zou komen. Beter nieuws kwam uit Edinburgh, waar de stortregen het vuur van de demonstranten had gedoofd.

Archie draaide zijn hoofd naar haar om. 'Schots weer!' riep hij. 'Als we dat niet hadden...'

De Forth Road Bridge opereerde met 'minimaal oponthoud' en de wegversperringen van eerder die ochtend op Quality Street en Corstorphine Road waren opgeruimd. Archie nam gas terug om de volgende blokkade te nemen en Siobhan maakte van de gelegenheid gebruik om de motregen met haar mouw van haar vizier te vegen. Toen ze richting aangaven naar de afrit van de snelweg, leken ze geschaduwd te worden door een andere, kleinere helikopter. Archie bracht zijn motor tot stilstand.

'Eindpunt,' zei hij. Ze hadden de grens van het dorp nog niet bereikt, maar Siobhan kon zien dat hij gelijk had. Voor hen, achter een politiekordon, strekte zich een zee van vlaggen en spandoeken uit. Spreekkoren, gefluit en gejoel.

Bush, Blair, CIA, kinderen sterven overzee! Dezelfde leus als die ze bij Gedenk de Doden had gehoord.

George Bush, moordenaar, goed geleerd van je pa. Oké, dat was een nieuwe.

Siobhan kwam voorzichtig van haar buddyseat, gaf Archie de helm terug en bedankte hem. Hij grijnsde.

'Zo spannend als vandaag maak je 't niet vaak mee,' zei hij en keerde de motor. Hij gaf een dot gas en zwaaide naar haar. Siobhan zwaaide terug en merkte dat ze weer wat gevoel in haar vingers terugkreeg. Een agent met een rood hoofd kwam op haar af gebeend. Ze had haar pasje al paraat.

'Al net zo'n halvegare als die daar,' blafte hij. 'En je ziet er precies zo uit ook.' Hij priemde met een vinger in de richting van de tegengehouden demonstranten. 'Als ze jou achter onze linies zien, denken ze dat ze zelf ook hier horen. Dus je kunt kiezen: oprotten of een uniform aan.'

'Je vergeet,' hield ze hem voor, 'dat er wel degelijk een middenweg is.' En met een glimlach liep ze naar het politiekordon, wurmde zich tussen twee in het zwart geklede figuren door en dook onder hun oproerschilden door. Nu stond ze in de frontlinie van de demonstranten. De roodhoofdige agent keek ontzet toe.

'Laat je badge zien!' riep een demonstrant naar de rij ME'ers. Siobhan keek naar de agent direct voor haar. Wat hij aanhad, zag er bijna uit als een duikerspak. Op zijn helm boven het vizier stonden in het wit de letters ZH geschilderd. Ze probeerde zich te herinneren of er onder de ME'ers in Princes Street Gardens ook enkelen waren geweest met hetzelfde insigne. Het enige wat ze zich kon herinneren was XS.

Exces.

Het zweet liep de agent aan beide kanten langs zijn gezicht, maar hij zag er kalm en zelfverzekerd uit. Orders en aanmoedigingen weerklonken langs de politielinie:

'Hou de lijn vast!'

'Rustig, jongens.'

'Stap terug!'

Het duwen en trekken aan beide kanten leek te gehoorzamen aan een stilzwijgende regie. Een van de demonstranten had kennelijk de leiding en riep dat de mars officieel was goedgekeurd en de politie nu alle overeenkomsten schond. Hij kon geen verantwoordelijkheid nemen voor de consequenties, zei hij. Al die tijd had hij een gsm aan zijn oor, terwijl de nieuwsfotografen op hun tenen stonden en hun camera boven hun hoofd in de aanslag hielden, klaar voor actie.

Siobhan schuifelde naar achteren en wurmde zich toen naar de zijkant, tot ze aan de rand van de stoet uitkwam. Vanaf dit uitkijkpunt begon ze de menigte af te speuren naar een teken van Santal. Naast haar stond een tiener met een slecht gebit en een kaalgeschoren hoofd. Toen hij begon te schelden, klonk zijn accent lokaal. Zijn jack flapte op een bepaald moment open en Siobhan ving een glimp op van iets wat in zijn broekband gestoken zat.

Iets wat leek op een mes.

Hij had zijn gsm in zijn hand en probeerde er videoclipjes mee te maken om naar zijn vrienden te versturen. Siobhan keek rond. Geen denken aan dat ze de politieagenten erbij kon roepen. Als die door de menigte moesten waden om hem te arresteren, brak de hel los. In plaats daarvan drong ze zich achter hem en wachtte een geschikt moment af. Toen een nieuw spreekkoor losbarstte en de handen de lucht in gingen, zag ze haar kans schoon. Ze greep zijn arm, nam hem in een houdgreep achter zijn rug en duwde hem voorover op zijn knieën. Met haar vrije hand tastte ze naar zijn middel en pakte het mes, toen gaf ze hem een forse duw, zodat hij op handen en voeten landde. Vlug trok ze zich terug tussen de mensen en keilde het mes over een muurtje in de bosjes. Ze versmolt met de massa en klapte mee met haar handen in de lucht. Hij zag paars van woede toen hij zich met zijn ellebogen door de kluwen voor haar drong, op zoek naar zijn aanvaller.

Haar zou hij daar niet vinden.

Siobhan permitteerde zichzelf bijna een lachje, maar ze wist dat haar eigen speurtocht evengoed vruchteloos kon blijken als de zijne. En ondertussen zat ze midden in een demonstratie, een demonstratie die elk ogenblik kon ontaarden in een vechtpartij.

Ik zou een moord doen voor een koffie verkeerd van Starbucks, dacht ze.

Verkeerde plek, en zeker de verkeerde tijd...

Mairie zat in de foyer van het Balmoral Hotel. De liftdeur ging open en ze zag de man in het blauwe zijden kostuum eruit komen. Ze stond op van haar stoel en hij kwam met uitgestoken hand op haar af lopen.

'Meneer Kamweze?' vroeg ze.

Hij bevestigde het met een buiging en ze nam zijn hand aan.

'Vriendelijk dat u me op zo korte termijn te woord wil staan,' begon Mairie; ze probeerde niet te ademloos te klinken. Dat was haar telefoontje wel geweest: de jonge reporter, diep onder de indruk omdat ze zo'n vooraanstaand figuur in de Afrikaanse politiek aan de lijn had... en was er ook maar een kleine kans dat hij vijf minuten kon missen om haar te helpen met een profiel dat ze aan het schrijven was?

Die pose had ze niet meer nodig: hij stond daar voor haar. Toch wilde ze hem nog even niet aan het schrikken maken.

'Thee?' stelde hij voor, en ging haar voor naar de Palmentuin.

'Mooi pak,' zei ze terwijl hij haar stoel bijtrok. Ze streek haar rok onder zich glad toen ze ging zitten. Joseph Kamweze scheen het uitzicht wel te bevallen.

'Dank u,' zei hij terwijl hij zich op het bankje tegenover haar liet glijden.

'Design?'

'Gekocht in Singapore, op de terugreis van een missie naar Canberra. Eigenlijk helemaal niet duur...' Hij boog zich samenzweerderig naar haar toe. 'Maar laten we dat maar onder ons houden.' Hij stuurde een brede grijns op haar af en onthulde een gouden kies achter in zijn mond.

'Nou, ik wil u nogmaals bedanken voor dit gesprek.' Mairie zocht in haar tas naar haar blocnote en haar pen. Ze had ook een kleine digitale recorder en vroeg of hij er bezwaar tegen had.

'Dat zal van uw vragen afhangen,' zei hij, met weer een grijns. De serveerster kwam bij hen en hij bestelde voor hen beiden *lapsang souchong*. De enige thee die Mairie vies vond, maar ze zei er niets van.

'U moet mij laten betalen,' zei ze. Hij wuifde het aanbod weg. 'Het maakt niets uit.'

Mairie trok een wenkbrauw op. Ze was nog aan het rommelen met haar gereedschap toen ze haar volgende vraag stelde.

'Uw reis wordt gefinancierd door Pennen Industries?'

De grijnslach verdween, de blik verstarde. 'Pardon?'

Ze probeerde een blik van onschuldige naïviteit. 'Ik vroeg me gewoon af wie uw verblijf hier betaalt.'

'Wat wilt u?' De stem klonk ijzig. Zijn handen streken langs de zijkant van de tafel en hij liet zijn vingertoppen langs de rand glijden.

Mairie raadpleegde omslachtig haar aantekeningen. 'U maakt deel uit van de Keniaanse handelsmissie, meneer Kamweze. Wat zoekt u eigenlijk precies op de G8?' Ze controleerde of de recorder liep en zette hem tussen hen in op tafel. Joseph Kamweze leek uit het veld geslagen door zo'n simpele vraag.

'Schuldsanering is van levensbelang voor de wedergeboorte van Afrika,' dreunde hij op. 'Minister Brown heeft aangegeven dat sommige buurlanden van Kenia...' Hij brak zijn zin af; hij zat vast. 'Wat doet u hier? Heet u eigenlijk wel Henderson? Ik ben stom geweest, ik heb u niet om uw legitimatie gevraagd.'

'Maar die heb ik bij me.' Mairie dook weer in haar tas.

'Waarom begon u over Richard Pennen?' onderbrak Kamweze haar.

Ze knipperde met haar ogen naar hem. 'Maar dat deed ik niet.'

'U liegt.'

'Ik heb het wel over Pennen Industries gehad, maar dat is een bedrijf, geen individu.'

'U was in Prestonfield House, met die politieman.' Het klonk als een stelling, maar misschien was het geraden. Hoe dan ook, ze ontkende het niet.

'Ik denk dat u beter kunt gaan,' verklaarde hij.

'Weet u dat zeker?' Haar eigen stem had zich verhard en ze staarde terug naar hem. 'Want als u hier wegloopt, zet ik een grote foto van u dwars over de voorpagina van mijn krant.'

'U maakt zich belachelijk.'

'Hij is wat grof van korrel en als we hem uitvergroten wordt ie nog wat vager, maar u staat er duidelijk op, meneer Kamweze, met tegenover u een dartelende lapdanseres. U zit met uw handen op uw knieën en een grote smile op uw gezicht naar haar blote buste te staren. Ze heet Molly en ze werkt in de Nook op Bread Street. Ik heb vanmorgen de tape van de beveiligingscamera te pakken gekregen...' Leugens, niets dan leugens, maar ze genoot van het effect dat ze op hem hadden. Zijn nagels groeven zich in het tafelblad. Zijn kortgeknipte krullen glinsterden van het zweet.

'U bent kort daarna ondervraagd in een politiebureau, meneer Kamweze. Ik stel me voor dat er van dát uitstapje ook beelden bestaan.'

'Wat wilt u in hemelsnaam van me?' siste hij. Maar hij moest zich een houding geven omdat het blad met de thee werd gebracht, samen met wat *shortbread*-koekjes. Mairie nam er een hapje van: die ochtend niet ontbeten. De thee rook naar gebakken zeewier en ze schoof haar kopje opzij nadat de serveerster het had ingeschonken. De Keniaan deed hetzelfde met het zijne.

'Geen dorst?' vroeg ze, en kon een glimlach niet onderdrukken.

'Dat heeft die rechercheur u verteld,' realiseerde Kamweze zich. 'Hij bedreigde me al net zo.'

'Probleem is, hij kan u niets maken. Maar ik... Nou ja, tenzij u me een goede reden geeft om exclusief voorpaginanieuws tegen te houden...' Ze kon zien dat hij nog niet in het aas had gehapt. 'Een voorpagina die de hele wereld over gaat. Hoe lang zou het duren voor de pers in uw land het verhaal oppikt en overneemt? Hoe lang tot uw meerderen in de regering ervan horen? Uw buren, vrienden...'

'Genoeg,' gromde hij. Zijn ogen staarden naar het tafelblad. Het was glanzend geboend en zond zijn spiegelbeeld naar hem terug. 'Genoeg,' herhaalde hij, en zijn toon verried dat hij zich gewonnen gaf. Ze begon aan een tweede koekje. 'Wat wilt u?'

'Niet zoveel, hoor,' stelde ze hem gerust. 'Wat u me maar kunt vertellen over meneer Richard Pennen.'

'Moet ik uw Deep Throat spelen, mevrouw Henderson?'

'Als die gedachte u opwindt,' kwam ze hem tegemoet.

Bij zichzelf dacht ze: maar in werkelijkheid ben je gewoon het zoveelste mannetje dat is betrapt... de zoveelste ambtenaar met een slecht geweten...

De zoveelste verklikker...

Zijn tweede crematie in een week.

De stad uit was het kruipen geweest – een domino-effect van de eerdere stremmingen. Bij de Forth Bridge haalde de politie van Fife ook nog trucks en bestelwagens naar de kant om ze te onderzoeken op hun potentiële rol als barricades. Maar toen hij de brug over was liep het verkeer prima. Met als gevolg dat hij te vroeg aankwam. Hij reed het centrum van Dundee in, parkeerde aan de kade en rookte een sigaret, met de radio afgestemd op een nieuwszender. Grappig: de berichten uit Engeland gingen maar door over de kandidatuur van Londen voor de Olympische Spelen; Edinburgh werd nauwelijks genoemd. Tony Blair zat in zijn jet terug uit Singapore. Rebus vroeg zich af of hij Airmiles spaarde.

Het Schotse nieuws had Mairies verhaal opgepikt en iedereen

sprak over de 'G8 Killer'. Korpschef James Corbyn weigerde in het openbaar te reageren en SO12 benadrukte dat er geen gevaar was voor de leiders die in Gleneagles bijeenkwamen.

Twee crematies in een week. Rebus vroeg zich af of een reden dat hij zo hard werkte was dat hij dan geen tijd had aan Mickey te denken. Hij had een cd van *Quadrophenia* meegenomen en er onderweg naar het noorden een paar nummers van gedraaid. Daltrey die de prangende vraag kraste: *Can you see the real me?* Hij had de foto's op de passagiersstoel liggen: Edinburgh Castle, smokingjasjes en vlinderdassen. Ben Webster zag er, met nog een uur of twee te leven, niet anders uit dan de anderen. Maar ja, een zelfmoordenaar loopt niet rond met een bord om zijn nek. Net zomin als seriemoordenaars, gangsters of platte dienders. Onder alle officiële portretten lag Mungo's close-up van Santal met haar camera. Rebus tuurde er een tijdje naar en legde hem bovenop. Toen startte hij de auto en zocht de weg naar het crematorium.

De zaal was afgeladen. Familie en vrienden, plus vertegenwoordigers van alle politieke partijen. Van Labour ook parlementsleden. De media hielden zich op afstand, samengedromd voor het hek. De jonkies waarschijnlijk, chagrijnig omdat hun meerderen druk waren met de G8 en beslag zouden leggen op de koppen en voorpagina's van donderdag. Rebus bleef wat achter terwijl de echte gasten naar binnen werden gewenkt. Sommigen van hen namen hem vorsend op; ze konden zich moeilijk voorstellen dat hij een relatie van het parlementslid was geweest en bekeken hem als een soort aasgier die zich voedt met het verdriet van vreemden.

Misschien hadden ze nog gelijk ook.

Naderhand waren er versnaperingen in een hotel in Broughty Ferry. 'De familie,' had de pastor de gasten gezegd, 'heeft me gevraagd te zeggen dat u allen van harte welkom bent.' Maar zijn ogen gaven een andere boodschap: alleen naaste familie en vrienden, alstublieft. Heel begrijpelijk, want Rebus betwijfelde of er in 'Ferry' een hotel te vinden zou zijn dat een menigte van deze omvang aankon.

Hij zat op de achterste rij. De pastor had een collega van Ben Webster gevraagd naar voren te komen en een paar woorden te spreken. Zijn verhaal deed sterk denken aan de grafrede bij Mickeys uitvaart: een goed mens... een gemis voor wie hem kende, en dat waren er velen... toegewijd aan zijn familie... geliefd in de gemeenschap. Rebus had zijn plicht gedaan, meende hij. Van Stacey geen spoor. Hij had niet echt veel aan haar gedacht sinds die ontmoeting buiten het crematorium. Hij veronderstelde dat ze terug was gegaan naar Londen, of anders bezig was met het opruimen van het huis van haar broer of het afhandelen van zijn bankzaken en verzekeringen en zulke dingen.

Maar niet komen opdagen op de uitvaart...

Tussen de dood van Mickey en diens crematie was meer dan een week verstreken. En bij Ben Webster? Nog geen vijf hele dagen. Zou je zo'n haast ongepast moeten noemen? Stacey Websters keuze, of die van iemand anders? Buiten op de parkeerplaats stak hij een sigaret op en bleef nog vijf minuten rondhangen. Toen opende hij de deur aan de bestuurderskant en stapte in.

Can you see the real me...

'O ja,' zei hij zachtjes en draaide de sleutel in het contact.

In Auchterarder was de wereld te klein.

Het gerucht had zich verspreid dat Bush met de helikopter onderweg was. Siobhan had op haar horloge gekeken, hoewel ze wist dat hij pas in de loop van de middag op Prestwick werd verwacht. Bij ieder klapwiekend geluid begon de meute te joelen en boe te roepen. Ze waren toegestroomd over landerijen en zandwegen, over de muren en dwars door de tuinen van de inwoners. Met één doel voor ogen: bij het kordon komen. Voorbíj het kordon komen. Dat zou de werkelijke triomf zijn, ook al bleven ze dan nog altijd meer dan een kilometer van het hotel zelf verwijderd. Dan hadden ze het landgoed van Gleneagles bereikt. Dan hadden ze de politie verslagen. Ze zag wat leden van de Rebel Clown Army en twee demonstranten met golftassen, gekleed in plusfours: de Volksgolfbond had zich tot doel gesteld een hole te spelen op de heilige golfbaan. Ze had Amerikaanse accenten gehoord, Spaanse klanken, Duitsers. Ze had een club in het zwart geklede en gemaskerde anarchisten zien samendrommen om hun volgende stap te bespreken. Boven hun hoofden een ronkend observatievliegtuig.

Maar geen Santal.

Op de hoofdstraat van Auchterarder was inmiddels het nieuws aangekomen dat het contingent demonstranten uit Edinburgh de stad niet mocht verlaten.

'Dus nou demonstreren ze daar,' legde iemand opgewekt uit. 'Worden die dikkoppen van twee kanten gek gemaakt.'

Siobhan betwijfelde het. Toch probeerde ze het mobiele nummer van haar ouders. Haar vader nam op en zei dat ze al uren in de bus zaten te wachten en nog altijd niet uit Edinburgh weg waren.

'Beloof me dat je niet gaat demonstreren daar,' smeekte Siobhan.

'Beloof ik,' zei haar vader. Toen gaf hij de telefoon door aan zijn vrouw, zodat Siobhan dezelfde belofte van haar kon horen. Toen ze ophing kreeg Siobhan ineens het idee dat ze knettergek was. Wat deed ze hier als ze bij haar ouders kon zijn? Meer demonstraties betekende meer ME'ers op straat; misschien dat haar moeder degene zou herkennen die haar had aangevallen, of misschien gebeurde er iets wat een verdrongen herinnering naar de oppervlakte dreef.

Ze vloekte in zichzelf, keerde zich om en stond oog in oog met degene die ze zocht.

'Santal,' zei ze. De jonge vrouw liet haar camera zakken.

'Wat doe jij hier?' vroeg Santal.

'Verbaasd?'

'Een beetje wel, ja. Zijn je ouders...?'

'Die zitten vast in Edinburgh. Ik hoor dat je niet meer slist.'

'Wat?'

'Maandag in de Gardens,' ging Siobhan verder, 'was je druk in de weer met je cameraatje. Maar je was geen politiemensen aan het schieten. Hoezo dat?'

'Ik geloof niet dat ik begrijp waar je naartoe wilt.' Maar Santal keek naar links en naar rechts, alsof ze bang was dat iemand hen hoorde.

'De reden dat je me je foto's niet wou laten zien was dat ze me iets zouden zeggen.'

'En wat is dat?' Ze klonk niet op haar hoede of wantrouwig, maar oprecht nieuwsgierig.

'Ze zouden me zeggen dat je meer belangstelling had voor je mede-oproerkraaiers dan voor de sterke arm der wet.'

'En dus?'

'Dus begon ik me af te vragen waarom. Had ik al eerder moeten doen. Ze zeiden allemaal dat er infiltranten waren, in het kamp in Niddrie en later weer in Stirling.' Siobhan had een stap naar voren gezet en de twee vrouwen stonden neus tegen neus. Ze boog zich naar Santals oor. 'Je bent een stille,' fluisterde ze. Toen deed ze een stap terug, alsof ze de uitmonstering van de vrouw bewonderde. 'De oorbellen en piercings... de meeste nep zeker?' raadde ze. 'Opgeplakte tattoos en...' inzoomend op de krullen, 'een mooie pruik. Waarom je zo nodig moest slissen, ik heb geen idee. Misschien om jezelf eraan te herinneren dat je een rol speelde.' Ze wachtte even. 'Ben ik warm?'

Santal rolde alleen met haar ogen. Een telefoon ging over en ze zocht in haar zakken en diepte er twee op. Bij een ervan was het scherm verlicht. Ze bekeek het en staarde toen over Siobhans rechterschouder. 'Nee maar, de hele bende is er,' zei ze. Siobhan begreep niet goed wat ze bedoelde. De oudste truc ter wereld, toch keek ze om.

John Rebus, met een telefoon in één hand en iets wat op een visitekaartje leek in de andere.

'Ik weet niet hoe het hier met de etiquette zit,' merkte hij op terwijl hij dichterbij kwam. 'Als ik iets opsteek wat voor honderd procent uit tabak bestaat, ben ik dan een slaaf van het rijk van het kwaad?' Hij haalde zijn schouders op en haalde toch zijn sigaretten tevoorschijn.

'Santal hier is een stille,' legde Siobhan hem uit.

'Alleen is dit niet de veiligste plek om het daarover te hebben,' fluisterde Santal.

'Vertel mij wat,' snoof Siobhan.

'Dat was ik net van plan,' antwoordde Rebus. Maar zijn blik rustte op Santal. 'Als dat geen plichtsbesef is,' begon hij, 'de crematie van je eigen broer laten schieten.'

Ze staarde hem aan. 'Bent u er geweest?'

Hij knikte. 'Maar ik moet toegeven dat ik uren naar die foto van "Santal" heb zitten staren voor het me begon te dagen.'

'Dat zal ik maar als een compliment opvatten.'

'Is het ook.'

'Ik wou hier zijn, weet u.'

'Wat voor excuus had je ze gegeven?'

Pas op dit moment kwam Siobhan tussenbeide. 'Jij bent Ben Websters zus?'

'Het muntje valt,' merkte Rebus op. 'Brigadier Clarke, Stacey Webster.' Rebus' ogen waren nog altijd op Stacey gericht. 'Maar we kunnen je misschien maar beter Santal blijven noemen?'

'Is het nu een beetje laat voor,' antwoordde Stacey. Alsof hij was geroepen kwam een jongeman met een rode bandana naar ze toe.

'Alles goed hier?'

'Ik kom net een oude vriendin tegen, da's alles,' zei Rebus afwerend.

'Jullie zien er anders uit als stillen.' Zijn ogen schoten tussen Rebus en Siobhan heen en weer.

'Hallo, ik weet wie ze zijn.' Santal zat weer in haar rol: de stoere vrouw die haar eigen boontjes kan doppen. Ze keek de knul aan tot hij zijn ogen neersloeg.

'Als je het zeker weet...' Hij trok zich al terug. Toen ze zich opnieuw op Rebus en Siobhan richtte, werd ze weer Stacey.

'Jullie kunnen hier niet blijven,' verklaarde ze. 'Ik word over een uur afgelost, dan kunnen we praten.'

'Waar?'

Ze dacht een ogenblik na. 'Binnen de omheining. Er is een veld achter het hotel, waar de chauffeurs rondhangen. Wacht daar op me.'

Siobhan keek naar de mensenmassa's om hen heen. 'En hoe denk je dat we daar moeten kómen?'

Stacey keek haar met een zuur lachje aan. 'Beetje initiatief tonen.'

'Ik denk,' legde Rebus uit, 'dat ze bedoelt: zorg maar dat je gearresteerd wordt.'

17

Het kostte Rebus een dikke tien minuten om zich door de mêlee naar voren te dringen, met Siobhan in zijn kielzog. Met zijn lichaam tegen een bekrast en beklad oproerschild geperst, drukte hij zijn legitimatie tegen het doorkijkluik van gehard plastic, op ooghoogte van de ME'er erachter.

'Haal ons hier uit,' mimede hij. De agent trapte er niet in en riep zijn meerdere erbij. Het rode hoofd verscheen boven de schouder van de ME'er en herkende Siobhan direct. Ze probeerde een passend schuldbewust gezicht op te zetten.

De sectiecommandant snoof en riep toen een bevel. Het kordon van schilden opende een fractie en handen trokken Rebus en Siobhan door het gat. Het geluidsniveau aan de andere kant van het front steeg merkbaar.

'Laat ze je identiteitskaart zien,' beval hij. Rebus en Siobhan gehoorzaamden gewillig. De sectiecommandant stak een megafoon op en liet de menigte weten dat er geen arrestaties werden verricht. Toen hij bekendmaakte dat Rebus en Siobhan politierechercheurs waren, ging er een luid gejoel op. Niettemin leek de spanning uit de lucht te zijn.

'Ik zou jullie moeten aangeven voor die gekkigheid,' zei hij tegen Siobhan.

'We zijn van Moordzaken,' loog Rebus moeiteloos. 'Er was iemand die we moesten spreken – wat konden we anders doen?'

De sectiecommandant staarde hem aan, maar werd ineens afgeleid door dringender zaken. Een van zijn mannen was gevallen en de demonstranten maakten zich op om door de bres in de barricade te dringen. Hij blafte bevelen in zijn megafoon en Rebus gebaarde naar Siobhan dat ze zich waarschijnlijk beter uit de voeten konden maken.

De achterdeuren van ME-busjes zwaaiden open en meer manschappen stroomden naar buiten om de frontlinie te versterken.

Een EHBO'er vroeg Siobhan of alles goed was met haar.

'Ik ben niet gewond,' zei ze tegen hem. Op het wegdek stond een kleine helikopter met draaiende rotorbladen. Rebus bukte zich en ging met de piloot praten, en gebaarde toen naar Siobhan dat ze moest komen.

'Hij kan ons naar het veld brengen.'

De piloot knikte vanachter een spiegelende zonnebril. 'No problemo!' riep hij met een Amerikaans accent. Dertig seconden later hadden ze zich geïnstalleerd en steeg de machine te midden van een wolk stof en rommel de lucht in. Rebus floot een stukje Wagner – een knipoog naar *Apocalypse Now* – maar Siobhan negeerde het. In het geraas was toch nauwelijks iets te horen, al wilde ze wel van Rebus weten wat hij tegen de piloot had gezegd. Ze moest zijn antwoord liplezen:

Moordzaken.

Het hotel lag anderhalve kilometer zuidwaarts. Vanuit de lucht waren de omheining en de wachttorens goed zichtbaar. Honderden hectares verlaten heuvelland en groepjes demonstranten omringd door zwarte uniformen.

'Ik mag niet bij het hotel zelf in de buurt komen,' schreeuwde de piloot. 'Dan worden we neergehaald met een raket.'

Het klonk alsof hij het meende en hij ontweek het hotel met een wijde bocht. Het terrein was bezaaid met tijdelijke bouwsels, waarschijnlijk om de internationale media te huisvesten. Satellietschotels op de daken van anoniem uitziende busjes. Televisie, of misschien de geheime dienst. Rebus kon een pad onderscheiden dat van een grote witte tent naar de omheining liep. Van het veld was niet veel meer over dan droge stoppels waarop met verf een gigantische letter H was gespoten om de helikopter te laten weten waar hij moest landen. Hun vlucht had maar een minuut of twee geduurd. Rebus schudde de piloot de hand en sprong naar buiten. Siobhan volgde zijn voorbeeld.

'Dagje avontuurlijk reizen,' mijmerde ze. 'Eerst al met een motor over de A9.'

'Oorlogje spelen,' legde Rebus uit. 'Voor die lui is het deze week wij tegen zij.'

Er kwam een soldaat op hen af, gekleed in gevechtspak en bewapend met een machinepistool. Hij leek allesbehalve blij met hun komst. Ze lieten beiden hun pasje zien, maar dat stelde de soldaat niet tevreden. Rebus zag dat hij geen enkel insigne droeg, niets wat zijn nationaliteit aangaf, of zijn lidmaatschap van de gewapende macht. Hij stond erop dat ze hun pasjes bij hem inleverden.

'Wacht hier,' commandeerde hij en wees naar waar ze stonden. Toen hij zich omkeerde, deed Rebus een klein schuifeldansje en knipoogde naar Siobhan. De soldaat verdween in een enorme stacaravan. Een andere bewapende soldaat hield de wacht bij de deur.

'Ik heb zo'n gevoel dat we niet meer in Kansas zijn,' opperde Rebus.

'En ben ik dan Toto?'

'Laten we eens kijken wat dat daar is,' stelde Rebus voor en knikte naar de tent. Het dak was een raamwerk van plastic vakken, omhooggehouden door reeksen palen. Eronder stonden rijen limousines. Chauffeurs in uniform deelden sigaretten en wisselden verhalen uit. Alsof het tafereel nog niet bizar genoeg was, stond een kok gekleed in een wit jasje en geruite broek en met een toque schuin op zijn hoofd iets wat op een omelet leek te bakken. Hij stond achter een soort buffet met naast zich een grote rode butagasfles. Het eten werd geserveerd op echte borden, met zilveren bestek, op tafeltjes die voor de chauffeurs waren opgesteld.

'Ik heb hierover gehoord toen ik hier met de hoofdinspecteur was,' zei Siobhan. 'Het hotelpersoneel komt via een omweg het complex binnen en gebruikt het veld hiernaast als parkeerterrein.'

'Ik neem aan dat ze allemaal gescreend zijn,' zei Rebus, 'net als wat nu met ons gebeurt.' Hij wierp een blik in de richting van de caravan en knikte toen bij wijze van groet naar een groepje chauffeurs. 'Lekkere omelet, jongens?' vroeg hij, en ontving bevestigende reacties. De kok stond klaar om bestellingen op te nemen.

'Een met alles,' zei Rebus en hij keek om naar Siobhan.

'Hetzelfde,' zei ze.

De kok ging in de weer met zijn plastic bakjes vol hamblokjes, gesneden champignons en fijngehakte pepers. Rebus pakte onder het wachten een mes en vork.

'Is weer eens wat anders, niet?' zei hij tegen de kok. De man glimlachte alleen. 'Wel voorzien van alle moderne gemakken,' ging Rebus verder; hij klonk geïmponeerd. 'Chemische toiletten, warm eten, een schuilplaats voor als het regent...'

'De helft heeft tv in de wagen,' informeerde een van de chauffeurs hem. 'Niet dat het signaal veel voorstelt.'

'Een zwaar bestaan,' zei Rebus meelevend. 'Kom je die caravans ooit binnen?'

De chauffeurs schudden hun hoofd. 'Staan tjokvol apparatuur,' legde een van hen uit. 'Ik heb er een glimp van opgevangen. Computers en zo.'

'Dus dan is die antenne op het dak zeker niet voor *Coronation Street*,' zei Rebus wijzend. De chauffeurs lachten; net op dat moment ging de deur open en kwam de soldaat weer naar buiten. Hij scheen verbaasd dat Rebus en Siobhan niet meer stonden waar hij ze had achtergelaten. Terwijl hij op hen af marcheerde, pakte Rebus zijn omelet van de kok aan en nam een hap. Hij maakte net een goedkeurend geluid toen de soldaat voor hem bleef staan.

'Ook een hapje?' bood Rebus aan en hield zijn vork op.

'Pas maar op of het wordt water en brood voor u,' riposteerde de militair. Rebus keek Siobhan aan.

'Ad rem,' zei ze, terwijl ze ook een bord van de kok aannam.

'Brigadier Clarke is een expert,' liet Rebus de soldaat weten. 'We eten even een hapje, dan gaan we rustig in de limo *Columbo* kijken...'

'Ik houd uw identiteitskaarten vast,' zei de militair. 'Voor controle.'

'Dan zullen we hier wel moeten blijven.'

'Op welke zender is *Columbo*?' vroeg een van de chauffeurs. 'Dat kijk ik graag.'

'Zal wel op de tv-pagina staan, toch?' opperde een collega.

De soldaat hief zijn hoofd met een ruk op en stak zijn kin naar voren toen hij een helikopter zag naderen. Hij kwam met een oorverdovend geluid laag over. De soldaat stapte onder het tentdak vandaan om te kijken.

'Dat verzin je toch niet,' zei Rebus toen de man stijf in de houding naar de onderkant van de machine salueerde.

'Dat doet ie nou elke keer,' riep een van de chauffeurs. Een andere vroeg of het misschien Bush was die aankwam. Mensen keken op hun horloge. De chef deed deksels op zijn ingrediënten om te voorkomen dat er door de benedenwaartse trek vuil in belandde.

'Hij moet nu wel ongeveer aankomen,' veronderstelde iemand.

'Ik heb Boki op Prestwick opgehaald,' voegde iemand anders eraan toe, en vertelde wie het horen wilde dat de speurhond van de president zo heette.

De helikopter was achter een bomenrij verdwenen. Ze hoorden hoe hij de landing inzette.

'Wat doen de vrouwen van die wereldleiders,' vroeg Siobhan, 'als de mannen aan het armpje drukken zijn?'

'We kunnen de toeristische route met ze doen...'

'Of we nemen ze mee uit winkelen.'

'Of naar een galerie of museum.'

'Wat ze maar willen. Al moeten er wegen voor worden afgezet of winkels ontruimd. Maar ze laten ook een zwik kunstzinnige types uit Edinburgh overkomen, schrijvers en schilders, om de tijd te verdrijven.'

'En Bono, natuurlijk,' vulde een andere chauffeur aan. 'Hij komt later op de dag handjes schudden, samen met Geldof.'

'Nu we het erover hebben...' Siobhan keek op haar gsm hoe laat het was. 'Ik heb een kaartje voor het Final Push-concert aangeboden gekregen.'

'Van wie?' vroeg Rebus, die wist dat ze in de publieke verkoop achter het net had gevist.

'Een van de beveiligers in Niddrie. Denk je dat we op tijd thuis kunnen komen?'

Hij haalde alleen zijn schouders op. 'O,' zei hij, 'ik moest je nog iets vertellen...'

'Wat dan?'

'Ik heb Ellen Wylie in het team gecoöpteerd.'

Siobhans blik werd een kwade frons.

'Ze weet meer van BeastWatch dan wij,' ploegde Rebus voort, zonder oogcontact te maken.

'Precies,' zei Siobhan, 'véél te veel.'

'En dus?'

'En dus zit ze er te dichtbij, John. Bedenk eens wat een advocaat op een proces met haar zou doen!' Siobhan begon onwillekeurig harder te praten. 'Waarom overleg je dat niet even met mij? Ik ben degene die hangt als dit allemaal misloopt!'

'Ze doet alleen bureauwerk,' zei Rebus, al wist hij zelf hoe slap het klonk. Hij werd verlost door de soldaat die weer op hen af kwam stappen.

'Ik moet u vragen wat u hier te zoeken heeft,' deelde de man hen kortaf mee.

'Nou, ik zoek boeven,' antwoordde Rebus, 'net als mijn collega hier. We hebben opdracht om met iemand te praten... en dat moet hier gebeuren.'

'Praten? Met wie? Opdracht van wie?'

Rebus tikte tegen de zijkant van zijn neus. 'Is geheim,' zei hij op vertrouwelijke toon. De chauffeurs zaten weer in hun eigen gesprek en bespraken welke sterren ze zaterdag misschien naar het Open Schots Golfkampioenschap mochten rijden.

'Ik niet,' schepte een van hen op. 'Ik rijd tussen Glasgow en T in the Park.'

'U bent gestationeerd in Edinburgh, inspecteur,' zei de soldaat. 'Dit is ver buiten uw werkterrein.'

'We onderzoeken een moord,' baste Rebus terug.

'Drie moorden om precies te zijn,' verbeterde Siobhan hem.

'En dat betekent bevoegdheid in elk district,' maakte Rebus het af.

'Behalve,' wierp de soldaat tegen, en hij verhief zich op zijn tenen, 'dat u de opdracht heeft gekregen uw onderzoek in de ijskast te zetten.' Hij scheen te genieten van het effect dat zijn woorden vooral op Siobhan hadden.

'Oké, dus u heeft een telefoontje gepleegd,' merkte Rebus op, niet van plan enige verbazing te laten blijken.

'Uw korpschef was niet al te vrolijk.' De militair lachte met zijn ogen. 'En hij ook niet...' Rebus volgde de richting waarin hij keek. Over het veld kwam een Landrover op hen af gehobbeld. Aan de passagierskant stond het raam wijd open en het hoofd van Steelforth stak naar buiten alsof hij door een soort ketting werd tegengehouden.

'O, shit,' mompelde Siobhan.

'Kop op,' moedigde Rebus haar aan, 'borst vooruit.' Zijn beloning was nog een vernietigende blik.

De auto hield met piepende remmen stil en Steelforth sprong naar buiten. 'Weet u,' schreeuwde hij, 'hoeveel maanden training en voorbereiding, hoeveel weken topgeheim infiltratiewerk in burger... weet u wat u zonet even naar de verdommenis heeft geholpen?'

'Ik geloof niet dat ik u kan volgen,' antwoordde Rebus monter, terwijl hij de kok zijn lege bord teruggaf.

'Ik denk dat hij Santal bedoelt,' zei Siobhan.

Steelforth keek haar woedend aan. 'Natuurlijk!'

'Is zij er een van u?' vroeg Rebus, toen knikte hij voor zich uit. 'Ach natuurlijk. Zo iemand stuur je naar een camping in Niddrie, laat je foto's nemen van alle actievoerders. Fotoalbumpje samenstellen voor toekomstig gebruik... Handig voor u, zo handig zelfs dat u haar niet eens kon missen voor de crematie van haar eigen broer.'

'Háár beslissing, Rebus,' bitste Steelforth.

'*Columbo* is begonnen,' zei een van de chauffeurs.

Steelforth liet zich niet afleiden. 'Bij sommige agenten is hun dekking al naar de knoppen voordat een infiltratieactie goed en wel op gang is. Zij was al máánden op pad.'

Zijn gebruik van de verleden tijd ontging Rebus niet, en Steelforth bevestigde het met een knikje.

'Hoeveel mensen, denkt u,' vroeg hij, 'hebben haar vandaag met u samen gezien? Hoeveel hebben gezien dat u van de politie was? Of ze gaan haar wantrouwen, of ze gaan haar rommel voeren in de hoop dat we erin trappen.'

'Als ze óns om te beginnen in vertrouwen had genomen –' Siobhan werd door Steelforth met een schrille lach in de rede gevallen.

'U in vertrouwen genomen?' Hij lachte weer en boog voorover van de inspanning. 'Mijn God, da's een goeie.'

'U had hier eerder moeten zijn,' merkte Siobhan op. 'Die van onze soldaat, dat was pas een goeie.'

'En tussen haakjes,' zei Rebus, 'ik wilde u nog bedanken voor dat nachtje logeren in een cel.'

'Ik kan het niet helpen als agenten hun fantasie gebruiken – of als uw eigen baas de telefoon niet opneemt.'

'Dus dat waren echte politieagenten?' vroeg Rebus. Steelforth liet zijn handen op zijn middel rusten, zijn ellebogen zijwaarts. Hij staarde naar de grond en keek toen weer op naar Rebus en Siobhan.

'U krijgt natuurlijk een schorsing aan uw broek.'

'We werken niet voor u.'

'Deze week werkt iedereen voor mij.' Hij richtte zijn aandacht op Siobhan. 'En agent Webster krijgt u niet meer te spreken.'

'Ze is een getuige...'

'Getuige waarvan? Dat uw moeder in een relletje een klap met de wapenstok heeft gehad? Als uw moeder daar een klacht over wil indienen is dat haar zaak... Heeft u haar zelfs maar gevraagd of ze dat wil?'

'Ik...' Siobhan aarzelde.

'Nee, u bent direct op uw kruistochtje uitgerukt. En dat agent Webster al onderweg is naar huis – uw schuld, niet de mijne.'

'Over getuigen gesproken,' zei Rebus, 'wat is er eigenlijk met die beveiligingstapes gebeurd?'

Steelforth fronste. 'Tapes?' echode hij.

'De controlekamer in het Kasteel in Edinburgh... de camera's die op de wallen gericht stonden...'

'Daar hebben we het ettelijke keren over gehad,' gromde Steelforth. 'Niemand heeft ook maar iets gezien.'

'Dus dan kan ik die tapes wel bekijken?'

'Als u ze kunt vinden, mij best.'

'Ze zijn gewist?' raadde Rebus. Steelforth nam niet de moeite om antwoord te geven. 'Die schorsing van ons,' ging Rebus verder, 'u vergat eraan toe te voegen "hangende het onderzoek". Dat zal wel betekenen dat er geen komt.'

Steelforth haalde zijn schouders op. 'Hangt van u tweeën af.'

'Hangt af van ons gedrag? Bijvoorbeeld of we blijven doorzeuren dat we die beveiligingstapes willen zien?'

Steelforth haalde weer zijn schouders op. 'Misschien overleeft u dit – maar dat staat nog te bezien. Ik kan u maken of breken...'

De radio aan Steelforths riem kwam krakend tot leven. Verslag van een van de wachttorens: veiligheidshek doorbroken. Steelforth hield de radio bij zijn mond, bestelde een Chinook vol versterkingen en beende toen terug naar de Landrover. Een van de chauffeurs hield hem staande.

'Ik wilde me even voorstellen, commandant. Mijn naam is Steve en ik rij u straks naar de Open –'

Steelforth grauwde een of andere verwensing die Steve het zwijgen oplegde. De andere chauffeurs waren er al gauw bij met grapjes over de fooi die hij van het weekend wel niet zou krijgen. Steelforths Landrover gaf inmiddels vol gas.

'Kan er niet eens een afscheidskus af?' riep Rebus hem na en stak zijn hand op om te zwaaien. Siobhan staarde hem aan.

'Jij kunt je verheugen op je pensioen, maar er zijn ook mensen die hopen op een carrière.'

'Weet je wat het is met die man, Shiv? Zodra dit allemaal voorbij is, vallen we van zijn radar.' Rebus bleef zwaaien terwijl de terreinwagen ronkend wegspoot. De soldaat stond voor hen en hield ze hun pasjes voor.

'En nu is het tijd om te gaan,' baste hij.

'Waarheen precies?' vroeg Siobhan.

'Of, belangrijker nog, hoe?' vulde Rebus aan.

Een van de chauffeurs schraapte zijn keel en strekte zijn arm om hun aandacht te vestigen op de vloot luxewagens. 'Ik kreeg net een sms'je – een van die hotemetoten moet terug naar Glasgow. Ik kan jullie wel ergens afzetten.'

Siobhan en Rebus keken elkaar aan. Daarna glimlachte Siobhan naar de chauffeur en knikte in de richting van de auto's.

'Mogen we kiezen?' vroeg ze.

Uiteindelijk belandden ze op de achterbank van een zesliter Audi A8 met zeshonderd kilometer op de teller, de meeste verreden sinds begin die ochtend. De doordringende geur van nieuw leer en de heldere glans van chroom. Siobhan vroeg of de tv het deed. Rebus keek haar vragend aan.

'Ik was gewoon benieuwd of Londen de Spelen heeft gekregen,' legde ze uit.

Hun legitimatie werd tussen het veld en het terrein van het hotel bij drie verschillende controleposten bestudeerd.

'We komen niet bij het hotel zelf,' zei de chauffeur. 'Ik pik die hoge op bij het afhaalpunt naast het mediacentrum.' Beide lagen bij het belangrijkste parkeerterrein van het hotel. Rebus zag dat er niemand op de golfbaan speelde. De putting greens en croquetvelden: allemaal leeg, afgezien van kek geklede, traag rondslenterende veiligheidsmensen.

'Moeilijk te geloven dat er iets gaande is,' merkte Siobhan op. Haar stem was nauwelijks meer dan gefluister; er hing iets in de lucht. Rebus voelde het ook. Iets waardoor je niet de aandacht wilde trekken.

'Zo terug,' zei de chauffeur toen hij stopte. Hij zette bij het uitstappen zijn chauffeurspet op. Rebus besloot ook uit te stappen. Hij zag geen scherpschutters op de daken, maar nam aan dat ze er wel zouden zitten. Ze stonden aan de zijkant van het statige hoofdgebouw geparkeerd, vlak bij een gigantische serre die naar Rebus veronderstelde het restaurant was.

'Weekendje hier zou me goed doen,' vertrouwde hij Siobhan toe toen ze van de achterbank naar buiten kwam.

'En dan de rest van het jaar honger lijden, zeker,' wierp ze tegen. In het mediacentrum, een tentachtig bouwwerk met vaste wanden, zagen ze reporters kopij op hun laptops hameren. Rebus had een sigaret opgestoken. Hij hoorde een geluid en toen hij omkeek zag hij een fiets aankomen om de hoek van het hotel. De berijder zat voorovergebogen om snelheid te maken en een tweede fietser kwam direct achter hem aan. De eerste fietser passeerde hen op krap tien meter afstand, zag hen staan en zwaaide. Rebus tipte bij wijze van tegengroet de as van zijn sigaret. Maar nu hij zijn hand van het stuur had gehaald, raakte de fietser uit balans. Zijn voorwiel slingerde en groef zich in het grind. De tweede fietser probeerde hem te ontwijken, maar sloeg uiteindelijk zelf over de kop. Mannen in zwarte pakken verschenen als uit het niets en vormden snel een kring rond de twee gevallen figuren.

'Hebben wij dat gedaan?' vroeg Siobhan zachtjes. Rebus zei niets, gooide alleen zijn sigaret weg en liet zich terugglijden in de auto. Siobhan volgde zijn voorbeeld en ze keken door de voorruit toe terwijl de eerste fietser op de been werd geholpen, terwijl hij over zijn geschaafde knokkels wreef. De andere fietser lag nog op de grond, maar niemand scheen hem op te merken. Een kwestie van protocol, veronderstelde Rebus.

Het welzijn van president George W. Bush komt altijd op de eerste plaats.

'Hebben wij dat gedaan?' herhaalde Siobhan, en haar stem trilde een beetje.

De chauffeur van de Audi kwam terug van het afhaalpunt, gevolgd door een man in een grijs kostuum. De man droeg twee uitpuilende aktetassen. Net als de chauffeur bleef hij even staan kijken naar de commotie. De chauffeur hield de deur aan de passagierskant open en de ambtenaar stapte in zonder zelfs maar in de richting van de achterbank te knikken. De chauffeur ging achter het stuur zitten en zijn pet schuurde langs het dak van de Audi. Hij vroeg hun wat er aan de hand was.

'De regering is gevallen,' antwoordde Rebus. De ambtenaar besloot uiteindelijk te erkennen dat hij, waarschijnlijk tot zijn verdriet, niet de enige passagier in de auto was.

'Ik ben Dobbs,' zei hij. 'BZ'.

Buitenlandse Zaken dus. Rebus stak een hand uit.

'Zeg maar John,' zei hij uitnodigend. 'Ik ben een vriend van Richard Pennen.'

Siobhan leek dit alles te ontgaan. Haar aandacht was, nu de auto optrok, gericht op het tafereel dat zich achter hen ontvouwde. Twee mannen in groene verplegerspakken werden bij de president weggehouden door zijn onvermurwbare bodyguards. Hotelpersoneel was buiten komen kijken, evenals een paar journalisten van het mediacentrum.

'*Happy birthday, Mr. President,*' zong Siobhan met omfloerste stem.

'Aangenaam,' sprak Dobbs tegen Rebus.

'Richard al gezien hier?' vroeg Rebus langs zijn neus weg.

De ambtenaar fronste zijn wenkbrauwen. 'Ik weet niet zeker of hij op de lijst staat.' Hij leek zich zorgen te maken of hij misschien ergens buiten was gehouden.

'Hij zei van wel,' loog Rebus opgewekt. 'Dacht dat de minister van BZ een rol voor hem had...'

'Best mogelijk,' verklaarde Dobbs, die zelfverzekerder probeerde te klinken dan hij eruitzag.

'George Bush is net van zijn fiets gevallen,' merkte Siobhan op. Het was alsof de woorden uitgesproken moesten worden voordat het gebeuren een feit kon worden.

'O ja?' zei Dobbs, die maar half luisterde. Hij maakte net een van de tassen open, hij stond op het punt zich in wat leeswerk te verdiepen. De man had genoeg koetjes en kalfjes moeten verduren, realiseerde Rebus zich, en zijn geest stond naar hogere zaken: statistieken en begrotingen en exportcijfers. Hij waagde nog een laatste poging.

'Was u erbij op het Kasteel?'

'Nee,' zei Dobbs slepend. 'U wel?'

'Toevallig wel. Vreselijk van Ben Webster, niet?'

'Afschuwelijk. Beste parlementair woordvoerder die we hadden.'

Siobhan scheen zich ineens te realiseren wat er gaande was. Rebus stelde haar met een knipoog gerust.

'Richard is er niet van overtuigd dat hij gesprongen is,' meldde Rebus.

'Gevallen, bedoelt u?' antwoordde Dobbs.

'Geduwd,' verklaarde Rebus. De ambtenaar liet zijn stapeltje papier zakken en draaide zich om naar de achterbank.

'Gedúwd?' Hij zag Rebus langzaam knikken. 'Wie zou dat in godsnaam doen?'

Rebus haalde zijn schouders op. 'Misschien had hij vijanden. Dat kan gebeuren, bij politici.'

'Niet zoveel als uw vriend Pennen,' beet Dobbs terug.

'Hoezo?' Rebus probeerde plaatsvervangend gekwetst te klinken.

'Dat bedrijf van hem was ooit van de belastingbetaler. Nu strijkt hij de winst op van de Research & Development waar wíj voor hebben betaald.'

'Eigen schuld. Dan hadden we het hem niet moeten verkopen,' droeg Siobhan haar steentje bij.

'Misschien was de regering niet goed geïnformeerd,' plaagde Rebus de ambtenaar.

'De regering wist donders goed wat ze deed.'

'En waarom hebben ze het dan toch aan Pennen verkocht?' vroeg Siobhan, nu oprecht nieuwsgierig geworden. Dobbs zat weer in zijn papieren te bladeren. De chauffeur belde met iemand om te vragen welke routes nog open waren.

'R&D-afdelingen zijn kostbaar,' was Dobbs weer begonnen. 'Als Defensie moet bezuinigen, staat het slecht als het ten koste gaat van de troepen te velde. Zet je een paar bollebozen aan de dijk, kraait er in de media geen haan naar.'

'Ik ben bang dat ik het nog steeds niet begrijp,' erkende Siobhan.

'Het punt met particuliere bedrijven,' ging Dobbs verder, 'is dat ze zaken kunnen doen met zo ongeveer iedereen – die zijn minder gebonden dan Defensie, BZ of Handel en Industrie. Gevolg? Snellere winsten.'

'Winsten,' voegde Rebus toe, 'uit verkopen aan louche dictators en doodarme landen die toch al tot hun nek in de schulden zitten.'

'Ik dacht dat u een vriend van hem...?' Dobbs schrok op nu hij zich realiseerde dat hij zich mogelijk niet onder gelijkgestemden bevond. 'Wie zei u ook alweer dat u was?'

'John,' bracht Rebus hem in herinnering. 'En dit is mijn collega.'

'Maar u werkt niet voor Pennen Industries?'

'Heb ik ook nooit gesuggereerd,' wees Rebus hem terecht. 'We zijn van de politie, Lothian and Borders, meneer Dobbs. En ik dank u hartelijk voor uw openhartige antwoorden op onze vragen.' Rebus keek over de rugleuning naar de schoot van de ambtenaar. 'Het lijkt wel of u al uw mooie papieren verfrommelt. Is dat om te bezuinigen op een papierversnipperaar?'

Ellen Wylie zat druk te telefoneren toen ze op Gayfield Square terugkwamen. Siobhan had haar ouders gebeld en was te weten gekomen dat ze de trip naar Auchterarder uit hun hoofd hadden gezet en bij de gewelddadige demonstratie op Princes Street uit de buurt waren gebleven. De ellende had zich uitgestrekt van de Mound tot aan de Old Town: verontwaardigde actievoerders die de stad niet uit hadden kunnen komen en slaags raakten met de ME. Toen Rebus en Siobhan het recherchekantoor binnenliepen, keek Wylie hen vreemd aan. Rebus dacht dat ze op het punt stond zelf een demonstratie te beginnen, na een lange eenzame dag op het bureau. Maar toen ging de deur van Derek Starrs kamer open en verscheen een figuur – niet Starr zelf, maar korpschef James Corbyn. Hij hield zijn handen stijf vast achter zijn rug, een teken van ongeduld. Rebus staarde Wylie aan, die bij wijze van antwoord haar schouders ophaalde, als om aan te geven dat Corbyn haar had belet dat ze hun een waarschuwing zou sms'en.

'Jullie tweeën, hier,' blafte Corbyn en trok zich terug in Starrs benauwde domein. 'Doe de deur achter je dicht,' voegde hij eraan toe. Hij ging zitten; er waren verder geen stoelen in de kamer, dus Rebus en Siobhan bleven staan.

'Fijn dat u even tijd voor ons hebt gemaakt, commissaris,' opende Rebus de verdediging. 'Ik wilde u nog wat vragen over de avond dat Ben Webster stierf.'

Daar had Corbyn niet van terug. 'Wat is daarmee?'

'U was op dat diner, meneer... iets wat u misschien direct had moeten melden.'

'We zijn niet hier om over míj te praten, inspecteur Rebus. We zijn hier opdat ik u beiden met onmiddellijke ingang kan schorsen uit actieve dienst.'

Rebus knikte langzaam, alsof hij niet anders had verwacht. 'Hoe dan ook, meneer, nu u toch hier bént, kunnen we het best meteen uw verklaring opnemen. Anders wekken we de indruk dat we iets verbergen. De kranten vliegen rond als aasgieren. Doet onze pr niet echt goed als de korpschef –'

Corbyn kwam overeind. 'Misschien heeft u me niet gehoord, inspecteur. U bent niet meer betrokken bij enig onderzoek. Ik wil dat u tweeën dit gebouw binnen vijf minuten verlaat. U gaat naar huis en wacht naast de telefoon op nieuws over het onderzoek dat ik naar uw gedrag laat verrichten. Is dat duidelijk?'

'Ik heb een paar minuten nodig om mijn aantekeningen bij te werken, meneer. Ik moet van dit gesprek verslag opmaken.'

Corbyn priemde met zijn wijsvinger naar Rebus. 'Ik heb alles over u gehoord, Rebus.' Zijn blik verschoof naar Siobhan. 'Dat kan verklaren waarom u zo aarzelde om me de naam van uw collega te noemen toen ik u de leiding gaf.'

'Daar heeft u me ook niet naar gevraagd, meneer, neemt u me niet kwalijk,' wierp Siobhan tegen.

'Maar u kon op uw klompen aanvoelen dat er trammelant van zou komen.' Zijn aandacht was weer volledig op Rebus gericht. 'Met Rebus hier in actie.'

'Met alle respect, meneer –' begon Siobhan.

Corbyn sloeg met zijn vuist op het bureaublad. 'Ik heb u gezegd die hele zaak in de ijskast te zetten! En in plaats daarvan haalt ie de voorpagina's en duikt u ineens op bij Gleneagles! Als ik u zeg dat u van de zaak af bent, hoeft u niet meer te weten. Einde oefening. Sayonara. Finito.'

'Paar nieuwe woorden opgepikt op het diner, hè, meneer?' reageerde Rebus met een knipoog.

Corbyns ogen puilden uit zijn hoofd. Zou je net zien dat hij ter plekke zou bezwijken aan een hersenbloeding. Maar in plaats daarvan beende hij de kamer uit en gooide in het voorbijgaan bijna Siobhan en een boekenkast omver. Rebus ademde luidruchtig uit, streek met een hand door zijn haar en krabde aan zijn neus.

'En, waar heb je nu zin in?' vroeg hij.

Siobhan keek hem alleen maar aan. 'Mijn spullen pakken?' raadde ze.

'Pakken moet zeker gebeuren,' antwoordde Rebus. 'We nemen alle dossiers mee naar mijn flat en zetten daar ons basiskamp op.'

'John...'

'Je hebt gelijk,' zei hij, en negeerde bewust haar toon. 'Als we ze meenemen, valt het op. Dus moeten we ze kopiëren.'

Deze keer verscheen er een glimlach op zijn gezicht.

'Ik doe het wel als je wilt,' ging hij verder. 'Ik weet dat je een spannende date hebt.'

'In de stromende regen.'

'Meer excuus heeft Travis niet nodig om dat rotnummer van ze te spelen.' Hij liep Starrs kantoor uit. 'Heb je er iets van meegekregen, Ellen?'

Ze legde net de hoorn neer. 'Ik kon je niet waarschuwen,' begon ze.

'Je hoeft je niet te verontschuldigen. Ik neem aan dat Corbyn nu weet wie je bent?' Hij ging op een hoek van haar bureau zitten.

'Kon hem kennelijk niet veel schelen. Hij heeft m'n naam en rang, maar hij heeft geen moment gevraagd of ik hier eigenlijk wel werkte.'

'Perfect,' liet Rebus haar weten. 'Dan kun jij hier onze ogen en oren blijven.'

'Een momentje,' viel Siobhan hem in de rede. 'Dat heb jij niet uit te maken.'

'Nee, mevrouw.'

Siobhan negeerde hem en richtte zich tot Ellen Wylie. 'Ik maak hier de dienst uit, Ellen, begrepen?'

'Maak je niet druk, Siobhan, ik voel het wel als ik niet welkom ben.'

'Ik zeg niet dat je niet welkom bent, maar ik moet weten of je aan onze kant staat.'

Wylie was zichtbaar geprikkeld. 'Aan wie z'n kant dan wél?'

'Dames, dames,' zei Rebus en kwam als een ouderwetse boksscheidsrechter tussen hen in staan. Hij keek Siobhan aan. 'Een extra paar handen kunnen we goed gebruiken, chef, dat moet je toegeven.'

Uiteindelijk verscheen er een glimlach – dat 'chef' deed het hem. Maar haar blik bleef strak op Wylie gericht. 'Maar dan nog,' zei ze, 'we kunnen je niet vragen om voor ons te spioneren. Als John en ik ons in de nesten werken, hoeven we jou niet mee de stront in te trekken.'

'Ik zit er niet mee,' zei Wylie. 'Leuke tuinbroek trouwens.'

Siobhans glimlach kwam terug. 'Misschien moet ik me maar gaan omkleden voor het concert.'

Rebus blies hoorbaar zijn adem uit: explosiegevaar voorbij. 'En, hoe is het hier?' vroeg hij Wylie.

'Ik probeer al die lui die op BeastWatch stonden te waarschuwen. Ik heb de diverse politiekorpsen gevraagd ze te laten weten dat ze moeten oppassen.'

'En, klonken ze enthousiast?'

'Niet direct. En tussendoor ben ik door tientallen journalisten gebeld over dat voorpagina-artikel.' Ze had de krant naast zich liggen en tikte op de kop van Mairies artikel. 'Dat ze daar allemaal nog tijd voor heeft,' merkte ze op.

'Hoezo dat?' vroeg Rebus.

Wylie opende de krant bij een artikel over twee pagina's. Was getekend: Mairie Henderson. Een interview met raadslid Gareth Tench. Grote foto van hem op de camping in Niddrie.

'Ik was daar toen ze die foto hebben gemaakt,' zei Siobhan.

'Ik ken hem,' kon Wylie niet nalaten op te scheppen. Rebus keek haar in de ogen.

'Vertel eens.'

Ze haalde haar schouders op, geërgerd door zijn plotselinge belangstelling. 'Gewoon.'

'Ellen,' waarschuwde hij haar; hij rekte de lettergrepen uit.

Ze zuchtte. 'Hij gaat met Denise om.'

'Jouw zuster Denise?' vroeg Siobhan.

Wylie knikte. 'Ik heb ze met elkaar in contact gebracht... min of meer.'

'Hebben ze wat samen?' Rebus had zijn armen om zich heen geslagen als een dwangbuis.

'Ze zijn een paar keer samen uit geweest. Hij heeft...' Ze zocht naar de juiste woorden. 'Het heeft haar goed gedaan, ze is losgekomen.'

'Met behulp van een glaasje wijn?' veronderstelde Rebus. 'Maar hoe heb jij hem ontmoet?'

'BeastWatch,' zei ze zachtjes, haar ogen ontweken de zijne.

'Nog eens?'

'Hij had dat stuk gezien dat ik had geschreven. Stuurde me een e-mail vol lof...'

Rebus was opgesprongen en liet zijn armen los nu hij het bureau doorzocht naar een vel papier, de lijst van deelnemers aan BeastWatch die Bain ze had gegeven.

'Welke is hij?' wilde hij weten en gaf haar de lijst aan.

'Deze,' zei ze.

'Ozyman?' vroeg Rebus voor de zekerheid en zag haar knikken. 'Wat is dat voor naam? Hij komt toch niet uit Australië?'

'Misschien Ozymandias,' opperde Siobhan.

'Ik ben meer van Ozzy Osbourne,' gaf Rebus toe. Siobhan bukte zich over een toetsenbord en typte de naam in een zoekmachine in. Een paar klikken en er verscheen een biografie op het scherm.

'Koning der koningen,' legde Siobhan uit. 'Richtte een reusachtig standbeeld voor zichzelf op.' Nog twee klikken en Rebus keek naar een gedicht van Shelley.

'Aanschouwt mijn werken, gij machtigen,' las hij op, 'en wanhoopt!' Hij draaide zich om naar Wylie. 'Niet dat hij verwaand is of zoiets...'

'Kan ik niet tegenspreken,' erkende ze. 'Ik zei alleen dat hij Denise heeft opgekikkerd.'

'We moeten met hem praten,' zei Rebus, die zijn ogen langs de lijst namen liet gaan en zich afvroeg hoeveel meer deelnemers er nog in Edinburgh woonden. 'En jij had het eerder moeten zeggen, Ellen.'

'Ik wist niet dat je een lijst had,' zei ze verdedigend.

'Hij is via de website bij jou uitgekomen – nogal logisch dat we hem zouden willen spreken. Jezus, we hebben toch al zo weinig aanknopingspunten.'

'Of te veel,' wierp Siobhan tegen. 'Slachtoffers op drie verschillende plaatsen, sporen die worden achtergelaten op weer een andere plaats... Het ligt allemaal zo uit elkaar.'

'Ik dacht dat jij op weg naar huis was om je om te kleden?'

Ze knikte en keek het kantoor rond. 'Ga je het echt allemaal meenemen?'

'Waarom niet? Ik kan het papierwerk kopiëren, en Ellen wil best even blijven om me te helpen.' Hij keek haar veelzeggend aan. 'Ja toch, Ellen?'

'Dat is mijn straf, zeker?'

'Ik kan me indenken dat je Denise erbuiten wilde houden,' verklaarde Rebus, 'maar Tench had je toch moeten noemen.'

'Denk eraan, John,' kwam Siobhan tussenbeide, 'hij is wél degene die me die avond in Niddrie van een pak slaag heeft gered.'

Rebus knikte. Had kunnen aanvullen dat hij een andere kant

van Gareth Tench had leren kennen, maar bespaarde zich de moeite.

'Veel plezier op het concert,' zei hij in plaats daarvan.

Siobhan had haar aandacht weer op Ellen Wylie gericht. 'Het is mijn team, Ellen. Als ik denk dat je nog iets verbergt...'

'De boodschap is overgekomen.'

Siobhan begon langzaam te knikken, en bedacht toen iets. 'Hadden de deelnemers aan BeastWatch ooit bijeenkomsten?'

'Niet dat ik weet.'

'Maar ze kunnen contact met elkaar opnemen?'

'Blijkbaar.'

'Wist je wie Gareth Tench was voor je hem ontmoette?'

'In de eerste e-mail die hij stuurde, zei hij dat hij in Edinburgh woonde en hij tekende met zijn echte naam.'

'En jij liet hem weten dat je bij de recherche werkt?'

Wylie knikte.

'Waar wil je naartoe?' vroeg Rebus aan Siobhan.

'Ik weet het nog niet zeker.' Siobhan begon haar spullen bijeen te rapen. Rebus en Wylie keken toe. Uiteindelijk zwaaide ze even over haar schouder en was ervandoor.

Ellen Wylie vouwde de krant op en mikte die in een prullenbak. Rebus had de waterkoker vol laten lopen en zette hem aan.

'Ik kan je precies vertellen wat ze denkt,' zei Wylie.

'Dan ben je slimmer dan ik.'

'Ze weet dat moordenaars niet altijd alleen werken. Ze weet ook dat ze soms erkenning zoeken.'

'Gaat mij boven de pet, Ellen.'

'Dat denk ik niet. Als ik jou een beetje ken, zit je ook in die richting te denken. Iemand die besluit verkrachters te gaan opruimen, wil daar misschien wel met iemand over praten – ofwel van tevoren, bijna als om toestemming te vragen, ofwel naderhand, om zijn hart te luchten.'

'Oké,' zei Rebus, die met de mokken bezig was.

'Lastig werken in een team als je een van de verdachten bent...'

'Ik ben echt blij dat je ons wil helpen, Ellen,' zei hij, en stopte even voor hij verder ging: 'Als je dat doet, tenminste.'

Ze sprong op van haar stoel en zette haar handen op haar heupen, met de ellebogen naar buiten. Iemand had Rebus eens verteld waarom mensen dat doen: om zich groter te maken, gevaarlijker, minder kwetsbaar...

'Denk jij,' was ze begonnen, 'dat ik hier de halve dag heb gezeten alleen om Denise te beschermen?'

'Nee, maar ik denk dat mensen wel ver gaan om hun familie te beschermen.'

'Zoals Siobhan en haar ma, bedoel je?'

'Laten we elkaar niet wijsmaken dat wij het anders zouden doen.'

'John... ik ben hier omdat jíj me hebt gevraagd.'

'En ik heb gezegd dat ik er blij mee ben, maar kijk eens goed. Siobhan en ik hebben net een schop onder onze kont gekregen. We hebben iemand nodig om ons te helpen. Iemand die we kunnen vertrouwen.' Hij lepelde oploskoffie in de twee gebarsten mokken. Snuffelde aan de melk en kwam tot de conclusie dat die ermee door kon. Gaf haar tijd om na te denken.

'Oké,' zei ze uiteindelijk.

'Geen geheimen meer?' vroeg hij. Ze schudde haar hoofd. 'Niets wat ik moet weten?' Ze schudde weer. 'Wil je erbij zijn als ik met Tench praat?'

Haar wenkbrauwen gingen iets omhoog. 'Hoe wou je dat aanpakken? Je bent geschorst, weet je nog?'

Rebus trok een grimas en klopte op zijn hoofd. 'Kortetermijngeheugen is naar de knoppen,' verklaarde hij. 'Beroepskwaal.'

Na de koffie gingen ze aan de slag: Rebus stopte een nieuw pak papier in het kopieerapparaat, Wylie vroeg hem wat hij gekopieerd wilde hebben uit de verschillende databestanden op de computer. De telefoon ging vijf, zes keer over, maar die negeerden ze.

'Tussen haakjes,' schoot Wylie op een moment te binnen, 'heb je het gehoord? Londen heeft de Olympische Spelen gekregen.'

'Halleluja.'

'Nee, het was echt leuk: allemaal mensen aan het dansen op Trafalgar Square. Betekent dat Parijs heeft verloren.'

'Vraag je je af hoe Chirac het opneemt.' Rebus keek op zijn horloge. 'Die zal zo ongeveer nu aan tafel gaan met de koningin.'

'En TB zit erbij te grijnzen als de Cheshire Cat.'

Rebus glimlachte. Inderdaad, en Gleneagles zet de Franse president het beste van de Schotse cuisine voor. Hij dacht terug aan die middag, toen hij op een paar honderd meter afstand van de machtigen der aarde stond. Bush die van zijn fiets viel, een pijnlijke herinnering dat de wereldleiders net zo feilbaar zijn als wie dan ook. 'Waar staat die g eigenlijk voor?' vroeg hij. Wylie keek hem alleen maar aan. 'In g8,' verduidelijkte hij.

'Gleneagles?' raadde ze schouderophalend. Op de openstaande deur werd geklopt: een van de uniformen die dienst had aan de balie.

'Iemand beneden die u wil spreken, meneer.' Hij keek veelbetekenend in de richting van de dichtstbijzijnde telefoon.

'We namen niet op,' legde Rebus uit. 'Wie is het?'

'Een zekere mevrouw Webster... Ze zocht eigenlijk brigadier Clarke, maar als het niet anders kon ging het ook wel met u, zei ze.'

18

Backstage bij de Final Push.

Er gingen geruchten dat er vanaf de spoorlijn in de buurt een of andere raket was afgevuurd die zijn doel niet had bereikt.

'Vol met paarse verf,' had Bobby Greig tegen Siobhan gezegd. Hij was in burger: versleten spijkerbroek en een denimjasje dat veel had meegemaakt. Hij zag er nat maar vrolijk uit in de motregen. Siobhan was nu gekleed in een zwarte ribbroek en een bleekgroen T-shirt, met daarop een motorjack dat ze tweedehands in een Oxfamwinkel had gekocht. Greig had haar glimlachend opgenomen. 'Hoe komt het,' had hij gezegd, 'dat jij er blijft uitzien als een smeris, wat je ook draagt?'

Ze had zich de moeite van het antwoorden bespaard. Ze bleef voelen aan het geplastificeerde pasje dat om haar nek hing, met daarop de contouren van Afrika en het opschrift TOEGANG BACK-STAGE. Klonk geweldig, maar Greig hielp haar al spoedig uit de droom. Op zijn eigen pasje stond TOEGANG ONBEPERKT, maar daarboven waren nog twee rangen: vip en vvip. Ze had Midge Ure en Claudia Schiffer al gezien, allebei vvip. Greig had haar voorgesteld aan de producenten van de show, Steve Daws en Emma Diprose, die er ondanks de regen als sterren uitzagen.

'Geweldige line-up,' had ze tegen hen gezegd.

'Dank je,' had Daws geantwoord. Toen wilde Diprose weten of Siobhan een favoriet had, maar ze had haar hoofd geschud.

Greig was geen moment op het idee gekomen te zeggen dat ze bij de politie zat.

Buiten het stadion stonden fans zonder kaartje, smekend of ze er niet een konden kopen, en een paar sjacheraars die prijzen rekenden waarvoor je wanhopig en schatrijk moest zijn. Met haar pasje kon Siobhan onder het podium langs lopen en zich op het veld zelf mengen onder de zestigduizend doorweekte fans. Maar de hongerige blikken in de richting van haar rechthoekige stukje

plastic gaven haar een onbehaaglijk gevoel en ze trok zich al spoedig terug achter de dranghekken. Greig propte zich vol met de
gratis hapjes en had een halfleeg flesje buitenlands bier in de hand.
The Proclaimers hadden het festival geopend met een meezing-
versie van '500 Miles'. Naar verluidde zou Eddie Izzard piano
spelen bij Midge Ures versie van 'Vienna'. Texas, Snow Patrol en
Travis stonden voor later gepland, Bono kwam de Corrs versterken en James Brown sloot af.

Maar Siobhan voelde zich oud in de hectiek achter het podium. De helft van de muzikanten kende ze niet. Ze keken gewichtig
en flaneerden af en aan met hun diverse entourages, maar hun gezichten zeiden haar niets. Het schoot haar te binnen dat haar ouders misschien al vrijdag zouden vertrekken, zodat ze nog maar
een dag met ze kon doorbrengen. Ze had ze eerder op de avond
gebeld; ze waren teruggegaan naar haar flat en hadden onderweg
boodschappen gedaan, misschien gingen ze later uit eten. Gewoon
met z'n tweetjes, had haar vader gezegd, alsof het precies was wat
hij wilde.

Of misschien om haar geweten te sussen nu ze ergens anders
was.

Ze probeerde zich te ontspannen, in de stemming te komen,
maar het werk liet haar niet los. Rebus was nog druk bezig, wist
ze. Die zou niet rusten voor hij zijn demonen had verjaagd. Maar
elke overwinning was tijdelijk en elk gevecht putte hem iets meer
uit. Nu, in de ondergaande zon, was het stadion bespikkeld met
flitsen van gsm-camera's. Lichtgevende polsbanden zwaaiden in
de lucht. Greig had ergens een paraplu gevonden en gaf die haar
aan nu het harder begon te regenen.

'Verder nog problemen gehad in Niddrie?' vroeg ze hem.

Hij schudde zijn hoofd. 'Ze hebben hun boodschap afgegeven,'
zei hij. 'En trouwens, ze zullen wel denken dat er in de stad meer
te knokken valt.' Hij gooide zijn lege flesje in een glasbak. 'Heb
je het gezien vandaag?'

'Ik was in Auchterarder,' zei ze.

Hij keek geïmponeerd. 'Van wat ik op tv zag, leek het wel een
oorlogsgebied.'

'Zo erg was het nou ook weer niet. En hier?'

'Een soort demonstratie toen de bussen werden tegengehouden. Maar lang niet zo erg als maandag.' Hij knikte naar iemand
achter haar. 'Annie Lennox.' En inderdaad, nog geen drie meter
van hen vandaan, onderweg naar haar kleedkamer; ze glimlachte naar hen. 'Je had ze helemaal plat in Hyde Park!' riep Greig

haar achterna. Ze bleef glimlachen maar zei niets, ze concentreerde zich op het komende optreden.

Greig ging nog een paar biertjes halen. De meeste mensen die Siobhan zag, hingen maar wat rond en keken verveeld. Roadies die pas weer in actie zouden komen als het tijd was de boel in te pakken en het podium af te breken. Persoonlijke assistenten en mensen van platenmaatschappijen – de laatsten herkenbaar aan hun uniform: zwart pak, bijpassende sweater met v-hals, zonnebril en gsm met headset. Cateraars en promotors en aanhang. Zij viel in de laatste categorie. Niemand had gevraagd wat haar rol daar was, want niemand dacht dat ze een rol van betekenis speelde.

Een rijtjeshuis, daar hoor ik, dacht ze.

Of anders op het bureau.

Ze voelde zich zo anders dan het tienermeisje dat naar Greenham Common was komen liften om 'We Shall Overcome' te zingen, hand in hand met de andere vrouwen die een menselijke keten rond de luchtmachtbasis hadden gelegd. Help Armoede de Wereld Uit, de mars van zaterdag, leek al bijna vergeten. En toch... Bono en Geldof waren door de beveiliging rond de G8 gebroken en hadden voor de wereldleiders hun zaak bepleit. Ze hadden die kerels verdomd goed aan het verstand gebracht wat er op het spel stond, en dat miljoenen mensen grote daden van ze verwachtten. Morgen konden er beslissingen worden genomen. Morgen was de grote dag.

Ze had haar mobiel in de hand en stond op het punt Rebus te bellen. Maar ze wist dat hij zou lachen en zou zeggen dat ze het ding uit moest zetten en genieten. Ineens betwijfelde ze of ze naar T in the Park zou gaan, al hing het kaartje met een magneet vastgeplakt aan haar koelkast. Ze betwijfelde of de moorden tegen die tijd opgelost zouden zijn, zeker nu ze officieel van de zaak was gehaald. Háár zaak. Behalve dat Rebus Ellen Wylie erbij had gehaald... het stak haar dat hij het niet nodig had gevonden om het haar te vragen. Het stak haar ook dat hij gelijk had gehad: ze hadden hulp nodig. Maar nu was gebleken dat Wylie Gareth Tench kende, en dat Tench wat had met Wylies zus...

Bobby Greig was terug met hun bier. 'En, wat vind je ervan?' vroeg hij.

'Ik vind ze allemaal zo klein,' merkte ze op. Hij knikte instemmend.

'Popsterren moeten vroeger de kleine opdondertjes op school zijn geweest,' legde hij uit. 'Dit is hun wraak. Ze hebben het anders hoog genoeg in de bol...' Hij zag dat hij haar aandacht kwijt was.

'Wat doet hij hier?' vroeg Siobhan.

Greig herkende de figuur en zwaaide. Raadslid Gareth Tench zwaaide terug. Hij stond met Daws en Diprose te praten maar brak het gesprek af – schouderklopje voor de een, zoentje op elke wang voor de ander – en kwam naar ze toe.

'Hij is de secretaris van de cultuurcommissie in de raad,' verklaarde Greig. Hij stak een hand naar Tench uit.

'Hoe gaat het, jong?' informeerde Tench.

'Prima.'

'En blijf je nu bij de trubbels uit de buurt?' Deze vraag was aan Siobhan gericht. Ze nam zijn uitgestoken hand aan en beantwoordde de ferme greep.

'Zoveel mogelijk.'

Tench richtte zich weer tot Greig. 'Help me even herinneren alsjeblieft, waar ken ik jou ook alweer van?'

'Het kampeerterrein. Bobby Greig.'

Tench schudde zijn hoofd over zijn slechte geheugen. 'Ach ja, natuurlijk. Zeg, maar is het niet schitterend hier?' Hij sloeg zijn handen in elkaar en keek rond. 'Verdomd als het niet waar is, de hele wereld heeft zijn ogen op Edinburgh gericht.'

'Of in ieder geval op het concert,' verbeterde Siobhan onwillekeurig.

Tench rolde alleen met zijn ogen. 'Sommige mensen zijn nooit tevreden. Zeg eens, heeft Bobby je hier gratis binnengesmokkeld?'

Siobhan voelde zich verplicht te knikken.

'En nog heb je wat te klagen?' Hij grinnikte even. 'Vergeet de collecte niet als je weggaat, hè? Voordat mensen gaan klagen over vriendjespolitiek.'

'Dat is niet helemaal eerlijk,' begon Bobby, maar Tench wuifde zijn protest weg. 'En hoe is het met die collega van je?' vroeg hij Siobhan.

'U bedoelt inspecteur Rebus?'

'Die, ja. Gaat een beetje te vriendschappelijk om met de criminele broeders, als je het mij vraagt.'

'Hoezo dat?'

'Nou ja, jullie werken samen... Ik neem aan dat ie je in vertrouwen neemt. Gisteravond?' Alsof hij haar geheugen opfriste. 'Craigmillar Faith Centre? Ik was daar een toespraak aan het houden toen die collega van je binnen kwam zetten met dat monster van een Cafferty.' Hij wachtte even. 'Ik neem aan dat je die kent?'

'Die ken ik,' bevestigde Siobhan.

'Komt op mij vreemd over als de sterke arm der wet daarmee...' Hij scheen naar het juiste woord te zoeken. '... vriendjes wil zijn,' koos hij. Toen zweeg hij weer even en zijn blik boorde zich in die van Siobhan. 'Zoiets zou inspecteur Rebus toch niet voor je achterhouden... Ik bedoel, ik vertel je toch niks wat je niet al weet?'

Siobhan voelde zich als een vis die door de haak achterna wordt gezeten.

'We hebben allemaal ook een privéleven, meneer Tench,' was het enige antwoord dat ze kon bedenken. Tench scheen teleurgesteld. 'En wat brengt u hier?' vervolgde ze. 'Kijken of u een paar bands kunt overhalen om bij u in de buurt te komen spelen?'

Hij wreef zich weer in zijn handen. 'Als de gelegenheid zich zou...' Zijn stem stierf weg toen hij een gezicht zag dat hij herkende. Siobhan herkende het ook: Marti Pellow van Wet Wet Wet. De naam herinnerde haar eraan haar paraplu op te steken. De regen tik-tikte erop neer terwijl Tench zijn prooi besloop.

'Wat was dat allemaal?' vroeg Greig. Ze schudde alleen haar hoofd. 'Waarom krijg ik het gevoel dat je liever ergens anders zou zijn?'

'Sorry,' zei ze.

Greig keek naar Tench en de zanger. 'Weet van aanpakken, hè? Niet verlegen ook... Daarom luisteren de mensen naar hem, denk ik. Heb je hem wel eens een speech horen houden? Kippenvel.'

Siobhan knikte traag. Ze dacht aan Rebus en Cafferty. Het verbaasde haar niet dat Rebus er niets van had gezegd. Ze keek weer naar haar mobiel. Nu had ze een excuus om hem te bellen, toch hield ze zich in.

Ik heb toch recht op een privéleven, een avondje vrij?

Anders zou ze net zo worden als Rebus: obsessief en buitenspel gezet, dwars en gedwarsboomd. Hij was al bijna twintig jaar niet verder gekomen dan de rang van inspecteur. Zij wilde meer. Wilde haar werk goed doen, maar nu en dan de knop om kunnen zetten. Wilde een leven buiten haar baan, niet een baan die haar leven werd. Rebus had vrienden en verwanten verloren, aan de kant gezet voor doden en moordenaars, oplichters en kruimeldieven, verkrachters en vechtersbazen, dealers en racisten. Als hij naar de kroeg ging, ging hij alleen en stond stilletjes aan de bar, gezicht richting de rij maatglazen. Hij had geen hobby's, volgde geen sport, ging nooit op vakantie. Als hij een week of twee vrij had, kon ze hem meestal in de Oxford Bar vinden, waar hij in een hoekje net deed of hij de krant las of glazig zat te staren naar de middagprogramma's op tv.

Zij wilde meer.

Nu belde ze wél. De telefoon werd opgenomen en op haar gezicht brak een glimlach door. 'Pap?' zei ze. 'Zitten jullie nog in het restaurant? Zeg dat ze een extra bord neerzetten voor het toetje...'

Stacey Webster was weer zichzelf.

Ongeveer net zo gekleed als de keer dat Rebus haar buiten het mortuarium had gesproken. T-shirt met lange mouwen.

'Is dat om de tattoos te verbergen?' vroeg hij.

'Die zijn maar tijdelijk,' zei ze. 'Ze slijten na verloop van tijd weg.'

'Dat doen de meeste dingen.' Hij zag de koffer. Die stond op zijn kant, met uitgetrokken handvat. 'Terug naar Londen?'

'Slaaptrein,' knikte ze.

'Luister, het spijt me als we...' Rebus keek de wachtruimte rond, alsof hij haar niet goed durfde aan te kijken.

'Die dingen gebeuren,' zei ze. 'Misschien was mijn dekking nog oké, maar commandant Steelforth neemt niet graag risico's met zijn agenten.' Ze leek onzeker en niet op haar gemak, geestelijk verloren in het niemandsland tussen twee strikt gescheiden identiteiten.

'Tijd voor een borrel?' vroeg hij.

'Ik kwam voor Siobhan.' Ze stak een hand in haar zak. 'Hoe is 't met haar moeder?'

'Herstellende,' zei Rebus. 'Ze logeert bij Siobhan.'

'Santal heeft de kans niet gekregen om afscheid van haar te nemen.' Ze had haar hand naar Rebus uitgestoken. Een doorzichtig plastic mapje met daarin een zilveren schijf. 'Cd-rom,' zei ze. 'Kopieën van opnames, die dag op Princes Street.'

Rebus knikte langzaam. 'Ik zal ervoor zorgen dat ze hem krijgt.'

'De commandant vermoordt me als...'

'Ons geheim,' stelde Rebus haar gerust en stopte de schijf in zijn binnenzak. 'Nu maar eens kijken naar die borrel voor je.'

Pubs te over op Leith Walk. Maar de eerste waar ze langsliepen zag er druk uit en het concert in Murrayfield blèrde op de tv. Verder naar beneden vonden ze wat ze zochten, een rustige, traditionele kroeg met muziek uit de computer en een gokkast. Stacey had haar koffer op Gayfield Square achter de balie laten staan. Ze vertelde hem dat ze wat Schotse bankbiljetten kwijt moest –

haar excuus om het rondje te betalen. Ze zochten een hoektafeltje op.

'Ooit eerder met de slaaptrein geweest?' vroeg Rebus.

'Precies waarom ik wodka en tonic drink, anders krijg ik geen slaap in die verrekte trein.'

'Verdwijnt Santal voorgoed?'

'Hangt ervan af.'

'Steelforth zei dat je al maanden undercover werkte.'

'Maanden,' stemde ze in.

'Kan niet makkelijk zijn geweest in Londen... altijd kans dat iemand je herkent.'

'Ik ben Ben een keer tegengekomen.'

'Als Santal?'

'Hij had niks in de gaten.' Ze ging achteroverzitten. 'Daarom liet ik Santal bij Siobhan in de buurt komen. Haar ouders hadden me gezegd dat ze bij de recherche zat.'

'Wilde je zien of je dekking het zou houden?'

Rebus zag hoe ze knikte en dacht dat hij nu iets begreep. Stacey moest hard zijn getroffen door de dood van haar broer, maar voor Santal maakte het weinig uit. Het probleem was, al dat verdriet zat nog opgesloten – iets waar hij ook wat van wist.

'Londen was trouwens niet echt mijn basis,' was Stacey verdergegaan. 'Veel van de groepen zijn weggetrokken – die waren daar voor ons te makkelijk in de gaten te houden. Manchester, Bradford, Leeds... daar zat ik de meeste tijd.'

'Denk je dat het iets heeft uitgehaald?'

Ze dacht even na. 'Dat moeten we maar hopen, niet?'

Hij knikte instemmend, nipte aan zijn pint en zette het glas weer neer. 'Ik ben nog met Bens dood bezig.'

'Weet ik.'

'Heeft de commandant je dat verteld?' Hij zag dat ze knikte. 'Hij werkt me tegen.'

'Dat ziet hij waarschijnlijk als zijn taak, inspecteur. Het is niks persoonlijks.'

'Als ik niet beter wist, zou ik denken dat hij het doet om een zekere Richard Pennen te beschermen.'

'Van Pennen Industries?'

Het was Rebus' beurt te knikken. 'Pennen betaalde je broers hotelrekening.'

'Vreemd,' zei ze. 'Vrienden waren ze niet.'

'O?'

Ze staarde hem aan. 'Ben is in genoeg oorlogsgebieden geweest om te weten wat de wapenhandel voor gruwelijks aanricht.'

'Het verhaal dat ik steeds te horen krijg is dat Pennen geen wapens verkoopt, maar technologie.'

Ze snoof. 'Kwestie van tijd. Ben wilde het hun zo moeilijk mogelijk maken. Zoek de speeches die hij in het Huis heeft gehouden maar eens terug in de *Hansard*, daar stelde hij allerlei lastige vragen.'

'En toch betaalde Pennen zijn kamer...'

'Zulke dingen vond Ben prachtig. Hij liet zich door een dictator ontvangen en bleef dan de hele reis op hem inhakken.' Ze zweeg even en liet haar drankje in het glas ronddraaien, toen richtte ze haar ogen weer op hem. 'U dacht zeker dat het smeergeld was, niet? Pennen die Ben omkocht?' Zijn zwijgen was haar antwoord. 'Mijn broer was een goeie, inspecteur.' Nu welden er uiteindelijk tranen op in haar ogen. 'En ik kon verdomme niet eens naar zijn crematie.'

'Dat zou hij begrepen hebben,' kwam Rebus haar tegemoet. 'Mijn eigen...' Hij moest stoppen om zijn keel te schrapen. 'Mijn eigen broer is vorige week ook gestorven. We hebben hem vrijdag gecremeerd.'

'Gecondoleerd.'

Hij zette het glas aan zijn mond. 'Hij was in de vijftig. De dokters zeggen dat het een beroerte was.'

'Waren jullie close?'

'Telefoontjes, meestal.' Hij zweeg weer even. 'Ik heb hem een keer vastgezet wegens drugshandel.' Hij keek haar aan om haar reactie te peilen.

'Is dat wat u dwarszit?' vroeg ze.

'Wat?'

'Dat u hem nooit gezegd hebt...' Ze worstelde om de woorden eruit te krijgen en haar gezicht vertrok toen de tranen kwamen. 'Nooit gezegd hebt dat het u speet.' Ze stond van tafel op en vluchtte naar de toiletten, nu honderd procent Stacey Webster. Hij dacht dat hij haar misschien moest volgen, of de barvrouw achter haar aan moest sturen. Maar in plaats daarvan bleef hij zitten, draaide zijn glas in zijn hand tot er aan het oppervlak van het bier nieuw schuim opkwam, en dacht na over familierelaties. Ellen Wylie en haar zuster, de Jensens en hun dochter Vicky, Stacey Webster en haar broer Ben...

'Mickey,' zei hij op fluistertoon. Je moest de doden bij naam noemen om ze te laten weten dat ze niet vergeten waren.

Ben Webster.

Cyril Colliar.

Edward Isley.

Trevor Guest.

'Michael Rebus,' zei hij hardop, en maakte het gebaar van een toost met zijn glas. Toen stond hij op en ging nog een rondje halen – IPA en wodka-tonic. Hij stond aan de bar te wachten op zijn wisselgeld. Hoorde twee vaste klanten praten over de kansen voor de worstelploeg van Team Britain op de Spelen van 2012.

'Hoe komt het dat Londen altijd alles krijgt?' klaagde een van hen.

'Vreemd dat ze de G8 niet wilden,' vulde zijn metgezel aan.

'Ze kijken wel uit.'

Rebus moest even nadenken. Vandaag was het woensdag... vrijdag was alles over. Nog maar één hele dag en de stad kon langzamerhand weer overgaan tot de orde van de dag. Steelforth en Pennen en al die andere indringers zouden opgehoepeld zijn naar het zuiden.

Vrienden waren ze niet...

Ze had op haar broer en Richard Pennen gedoeld. Het parlementslid en de man wiens plannen hij wilde dwarsbomen. Rebus had Ben Webster helemaal verkeerd gezien, als een soort lakei. En Steelforth dan... die Rebus niet bij Websters hotelkamer in de buurt had gelaten. Niet omdat hij bang was voor heibel of de hotemetoten in bescherming wilde nemen tegen vragen en theorieën. Maar om Richard Pennen te dekken.

Vrienden waren ze niet.

Wat Richard Pennen een verdachte maakte, of hem in ieder geval een motief gaf. Elk van de wachtposten had het parlementslid over de borstwering kunnen kieperen. Er waren onder de gasten natuurlijk bodyguards geweest, van de geheime dienst ook, ten minste een heel team zowel voor de minister van Buitenlandse Zaken als die van Defensie. Steelforth zat bij SO12, net een graadje minder eng dan die lui van MI5 of MI6. Maar als je iemand kwijt wilde, waarom zou je het dan zo aanpakken? Zo in het openbaar, zo opvallend? Rebus wist uit ervaring: de geslaagde moord *is* geen moord. Slapend gesmoord onder een kussen, gedrogeerd en in een rijdend voertuig gezet, of simpelweg verdwenen.

'Jezus, John,' sprak hij zichzelf toe, 'straks zijn het nog marsmannetjes.' Het kwam door de hele entourage: een week G8 en je haalt je de gekste complotten in je hoofd. Hij zette de glazen op tafel, nu ietwat bezorgd omdat Stacey niet terug was van het toilet. Hij bedacht ineens dat hij aan de bar had staan wachten met zijn rug naar de deur. Hij liet er nog vijf minuten overheen gaan en vroeg de barvrouw toen te gaan kijken. Toen ze uit de damestoiletten kwam, schudde ze haar hoofd.

'Zonde van het geld,' zei ze, gebarend naar Staceys drankje. 'Trouwens toch te jong voor je, als ik het mag zeggen.'

Terug op Gayfield Square bleek haar koffer weg te zijn, maar ze had een briefje voor hem achtergelaten.

Succes, maar vergeet niet: Ben was mijn broer, niet die van u. Zorg dat uw eigen rouw ook de kans krijgt.

Nog uren tot de slaaptrein vertrok. Hij kon bij Waverley Station gaan zoeken, maar zag ervan af, wist niet of er nog veel te zeggen was. Misschien had ze zelfs gelijk. Door aan de dood van Ben te werken, hield hij de herinnering aan Mickey bij zich. Ineens kwam de vraag op die hij vergeten was haar te stellen:

Wat denk jij dat er met je broer is gebeurd?

Nou ja, hij had haar visitekaartje ergens, dat had ze hem buiten het mortuarium gegeven. Hij zou haar morgen bellen misschien, kijken of ze in de trein naar Londen had kunnen slapen. Hij had haar gezegd dat hij nog met haar broers dood bezig was en het enige wat ze had gezegd was 'weet ik'. Geen vragen. Geen eigen veronderstellingen. Afgeschrokken door Steelforth? Een goed soldaat volgt bevelen altijd op. Maar ze moest erover hebben nagedacht, de opties hebben afgewogen.

Een val.

Een sprong.

Een duw.

'Morgen,' zei hij tegen zichzelf, onderweg terug naar de recherchekamer, met een lange avond clandestien kopieerwerk voor zich.

Donderdag 7 juli

19

Hij werd wakker van de zoemer.

Hij strompelde naar de hal en drukte op het knopje van de intercom.

'Ja?' raspte hij.

'Ik dacht dat ik hier werkte.' Blikkerig en vervormd maar onmiskenbaar Siobhans stem.

'Hoe laat is het?' hoestte Rebus.

'Acht uur.'

'*Acht uur?*'

'Het begin van de nieuwe werkdag.'

'We zijn geschorst, weet je nog?'

'Loop je nog in je jamaatje?'

'Die draag ik niet.'

'Wil je daarmee zeggen dat ik hier moet wachten?'

'Ik laat de deur hierboven wel open.' Hij drukte op de zoemer van de benedendeur, raapte zijn kleren van de stoel naast het bed en sloot zich op in de badkamer. Hij hoorde haar op de deur van zijn flat kloppen en hem openduwen.

'Twee minuten!' riep hij terwijl hij onder de douche in het bad ging staan.

Tegen de tijd dat hij weer tevoorschijn kwam, zat ze aan de eettafel door de fotokopieën van de avond tevoren te bladeren.

'Maak het je niet te gemakkelijk,' zei hij. Hij was bezig zijn das te strikken maar herinnerde zich halverwege dat hij niet naar zijn werk hoefde, trok hem dus weer los en slingerde hem in de richting van de bank. 'Ik moet naar de winkel,' deelde hij haar mee.

'En ik moet wat vragen.'

'Te weten?'

'Een paar uur lunchpauze – ik wil m'n ouders mee uit nemen.'

Hij knikte instemmend. 'Hoe is het met je moeder?'

'Zo te zien goed. Ze hebben besloten Gleneagles maar te laten zitten, ook al staat vandaag de klimaatverandering op de agenda.'

'Gaan ze morgen terug naar huis?'

'Waarschijnlijk wel.'

'Hoe was het concert gisteravond?' Ze antwoordde niet direct. 'Ik heb het laatste stuk op tv gezien. Dacht dat ik je misschien vooraan zou zien huppelen.'

'Toen was ik al weg.'

'O?'

Ze haalde alleen haar schouders op. 'En, wat moet je van de winkel hebben?'

'Ontbijt.'

'Ik heb al ontbeten.'

'Dan mag je toekijken hoe ik een broodje bacon soldaat maak. Er is een cafetaria op Marchmont Road. En terwijl ik zit te bikken mag jij meneer Tench van de gemeenteraad bellen en een afspraakje maken.'

'Hij was er gisteravond ook.'

Rebus keek haar aan. 'Die komt nog eens ergens, hè?'

Ze was naar de stereo gelopen. Op een plank lagen lp's en ze pakte er een.

'Die is nog van voor jij geboren bent,' zei Rebus. Leonard Cohen, *Songs of Love and Hate*.

'Moet je horen,' zei ze, terwijl ze de achterkant van de hoes las. ' "Ze hebben een man opgesloten die over de wereld wilde heersen. De stommelingen, ze hebben de verkeerde opgesloten." Wat moet dat betekenen?'

'Persoonsverwisseling?' opperde Rebus.

'Ik denk dat het te maken heeft met ambitie,' sprak ze hem tegen. 'Gareth Tench zei dat hij je had gezien...'

'Klopt.'

'Met Cafferty.'

Rebus knikte. 'Big Ger zegt dat het gemeenteraadslid van plan is hem buitenspel te zetten.'

Ze legde de plaat terug en draaide zich naar hem om. 'Dat is mooi, toch?'

'Hangt ervan af wat we ervoor in de plaats krijgen. Cafferty denkt dat dat Tench zelf is.'

'Geloof je hem?'

Rebus leek over de vraag na te denken. 'Weet je wat ik nodig heb om die vraag te kunnen beantwoorden?'

'Bewijzen?' raadde ze.

Hij schudde zijn hoofd. 'Koffie.'

Kwart voor negen.

Rebus zat aan zijn tweede mok. Van zijn broodje was niet meer over dan een bordje bespikkeld met vet. Het cafetaria had een goede selectie kranten en Siobhan las over de Final Push terwijl Rebus haar foto's liet zien van de schermutselingen de vorige dag bij Gleneagles.

'Die jongen,' zei hij, wijzend op de foto, 'hebben we die niet gezien?'

Ze knikte. 'Maar niet met een hoofd waar het bloed vanaf stroomt.'

Rebus draaide de krant weer naar zich toe. 'Eigenlijk vinden ze het prachtig, weet je. Beetje bloed doet het altijd goed in de media.'

'En allemaal de schuld van de politie.'

'Nu we het erover hebben...' Hij trok de cd-rom uit zijn binnenzak. 'Een afscheidscadeautje van Stacey Webster – of Santal, als je dat liever hebt.'

Siobhan nam het schijfje van hem aan en hield het tussen haar vingers terwijl hij uitlegde hoe hij eraan kwam. Toen hij was uitgesproken, haalde hij Staceys visitekaartje uit zijn portefeuille en probeerde haar nummer. Er werd niet opgenomen. Toen hij de telefoon weer in zijn jasje stopte, rook hij nog een vleugje van het parfum van Molly Clark. Hij was tot de conclusie gekomen dat Siobhan het niet hoefde te weten van haar; hij wist niet hoe ze zou reageren. Hij dacht er nog over na toen Gareth Tench binnen kwam lopen. Tench schudde hun beiden de hand. Rebus bedankte hem voor het feit dat hij was gekomen en nodigde hem met een gebaar uit te gaan zitten.

'Wat kan ik u aanbieden?'

Tench schudde zijn hoofd. Rebus zag buiten een auto geparkeerd staan, met oppassers die ernaast stonden.

'Goed idee,' erkende hij, en knikte naar het raam. 'Ik weet niet waarom er niet meer inwoners van Marchmont bodyguards gebruiken.'

Tench glimlachte alleen. 'Niet op het werk vandaag?' informeerde hij.

'Beetje informeel,' legde Rebus uit. 'We moeten onze gekozen politici toch wat beters bieden dan een verhoorkamertje in een woutenkeet.'

'Stel ik op prijs.' Tench had het zich gemakkelijk gemaakt, maar maakte geen aanstalten zijn driekwartjas uit te trekken. 'Goed, wat kan ik voor u doen, inspecteur?'

Maar het was Siobhan die als eerste het woord nam. 'Zoals u weet, onderzoeken we een serie moorden, meneer Tench. Er zijn aanwijzingen achtergelaten op een plek in Auchterarder.'

Tench keek verwonderd. Zijn blik rustte nog altijd op Rebus, maar hij had kennelijk een ander soort gesprek verwacht – over Cafferty misschien, of Niddrie.

'Ik begrijp niet –' begon hij.

'Alle drie de slachtoffers,' ging Siobhan verder, 'stonden vermeld op een website die BeastWatch heet.' Ze wachtte even. 'Die kent u natuurlijk.'

'O ja?'

'Volgens onze informatie, ja.' Ze vouwde een vel papier open en liet het hem zien. 'Ozyman... dat bent u, toch?'

Hij dacht even na voor hij antwoord gaf. Siobhan vouwde het vel papier op en stopte het terug in haar zak. Rebus gaf Tench een knipoog, met een simpele boodschap: *Ze is niet voor de poes.*

Dus probeer geen loopje met ons te nemen...

'Dat ben ik,' gaf Tench uiteindelijk toe. 'En wat zou dat?'

Siobhan haalde haar schouders op. 'Waarom bent u geïnteresseerd in BeastWatch, meneer Tench?'

'Wilt u zeggen dat u mij verdenkt?'

Rebus gaf een kil lachje ten beste. 'Dat is wel erg kort door de bocht, meneer.'

Tench keek hem nijdig aan. 'Je weet nooit wat Cafferty zou kunnen bekokstoven – met een beetje hulp van zijn vrienden.'

'Ik denk dat we afdwalen,' kwam Siobhan tussenbeide. 'We moeten iedereen horen die toegang had tot die site, meneer. Het is routine, meer niet.'

'Ik weet nog niet hoe u van mijn alias bij mij bent uitgekomen.'

'Wat u vergeet, meneer Tench,' sprak Rebus monter, 'is dat we net deze week de beste mensen van de inlichtingendiensten wereldwijd hier hebben. Waar die allemaal niet achter kunnen komen.' Tench leek klaar te staan om een opmerking te maken, maar Rebus gaf hem geen kans. 'Interessante keuze, Ozymandias. Gedicht van Shelley, hè? Een koning krijgt het wat hoog in de bol en laat een reusachtig standbeeld oprichten. Maar dat staat daar maar in de woestijn en brokkelt langzaam af.' Hij wachtte even. 'Wat ik zeg, interessante keuze.'

'Hoezo dat?'

Rebus sloeg zijn armen over elkaar. 'Nou, die koning moet nogal een ego hebben gehad, dat is de boodschap van het gedicht. Hoe groot en machtig je ook bent, niets blijft bestaan. En als je een tiran bent, val je des te harder.' Hij leunde iets naar voren over de tafel. 'Degene die die naam heeft gekozen was niet gek. Die moest wel weten dat het niet om macht als zodanig gaat...'

'Maar over de corrumperende invloed van macht?' Tench glimlachte en knikte langzaam.

'Inspecteur Rebus leert snel,' vulde Siobhan aan. 'Gisteren vroeg hij zich nog af of u misschien een Australiër was.'

Tench lachte nu breeduit. Zijn blik bleef op Rebus gevestigd.

'We kregen dat gedicht op school,' zei hij. 'We hadden een dolenthousiaste leraar Engels en die liet het ons uit ons hoofd leren.' Tench haalde zijn schouders op. 'Ik vind het gewoon een leuke naam, inspecteur. Moet u niet meer achter zoeken.' Zijn blik dwaalde naar Siobhan en terug. 'Beroepskwaal neem ik aan, altijd op zoek naar een motief. Zeg me eens... wat heeft uw dader voor motief? Heeft u daarover nagedacht?'

'Wij denken dat het iemand is die voor eigen rechter speelt,' verklaarde Siobhan.

'Die ze van die website plukt en een voor een opruimt?' Tench leek niet overtuigd.

'U heeft ons nog niet verteld,' zei Rebus zacht, 'waarom u zelf zo'n belangstelling had voor BeastWatch.' Hij haalde zijn armen van elkaar en legde zijn handen plat op tafel, aan weerskanten van zijn koffiemok.

'Mijn wijk is een vuilnisbak, Rebus, zeg niet dat u dat niet is opgevallen. Wat wij van de instellingen gestuurd krijgen zijn de moeilijk plaatsbaren, de dealers en het uitschot, zedendelinquenten, junks, en allerlei soorten schooiers. Websites als BeastWatch geven me een kans om terug te vechten. Daardoor kan ik voor mijn zaak opkomen als er weer zo'n probleemgeval bij mij gedumpt dreigt te worden.'

'En is dat gebeurd?' vroeg Siobhan.

'We hadden drie maanden geleden nog een kerel die vrijkwam, een seksmaniak... Ik heb ervoor gezorgd dat hij uit de buurt bleef.'

'Zodat iemand anders ervoor moest opdraaien,' merkte Siobhan op.

'Zo werk ik altijd. Komt er zo iemand als Cafferty langs, ga ik net zo te werk.'

'Cafferty gaat al een hele tijd mee,' wees Rebus hem terecht.

'U bedoelt ondanks jullie, of dankzij?' Toen Rebus niet antwoordde, werd Tench' glimlach een sneer. 'Het is toch godsonmogelijk dat hij zo lang vrij kan rondlopen zonder een of andere bescherming.' Hij leunde achterover en rolde met zijn schouders. 'Zijn we klaar?'

'Hoe goed kent u de familie Jensen?' vroeg Siobhan.

'Wie?'

'De mensen die de website runnen.'

'Nooit ontmoet,' verklaarde Tench.

'Echt niet?' Siobhan klonk verbaasd. 'Ze wonen hier, in Edinburgh.'

'Samen met nog een half miljoen mensen. Ik probeer alles bij te houden, brigadier Clarke, maar ik ben geen robot.'

'Wat bent u wel, raadslid?' vroeg Rebus.

'Kwaad,' kwam Tench hem tegemoet. 'Vastbesloten, vechtend voor eerlijkheid en rechtvaardigheid.' Hij haalde diep adem, maar blies direct weer lawaaierig uit. 'Ik vond het reuze gezellig, maar helaas...' verontschuldigde hij zich met nog een glimlach. En terwijl hij opstond: 'Bobby zag er diep teleurgesteld uit toen u hem in de kou had laten staan, brigadier Clarke. Pas maar op, passie kan een man tot waanzin drijven.' Hij maakte een buiginkje onderweg naar de deur.

'We spreken elkaar nog,' waarschuwde Siobhan hem. Rebus keek door het raam toe terwijl een van de beveiligingsmensen de achterdeur van de auto opendeed en Tench zijn buitenmaatse torso naar binnen wurmde.

'Raadsleden maken vaak een weldoorvoede indruk,' merkte hij op. 'Is dat je wel eens opgevallen?'

Siobhan wreef met een hand over haar voorhoofd. 'Dat gesprek had beter gekund.'

'Ben je 'm gesmeerd bij de Final Push?'

'Ik had moeite om in de stemming te komen.'

'Had het iets te maken met onze geachte afgevaardigde?' Ze schudde haar hoofd. ' "Vernietiger en bewaarder," ' mompelde Rebus voor zich uit.

'Wat?'

'Nog een regel van Shelley.'

'En welke van de twee is Gareth Tench?'

De auto trok op van de stoeprand. 'Misschien allebei,' erkende Rebus. Toen gaapte hij omstandig. 'Enige kans dat we vandaag nog een beetje rust krijgen?'

Ze keek hem aan. 'Je zou kunnen komen lunchen, stel ik je voor aan m'n ouders.'

'Ontheven uit de pariastaat?' raadde hij en trok een wenkbrauw op.

'John...' waarschuwde ze.

'Je wil ze niet voor jezelf alleen hebben?'

Ze haalde haar schouders op. 'Misschien ben ik wel een beetje hebberig geweest.'

Rebus had een paar schilderijen van een muur in zijn woonkamer gehaald. Daarvoor in de plaats hingen nu details van de drie slachtoffers. Hij zat aan de eettafel terwijl Siobhan op de bank lag uitgestrekt. Beiden waren aan het lezen en vroegen elkaar nu en dan iets of ventileerden een idee.

'Je hebt zeker geen kans gehad om de tape van Ellen Wylie te beluisteren?' vroeg Rebus op een bepaald moment. 'Niet dat het echt iets uitmaakt...'

'Genoeg andere site-bezoekers die we kunnen horen.'

'Moeten we eerst weten wie ze zijn; denk je dat Brains dat uit kan zoeken zonder dat Corbyn of Steelforth er lucht van krijgen?'

'Tench had het over het motief... zien we misschien iets over het hoofd?'

'Een of ander verband tussen alle drie?'

'Nu we het daarover hebben: waarom is hij bij drie gestopt?'

'De gebruikelijke verklaringen: hij is verhuisd, of we hebben hem voor iets anders gearresteerd, of hij weet dat we hem op de hielen zitten.'

'Maar we zítten hem niet op de hielen.'

'De media zeggen van wel.'

'Hoe komt hij trouwens bij de Clootie Well? Omdat we daar toch zouden gaan kijken?'

'Je kunt niet uitsluiten dat hij een binding met die plek heeft.'

'Wat als het niets met BeastWatch te maken heeft?'

'Dan zitten we onze kostbare tijd te verdoen.'

'Kan het zijn dat hij de G8 een boodschap stuurt? Misschien is ie wel vlak in de buurt, loopt hij ergens met een spandoek.'

'Staat ie op die cd-rom op de foto...'

'En wij weten nergens van.'

'Als hij die aanwijzingen heeft achtergelaten om ons te pesten, waarom is hij dan niet doorgegaan? Als het een spelletje is, moet hij toch zeker door willen spelen?'

'Misschien hoeft hij niet door te gaan.'

'Want?'

'Hij kan dichterbij zitten dan wij denken...'

'Dank je feestelijk.'

'Heb je zin in thee?'

'Nou, vooruit dan.'

'Eigenlijk ben jij aan de beurt – ik heb de koffie betaald.'

'Er moet een patroon zijn, weet je. Er is écht iets wat we over het hoofd zien.'

Siobhans telefoon piepte: sms. Ze las de boodschap. 'Zet de tv aan,' zei ze.

'Loop je anders een soap mis of zo?'

Maar ze had haar benen al van de bank gezwaaid en zelf de knop ingedrukt. Ze vond de afstandsbediening en zapte langs de zenders. *News Flash* onder langs het scherm. ONTPLOFFINGEN IN LONDEN.

'Sms'je van Eric,' zei ze zachtjes. Rebus kwam naast haar staan. Kennelijk was er niet veel informatie. Een serie knallen of explosies... de metro in Londen... slachtoffers, enkele tientallen.

'... vermoeden van spanningspieken,' zei de omroeper net. Hij klonk niet overtuigd.

'Spanningspieken, m'n reet,' gromde Rebus.

Belangrijke treinstations gesloten. Ziekenhuizen gewaarschuwd. Publiek afgeraden te proberen de stad in te komen. Siobhan liet zich weer op de bank zakken, met haar ellebogen op haar knieën en haar hoofd in haar handen.

'Om de tuin geleid,' zei ze zachtjes.

'Hoeft niet alleen Londen te zijn,' antwoordde Rebus, al wist hij dat het dat waarschijnlijk wel was. Ochtendspits... al die pendelaars, en de spoorwegpolitie naar Schotland gestuurd voor de G8. Al die uitgeleende agenten van de Metropolitan Police. Hij kneep zijn ogen dicht en dacht: een geluk dat het niet gisteren was, duizenden feestvierders op Trafalgar Square aan het juichen over de Spelen, of zaterdagavond in Hyde Park... tweehonderdduizend.

Het energiebedrijf had zojuist gemeld dat er geen aanwijzingen waren voor problemen met het elektriciteitsnet.

Aldgate.

King's Cross.

Edgware Road.

En nieuwe geruchten dat er ook een bus 'verwoest' was. De nieuwslezer zag bleek. Onderlangs het scherm liep een alarmnummer.

'Wat doen we?' vroeg Siobhan zacht, terwijl de tv livebeelden liet zien van een van de getroffen plekken – heen en weer rennende hulpverleners, dikke rookwolken, gewonden die op de stoeprand zaten. Glas en sirenes en het alarm van geparkeerde auto's en kantoren in de buurt.

'Doen?' echode Rebus. Het antwoord werd hem bespaard door Siobhans telefoon. Ze hield hem bij haar oor.

'Mama?' zei ze. 'Ja, we zitten er net naar te kijken.' Ze stopte om te luisteren. 'Zou ik me niet direct zorgen om maken... Ja, je kunt dat nummer natuurlijk bellen. Kan even duren voor je erdoorheen komt, denk ik.' Weer een pauze om te luisteren. 'Wat? Vandaag? Goeie kans dat ze King's Cross afgesloten hebben...' Ze had zich half van Rebus afgewend. Hij besloot de kamer uit te gaan, haar de kans te geven te zeggen wat er gezegd moest worden. In de keuken liet hij de ketel vollopen onder de kraan. Hij hoorde het water stromen; zo'n vertrouwd geluid dat hij het zelden hoorde. Het was er gewoon.

Normaal.

Alledaags.

Toen hij de kraan dichtdraaide klonk er een licht gegorgel. Vreemd, ook dat was hem nooit eerder opgevallen. Toen hij zich omkeerde stond Siobhan daar.

'M'n moeder wil naar huis,' zei ze, 'ze maakt zich zorgen over de buren.'

'Ik weet niet eens waar ze wonen.'

'Forest Hill,' lichtte ze hem in. 'Aan de zuidkant van de Theems.'

'Geen lunch dus?'

Ze schudde haar hoofd. Hij gaf haar een strook keukenpapier aan en ze snoot haar neus.

'Ziet alles er ineens heel anders uit, door zoiets,' zei ze.

'Niet echt. Het hangt al de hele week in de lucht. Er zijn momenten geweest dat ik het bijna kon proeven.'

'Dat zijn er al drie,' zei ze.

'Wat?'

'Je hebt al drie theezakjes in die mok hangen.' Ze gaf hem de theepot aan. 'Zocht je deze soms?'

'Misschien wel,' gaf hij toe. In gedachten zag hij een standbeeld in de woestijn, aan gruzelementen geslagen...

Siobhan was naar huis. Ze zou haar ouders helpen inpakken, ze misschien naar het station brengen, als ze dat nog van plan waren. Rebus keek tv. De rode dubbeldekker was uit elkaar geblazen en het dak lag ervoor op straat. En toch waren er overlevenden. Een klein wonder leek het hem. Zijn eerste impuls was de fles open te maken en in te schenken, maar die had hij tot dan toe verdrongen. Ooggetuigen die hun verhaal vertelden. De premier was onderweg naar het zuiden en liet de minister van Buitenlandse Zaken in Gleneagles de honneurs waarnemen. Blair had voor hij vertrok een verklaring afgelegd, geflankeerd door zijn collega's op de G8. Als je goed keek zag je de pleisters op Bush' knokkels. Terug naar het nieuws, met mensen die vertelden dat ze over lichaamsdelen hadden moeten kruipen om de treinstellen uit te komen. Kruipen door rook en bloed. Sommigen hadden de gruwelen met hun telefooncamera vastgelegd. Rebus vroeg zich af wat de impuls was die ze ertoe had aangezet om ineens de rol van oorlogscorrespondent op zich te nemen.

De fles stond op de schoorsteenmantel. Hij had het kopje nog in zijn hand maar de thee was koud. Drie onverlaten waren als doelwit gekozen door een onbekende of onbekenden. Ben Webster was zijn lot tegemoet gevallen. Big Ger Cafferty en Gareth Tench stonden met hun vuisten klaar. *Ziet alles er ineens heel anders uit* had Siobhan gezegd. Rebus was er niet zo zeker van. Want nu, meer dan ooit, wilde hij antwoorden op vragen, namen en gezichten. Londen, zelfmoordterroristen, of zinloos geweld op de schaal die hij voor zich zag, hij kon er niets aan doen. Het enige wat hij kon doen was nu en dan een paar onverlaten opsluiten. Resultaten die niet veel voorstelden in het grote geheel. Een ander beeld kwam boven: Mickey als kind, misschien op het strand in Kirkcaldy of op vakantie in St. Andrews of Blackpool. Koortsachtig in het vochtige zand aan het scheppen om een dijk op te werpen tegen de zee die kwam aangekropen. Aan het werken alsof zijn leven ervan afhing. En grote broer John hielp mee en hoogde de dijk op met het plastic schepje, terwijl Mickey het zand met zijn handen aanstampte. Zes, misschien tien meter lang en bijna kniehoog... Maar de eerste schuimvlokken kwamen al tevoorschijn voordat ze klaar waren, en dan moesten ze toekijken hoe hun bouwwerk afbrokkelde en wegsmolt in de bouwplaats. Krijsende verliezers die stampvoetend naar de likkende golven zwaaiden met hun vuistjes en scholden op de verraderlijke kust en de onbewogen hemel.

En op God.

Bovenal op God.

De fles leek steeds groter te worden, of misschien was hij het die kleiner werd. Hij dacht aan een paar regels in een liedje van Jackie Leven: *maar mijn boot is zo klein, en uw zee zo immens.* Immens, goed, maar waarom moesten er zoveel bloeddorstige haaien in zwemmen?

Toen de telefoon overging, overwoog hij niet op te nemen. Hij dacht zeker tien seconden na. Het was Ellen Wylie.

'Is er nog nieuws?' vroeg hij. Toen liet hij een kort, blaffend lachje horen en kneep in de brug van zijn neus. 'Behalve dat de wereld in brand staat, bedoel ik.'

'Shocktoestand hier,' meldde ze. 'Niemand zal merken dat jij al die spullen hebt gekopieerd en mee naar huis genomen. Ik betwijfel of iemand nog ergens naar zal kijken voordat deze week voorbij is. Ik dacht erover om even terug naar Torphichen te wippen, kijken hoe het met mijn team gaat.'

'Goed idee.'

'Die lui uit Londen worden teruggestuurd. Kan zijn dat ze iedereen nodig hebben.'

'Behalve mij dan.'

'Trouwens, zelfs de anarchisten lijken uit het veld geslagen. In Gleneagles schijnt het allemaal stilgevallen te zijn. Veel demonstranten willen alleen nog maar naar huis.'

Rebus was uit zijn stoel opgestaan en leunde tegen de schoorsteenmantel. 'Op zo'n moment wil je bij je naasten zijn.'

'John, gaat het met jou wel goed?'

'Ik zit hier te genieten, Ellen.' Hij liet een vinger van boven naar beneden langs de fles glijden. Dewar's, lichtgoud van kleur. 'Maak jij maar dat je in Torphichen komt.'

'Wil je dat ik later langskom?'

'Ik denk niet dat we dan veel verder zijn.'

'Morgen dan?'

'Klinkt goed. Spreek ik je dan.' Hij verbrak de verbinding en liet beide handen op de rand van de schoorsteenmantel rusten.

Hij zou zweren dat de fles naar hem terugstaarde.

20

Er reden wel bussen naar het zuiden, en Siobhans ouders hadden besloten er een te nemen.

'Anders waren we toch morgen gegaan,' had haar vader gezegd toen hij haar een knuffel gaf.

'Maar Gleneagles heb je niet gehaald,' had ze hem gezegd. Hij had haar een kusje op haar wang gegeven, precies op de kaaklijn, en een paar seconden was ze weer kind geweest. Altijd diezelfde plek, of het nu Kerstmis was of een verjaardag, een goed rapport of gewoon omdat hij zich gelukkig voelde.

En een omarming van haar moeder, met de gefluisterde woorden: 'Het doet er niet toe.' Waarmee ze de schade aan haar gezicht bedoelde, en het feit dat de dader niet gevonden was. En nadat ze zich had losgemaakt, had ze haar nog even bij de armen vastgehouden: 'Kom ons gauw opzoeken.'

'Beloof ik,' had Siobhan gezegd.

De flat leek leeg zonder hen. Ze realiseerde zich dat het er altijd stil was. Hoewel, niet direct stil – er was altijd wel muziek of de radio of tv stond aan. Maar er kwam weinig bezoek, niemand die floot op de gang of neuriede bij het afwassen.

Behalve zijzelf.

Ze had Rebus' nummer geprobeerd, maar hij nam niet op. De tv stond aan; ze kon zichzelf er niet toe brengen om hem uit te zetten. Dertig doden... veertig doden... misschien vijftig. De burgemeester van Londen had een goede speech gehouden. Al Qaida had de verantwoordelijkheid opgeëist. De koningin was 'diep geschokt'. De pendelaars in Londen waren aan de lange mars van hun werk naar huis begonnen. Commentatoren vroegen zich af waarom de terreurwaarschuwing onlangs nog was afgezwakt van 'kritiek' tot 'substantieel'. Ze wilde ze vragen: wat voor verschil had het gemaakt?

Ze keek in de koelkast. Haar moeder was in de buurt uit winkelen geweest: eendenborst, lamskarbonades, een stuk kaas, biologisch vruchtensap. Siobhan probeerde het vriesvak en trok er een berijpt emmertje Mackie's vanille-ijs uit. Ze pakte een lepel uit de la en ging terug naar de woonkamer. Omdat ze niets anders te doen wist, zette ze de computer aan. Drieënvijftig e-mails. Een snelle blik volstond om te zien dat ze het leeuwendeel kon deleten. Toen herinnerde ze zich iets en reikte in haar zak. De cd-rom. Ze liet hem in de cd-speler glijden. Een paar muisklikken en ze had een scherm vol thumbnails voor zich. Stacey Webster had een paar opnamen gemaakt van de jonge moeder en haar baby in het roze. Siobhan moest glimlachen. De vrouw gebruikte haar kind kennelijk als een rekwisiet waarmee ze op allerlei plekken de luier-act opvoerde, telkens pal voor de politielinie. Een geweldig plaatje voor de pers, en een potentieel opvlampunt. Er was zelfs een foto bij waar de verschillende persfotografen op stonden, inclusief Mungo. Maar Stacey had zich geconcentreerd op de demonstranten en had voor haar bazen bij SO12 een keurig fotoalbum samengesteld. Er waren vast agenten uit Londen bij. Die waren nu onderweg naar het zuiden, om mee te helpen met de nasleep, om te zien hoe het met hun naasten was, en uiteindelijk misschien voor de begrafenis van collega's. Als zou blijken dat het er een uit Londen was die haar moeder had aangevallen... wist ze niet wat ze zou doen.

Haar moeders woorden: *Het doet er niet toe...*

Ze schudde de gedachte van zich af. Ze was vijftig of zestig foto's verder toen ze haar vader en moeder opmerkte: Teddy Clarke die zijn vrouw uit de frontlijn weg probeert te trekken. Midden in het krijgsgewoel. Geheven wapenstokken, monden geopend in een schreeuw of grimas. Prullenbakken als projectiel. Opvliegend stof en ontwortelde bloemen.

En toen een stok die haar moeder vol in het gezicht raakte. Siobhan deinsde bijna terug maar dwong zichzelf te kijken. De stok zag eruit als een van de grond geraapte tak. Geen wapenstok. En hij kwam van het demonstrantenfront. De persoon die hem vast had trok zich snel terug. En plotseling begreep Siobhan het. Misschien had de relschopper willen doen wat Mungo zei: uithalen naar de ME en hopen dat ze een onschuldige omstander slaan. Maar blijkbaar had hij dat niet afgewacht. Haar moeder wankelde van de klap. Haar gezicht was onscherp door de beweging, maar de pijn was evident. Siobhan veegde met haar duim over het scherm, als om de pijn te verzachten. Volgde de stok terug naar de blote arm die hem vasthield. Zijn schouder was nog te zien, maar zijn hoofd niet. Ze ging een paar frames terug, toen vooruit, voorbij de klap zelf.

Daar.

Hij hield de stok achter zijn rug maar had hem nog altijd in de hand. En Stacey had hem frontaal te pakken gekregen, met het leedvermaak in zijn ogen en de scheve grijns. Nog een paar frames verder en hij stond op zijn tenen te joelen. Honkbalpet laag op zijn voorhoofd, maar onmiskenbaar.

De jongen uit Niddrie, de aanvoerder. Uitstapje naar Princes Street, met vele anderen van zijn slag, puur om heisa te trappen.

Laatst gezien door Siobhan toen hij uit de rechtbank naar buiten kwam, waar gemeenteraadslid Gareth Tench wachtte. Tench die zei: *een paar mensen uit mijn achterban zijn in die toestanden verzeild geraakt...* Tench die terugzwaaide toen de dader vrij de rechtbank uit liep... Siobhans hand trilde enigszins toen ze Rebus' nummer nog eens probeerde. Nog geen antwoord. Ze stond op en liep de flat rond, alle kamers in en uit. De handdoeken lagen netjes opgevouwen op een stapeltje in de badkamer. In de vuilnisbak in de keuken lag een leeg soeppak. Uitgespoeld zodat het niet zou gaan ruiken. Haar moeders kneepjes... Ze ging voor de passpiegel in de slaapkamer staan en keek of ze enige gelijkenis zag. Ze dacht dat ze meer op haar vader leek. Zij zaten onderhand op de A1, vlot onderweg naar het zuiden. Ze had ze de waarheid over Santal niet verteld, zou ze waarschijnlijk ook nooit doen. Terug achter de computer keek ze alle andere foto's door en begon toen weer bij het begin, dit keer op zoek naar maar één figuur, één magere kleine onruststoker met een honkbalpet, t-shirt, spijkerbroek en sportschoenen. Ze probeerde er een paar te printen maar kreeg een waarschuwing dat haar inktniveaus te laag waren. Er was een computerzaak op Leith Walk. Ze greep haar sleutels en portemonnee.

De fles was leeg en meer was er niet in huis. Rebus had in het vriesvak een half flesje Poolse wodka gevonden maar daar zat nog maar één glaasje in. Hij had geen zin om naar de winkel te lopen, dus zette hij een mok thee voor zichzelf en ging aan de eettafel door de onderzoeksdocumenten zitten bladeren. Ellen Wylie was onder de indruk geweest van Ben Websters cv, Rebus was het ook. Hij keek het nog eens door. De brandhaarden van de wereld, sommige mensen voelden zich ertoe aangetrokken: avonturiers, journalisten, huurlingen. Rebus had een tijdje geleden gehoord dat de vriend van Mairie Henderson cameraman was en had gereisd naar Sierra Leone, Afghanistan, Irak... Maar Rebus kreeg het gevoel dat Ben Webster naar geen van die plekken was geweest voor de kick, of zelfs maar uit humanitaire overwegingen. Hij was er geweest omdat het zijn werk was.

'Het is onze allereerste plicht als mensen,' had hij in een van zijn toespraken in het parlement gezegd, 'om waar en wanneer het ook mogelijk is duurzame ontwikkeling te bevorderen in de armste en meest onherbergzame regio's van de wereld.' Het was hetzelfde punt waar hij ook elders op had gehamerd, in diverse commissies, voor publieke fora en in media-interviews.

Mijn broer was een goeie...

Rebus twijfelde er niet aan. Evenmin kon hij een reden bedenken waarom iemand hem van die borstwering af zou duwen naar de rotsen beneden. Ben Webster werkte weliswaar hard, maar toch had hij Pennen Industries nog niet veel in de weg gelegd. Rebus begon zich weer te interesseren voor de zelfmoordoptie. Misschien was Webster door al die conflicten en hongersnoden en rampen depressief geworden. Misschien had hij vooraf geweten dat er op de G8 weinig vooruitgang zou worden geboekt, dat hij zijn hoop op een betere wereld opnieuw in de koelkast zou moeten zetten. De leegte in gesprongen om aandacht op de situatie te vestigen? Rebus zag het niet voor zich. Webster had aan tafel gezeten met machtige en invloedrijke mensen, diplomaten en politici uit verschillende landen. Waarom zijn zorgen niet tegen hén geuit? Ruzie gezocht, herrie geschopt. Gillen en schreeuwen...

Die schreeuw die de nachthemel in vloog toen hij zich in het duister wierp.

'Nee,' zei Rebus tegen zichzelf en schudde zijn hoofd. Het riep een gevoel bij hem op alsof de puzzel ver genoeg voltooid was om het plaatje te kunnen zien, maar dan met een paar stukjes op de verkeerde plaats.

'Nee,' herhaalde hij en ging verder met lezen.

Een goeie...

Twintig minuten later vond hij een interview uit een van de zondagse bijlagen van een jaar terug. Webster was gevraagd naar zijn begintijd als parlementslid. Toen had hij een soort mentor gehad, een ander Schots parlementslid, de Labour-ster Colin Anderson.

Rebus' eigen afgevaardigde.

'Op de crematie heb ik je niet gezien, Colin,' zei Rebus zachtjes terwijl hij een paar zinnen onderstreepte.

Webster prijst Anderson graag als degene die hem als nieuw parlementslid heeft gesteund: 'Hij heeft me voor de gebruikelijke beginnersfouten behoed en daar ben ik hem eeuwig dankbaar voor.' Maar de zelfverzekerde Webster van nu is aanmerkelijk minder mededeelzaam over de bewering dat Anderson hem ook heeft opgestuwd tot zijn huidige rol als parlementair woordvoerder, een positie waarin hij de minister van Handel van dienst zou kunnen zijn in de toekomstige strijd om het leiderschap...

'Zo zo,' zei Rebus en blies in zijn kopje, hoewel de vloeistof erin hooguit lauw was.

'Ik was totaal vergeten,' zei Rebus terwijl hij een lege stoel naar het tafeltje trok, 'dat mijn eigen afgevaardigde minister van Handel was. Ik weet dat u het druk hebt, dus ik zal het kort houden.'

Plaats van handeling: een restaurant aan de zuidkant van Edinburgh. Vroeg in de avond, maar druk. De bediening was bezig een couvert voor hem bij te dekken en probeerde hem van een menu te voorzien. De geachte afgevaardigde Colin Anderson zat tegenover zijn vrouw aan een tafeltje voor twee.

'Wie bent u in godsnaam?'

Rebus gaf het menu net terug aan de ober. 'Ik eet niet mee,' legde hij uit. En toen, tegen het parlementslid: 'Mijn naam is John Rebus. Ik ben politie-inspecteur. Heeft uw secretaresse dat niet gezegd?'

'Kan ik iets van papieren zien?' vroeg Anderson.

'Valt haar ook niet echt te verwijten,' was Rebus verdergegaan. 'Ik overdreef een beetje, ik zei dat het een noodgeval was.' Hij had zijn identiteitsbewijs opengeklapt voor inspectie. Het parlementslid bekeek het aandachtig en Rebus lachte onderwijl in de richting van diens vrouw.

'Moet ik...?' Ze maakte aanstalten om van tafel op te staan.

'Geen staatsgeheimen,' stelde Rebus haar gerust. Anderson gaf hem zijn legitimatie terug.

'Neem me niet kwalijk, inspecteur, maar het komt niet direct handig uit.'

'Ik dacht dat uw secretaresse het u had laten weten.'

Anderson pakte zijn gsm van tafel. 'Geen bereik,' verklaarde hij.

'Daar zou u eens wat aan moeten doen,' sprak Rebus, 'zo is het in hele stukken van de stad nog...'

'Heeft u gedronken, inspecteur?'

'Alleen als ik vrij ben, meneer.' Rebus rommelde in zijn zak tot hij het pakje had gevonden.

'U mag hier niet roken,' waarschuwde Anderson hem.

Rebus keek naar het sigarettenpakje alsof het ongemerkt in zijn hand was gekropen. Hij verontschuldigde zich en stopte het weer weg. 'Ik heb u niet gezien bij de crematie, meneer,' begon hij.

'Welke crematie?'

'Ben Webster. In zijn begintijd was u goed met hem bevriend.'

'Ik had verplichtingen elders.' Het parlementslid keek uitdrukkelijk op zijn horloge.

'Bens zuster zei me dat Labour haar broer na zijn dood wel gauw vergeten zou zijn.'

'Dat lijkt me niet redelijk. Ben was een vriend van me, inspecteur, en ik wilde wél graag bij de uitvaart zijn...'

'Maar u had het druk,' zei Rebus, vol begrip. 'En nu dacht u net even rustig wat te eten met uw vrouw, en kom ik onaangekondigd binnenvallen.'

'Mijn vrouw is toevallig jarig. Het heeft de grootst mogelijke moeite gekost om een gaatje vrij te houden.'

'Het is ook altijd wat.' Rebus richtte zich tot de vrouw. 'Nog vele jaren.'

De ober zette een wijnglas voor Rebus neer. 'Misschien liever water?' suggereerde Anderson. Rebus knikte.

'Hebt u het druk gehad met de G8?' vroeg de vrouw van het parlementslid, vooroverleunend.

'Druk ondánks de G8,' verbeterde Rebus haar. Hij zag de echtelieden een blik uitwisselen en wist wat ze dachten. Een half zatte politieman, opgefokt door de protestacties en de chaos, en nu de bomaanslagen. Doorgedraaid, oppassen geblazen.

'Kan dit echt niet wachten tot morgen, inspecteur?' vroeg Anderson zachtjes.

'Ik ben bezig met het onderzoek naar de dood van Ben Webster,' legde Rebus uit. Zijn stem klonk nasaal, zelfs in zijn eigen oren, en aan de randen van zijn gezichtsveld kwam mist opzetten. 'Ik kan geen reden ontdekken waarom hij zich van het leven kan hebben beroofd.'

'Het was toch zeker een ongeluk?' opperde de vrouw van het parlementslid.

'Tenzij iemand hem een handje heeft geholpen,' verklaarde Rebus.

'Wat?' Anderson was opgehouden met het rechtleggen van zijn bestek.

'Richard Pennen wil ontwikkelingshulp koppelen aan wapenhandel, nietwaar? Hoe gaat dat in z'n werk: hij doneert een groot geldbedrag in ruil voor versoepelde regels?'

'Wat een onzin.' Het parlementslid liet de irritatie in zijn stem doorklinken.

'Was u die avond op het Kasteel?'

'Ik had het druk, in Westminster.'

'Is er een kans dat Webster woorden heeft gehad met Pennen? Op uw verzoek misschien?'

'Wat voor woorden?'

'De wapenhandel terugdringen... al die geweren omsmeden tot ploegscharen.'

'Kom zeg, u kunt Richard Pennen niet zomaar gaan lopen belasteren. Als er enig bewijs is voor wat u beweert, wil ik het graag zien.'

'Ik ook,' stemde Rebus in.

'Dus dat is er niet? Dus u baseert uw heksenjacht op... ja, op wat precies, inspecteur?'

'Op het feit dat de Special Branch wil dat ik me er niet mee bemoei, of me tenminste koest hou.'

'Terwijl u liever deining wilt maken?'

'Als het moet, ja.'

'Ben Webster was een uitstekend parlementslid en een rijzende ster in zijn partij...'

'En hij zou u met hand en tand hebben gesteund in elke strijd om het leiderschap,' kon Rebus niet voor zich houden.

'Nu bent u verdomd nog grof aan het worden ook!' snauwde Anderson.

'Was hij het type dat de multinationals op de zenuwen werkte?' vroeg Rebus. 'Het type dat zich niet liet afkopen?' De mist was zijn hoofd binnengedrongen.

'U ziet er doodmoe uit, inspecteur,' zei de vrouw van het parlementslid op bezorgde toon. 'Weet u zeker dat dit niet kan wachten?'

Rebus schudde zijn hoofd en voelde hoe zwaar het was. Alsof de vloer onder het gewicht van zijn lichaam zou kunnen bezwijken.

'Schat,' maakte de vrouw het parlementslid opmerkzaam, 'daar heb je Rosie.'

Een verhit uitziende jonge vrouw wrong zich tussen de tafeltjes naar hen toe. De bediening keek bezorgd toe, zich afvragend of ze het tafeltje voor twee nu voor vier mensen moesten gaan dekken.

'Ik bleef maar berichten inspreken op uw voicemail,' was ze

begonnen, 'tot ik bedacht dat u ze misschien niet binnenkreeg.'

'Geen bereik,' gromde Anderson en klopte op zijn mobiel. 'Dit is de inspecteur.'

Rebus was opgestaan en bood Andersons secretaresse zijn stoel aan. Ze schudde haar hoofd maar maakte geen oogcontact.

'De inspecteur,' was ze verdergegaan tegen het parlementslid, 'is momenteel geschorst, hangende een onderzoek naar zijn gedragingen.' Nu ontmoette haar blik die van Rebus. 'Ik heb wat telefoontjes gepleegd.'

Anderson had een van zijn forse wenkbrauwen opgetrokken.

'Ik zei toch al dat ik vrij was,' bracht Rebus hem in herinnering.

'Zo duidelijk kwam het er anders niet uit. Ah... daar zijn ze.' Twee obers stonden aarzelend klaar, de een met gerookte zalm, de ander met een kom oranjekleurige soep. 'U wilt ons nu wel verontschuldigen, inspecteur,' klonk het. Een mededeling, geen verzoek.

'Ben Webster verdient wel enige aandacht, vindt u niet?'

Het parlementslid negeerde de vraag en vouwde zijn servet open. Maar zijn secretaresse liet zich niet onbetuigd.

'Wegwezen!' snauwde ze.

Rebus knikte langzaam en had zich half omgedraaid toen hem iets te binnen schoot. 'De trottoirs bij mij in de buurt zijn een puinhoop,' deelde hij zijn afgevaardigde mee. 'Misschien kunt u eens wat tijd uittrekken om uw kiesdistrict op te zoeken...'

'Stap in,' commandeerde de stem. Rebus keek op en zag dat Siobhan voor zijn flat geparkeerd stond.

'Auto ziet er weer puik uit,' zei hij.

'Mag ook wel, voor het geld dat die vriendelijke monteur van jou rekent.'

'Ik was net onderweg naar boven...'

'Kan helaas niet doorgaan. Ik heb je nodig.' Ze hield even in. 'Gaat het?'

'Paar borrels gepakt, daarstraks. Iets gedaan wat ik waarschijnlijk beter niet had kunnen doen.'

'Nou, dat is nieuws.' Toch wist ze haar verbijstering niet te verbergen toen hij haar vertelde van zijn bezoekje aan het restaurant.

'Wordt natuurlijk weer een veeg uit de pan,' besloot hij.

'Je meent het.' Siobhan sloot haar eigen portier terwijl Rebus zich in de passagiersstoel liet zakken.

'En jij?' vroeg hij.

Ze vertelde hem over haar ouders en de foto's op Stacey Websters cd-rom. Reikte naar de achterbank en overhandigde hem het bewijsmateriaal.

'Dus nu gaan we met het gemeenteraadslid babbelen?' veronderstelde Rebus.

'Dat was het plan. Wat zit je te lachen?'

Hij deed alsof hij de foto's bestudeerde. 'Je moeder zegt dat het er niet toe doet wie haar geslagen heeft. Niemand maakt zich druk om de dood van Ben Webster. En kijk ons eens.' Hij hief zijn gezicht naar haar op en glimlachte vermoeid.

'Zo zitten we nu eenmaal in elkaar,' antwoordde ze zacht.

'Precies wat ik zeggen wou. Wat iedereen ook denkt of zegt. Ik maak me alleen zorgen of ik je niet alleen slechte dingen heb geleerd.'

'Alsof ik er zelf niet bij was,' wees ze hem terecht, en liet de koppeling opkomen.

Gemeenteraadslid Gareth Tench woonde in een forse victoriaanse villa in Duddingston Park. Huizen aan een doorgaande weg, maar ver genoeg naar achteren geplaatst om wat privacy te hebben. Nog geen vijf minuten rijden van Niddrie en toch een andere wereld: rustig, respectabel, bovenmodaal. Achter de percelen lag een golfcourse en een goeie slag daarachter Portobello Beach. Siobhan had een route langs Niddrie Mains Road gekozen, zodat ze konden zien dat het kampeerterrein snel leegliep.

'Wou je je vriendje even goeiedag zeggen?' plaagde Rebus.

'Misschien kun jij beter in de auto blijven zitten,' kaatste ze terug. 'Laat mij maar met Tench praten.'

'Ik ben zo nuchter als een pasgeboren kalf,' wierp Rebus tegen. 'Nou ja... bijna.' Ze waren bij een benzinepomp op Ratcliffe Road gestopt om Irn-Bru en paracetamol te kopen.

'Wie dat heeft uitgevonden verdient de Nobelprijs,' had Rebus verklaard, zonder te preciseren over welk product hij het had.

Er stonden bij Tench voor het huis twee auto's geparkeerd. De hele voortuin was ervoor geplaveid. De woonkamer baadde in het licht.

'Jij de goeie, ik de kwaaie?' suggereerde Rebus terwijl Siobhan aanbelde. Ze beloonde hem met een beginnend glimlachje. Een vrouw deed de deur open.

'Mevrouw Tench?' vroeg Siobhan en hield haar legitimatie op. 'Kunnen we uw man misschien even spreken?'

Tench antwoordde van binnen: 'Wie is daar, Louisa?'

'Politie,' riep ze terug en deed bij wijze van uitnodiging een stapje opzij. Meer hadden ze niet nodig en ze stonden al in de woonkamer toen Tench de trap af kwam sjokken. De inrichting was niet naar Rebus' smaak. Fluwelen overgordijnen met diepe plooien, koperen wandlampen aan weerszijden van de schoorsteenmantel, twee enorme banken die het grootste deel van het vloeroppervlak in beslag namen. Schetterend en groot, hetgeen ook leek op te gaan voor Louisa Tench zelf. Ze droeg grote afhangende oorbellen en rinkelende armbanden. Haar bruine tint kwam uit een flesje of een schoonheidssalon, evenals het opgestoken kastanjebruine haar. Iets te dikke blauwe oogschaduw en roze lippenstift. Hij telde vijf tafelklokken en concludeerde dat niets in de kamer door het raadslid was uitgekozen.

'Goedenavond, meneer,' zei Siobhan toen Tench de kamer binnenkwam. Bij wijze van antwoord rolde hij zijn ogen ten hemel.

'Mijn God, blijven ze aan de gang? Moet ik een aanklacht wegens stalking indienen?'

'Voor u dat doet,' ging Siobhan kalm verder, 'wilt u deze foto's misschien even bekijken.' Ze gaf ze hem aan. 'Het is iemand uit uw achterban, die herkent u zeker wel?'

'Dezelfde die u buiten de rechtbank opwachtte,' voegde Rebus er behulpzaam aan toe. 'En tussen haakjes... u moet de groeten van Denise hebben.'

Tench wierp een angstige blik op zijn vrouw. Zij zat weer in haar stoel, te staren naar het tv-beeld zonder geluid. 'Wat is er met die foto's dan?' vroeg hij, harder dan strikt noodzakelijk.

'U ziet dat hij die vrouw aanvalt met een stok,' ging Siobhan verder. Rebus keek – en hoorde – nauwlettend toe. 'Op deze volgende foto probeert hij zich in de menigte terug te trekken. Maar u zult het met me eens zijn dat hij net een onschuldige omstander heeft aangevallen.'

Tench keek sceptisch en zijn ogen schoten heen en weer tussen de twee foto's. 'Digitaal zeker?' merkte hij op. 'Makkelijk te manipuleren.'

'Wat hier wordt gemanipuleerd zijn niet de foto's, meneer Tench,' voelde Rebus zich verplicht te stellen.

'Wat wou u daarmee zeggen?'

'We willen zijn naam weten,' zei Siobhan. 'Die kunnen we morgenochtend op de rechtbank krijgen, maar we hebben hem liever van u.'

Hij kneep zijn ogen samen. 'En waarom dat?'

'Omdat we...' Siobhan aarzelde even. 'Omdat ík graag zou willen weten wat het verband is. Twee keer bent u toevallig aanwezig bij de camping om ellende te voorkomen...' ze priemde met een vinger naar een foto, 'van hém. Even later staat u hem op te wachten als hij uit politiedetentie komt. En nu dit.'

'Hij is gewoon een jongen uit een slechte buurt,' zei Tench, op zachte toon maar met nadruk op elke lettergreep. 'Verkeerde ouders, verkeerde school, verkeerde keuzes bij elke afslag. Maar hij woont in mijn wijk en dat betekent dat ik naar hem omkijk, net zoals ik dat voor elk rotjoch in zijn situatie zou doen. Als dat een misdaad is, brigadier Clarke, zet me dan maar in de beklaagdenbank, dan zal ik daar mijn zaak uiteenzetten.' Een spatje spuug ontsnapte aan zijn mond en raakte Siobhan op haar wang. Ze veegde het met haar vinger weg.

'Zijn naam,' herhaalde ze.

'Hij ís al aangeklaagd.'

Louisa Tench zat nog in haar stoel, met het ene been over het andere geslagen en haar ogen gericht op de geluidloze tv.

'Gareth,' zei ze, '*Emmerdale*.'

'U wilt toch niet dat uw vrouw haar soap moet missen, meneer Tench?' viel Rebus haar bij. De openingstitels liepen al over het scherm. Ze had de afstandsbediening in haar hand en wachtte met haar vinger boven de volumeknop. Drie paar ogen die zich in die van Tench boorden en Rebus die de naam *Denise* nog eens mimede.

'Carberry,' zei Tench. 'Keith Carberry.'

De tv barstte los met muziek. Tench stak zijn handen in zijn zakken en beende de kamer uit. Rebus en Siobhan wachtten enkele ogenblikken en namen toen afscheid van de vrouw in de stoel, die haar benen onder zich optrok. Ze negeerde hen, ze was opgegaan in haar eigen wereld. De voordeur stond op een kier en Tench wachtte ze buiten op, wijdbeens, de armen gekruist voor zijn borst.

'Van een lastercampagne wordt niemand wijzer,' deelde hij hun mee.

'We doen gewoon ons werk, meneer.'

'Ik ben op het platteland opgegroeid, adjudant Clarke,' zei hij. 'En ik weet wat het is als ik stront ruik.'

Siobhan nam hem van top tot teen op. 'En ik herken een clown direct, wat voor pak hij ook draagt.' Ze liep in de richting van het trottoir terwijl Rebus even voor Tench bleef staan en zich naar zijn oor boog.

'Die vrouw, die je pupil het ziekenhuis in heeft geslagen, is haar moeder. Dat laat ze dus nooit lopen, snap je wel? Niet voordat we een bevredigend resultaat boeken.' Hij leunde weer terug en knikte om de boodschap te onderstrepen. 'Mevrouw weet het dus niet van Denise?' ging hij verder.

'Zo heeft u me dus aan Ozyman gekoppeld,' raadde Tench. 'Via Ellen Wylie.'

'Niet erg handig van u, meneer, zulke bezigheden buitenshuis. Het is hier meer een dorp dan een stad, die dingen komen vroeger of later –'

'Jezus, Rebus, zo was het helemaal niet!' siste Tench.

'Kan ik niet over oordelen, meneer.'

'En nu gaat u het zeker tegen uw baas zeggen? Nu ja, hij moet maar doen waar hij zin in heeft – ik ga niet op de knieën voor zijn soort. Of het uwe.' Tench keek hem tartend aan. Rebus gaf zich nog even niet gewonnen, glimlachte toen en volgde Siobhan naar de auto.

'Dispensatie voor hoge nood?' vroeg hij toen hij zijn gordel had omgedaan. Ze keek opzij en zag hem zwaaien met een sigarettenpakje.

'Hou het raam open,' beval ze.

Rebus stak de sigaret op en blies de rook de avondlucht in. Ze hadden nog geen vijftig meter gereden of voor hen kwam een auto de weg op, remde en blokkeerde hun weghelft.

'Wat nou dan?' verzuchtte Rebus.

'Bentley,' maakte Siobhan hem duidelijk. En inderdaad, de remlichten dimden en Cafferty verscheen aan de bestuurderskant; hij kwam vastberaden op ze af, iets gebogen zodat zijn hoofd werd omlijst door Rebus' open raam.

'Wat ben jij ver van huis aan het spelen,' hield Rebus hem voor.

'Jij anders. Even bij Gareth Tench op bezoek geweest, hè? Ik hoop niet dat hij je probeert om te kopen.'

'Hij denkt dat jij ons vijfhonderd per week betaalt,' zei Rebus lijzig. 'Hij biedt tweeduizend.' Hij blies rook in Cafferty's gezicht.

'Ik heb net een pub gekocht in Portobello,' zei Cafferty en wapperde met zijn hand voor zijn gezicht. 'Kom wat drinken.'

'Ik kan geen drank meer zien,' zei Rebus.

'Fris dan.'

'Wat wil je?' vroeg Siobhan. Ze hield het stuur nog in haar handen geklemd.

'Ligt het aan mij,' vroeg Cafferty aan Rebus, 'of is ze harder aan het worden?' Plotseling stak hij een hand door het raampje en griste een van de foto's van Rebus' schoot. Stapte een paar passen terug de weg op en bekeek de foto van dichtbij. Siobhan was in een oogwenk de auto uit en stapte op hem af.

'Daar ben ik niet voor in de stemming, Cafferty.'

'Ah,' was hij begonnen, 'ik hád al zoiets gehoord over je moeder... En die kleine etterbak hier ken ik.'

Siobhan bevroor, haar hand uitgestoken om de foto te pakken.

'Kevin heet ie, of Keith,' ging Cafferty verder.

'Keith Carberry,' liet ze hem weten. Rebus kwam nu ook uit de auto. Hij zag dat Cafferty haar in zijn blik gevangen had.

'Gaat jou niets aan,' waarschuwde hij hem.

'Natuurlijk niet,' stemde Cafferty in. 'Dat zijn privézaken, dat snap ik wel. Ik vroeg me alleen af of ik kon helpen.'

'Hoezo helpen?' vroeg Siobhan.

'Luister niet naar hem,' waarschuwde Rebus. Maar Cafferty had haar in zijn ban.

'Hoe ik maar kan,' zei hij zachtjes. 'Keith werkt voor Tench, niet? Is het niet beter om ze allebei aan te pakken in plaats van alleen de handlanger?'

'Tench was niet in Princes Street Gardens.'

'En die jonge Keith is te stom om voor de duvel te dansen,' wierp Cafferty tegen. 'Dat maakt die jonge jongens beïnvloedbaar.'

'Jezus, Siobhan,' drong Rebus aan en greep haar bij de arm. 'Hij wil Tench kapot hebben. Kan hem niet schelen hoe of waarom.' Hij zwaaide met zijn wijsvinger naar Cafferty. 'Daar staat zij buiten.'

'Ik bood alleen maar...' Cafferty stak zijn handen op alsof hij zich overgaf.

'En wat is dit trouwens voor een hinderlaag? Heb je een honkbalknuppel en een schop in de kofferbak?'

Cafferty negeerde hem en gaf Siobhan de foto terug. 'Tien tegen één dat die Keith aan het poolen is in een club in Restalrig. Ben je zó achter...'

Haar ogen rustten op de foto. Toen Cafferty haar naam zei, knipperde ze een paar keer en keek hem weer aan. Toen schudde ze haar hoofd.

'Later,' zei ze.

Hij haalde zijn schouders op. 'Wat jij wil.'

'En zonder jou,' verklaarde ze.

Hij deed alsof hij teleurgesteld was. 'Vind ik niet eerlijk, na alles wat ik je heb verteld.'

'Zónder jou,' herhaalde ze. Cafferty richtte zijn aandacht op Rebus.

'Zei ik dat ze harder aan het worden was? Dat was misschien nog zacht uitgedrukt.'

'Misschien wel,' stemde Rebus in.

21

Hij had meer dan twintig minuten in bad liggen weken toen de intercom zoemde. Besloot er niet op te reageren en hoorde toen zijn mobiel overgaan. De beller, wie het ook was, liet een boodschap achter, dat hoorde hij aan de biep die erachteraan kwam. Toen Siobhan hem had afgezet, had hij haar opgedragen rechtstreeks naar huis te gaan en te zorgen dat ze wat rust kreeg.

'Shit,' zei hij toen hij zich realiseerde dat ze misschien in de problemen zat. Stapte uit het bad, sloeg een handdoek om en liet natte voetstappen achter onderweg naar de woonkamer. Maar de boodschap kwam niet van Siobhan. Het was Ellen Wylie. Ze zat buiten in haar auto.

'Nog nooit zo populair geweest bij de dames,' mompelde hij en drukte op de terugbeltoets. 'Geef me vijf minuten,' zei hij tegen haar. Toen begon hij zich aan te kleden. De intercom zoemde weer. Hij liet haar binnen en bleef bij de deur staan luisteren naar het schuurpapiergeluid van haar schoenen op de trappen.

'Ellen, altijd leuk om je te zien,' zei hij.

'Sorry John. We zaten met z'n allen in de kroeg en het bleef maar in m'n hoofd rondspoken.'

'De bomaanslagen?'

Ze schudde haar hoofd. 'Je zaak,' verduidelijkte ze. Ze waren de woonkamer in gegaan. Ze liep naar waar de onderzoekspapieren lagen, zag de muur en draaide zich ernaar om en bekeek de foto's die er hingen. 'Ik heb de halve dag zitten lezen over al die monsters... over wat de familie van hun slachtoffers van ze denkt, en toen moest ik diezelfde klootzakken gaan waarschuwen dat iemand misschien op wraak uit is.'

'Het moest gebeuren, Ellen. Zo'n dag als vandaag moeten we toch het gevoel hebben dat we íets doen.'

'En als het nou bommenleggers waren in plaats van verkrachters...'

'Wat schiet je daarmee op?' vroeg hij en wachtte tot ze met een schouderophalen had geantwoord. Toen: 'Wil je wat drinken?'

'Kopje thee misschien...' Ze draaide zich half naar hem om. 'Het is wel goed, toch? Dat ik zomaar kom binnenvallen?'

'Gezellig,' loog hij op weg naar de keuken.

Toen hij terugkwam met twee mokken zat ze aan de eettafel in de eerste stapel papierwerk te lezen. 'Hoe is het met Denise?' vroeg hij.

'Prima.'

'Zeg eens, Ellen...' Hij wachtte tot hij zeker wist dat hij haar aandacht had. 'Wist je dat Tench getrouwd is?'

'Uit elkaar,' verbeterde ze hem.

Rebus tuitte zijn lippen. 'Niet ver dan,' vulde hij aan. 'Ze wonen in hetzelfde huis.'

Ze vertrok geen spier. 'Waarom zijn mannen allemaal zulke klootzakken, John? De goeie niet te na gesproken, natuurlijk.'

'Maakt me toch nieuwsgierig,' ging Rebus verder. 'Waarom is hij zo geïnteresseerd in Denise?'

'Zó'n slechte vangst is ze nou ook weer niet.'

Rebus stemde met een trekje van zijn mond in. 'Toch heb ik zo'n vermoeden dat het raadslid zich aangetrokken voelt tot slachtoffers. Dat heb je met sommige mannen, niet?'

'Waar wil je naartoe?'

'Ik weet het eigenlijk niet goed... Ik vraag me gewoon af wat hem drijft.'

'Waarom?'

Rebus snoof. 'Alweer zo'n goeie vraag, goddomme.'

'Beschouw je hem als verdachte?'

'Hoeveel hebben we er?'

Ze stemde er schouderophalend mee in. 'Eric Bain heeft wat namen en persoonsgegevens uit de deelnemerslijst weten te vissen. Ik veronderstel dat het familieleden van de slachtoffers zullen blijken te zijn, of professionals die op dit terrein werken.'

'En in welk kamp valt Tench?'

'Geen van beide. Zou je hem dáárom verdenken?'

Rebus stond naast haar naar de onderzoeksaantekeningen te staren. 'We hebben een profiel van de dader nodig. Het enige wat we tot nu toe weten is dat hij een confrontatie met de slachtoffers uit de weg gaat.'

'Toch heeft hij Trevor Guest flink toegetakeld: snijwonden, schrammen, blauwe plekken. En hij heeft zijn bankpas voor ons achtergelaten, zodat we van hem direct wisten wie het was.'

'Vind je dat vreemd?'

Ze knikte. 'Maar ja, je kunt net zo goed zeggen dat Cyril Colliar de vreemde eend in de bijt is, want hij is de enige Schot.'

Rebus staarde naar een foto van Trevor Guests gezicht. 'Guest heeft hier gewoond,' zei hij. 'Dat heb ik van Hackman.'

'Weten we waar?'

Rebus schudde langzaam zijn hoofd. 'Moet ergens in het dossier zitten.'

'Enige kans dat het derde slachtoffer ook een band met Schotland had?'

'Alles is mogelijk, lijkt me.'

'Misschien is dat de sleutel. In plaats van ons blind te staren op BeastWatch moeten we ons misschien meer concentreren op de drie slachtoffers.'

'Je klinkt alsof je staat te trappelen.'

Ze keek hem aan. 'Ik ben toch te opgefokt om te kunnen slapen. En hoe is het met jou? Ik kan anders wel wat spullen mee naar huis nemen.'

Rebus schudde zijn hoofd weer. 'Blijf maar lekker zitten.' Hij pakte een handvol verslagen mee naar zijn leunstoel en deed de staande lamp aan voor hij ging zitten. 'Maakt Denise zich geen zorgen waar je blijft?'

'Ik sms haar wel, zeg ik dat ik moet overwerken.'

'Zeg maar niet waar... Dat geeft maar geroddel.'

Ze glimlachte. 'Nee,' stemde ze in, 'daar zitten we niet op te wachten. Trouwens, moeten we het Siobhan laten weten?'

'Wat laten weten?'

'Zij heeft toch de leiding van het onderzoek?'

'Dat vergeet ik steeds,' antwoordde Rebus terloops en ging verder met lezen.

Het was bijna middernacht toen hij wakker werd. Ellen kwam net uit de keuken geslopen met een verse mok thee.

'Sorry,' verontschuldigde ze zich.

'Ik ben in slaap gevallen,' zei hij.

'Dik een uur geleden.' Ze blies over het oppervlak van de vloeistof.

'Heb ik iets gemist?'

'Niets noemenswaardigs. Waarom ga je niet naar bed?'

'En jou hier alleen laten zwoegen?' Hij strekte zijn armen en voelde zijn ruggengraat kraken. 'Ik ben weer wakker.'

'Je ziet er doodmoe uit.'

'Dat zegt iedereen steeds.' Hij was opgestaan en liep naar de tafel. 'Hoe ver ben je gekomen?'

'Ik kan geen enkele relatie vinden tussen Edward Isley en Schotland; geen familie, geen werk, geen vakanties. Ik begon me af te vragen of we niet de verkeerde kant op zaten te redeneren.'

'Hoe bedoel je?'

'Misschien had Colliar juist relaties met Noord-Engeland.'

'Goed idee.'

'Maar daar kom ik zo te zien ook niet verder mee.'

'Misschien moet je even pauze nemen.'

Ze hief de mok. 'Wat denk je dat ik aan het doen ben?'

'Ik bedoelde een echte pauze.'

Ze rolde met haar schouders. 'Je hebt toch niet toevallig een bubbelbad of een masseur in het pand?' Ze zag de blik op zijn gezicht. 'Geintje,' stelde ze hem gerust. 'Ik had al zo'n vermoeden dat jij niet voor rugmassages in de wieg was gelegd. En bovendien...' Maar ze maakte haar zin niet af en bracht de mok naar haar lippen.

'Bovendien wat?' vroeg hij.

Ze liet de mok weer zakken. 'Nou ja, Siobhan en jij...'

'Zijn collega's,' verklaarde hij. 'Collega's én vrienden. Meer niet, ondanks het roddelcircuit.'

'Er gaan wel verhalen rond,' gaf ze toe.

'En meer dan dat zijn het niet: verhalen, fictie dus.'

'Zou anders niet de eerste keer zijn, wel? Ik bedoel, jij en commissaris Templer?'

'Dat was jaren geleden, Ellen.'

'Dat spreek ik ook niet tegen.' Ze staarde in de lege ruimte. 'Dat werk van ons... hoeveel ken jij er die een relatie bij elkaar weten te houden?'

'Er zijn er wel een paar. Shug Davidson is al twintig jaar getrouwd.'

Ze erkende dat dat waar was. 'Maar jij, ik, Siobhan... en zo zou ik er nog tientallen kunnen noemen...'

'Risico van het vak, Ellen.'

'Wat we van al die andere mensen te weten komen...' Ze wapperde met een hand over de dossiers. 'En van ons eigen leven komt niks terecht.' Ze keek hem aan. 'Dus er is echt niks tussen jou en Siobhan?'

Hij schudde zijn hoofd. 'Dus denk maar niet dat je een wig tussen ons kunt drijven.'

Ze probeerde geschokt te kijken maar zocht vergeefs naar woorden.

'Je zit te flirten,' zei hij. 'Dat zou je volgens mij alleen maar doen om Siobhan te jennen.'

'Jezus Christus.' Ze kwakte de mok op tafel neer en de thee spetterde over de papieren eromheen. 'Zo'n arrogante, vooringenomen, eigenwijze...' Ze kwam overeind uit haar stoel.

'Ho ho, als ik me vergis, mijn excuses. Het is midden in de nacht, misschien hebben we allebei slaap nodig...'

'Een bedankje zou geen gek idee zijn,' vond ze.

'Waarvoor?'

'Doorploegen terwijl jij zit te snurken! Jou uit de brand helpen terwijl ik mezelf ermee in de nesten kan werken. Alles!'

Rebus, schijnbaar verbluft, bleef nog een tijdje staan voordat hij zijn mond opende en de twee woorden kon uitbrengen die ze wilde horen.

'Dank je.'

'Ja, en krijg jij ook maar de kolere, John Rebus,' kaatste ze terug en greep haar jas en tas. Hij deed een stap terug om haar langs te laten en hoorde de deur achter haar dichtslaan. Haalde zijn zakdoek uit zijn zak en depte de theevlekken op de papieren.

'Schade valt mee,' zei hij tegen zichzelf. 'Schade valt mee...'

'Bedankt,' zei Morris Gerald Cafferty terwijl hij de deur aan de passagierskant openhield. Siobhan wachtte even en besloot toen in te stappen.

'We praten alleen,' waarschuwde ze hem.

'Uitstekend.' Hij deed haar portier voorzichtig dicht en liep om naar de bestuurderskant. 'Wat een dag hè?' zei hij. 'Bomalarm op Princes Street...'

'We gaan geen meter hiervandaan,' viel ze hem nors in de rede.

Hij deed zijn eigen deur dicht en keerde zich half naar haar. 'We hadden boven kunnen praten.'

Ze schudde haar hoofd. 'Die drempel kom je in geen geval over.'

Cafferty accepteerde de vijandelijkheid. Hij tuurde omhoog naar haar flat. 'Ik zou denken dat je onderhand wat beters had gevonden.'

'Ik zit daar goed,' bitste ze terug. 'Hoewel ik wel eens wil weten hoe je me hebt gevonden.'

Hij glimlachte warm. 'Ik heb vrienden,' vertelde hij haar. 'Eén telefoontje en het komt voor mekaar.'

'En kun je diezelfde truc niet met Gareth Tench uithalen? Een telefoontje naar een professional en hij verdwijnt van de aardbol...'

'Hij hoeft voor mij niet dood.' Hij zocht de juiste formulering. 'Alleen onschadelijk gemaakt.'

'Oftewel vernederd? Geïntimideerd? Schrik aangejaagd?'

'Ik vind dat het tijd wordt dat mensen gaan zien wie hij echt is.' Hij leunde wat dichter naar haar toe. 'Jij weet nou zélf wie hij is. Maar als je je te veel richt op Keith Carberry, mis je een kans voor open doel.' Hij glimlachte weer. 'Ik spreek als een voetbalfan tegen een andere, al staan onze clubs dan tegenover elkaar.'

'Wíj staan tegenover elkaar, Cafferty, in alles. Denk maar niet dat dat ooit verandert.'

Hij boog lichtjes het hoofd. 'Je praat al net zoals hij, weet je.'

'Als wie?'

'Rebus natuurlijk. Jullie hebben allebei dezelfde agressieve houding, dat je het beter weet dan iedereen – dat je beter bént dan iedereen.'

'Wauw, een wijze levensles.'

'Zie je? Daar ga je alweer. Het is net alsof Rebus aan de touwtjes trekt.' Hij giechelde. 'Tijd dat je op eigen benen gaat staan, Siobhan. En als het even kan voordat Rebus z'n gouden horloge krijgt... dus snel.' Hij wachtte even. 'Vandaag is de eerste dag...'

'Alsof ik op tegeltjeswijsheden van jou zit te wachten.'

'Ik bied je geen wijsheden, ik bied je hulp. Samen krijgen we Tench omver.'

'Dat aanbod heb je John ook gedaan, niet? Die avond in het parochiehuis? Ik durf te wedden dat hij nee zei.'

'Hij wou ja zeggen.'

'Maar dat deed ie niet.'

'Rebus en ik zijn al te lang vijanden geweest, Siobhan. We weten niet eens meer waar het om begon. Maar wij tweeën hebben die geschiedenis niet.'

'Je bent een gangster, meneer Cafferty. Als ik me door jou laat helpen, word ik net zoals jij.'

'Welnee,' zei hij en schudde zijn hoofd, 'wat je doet is die mensen aanpakken die verantwoordelijk zijn voor het mishandelen van je moeder. Als je niks meer in handen hebt dan die foto, kom je niet verder dan Keith Carberry.'

'En jij biedt me veel en veel meer?' raadde ze. 'Zoals zo'n oplichter op Tel Sell?'

'Nou, dat vind ik gemeen,' zei hij klaaglijk.

'En volkomen gemeend,' corrigeerde ze hem. Ze staarde door de voorruit naar buiten. Een beschonken uitziend paar werd door een taxi bij hun voordeur afgezet. Toen die wegreed, vielen ze elkaar zoenend in de armen, zodat ze bijna van het trottoir vielen. 'En een schandaal dan?' opperde ze. 'Iets waardoor hij op de voorpagina's van de tabloids komt?'

'Heb je iets in gedachten?'

'Tench zit achter de vrouwen aan,' vertelde ze hem. 'Vrouw zit thuis voor de buis terwijl hij zijn vriendinnen opzoekt.'

'Hoe weet je dat?'

'Ik heb een collega, Ellen Wylie... haar zuster is...' Maar als dat bekend werd, stond Tench niet alleen op de voorpagina's... maar Denise ook. 'Nee,' zei ze hoofdschuddend. 'Vergeet het maar.' Stom, stom, stom...

'Waarom?'

'Omdat we er een vrouw mee zouden kwetsen die toch al kwetsbaarder is dan anderen.'

'Dan heb ik niets gehoord.'

Ze draaide zich naar hem toe. 'Nou, zeg het maar. Wat zou jij dan wél doen als je mij was? Hoe zou jij Gareth Tench aanpakken?'

'Via die jonge Keith natuurlijk,' zei hij, alsof het de gewoonste zaak van de wereld was.

Mairie genoot van de jacht.

Dit was niet zomaar een reportage; geen opgeklopt verhaal voor een vriendje van de hoofdredacteur, of interview-als-reclame voor een gehypete film of een gehypet boek. Dit was een onderzoek. Dit was waarvoor ze de journalistiek in was gegaan.

Zelfs de doodlopende wegen waren opwindend, en daarvan had ze er al heel wat achter de rug. Maar nu was ze in contact gebracht met een journalist in Londen, ook een freelancer. Ze hadden tijdens hun eerste telefoongesprek allebei een beetje om elkaar heen gedraaid. Haar contact in Londen was betrokken bij een televisieproject, een documentaire over Irak. *My Baghdad Launderette* zou de titel worden. Eerst wilde hij haar niet vertellen waarom. Maar toen had ze haar Keniaanse connectie genoemd en was de man in Londen wat ontdooid.

En had zij zich een glimlachje toegestaan: als er gedanst moest worden, zou zij wel leiden.

Baghdad Launderette vanwege al het geld dat er in Irak rondklotste, en in de hoofdstad vooral. Miljarden, misschien wel tientallen miljarden, Amerikaanse dollars, bestemd voor de wederopbouw. Waarvan een groot deel verdween. Koffers met contanten om lokale functionarissen om te kopen. Geld in het handje om te garanderen dat de verkiezingen doorgingen, wat er ook gebeurde. Amerikaanse bedrijven die de opkomende markt binnendrongen 'met alle middelen', zoals haar nieuwe vriend het noemde. Stromen geld, wit of witgewassen, dat de vele kampen in het conflict nodig hadden om zich in deze ongewisse tijden veilig te voelen...

Om zich te bewapenen.

Sjiieten en soennieten en Koerden. Ja, er was behoefte aan water en elektriciteit, maar ook aan goeie handwapens en raketwerpers. Alleen voor defensieve doeleinden, natuurlijk, want wederopbouw lukt alleen als de mensen zich beschermd weten.

'Ik dacht dat de verschillende partijen juist werden ontwapend,' had Mairie opgemerkt.

'Ja, en des te sneller weer bewapend als niemand kijkt.'

'En jij brengt al die dingen in verband met Pennen?' had Mairie uiteindelijk gevraagd, terwijl ze met de telefoon tussen wang en schouder geklemd als een bezetene aantekeningen neerkrabbelde.

'Volkomen minimaal. Hij is een voetnoot, een PS'je onder aan een lange brief. En het gaat ook eigenlijk niet om hem, hè? Het gaat om zijn bedrijf.'

'En bedrijvig is-ie,' moest Mairie wel aanvullen. 'In Kenia weet hij heel behendig van twee walletjes te eten.'

'Met hulp aan de regering én de oppositie? Ja, daar heb ik van gehoord. Maar voor zover ik weet, stelt dat niet veel voor.'

Maar Kamweze de diplomaat had haar wat wijzer gemaakt. Auto's voor ministers; wegenbouw in districten waar de oppositieleiders de baas waren; nieuwe huizen voor belangrijke stamhoofden. Allemaal met het etiket 'hulp', terwijl de met Pennentechnologie uitgeruste wapens de staatsschuld opjoegen.

'In Irak,' ging de collega uit Londen verder, 'schijnt Pennen Industries geld te investeren in een nogal grijs gebied van de wederopbouw – particuliere beveiliging. Bewapend en gesubsidieerd door Pennen. Het is misschien wel de eerste oorlog in de geschiedenis die grotendeels wordt gevoerd door de private sector.'

'En wat doen die lui?'

'Werken als bodyguards voor mensen die voor zaken het land in komen. De barricades bemannen, de Groene Zone beveiligen, ervoor zorgen dat de plaatselijke hoogwaardigheidsbekleders hun autosleutel in het contact kunnen draaien zonder bang te hoeven zijn voor een *Godfather*-moment...'

'Ik zie het voor me. Huurlingen dus?'

'Geen sprake van, volkomen legaal.'

'Maar opgezet met geld van Pennen?'

'Tot op zekere hoogte...'

Uiteindelijk hadden ze het gesprek afgesloten met wederzijdse beloften contact te houden, en had haar Londense vriend nog eens benadrukt dat ze elkaar konden helpen, zolang ze van het Irak-verhaal afbleef. Mairie had haar aantekeningen uitgetypt terwijl ze nog vers waren en was toen de woonkamer binnen gestuiterd, waar Allan onderuitgezakt naar *Die Hard 3* zat te kijken; hij keek al zijn oude favorieten nog eens nu hij een home cinema-set had om mee te spelen. Ze had hem een knuffel gegeven en voor hen beiden een glas wijn ingeschonken.

'Valt er iets te vieren?' had hij gevraagd, met een zoentje op haar wang.

'Allan,' was ze begonnen, 'jij bent in Irak geweest... vertel me er eens over.'

Later die avond had ze zich uit bed laten glijden. Haar telefoon biepte ten teken dat ze een sms binnenkreeg. Het kwam van de parlementaire correspondent van de *Herald*. Ze hadden twee jaar geleden bij een prijsuitreikingsdiner naast elkaar Mouton Cadet zitten tetteren en gegiebeld om de nominaties in werkelijk elke categorie. Mairie had met hem contact gehouden en zag hem eigenlijk heel erg zitten, ook al was hij getrouwd – gelukkig getrouwd, voor zover ze wist... Ze zat op de traploper met niets aan behalve haar T-shirt, met haar kin op haar knieën, en las zijn sms.

Had ff gzgd dat je info over Pennen zkt. Bel!

Ze had het niet bij bellen gelaten. Ze had een afspraak afgedwongen en was midden in de nacht naar Glasgow gereden en wachtte in een coffeeshop die vierentwintig uur openbleef. Het zat er vol met dronken studententypes, verdwaasd maar niet lawaaierig. Haar kennis heette Cameron Bruce; ze maakten er grapjes over dat hij met de omgekeerde volgorde meer succes had gehad. Hij arriveerde in een joggingbroek en sweatshirt, zijn haar zat in de war.

'Goeiemorgen,' zei hij, en keek veelbetekenend op zijn horloge.

'Eigen schuld,' wees ze hem terecht. 'Moet je tegen middernacht maar geen meisjes opjutten.'

'Het levert wel eens wat op,' antwoordde hij. De twinkeling in zijn ogen deed haar besluiten de huidige status van dat gelukkige huwelijk eens uit te zoeken. Ze dankte God dat ze niet in een hotel hadden afgesproken.

'Nou, gooi het er maar uit,' zei ze.

'Zo slecht is die koffie anders niet,' antwoordde hij, en hief zijn mok op.

'Ik ben niet half Schotland door komen rijden om naar flauwe grappen te luisteren, Cammy.'

'Waarvoor dan wel?'

Dus leunde ze achterover en vertelde hem waarom ze geïnteresseerd was in Richard Pennen. Ze hield natuurlijk dingen achter; Cammy kon dan een vriend zijn, hij zat wél bij de concurrent. Hij was gis genoeg om te merken dat er gaten in haar verhaal zaten; elke keer als de woordenstroom stokte of ze zichzelf in de rede leek te vallen, kwam er een glimlachje van herkenning. Op een bepaald moment moest ze wachten terwijl het personeel afrekende met een lastige nieuwe klant. Het gebeurde allemaal professioneel en vlot, en de man stond binnen de kortste keren weer op straat. Hij schopte een paar keer tegen de deur en bonsde op het raam, maar droop toen af.

Ze bestelden meer koffie, en porties toast met boter. En toen vertelde Cameron Bruce haar wat hij wist.

Of, liever gezegd, wat hij vermoedde, alles gebaseerd op rondzingende verhalen. 'En dus te nemen met de gebruikelijke kolenschop zout.'

Zij knikte begrijpend.

'Partijfinanciering,' kondigde hij aan. Mairies reactie: plotseling door slaap overmand. Bruce lachte en zei dat het eigenlijk best interessant was.

'Je meent het?'

Richard Pennen, zo bleek, was een grote particuliere geldschieter van de Labourpartij. Niets mis mee, ook niet als zijn eigen bedrijf geld verdiende aan regeringscontracten.

'Gaat met Capita net zo,' merkte Bruce op, 'en vele andere bedrijven.'

'Wou je zeggen dat je me helemaal naar hier hebt laten komen om me te vertellen dat meneer Pennen iets doet wat volkomen legaal en verantwoord is?' Mairie klonk niet direct enthousiast.

'Zou ik nog niet direct zeggen. Want, weet je, meneer Pennen speelt aan beide kanten van het net.'

'Geeft ie geld aan Labour én aan de Tories?'

'Als je het zo wil zeggen, ja. Pennen Industries heeft geld ge-

doneerd voor allerlei hotemetoten en feestjes van de Conserva-
tieven.'

'Maar dat is het bedrijf en niet Pennen persoonlijk? Dus dan
wordt er waarschijnlijk geen wet overtreden?'

Bruce glimlachte alleen maar. 'Mairie, je hoeft in de politiek
geen wetten te overtreden om je in de nesten te werken.'

Ze keek hem vals aan. 'Dus er is nog iets anders, of niet?'

'Zou kunnen,' zei hij, en zette zijn tanden weer in een drie-
hoekje toast.

Kant vier

De laatste zet

Vrijdag 8 juli

22

Het geweld spatte van de voorpagina's. Grote kleurenfoto's van de rode Londense dubbeldekker. Beroete en bebloede overlevenden, met lege ogen. Een vrouw met een enorm wit kompres tegen haar gezicht gedrukt. Ook Edinburgh voelde aan alsof er net een ongeluk had plaatsgevonden. De bus op Princes Street, die met het verdachte pakketje, was weggesleept nadat het gecontroleerd tot ontploffing was gebracht. Zelfde procedure voor een boodschappentas die in een winkel in de buurt was blijven liggen. Wat glasscherven op de weg en een paar bloemperken nog niet hersteld van de rellen op woensdag. Maar dat leek nu lang geleden. Iedereen was weer aan het werk, de spaanplaten waren voor de ramen weggehaald, de dranghekken op diepladers gestapeld. De demonstranten druppelden ook weg uit Gleneagles. Tony Blair was uit Londen terug komen vliegen voor de slotceremonie. Er zouden toespraken worden gehouden en documenten getekend, maar niemand wist eigenlijk goed wat hij ervan moest denken. De aanslagen in Londen waren het perfecte excuus om de handelsbesprekingen kort te houden. Er kwam extra hulp voor Afrika, maar niet zoveel als de actievoerders hadden gewild. De armoede zou worden aangepakt, maar eerst hadden de politici een dringender oorlog te voeren.

Rebus vouwde de krant dicht en gooide hem op het tafeltje naast zijn stoel. Hij zat in een gang op de bovenste verdieping van bureau Fettes Avenue, het hoofdkwartier van de Lothian and Borders Police. De oekaze was precies gekomen toen hij opstond. De secretaresse van de korpschef had van geen wijken willen weten toen Rebus het tijdpad ter discussie probeerde te stellen.

'Nu direct,' had ze gestipuleerd. Vandaar dat Rebus alleen even was gestopt om koffie, een broodje en een krant te halen. Hij had het laatste stukje deegring nog in zijn hand toen de deur van James Corbyns kantoor openging. Rebus stond op, ervan uitgaande dat hij binnen gevraagd zou worden, maar Corbyn bleek te vinden dat hij het gesprek wel op de gang kon afhandelen.

'Ik dacht dat u voldoende gewaarschuwd was, inspecteur Rebus. U was van het onderzoek af gehaald.'

'Jawel meneer,' stemde Rebus in.

'En?'

'En, ja, ik wist dat ik me niet met Auchterarder mocht bemoeien, maar het leek me goed een paar losse eindjes rond Ben Webster vast te knopen.'

'U was op non-actief gesteld.'

Rebus keek verbluft. 'Niet alleen voor die ene zaak?'

'U weet donders goed wat een schorsing inhoudt.'

'Sorry, commissaris, het moet de ouderdom zijn.'

'Lijkt mij ook,' bromde Corbyn. 'U zit al aan uw maximum pensioen. Vraag je je af waarom u blijft hangen.'

'Weet niks beters te doen, meneer.' Rebus stopte even. 'Tussen haakjes, commissaris, zo erg is het toch niet als een kiezer zijn afgevaardigde een vraag stelt?'

'Hij is de minister van Handel, Rebus. Dat betekent dat de premier naar hem luistert. De g8 wordt vandaag afgesloten en we willen in dit stadium geen wanklanken.'

'Nou, ik hoef de minister niet meer lastig te vallen.'

'Dat heeft u goed gezien – en helemaal níémand trouwens. Dit is uw laatste kans. Zoals het er nu voor staat, komt u er misschien vanaf met een officiële waarschuwing, maar als uw naam nog één keer over mijn bureau komt zeilen...' Corbyn stak een vinger op om zijn dreigement kracht bij te zetten.

'Helder, meneer.' Rebus' gsm begon te rinkelen. Hij haalde hem uit zijn zak en bekeek het nummer: niemand die hij kende. Hij hield het zilverkleurige doosje tegen zijn oor.

'Hallo?'

'Rebus? Stan Hackman hier. Ik had je gisteren willen bellen, maar met al die trammelant...'

Rebus voelde Corbyns ogen op hem rusten. 'Liefje,' koerde hij in de telefoon. 'Ik bel je terug, beloof ik.' Hij maakt een kusgeluid en verbrak de verbinding. 'Vriendin,' legde hij Corbyn uit.

'Moet een dappere vrouw zijn,' meende de hoofdcommissaris en opende de deur naar zijn kantoor.

Gesprek beëindigd.

'Keith?'

Siobhan zat in haar auto, met het raam omlaag. Keith Carberry liep naar de deur van de biljartclub. Die ging om acht uur open en Siobhan zat er voor de zekerheid al sinds kwart voor, en keek naar de werknemers die traag naar de bushalte sjokten. Ze wenkte hem naar de auto. Hij keek naar links en naar rechts, beducht voor een hinderlaag. Hij had een dun zwart foedraal onder zijn arm, zijn eigen keu. Siobhan veronderstelde dat die in geval van nood ook handig uitkwam als wapen.

'Ja?' zei hij.

'Ken je me nog?'

'Ik ruik het spek van hieraf.' Hij had de capuchon van zijn sportjack over zijn vale baseballpet getrokken. Zelfde outfit als op de foto's. 'Ik wist wel dat ik je nog eens zou tegenkomen – je was zo geil als boter die avond.' Hij onderstreepte de boodschap door zijn kruis even met de hand op te tillen.

'Hoe was het bij de rechtbank?'

'Heerlijk.'

'Aangeklaagd wegens verstoring van de openbare orde,' vulde ze aan. 'Borgtocht op voorwaarde dat je bij Princes Street uit de buurt blijft en je dagelijks meldt op bureau Craigmillar.'

'Ben jij een stalker of zo? Ik heb wel eens gehoord van die wijven die achter iemand aan gaan zitten.' Hij lachte en rechtte zijn rug. 'Zijn we klaar?'

'Ik kom net op gang.'

'Wat jij wil.' Hij draaide zich om. 'Zie ik je binnen.'

Ze riep hem nog eens maar hij negeerde haar. Trok de deur open en verdween naar binnen. Siobhan draaide haar raampje dicht, stapte uit en sloot de auto af. Volgde hem Lonnie's Pool Academy binnen – 'Beste Tafels in Restalrig'.

Het was er schemerig en muf, alsof er aan het eind van de dag nooit fatsoenlijk werd schoongemaakt. Er waren al twee tafels bezet. Carberry stond munten in de automaat te duwen en trok er een blikje cola uit. Siobhan zag geen personeel, wat betekende dat de medewerkers waarschijnlijk zelf aan het spelen waren. Ballen die ketsten en in pockets vielen. Stoere taal tussen de stoten door scheen verplicht.

'Mazzelkont.'

'Donder op. Zes rechtsboven, let maar op, lultoeter.'

'Ik ruik vis.'

Vier paar ogen keken op naar Siobhan. Alleen Carberry negeerde haar en dronk zijn cola. Op de achtergrond stond een radio aan met veel ruis.

'Kan ik voor je doen, schat?' vroeg een van de spelers.

'Ik wou een paar potjes spelen,' zei ze en gaf hem een briefje van vijf pond aan. 'Kun je wisselen?'

Hij was nog geen twintig maar runde kennelijk de vroege dienst. Nam het briefje van haar aan, draaide met een sleuteltje de kassa achter de eetbar open en telde tien vijftigpencemunten uit.

'Goedkoop hier,' zei ze.

'Klote hier,' verbeterde een van de spelers haar.

'Hou je bek, Jimmy,' zei de tiener. Maar Jimmy was nog maar net begonnen.

'Hé schatje, heb je die film *The Accused* ooit gezien? Als je 's voor Jodie Foster wil spelen, doen wij de deur wel op slot.'

'Moet je eens proberen, zal ik je laten zien wat ík met een keu kan,' kaatste Siobhan terug.

'Laat hem maar kletsen,' ried de tiener haar aan. 'Ik speel wel een potje met je, als je wilt.'

'Ze wil met mij spelen,' riep Carberry, die een boer onderdrukte terwijl hij het lege blikje fijnkneep.

'Daarna misschien,' beloofde Siobhan en begaf zich naar Carberry's tafel. Ze bukte zich en gooide de munt in de gleuf. 'Zet ze maar op,' zei ze. Carberry ging met de driehoek in de weer terwijl zij een keu uitzocht. De pomeransen waren versleten en krijt was nergens te bekennen. Carberry had zijn hoes geopend en schroefde zijn keu in elkaar. Trok een nieuw blokje krijt uit zijn zak en ging aan het werk. Het krijt ging terug in zijn broekzak en hij knipoogde naar haar.

'Als je ook wat wil, moet je het maar pakken. Kun je gelijk de korte keu even proberen.'

Daarop klonk luid gelach, maar Siobhan had zich al over de witte bal gebogen. Het roestkleurige laken vertoonde hier en daar halen, maar haar afstoot was vrij aardig, brak het pack open en stuurde een halve bal naar de middenpocket. Ze potte er nog twee tot ze een trekstoot miste.

'Ze is beter dan jij, Keith,' zei een van de andere spelers.

Carberry negeerde hem en potte drie ballen op rij. Probeerde bij de vierde een harmonicastoot over de lengte van de tafel. Miste op een centimeter. Siobhan speelde een safetystoot en hij probeerde zich te redden met een driebander. Maakte een foul.

'Twee punten,' herinnerde Siobhan hem. Ze moest haar eigen bal potten en maakte toen zelf een harmonicastoot, wat aan een andere tafel een luid gejoel deed opgaan. Het spel daar was gestaakt en de spelers keken mee. De laatste twee pots waren eenvoudig, zodat alleen de zwarte bal overbleef. Ze speelde hem langs de korte band, maar hij bleef in de kaken van de pocket steken. Carberry maakte het af.

'Wou je nog een pak slaag?' vroeg hij grijnzend.

'Eerst wat drinken.' Ze liep naar de automaat en haalde een Fanta. Carberry kwam achter haar aan. Het spel aan de andere tafels was hervat; Siobhan had de indruk dat ze zich wel had bewezen.

'Je hebt ze niet gezegd wie ik ben,' constateerde ze zachtjes. 'Bedankt.'

'Wat kom je hier zoeken?'

'Ik zoek jou, Keith.' Ze overhandigde hem een opgevouwen vel papier. Het was een print van de foto genomen in Princes Street Gardens. Hij nam het van haar aan, keek ernaar en wilde het haar teruggeven.

'En?'

'Die vrouw die je sloeg... kijk nog eens goed.' Ze nam een slok uit haar blikje. 'Zie je geen gelijkenis?'

Hij staarde haar aan. 'Je lult maar wat.'

Ze schudde haar hoofd. 'Dat is mijn moeder die je het ziekenhuis in hebt geslagen, Keith. Maakte jou niet uit wie het was, of hoe zwaar ze gewond zou raken. Je ging daarheen om een potje te knokken, wie er ook aan moest geloven.'

'En ik ben ervoor bij de politierechter geweest.'

'Ik heb de verslagen bekeken, Keith. De officier van justitie wist hier niks van.' Siobhan tikte op de foto. 'Het enige wat hij tegen je heeft is de getuigenverklaring van die agent die je uit de massa heeft geplukt. Die je die stok zag weggooien. Wat zou je krijgen, denk je? Vijftig pond boete?'

'Pond per week van m'n uitkering.'

'Maar als ik ze deze foto geef, en al die andere die ik heb, dan gaat het al gauw de richting van een celstraf op, niet?'

'Maak je mij niet bang mee,' zei hij zelfverzekerd.

Ze knikte. 'Want je hebt al zo vaak gezeten. Maar je hebt zitten...' ze wachtte even, 'en zítten.'

'Hè?'

'Ik hoef maar een kik te geven en ineens zijn die bewakers niet meer zo vriendelijk. Ze kunnen je in een vleugel zetten waar alleen de viespeuken terechtkomen: sekscriminelen, psychopaten, kerels met levenslang die niks te verliezen hebben. Volgens je strafblad heb je jeugddetentie gehad: open inrichtingen met vrije dagbesteding. Zie je? Je wordt er niet bang van omdat je nog niks hebt meegemaakt.'

'En dat allemaal omdat je ma toevallig in de weg stond toen er klappen vielen?'

'Dat allemaal,' verbeterde ze hem, 'als ík dat wil. Ik zal je eens wat zeggen, trouwens: jouw vriend Tench wist dat allemaal gisteravond al... vreemd dat hij niet op het idee is gekomen om je te waarschuwen.'

De dienstdoende tiener kreeg een sms'je. Hij riep vanaf de andere kant van de zaal: 'Hé, tortelduifjes, de baas wil jullie spreken.'

Carberry had moeite zijn blik van Siobhan los te maken. 'Wat?'

'De baas.' De jongen wees naar de deur met het bordje PRIVÉ. Aan de muur erboven hing een beveiligingscamera.

'Dat moesten we maar doen dan,' zei Siobhan, 'vind je niet?' Ze ging hem voor naar de deur en kreeg die met moeite open. Erachter een gang en een trap naar boven. Een zolder ingericht als kantoor: bureau, stoelen, archiefkast. Kapotte biljartkeus en een lege waterkoeler. Licht dat binnenviel door twee stoffige Veluxramen in het dak.

En Big Ger Cafferty die op hen wachtte.

'Jij moet Keith zijn,' zei hij en stak een hand uit. Carberry schudde die en zijn ogen schoten heen en weer tussen de gangster en de politievrouw. 'Je weet misschien wie ik ben?' Carberry aarzelde en knikte toen. 'Natuurlijk.' Cafferty wees de jongeman een stoel. Siobhan bleef staan.

'Bent u hier de baas?' vroeg Carberry met een nauwelijks hoorbare trilling.

'Al jaren.'

'En die Lonnie dan?'

'Was al dood, toen moest jij nog geboren worden.' Cafferty veegde met een hand over een van zijn broekspijpen, alsof hij er wat krijt op had ontdekt. 'Maar goed, Keith... naar wat ik hoor ben je een goeie jongen, maar met verkeerde vrienden. Iemand die het rechte pad terug moet zoeken voor het te laat is. Moeder maakt zich zorgen over je... Vader heeft niets meer te zeggen nu hij je niet meer kan meppen zonder het dubbel en dwars terug te krijgen. Grote broer zit al in Shotts voor autodiefstal.' Cafferty schudde langzaam zijn hoofd. 'Alsof je levensloop al helemaal uitgetekend is en je alleen nog maar door kunt lopen.' Hij liet een stilte vallen. 'Maar we kunnen daar verandering in brengen, Keith, als je bereid bent om je te laten helpen.'

Carberry keek verward. 'Met een pak slaag of zoiets?'

Cafferty haalde zijn schouders op. 'Dat valt ook te regelen, natuurlijk. Brigadier Clarke hier zou je maar wát graag horen smeken om genade. Begrijpelijk, als je bedenkt wat je haar ma hebt aangedaan.' Weer een stilte. 'Maar er is een alternatief.'

Siobhan schuifelde wat heen en weer, bijna geneigd Carberry daar weg te slepen, samen weg te rennen van Cafferty's hypnotiserende stem. De gangster scheen het in de gaten te hebben en verlegde zijn aandacht naar haar, wachtend op haar beslissing.

'Wat voor alternatief?' vroeg Carberry. Cafferty antwoordde niet. Zijn blik was nog altijd op Siobhan gevestigd.

'Gareth Tench,' legde ze de jongeman uit. 'Die willen we.'

'En jij, Keith,' vulde Cafferty aan, 'gaat hem aan ons leveren.'

'Leveren?'

Siobhan merkte dat Carberry zat te trillen. Hij was doodsbang voor Cafferty; voor haar ook, hoogstwaarschijnlijk.

Dit wou je toch? hield ze zichzelf voor.

'Tench gebruikt je, Keith,' was Cafferty verdergegaan, met een stem zo zacht alsof hij een slaapliedje zong. 'Hij is jouw vriend niet, is ie ook nooit geweest.'

'Heb ik ook nooit gezegd,' protesteerde de jongen onwillekeurig.

'Goed zo, jong.' Cafferty kwam langzaam overeind, hij was bijna zo breed als het bureau waar hij nu achter stond. 'Hou dat goed voor ogen,' ried hij hem aan. 'Dat maakt het allemaal een stuk eenvoudiger als de tijd daar is.

'Tijd?' echode Carberry.

'De tijd om hem aan ons uit te leveren.'

'Sorry voor daarstraks,' verontschuldigde Rebus zich bij Stan Hackman.

'Ik viel zeker ergens middenin?'

'Een pak slaag van m'n korpschef.'

Hackman lachte. 'Je bent een man naar m'n hart, Johnny boy. Maar waarom moest ik je liefje zijn?' Hij stak een hand op. 'Nee, laat me raden. Hij mocht niet weten dat het over je zaak ging... want het is niet de bedoeling dat je nog met je zaak bezig bent – heb ik gelijk?'

'Ik ben geschorst,' bevestigde Rebus. Hackman klapte in zijn handen en lachte weer. Ze zaten in een pub genaamd The Crags. Hij was maar net open en ze waren de enige klanten. Voor de studenten die in Pollock Halls woonden was het de dichtstbijzijnde waterplaats en de kroeg bediende zijn doelgroep met een ruime keus aan video- en bordspelletjes, een vette geluidsinstallatie en goedkope hamburgers.

'Fijn dat er tenminste iemand is die kan lachen om mijn leven,' sputterde Rebus.

'Want, hoeveel anarchisten had je in elkaar geslagen?'

Rebus schudde zijn hoofd. 'Ik zat alleen steeds met mijn neus waar die niet gewenst was.'

'Wat ik zeg, John, een man naar mijn hart. Tussen haakjes, ik heb je nog niet fatsoenlijk bedankt voor de kennismaking met de Nook.'

'Tot uw dienst.'

'Heb je die lapdanseres nog een beurt gegeven?'

'Nee.'

'Ik zal je wat zeggen, dat was de lekkerste van een matig zoot-je. Ik heb de vip-box niet eens meer geprobeerd.' Zijn blik werd even glazig terwijl hij terugdacht, toen knipperde hij met zijn ogen en schudde zich terug naar het heden. 'Dus wat doe ik, nou je van het veld bent gestuurd? Geef ik je de info die ik heb opge-duikeld mee naar de kleedkamer, of mik ik die in het bakje "in afwachting van"?'

Rebus nipte aan zijn glas: verse jus. Hackman had de helft van zijn lager al weggewerkt. 'We zijn gewoon twee strijders die een praatje maken,' stelde Rebus.

'Zo is dat.' De Engelsman knikte bedachtzaam. 'En een af-scheidsdrankje delen.'

'Je bent ervandoor?'

'Later vandaag,' bevestigde hij. 'Ik kan niet zeggen dat ik me heb verveeld.'

'Kom nog eens terug,' opperde Rebus, 'dan doe ik de rest van de rondleiding met je.'

'Nou, daarmee is de zaak wel zo ongeveer beklonken.' Hack-man ging wat rechter op zijn stoel zitten. 'Weet je nog dat ik je vertelde dat Trevor Guest hier een tijdje heeft gewoond? Nou, ik heb een van de jongens thuis gevraagd het archief nog eens af te stoffen.' Hij reikte in zijn zak naar een notitieblok en opende het op een volgekrabbelde pagina. 'Trevor heeft een tijd in de Bor-ders gewoond, maar hij heeft meer tijd doorgebracht hier in Ed-inburgh.' Hij tikte met zijn vingertop op het tafelblad. 'Had een kamer in Craigmillar en deed vrijwilligerswerk in een dagverblijf – mensen checken op hun achtergronden deden ze in die tijd ken-nelijk niet aan.'

'Een dagverblijf voor volwassenen?'

'Bejaarden. Hij duwde ze van poepdoos naar eettafel. Ten-minste, dat is wat hij ons heeft verteld.'

'En toen had hij al een strafblad?'

'Paar inbraken... bezit van klasse A drugs... vriendin geslagen, maar ze wilde er geen zaak van maken. Betekent dat twee van je slachtoffers een binding met de stad hebben.'

'Ja,' stemde Rebus in. 'Hoe lang geleden hebben we het over?'

'Jaar of vier, vijf.'

'Heb je een minuutje, Stan?' Hij stond op en liep naar het par-keerterrein, pakte zijn mobiel en belde Mairie Henderson.

'Met John,' zei hij.

'Dat werd goddomme tijd. Waarom praat niemand meer over die Clootie Well-zaak? Mijn redacteur zeurt me helemaal gek.'

'Ik ben er net achter gekomen dat het tweede slachtoffer een tijd in Edinburgh heeft gezeten. Werkte op een dagverblijf in Craigmillar. Ik vraag me af of hij zich in die tijd problemen op de hals heeft gehaald.'

'Hebben ze bij de politie geen computers voor zulke dingen?'

'Ik hou liever vast aan de goeie ouwe contacten van vlees en bloed.'

'Ik kan eens in de database kijken... en misschien onze recht-bankman vragen of hij iets weet. Joe Cowrie, die doet dat al eeu-wen, en verdomd, hij herinnert zich nog elke zaak.'

'Komt goed uit, want dit kan wel een jaar of vijf teruggaan. Bel me, wat je ook vindt.'

'Jij denkt dat de moordenaar hier pal onder onze neus kan zit-ten?'

'Zou ik niet tegen je redacteur zeggen... moet je zijn hoop la-ter misschien weer de grond in boren.'

Rebus zei Mairie gedag en ging weer naar binnen. Hackman was net terug met een nieuwe pint. Hij knikte naar Rebus' glas.

'Ik wou je niet beledigen door je er nog zo een aan te bieden.'

'Ik hoef niks,' stelde Rebus hem gerust. 'Bedankt voor de moei-te.' Hij tikte op het open notitieblok.

'Alles om een collega bij te staan in nood.' Hackman hief zijn glas naar hem op.

'Nu we het er toch over hebben, hoe is de stemming in Pollock Halls?'

Hackmans gezicht verstrakte. 'Gisteravond was het zwaar. Veel jongens uit Londen zaten non-stop aan de telefoon. Anderen wa-ren al op transport terug. Ik weet, we hebben allemaal een hekel aan die stad, maar toen ik die Londenaren op tv zag, vastbesloten om door te gaan, wat er ook gebeurt...'

Rebus knikte instemmend.

'Beetje als jij hè, John?' Hackman lachte weer. 'Ik zie het aan je: je peinst er niet over om het op te geven, alleen omdat ze je te grazen willen nemen.'

Rebus dacht even na over wat hij moest antwoorden en vroeg Hackman toen of hij toevallig ook een adres had van dat dagverblijf in Craigmillar.

Het was nauwelijks meer dan vijf minuten rijden van The Crags.

Onderweg nam Rebus een telefoontje aan van Mairie, die niets kon vinden over Trevor Guests tijd in Edinburgh. Als Joe Cowrie het zich niet kon herinneren, had hij niet voor de rechter gestaan. Rebus bedankte haar toch en beloofde haar dat ze nog altijd eerste keus had uit wat hij te weten kwam. Hackman was terug naar Pollock om zijn koffers te pakken. Ze hadden afscheid genomen met een handdruk en Hackman had Rebus herinnerd aan zijn belofte van een rondleiding langs de 'intieme plekjes weg van de snelweg'.

'Erewoord,' had Rebus gezegd, al geloofde geen van beiden dat het ooit zou gebeuren.

Het dagverblijf lag tegen een industrieterrein aan. Rebus rook een diessellucht en iets als brandend rubber. Meeuwen op zoek naar voedsel cirkelden krijsend door de lucht. Het centrum zelf was een uitgebouwde bungalow met een aangebouwde serre. Door de ramen kon hij oude mensen zien zitten luisteren naar accordeonmuziek.

'Nog een jaar of tien, John,' mompelde hij in zichzelf. 'Als je geluk hebt.'

De secretaresse was uitermate efficiënt en stelde zichzelf voor als mevrouw Eadie – een voornaam gaf ze niet. Maar hoewel Trevor er maar een paar uur per week had gewerkt, en dan nog maar iets van een maand lang, had ze zijn papieren nog altijd in haar archiefkast. Nee, die kon ze hem niet laten zien – wet op de privacy enzovoorts. Als hij een verzoek om inzage indiende, ja, dan was er misschien over te praten.

Rebus knikte begrijpend. De thermostaat in het gebouw stond ingesteld op dodelijke straling en het zweet droop langs zijn rug. Het kantoortje was piepklein en benauwd en er hing een vage maar misselijkmakende geur van talkpoeder.

'Deze meneer Guest,' deelde hij mevrouw Eadie mee, 'was een

paar keer in aanraking gekomen met de politie. Hoe komt het dat u dat niet wist toen u hem aannam?'

'We wisten wel dat hij problemen had gehad, inspecteur. Dat had Gareth ons zelf verteld.'

Rebus staarde haar aan. 'Gareth Tench, van de gemeenteraad? Trevor Guest kwam hier via Tench?'

'Nooit makkelijk om sterke jonge mannen te vinden voor dit werk,' legde mevrouw Eadie uit. 'Meneer Tench is ons altijd heel behulpzaam geweest.'

'Met het vinden van vrijwilligers, bedoelt u?'

Ze knikte. 'We hebben veel aan hem te danken.'

'Hij zal wel zorgen dat hij z'n beloning krijgt, vroeger of later.'

Vijf minuten later stond Rebus weer in de frisse lucht en hoorde hij dat de accordeon had plaatsgemaakt voor een opname van Moira Anderson. Hij legde ter plekke een eed af tegen zichzelf dat hij er een eind aan zou maken voordat hij zich hier met een plaid over zijn knieën gekookte eieren moest laten voeren op de melodie van 'Charlie is my Darling'.

Siobhan zat voor Rebus' flat in de auto. Ze was al boven geweest: hij was niet thuis. Misschien maar goed ook, want ze beefde nog. Ze voelde haar ingewanden opspelen maar dacht niet dat ze de cafeïne de schuld kon geven. Toen ze zichzelf in de achteruitkijkspiegel bekeek, zag haar gezicht bleker dan normaal. Ze gaf zich een paar tikken op haar wangen om er wat kleur in te jagen. Ze had de radio aan staan maar was de nieuwszenders zat: al die stemmen die ofwel te kribbig en dringend klonken, ofwel te glad en samenzweerderig. Uiteindelijk was ze bij Classic FM terechtgekomen. Ze herkende een melodie maar kon niet op de titel komen. Nam niet eens de moeite.

Keith Carberry had Lonnie's Pool Academy verlaten als een man wiens advocaten hem net uit de dodencel hadden losgekregen. Als de wereld daarbuiten nog bestond, wilde hij ervan genieten. De tienerbeheerder had hem eraan moeten herinneren om zijn keu mee te nemen. Siobhan had het allemaal op de beveiligingscamera gezien. Het scherm was vettig en de figuren onscherp. Cafferty had ook microfoons geïnstalleerd en de stemmen kraakten uit een krakkemikkige luidspreker die ergens onder de monitor stond.

'Waar is de brand, Keith?'

'Donder op.'

'Moet je je toverstokje niet meenemen?'

Carberry die net lang genoeg stopte om de keu terug in de hoes te doen.

'Ik denk,' zei Cafferty zachtjes, 'dat we gerust kunnen zeggen dat we hem te pakken hebben.'

'Wat dat ook wil zeggen,' had Siobhan aangevuld.

'Kwestie van geduld,' meende Cafferty. 'Ik kan het je aanbevelen, brigadier Clarke...'

Nu, in de auto, overwoog ze haar opties. De eenvoudigste zou zijn het bewijsmateriaal over te dragen aan de officier van justitie en Keith Carberry opnieuw, en met een zwaardere aanklacht, voor de rechter te brengen. Dan bleef Tench buiten schot, maar wat zou dat? Zelfs als het raadslid achter de aanvallen op de camping in Niddrie had gezeten, hij was wel degene die haar te hulp was gekomen in de tuinen achter de flats. Voor Carberry was dat geen spelletje geweest. Die was high van de adrenaline, die rook bloed...

Die dreiging was echt.

Hij had haar angst willen proeven, haar paniek willen zien.

Tench had hem niet altijd in de hand, maar hij had de situatie net weten te redden.

Dat had ze toch aan hem te danken...

Aan de andere kant was de prijs te laag: Carberry voor haar moeder. Dat smaakte niet naar gerechtigheid. Ze wilde meer. Meer dan een verontschuldiging of geveinsd berouw, meer dan een paar weken of maanden celstraf.

Toen haar telefoon ging, moest ze haar vingers lostrekken van het stuurwiel. Het scherm zei dat het Eric Bain was. Ze vloekte op fluistertoon voor ze opnam.

'Eric, wat kan ik voor je doen?' vroeg ze, iets te opgewekt.

'Hoe is het er allemaal mee, Siobhan?'

'Het gaat langzaam,' gaf ze met een lachje toe en kneep in de brug van haar neus. Geen zielig gedoe, meid, waarschuwde ze zichzelf.

'Nou ja, ik weet het niet zeker, maar ik heb misschien iemand waar je eens mee moet praten.'

'O ja?'

'Ze werkt op de universiteit. Ik heb haar maanden geleden eens geholpen met een computersimulatie...'

'Mooi van je.'

Het bleef even stil aan de lijn. 'Gaat het wel?'

'Het gaat prima, Eric. Hoe is het anders met jou? En met Molly?'

'Geweldig, met Molly ook... Ik, eh, ik had het over die docente?'

'O ja, natuurlijk. Daar moet ik misschien eens mee gaan praten.'

'Nou ja, ik zou eerst bellen. Ik bedoel, het kan een dooie mus blijken te zijn.'

'Zoals meestal.'

'Nou, eh, hartelijk dank.'

Siobhan sloot haar ogen en zuchtte hardop in de telefoon. 'Sorry, Eric, sorry. Ik moet het niet op jou afreageren.'

'Wat op mij afreageren?'

'Een week lang ellende.'

Hij lachte. 'Excuus geaccepteerd. Ik bel later wel, als je een beetje –'

'Ho, wacht even, wil je?' Ze boog zich naar de passagiersstoel en haalde haar notitieblok uit haar tas. 'Geef me haar nummer, dan bel ik haar wel.'

Hij somde het nummer op en ze pende het neer, en bij benadering ook haar naam, die ze geen van beiden goed wisten te spellen.

'En wat denk je dat ze voor me heeft?' vroeg Siobhan.

'Een paar bizarre theorieën.'

'Klinkt goed.'

'Kan geen kwaad ernaar te luisteren,' ried Bain haar aan.

Maar Siobhan wist inmiddels beter. Wist dat luisteren consequenties kon hebben.

En gevaarlijke.

Rebus was alweer een tijd niet in het stadhuis geweest. Het gebouw van de City Chambers lag aan High Street, tegenover St. Giles' Cathedral. De weg tussen de twee werd gewoonlijk vrij gehouden van auto's, maar zoals de meeste stadgenoten negeerde Rebus de borden en parkeerde aan de stoeprand. Hij meende zich te herinneren dat het stadhuis ooit was gebouwd als een soort ontmoetingsplaats voor handelaren maar dat de plaatselijke kooplui het hadden gemeden en hun zaken hadden voortgezet zoals ze het gewend waren. In plaats van hun nederlaag te erkennen, waren de stadsbestuurders er toen zelf maar ingetrokken. Dat zou trouwens spoedig veranderen, want er was een nieuw gebouw gepland op wat nu nog een parkeerterrein was bij Waverley Station. Hoe ver de begroting overschreden zou worden, was nu nog niet te voorspellen. Als het ook maar een beetje zou gaan zoals met het nieuwe parlementsgebouw, zouden de cafés in Edinburgh weer gauw bol staan van de vlammende betogen afgestoken door verontwaardigde drinkers.

Het stadhuis was gebouwd boven op een steegje waar vroeger de pest heerste, genaamd Mary King's Close. Jaren geleden had Rebus een moord onderzocht die had plaatsgevonden in het donkere ondergrondse labyrint; Cafferty's eigen zoon was toen het slachtoffer. De gewelven waren nu opgeknapt en Mary King's Close was in de zomer een toeristenattractie. Een van de medewerkers deelde op het trottoir flyers uit. Ze droeg een dienstmeisjesmuts en een petticoat met verschillende lagen en bood Rebus een kortingsbon aan. Hij schudde zijn hoofd. Volgens de kranten hadden de plaatselijke attracties te lijden onder de G8, want de stad werd al een week gemeden door toeristen.

'Hi-ho, silver lining,' mompelde Rebus en begon de eerste regel van het liedje te fluiten. De receptioniste aan de balie vroeg hem of het iets van Kylie was, en glimlachte toen ten teken dat ze hem alleen maar plaagde.

'Ik kom voor Gareth Tench,' zei Rebus.

'Ik moet nog zien of hij er is,' waarschuwde ze. 'Vrijdag, weet u... Veel van onze raadsleden houden op vrijdag spreekuur in hun wijk.'

'Zodat ze bijtijds kunnen aftaaien?' raadde Rebus.

'Geen idee wat u daarmee bedoelt.' Maar de glimlach was terug, ten teken dat ze het donders goed wist. Rebus mocht haar wel. Keek of hij een trouwring zag en inderdaad. Schakelde met zijn gefluit over op 'Oh, Lonesome Me'.

Ze liet haar vinger langs een lijst op een klembord gaan. 'Zo te zien hebt u geluk,' kondigde ze aan. 'Subgroep Commissie Stadsvernieuwing...' Ze wierp een blik op de klok achter haar. 'Zou over vijf minuten afgelopen moeten zijn. Ik zal de secretaresse laten weten dat u er bent, meneer...?'

'Inspecteur Rebus.' Het was zijn beurt om te glimlachen. 'John, als u dat liever hebt.'

'Neem maar even plaats, John.'

Hij bedankte haar met een hoofdbuiginkje. De andere receptioniste had een stuk minder geluk; ze probeerde een ouder echtpaar af te poeieren dat iemand wilde spreken over de vuilnisbakken in hun straat.

'Dat tuig komt bij ons d'r rotzooi dumpen.'

'We hebben de autonummers en alles, maar niemand komt kijken...'

Rebus ging zitten en liet het leesvoer voor wat het was: gemeentepropaganda vermomd als nieuwsblaadjes. Die kwamen al regelmatig door Rebus' brievenbus binnen, zodat hij zijn steentje aan de recyclingindustrie kon bijdragen. Zijn mobiel rinkelde en hij klapte het open. Mairie Hendersons nummer.

'Mairie, wat kan ik voor je doen?' vroeg hij.

'Ik was je vanmorgen nog wat vergeten te vertellen... Ik ben weer een stukje verder met Richard Pennen.'

'Vertel eens.' Hij liep terug naar het voorpleintje. De Rover van de burgemeester stond voor de paneeldeuren geparkeerd. Hij bleef ernaast staan en stak een sigaret op.

'De economiecorrespondent van een van de Londense kranten kende een freelancer die verkoopt aan bladen als *Private Eye*. Die bracht me weer in contact met een tv-producent die Pennen al volgt sinds het bedrijf is afgesplitst van Defensie.'

'Nou, jij hebt je zakcentje voor deze week weer verdiend.'

'Fijn, dan wip ik nu eerst maar naar Harvey Nichols om het uit te geven.'

'Oké, ik hou m'n mond al.'

'Pennen heeft banden met een Amerikaans bedrijf dat TriMerino heet. Die hebben op het moment al mensen in het veld in Irak. In de loop van de oorlog is er veel apparatuur vernietigd, onder andere wapens. TriMerino is bezig met het herbewapenen van de lui die aan de goeie kant staan...'

'Wie dat ook mogen zijn.'

'... om de Iraakse politie en de nieuwe legereenheden weer op de been te helpen. Zij beschouwen dat als – let goed op – een humanitaire missie.'

'Dus die vissen naar noodhulpgeld?'

'Er worden miljarden in Irak gepompt. Waarvan al flink wat vermist is geraakt, maar dat is een ander verhaal. De schemerwereld van de internationale hulpverlening, dat is de insteek van die tv-producent.'

'En die gaat Richard Pennen aan de paal nagelen?'

'Dat is te hopen.'

'En wat zegt dat over mijn dode politicus? Enige aanwijzing dat Ben Webster iets te zeggen had over de hulpgelden voor Irak?'

'Nog niet,' gaf ze toe. Rebus merkte dat hij wat as had laten vallen op de glimmende motorkap van de Rover.

'Ik krijg zo'n gevoel dat je iets achterhoudt.'

'Niks wat te maken heeft met jouw dode parlementariër.'

'Wil je het oom John toch niet verklappen?'

'Misschien levert het niks op.' Ze zweeg even. 'Maar ik kan er toch wel een verhaal van maken. Ik ben de eerste schrijvende journalist aan wie die producent het hele verhaal heeft verteld.'

'Bof jij even.'

'Nou, dat klinkt enthousiast.'

'Sorry, Mairie... ik ben er met mijn hoofd niet helemaal bij. Als je Pennen de duimschroeven kunt aandraaien, des te beter.'

'Maar daar heb jij niet veel aan?'

'Je hebt me al enorm geholpen. Des te mooier als je er zelf ook iets aan hebt.'

'Dat wou ik maar zeggen.' Ze zweeg weer even. 'En, ben jij al wat verder gekomen? Ik neem aan dat je dat dagverblijf hebt opgezocht waar Trevor Guest heeft gewerkt?'

'Leverde niet veel op.'

'Niets wat ik hoef te weten?'

'Nog niet.'

'Nou klinkt het alsof jíj iets achterhoudt.'

Rebus stapte opzij nu er mensen het gebouw uit begonnen te komen: een chauffeur in livrei, gevolgd door een andere geüniformeerde man die een koffertje droeg. En achter hen aan de Lord Provost. De asrestjes op haar voertuig schenen haar te zijn opgevallen, want ze keek Rebus fronsend aan voordat ze achterin verdween. De twee mannen stapten voorin en Rebus stelde zich voor dat het koffertje haar ambtsketen bevatte.

'Bedankt voor je nieuws over Pennen,' zei hij tegen Mairie. 'Hou me op de hoogte.'

'Het is jouw beurt om mij te bellen,' vermaande ze hem. 'Nu we weer met elkaar praten, wil ik niet dat het eenrichtingsverkeer blijft.'

Hij hing op, drukte zijn sigaret uit en ging weer naar binnen, waar zijn receptioniste betrokken was geraakt bij het debat over de kliko's.

'Daarvoor moet u bij Milieuzaken zijn,' benadrukte ze.

'Heb je niks aan, lieffie, die luisteren nergens naar.'

'D'r moet wat gedáán worden!' riep zijn vrouw. 'Je wordt behandeld als een nummer, dat zijn de mensen spuugzat!'

'Goed dan,' zei de eerste receptioniste met een berustende zucht. 'Ik zal kijken of er iemand beschikbaar is die u te woord kan staan. Als u daar een bonnetje pakt.' Ze knikte naar de automaat. De oude man trok er een strookje papier uit en staarde naar wat hij had gekregen.

Een nummertje.

Rebus' receptioniste wenkte hem en boog naar voren om hem in het oor te fluisteren dat het raadslid onderweg was naar beneden. Ze wierp een blik op het bejaarde stel om aan te geven dat de boodschap niet voor hen bedoeld was.

'Ik neem aan dat het om dienstzaken gaat?' wilde ze toch wel graag weten. Rebus leunde nog dichter naar haar oor, zodat hij de parfum in haar hals kon ruiken.

'Mijn afvoer moet ontstopt worden,' vertrouwde hij haar toe. Even keek ze geschrokken, toen gaf ze een schuin lachje ten beste, in de hoop dat hij een grapje maakte.

Enkele ogenblikken later verscheen Tench zelf met een grimmige blik in de ontvangstruimte. Hij hield een aktetas voor zijn borst geklemd, alsof hij zich ermee wilde verdedigen.

'Dit is je reinste pesterij, en geen schaamhaar minder, siste hij. Rebus knikte alsof hij hem gelijk gaf en strekte toen een arm uit naar het wachtende echtpaar.

'Dit is meneer Tench van de gemeenteraad,' liet hij hen weten. 'Iemand met het hart op de goeie plaats.' Ze waren al opgestaan en dribbelden in de richting van het gekweld kijkende raadslid.

'Ik wacht wel buiten tot u klaar bent,' bood Rebus aan.

Hij had alweer een sigaret op tegen de tijd dat Tench naar buiten kwam. Door het raam zag Rebus dat het stel weer was gaan zitten, voorlopig kennelijk tevredengesteld, misschien met een vervolggesprek in het vooruitzicht.

'Je bent een klootzak, Rebus,' snauwde Tench. 'Geef mij ook een sigaret.'

'Ik wist niet dat u ook ongezonde gewoonten had.'

Tench nam een sigaret uit het pakje. 'Alleen onder stress... maar nu dat rookverbod in aantocht is, kan ik er misschien maar beter van genieten zolang het kan.' Toen hij de sigaret had opgestoken, inhaleerde hij diep en liet de rook door zijn neusgaten naar buiten stromen. 'Het enige echte pleziertje dat sommige mensen hebben. Weet je nog, John Reid over de alleenstaande moeder in de achterstandswijk?'

Rebus wist het nog goed. Maar Reid, de minister van Volksgezondheid, was zelf gestopt met roken, dus als beschermheilige telde hij niet echt mee.

'Sorry hoor,' kwam hij Tench tegemoet en knikte richting het raam.

'Eigenlijk hebben ze gelijk,' erkende Tench. 'Er komt iemand om met ze te praten. Niet dat hij erg blij was toen ik hem belde. Ik geloof dat hij net op de negende met zijn tee shot de green had gehaald. Een chip die mooi doorloopt en je hebt een birdie...'

Hij lachte en Rebus lachte mee. Een ogenblik rookten ze in stilte. De sfeer was bijna kameraadschappelijk te noemen. Tot Tench roet in het eten gooide.

'Waarom kies je partij voor Cafferty? Ik ben misschien geen lieverdje, maar ik haal het niet bij zo'n smeerlap.'

'Dat bestrijd ik ook niet.'

'Nou dan?'

'Ik kies geen partij voor hem,' verklaarde Rebus.

'Zo ziet het er wel uit.'

'Alleen als je je ogen sluit voor het grotere verband.'

'Ik ben goed in wat ik doe, Rebus. Als je me niet gelooft, praat dan eens met de mensen die ik vertegenwoordig.'

'Ik denk dat u fantastisch bent in wat u doet, meneer Tench. En als lid van de Commissie Stadsvernieuwing krijgt u vast karrenvrachten geld los voor uw wijk, waar uw kiezers blij, gezond en goedgemanierd van worden.'

'Krotten zijn vervangen door nieuwbouw, de bedrijven in de wijk worden gestimuleerd om te blijven zitten...'

'Dagcentra worden opgeknapt?' voegde Rebus toe.

'Nou en of.'

'En voorzien van nieuwe mensen die u aanbeveelt. Zoals Trevor Guest bijvoorbeeld.'

'Wie?'

'Tijdje terug hebt u hem een baantje in een dagverblijf bezorgd. Hij kwam oorspronkelijk uit Newcastle.'

Tench knikte langzaam. 'Had wat problemen met drank en drugs gehad. Kan de beste van ons overkomen, niet, inspecteur?' Tench keek Rebus veelbetekenend aan. 'Ik probeerde hem te reïntegreren in de samenleving.'

'Niet gelukt. Hij ging terug naar het zuiden en werd om zeep geholpen.'

'Om zeep?'

'Een van de drie van wie we in Auchterarder spullen hebben gevonden. Een andere was Cyril Colliar. Die werkte vroeger toevallig wél voor Big Ger Cafferty.'

'Daar ga je alweer – alsof ík het dan gedaan zou hebben!' Tench maakte priemende gebaren met de sigaret.

'Ik wilde u gewoon wat vragen over het slachtoffer. Hoe u hem heeft ontmoet, waarom u zich geroepen voelde om hem te helpen.'

'Daar bén ik voor, probeer ik je steeds te vertellen!'

'Cafferty denkt dat u zich indringt.'

Tench rolde zijn ogen omhoog. 'Daar hebben we het al over gehad. Het enige wat ík wil is zorgen dat hij op de schroothoop terechtkomt.'

'En als wij daar niet voor zorgen, doet u het zelf wel?'

'Ik zal doen wat ik kan, dat heb ik al gezegd.' Hij wreef met zijn handpalmen over zijn gezicht, alsof hij zich waste. 'Is het kwartje nog niet gevallen, Rebus? Laten we er even van uitgaan dat hij jou niet in z'n zak heeft zitten, maar is het niet bij je opgekomen dat hij je misschien gebruikt om mij te pakken? Drugsproblemen zat in mijn wijk, en ik heb gezworen dat ik daar wat aan zou doen. Ben ik uit de weg geruimd, dan heeft Cafferty vrij spel.'

'Nu hebt u de bendes daar in de hand.'

'Helemaal niet!'

'Ik heb gezien hoe het werkt. Die kleine hooligan van u maakt amok en geeft u de kans te bepleiten dat u meer overheidsgeld moet hebben. Dus die jongens brengen goed geld in het laatje.'

Tench staarde hem aan en ademde toen luidruchtig uit. Hij keek naar links en naar rechts. 'Tussen ons gezegd en gezwegen?' Maar Rebus reageerde niet. 'Goed dan, misschien zit er een kern van waarheid in wat je zegt. Geld voor stadsvernieuwing: daar draait het om. Ik laat je met alle plezier de boeken zien, dan zal blijken dat alle uitgaven tot de laatste cent worden verantwoord.'

'En onder welke post staat Carberry op de balans?'

'Iemand als Keith Carberry heb je niet in de hánd. Beetje bijsturen soms...' Tench haalde zijn schouders op. 'Wat er in Princes Street is gebeurd, daar had ik niets mee te maken.'

Rebus' sigaret was tot op de filter geslonken. Hij schoot hem weg. 'En Trevor Guest?'

'Was een beschadigde man die me hulp kwam vragen. Hij zei dat hij iets terug wou doen.'

'Waarvoor?'

Tench schudde langzaam zijn hoofd en trapte zijn peuk uit; zijn gezicht stond nadenkend. 'Ik kreeg het gevoel dat er iets was gebeurd... iets wat hem doodsangst had aangejaagd.'

'Wat voor iets?'

Schouderophalen. 'Drugs misschien... donkere nacht van de ziel. Hij was met de politie in aanraking geweest, maar ik had het gevoel dat er meer achter zat.'

'Hij kwam uiteindelijk in de gevangenis terecht. Inbraak met geweld, mishandeling, poging tot aanranding... Die barmhartige samaritaan-act van u heeft hem niet direct op het rechte pad gebracht.'

'Voor mij is het nooit een act geweest,' zei Tench zachtjes, zijn ogen gericht op de straat onder hem.

'Wat u nu opvoert is een act,' oordeelde Rebus. 'Ik denk dat u het doet omdat u er goed in bent. Zelfde soort act waarmee u de zus van Ellen Wylie uit de kleren kreeg. Glaasje wijn, luisterend oor, en mondje dicht over het vrouwtje dat thuis voor de buis zit.'

Tench trok een gekweld gezicht, maar van Rebus kreeg hij niet meer dan een kil lachje.

'Nou ben ik benieuwd,' ging hij verder. 'U keek naar die BeastWatch-website, zo bent u bij Ellen en haar zus terechtgekomen. Dan moet u de foto van uw oude vriend Trevor daar ook gezien hebben. Ik vind het raar dat u er nooit iets van heeft gezegd.'

'En vrijwillig in de kuil stappen die jullie voor me aan het graven zijn?' Tench schudde langzaam zijn hoofd.

'Ik heb een verklaring in uw eigen woorden nodig over Trevor Guest; alles wat u me heeft verteld en alles wat u verder nog kunt bedenken. Die kunt u afgeven op Gayfield Square – vanmiddag is vroeg genoeg. Hoop dat het u niet te lang van het golfen afhoudt.'

Tench keek hem aan. 'Hoe weet je dat ik golf?'

'Zoals u er daarstraks over sprak, alsof u er verstand van had.' Rebus boog zich naar hem toe. 'U bent makkelijk te lezen, meneer. Vergeleken met sommige andere politici bent u zo helder als glas.'

Tevreden met zijn afmaker liet Rebus Tench erop kauwen. Bij zijn auto stond een parkeerwacht klaar. Rebus wees naar het bordje POLITIE op zijn dashboard.

'Als wíj toestemming geven,' herinnerde de parkeerwacht hem.

Rebus blies de man een kushandje toe en ging achter het stuur zitten. Voordat hij optrok keek hij in zijn achteruitkijkspiegel en zag dat iemand voor de kathedraal stond toe te kijken. Net zo gekleed als die dag bij de rechtbank: Keith Carberry. Rebus reed door, maar langzaam. Carberry keek een andere kant op en Rebus stopte de Saab en bleef in het spiegeltje kijken. Hij verwachtte dat Carberry de straat zou oversteken om een praatje met zijn werkgever te maken, maar hij verroerde zich niet, zijn handen zaten diep in de zakken van zijn jack met capuchon, en hij had een of andere zwarte koker onder een arm. Een standbeeld tussen de paar toeristen voor de kathedraal.

Hij zag ze niet.
Hij staarde naar de overkant.
Naar de City Chambers.
De City Chambers... en Gareth Tench.

23

'Wat heb jij uitgespookt?' vroeg Rebus.

Ze had in Arden Street op hem zitten wachten. Hij had gezegd dat hij haar misschien maar een sleutel moest geven, als ze zijn flat als kantoor bleven gebruiken.

'Niet veel,' antwoordde Siobhan en trok haar jasje uit. 'En jij?'

Ze gingen de keuken in en hij zette water op terwijl hij verslag deed over Tench en Trevor Guest. Ze stelde een paar vragen en keek toe terwijl hij koffie in twee mokken lepelde.

'Hebben we dus een verband met Edinburgh,' concludeerde ze.

'Min of meer.'

'Je twijfelt.'

Hij schudde zijn hoofd. 'Je zei het zelf. Ellen ook. Trevor Guest kan best de sleutel zijn. Het begon er al mee dat hij er anders uitzag dan de anderen, zo toegetakeld...' Hij maakte de zin niet af.

'Wat is er?'

Maar hij schudde zijn hoofd weer en roerde met een lepeltje in zijn mok. 'Tench denkt dat er iets met hem was gebeurd. Guest had aan de drugs gezeten, flink gezopen... Dan rept ie zich naar het noorden en duikt op in Craigmillar. Komt het raadslid tegen... werkt een paar weken met bejaarden.'

'In het dossier staat niks wat erop wijst dat hij zoiets vaker heeft gedaan, daarvoor of daarna.'

'Het is ook een rare stap voor een dief die waarschijnlijk op zwart zaad zit.'

'Tenzij hij dacht dat dáár misschien iets te halen zou zijn. Zeiden ze bij dat dagverblijf iets over geld dat ze waren kwijtgeraakt?'

Rebus schudde van nee, maar pakte zijn telefoon om het mevrouw Eadie te vragen. Tegen de tijd dat zij ontkennend had geantwoord, zat Siobhan aan de eettafel in de woonkamer weer door de documenten te bladeren.

'En is hij hier nog met de politie in aanraking geweest?' vroeg ze.

'Ik heb het Mairie laten navragen.' Ze keek hem bevreemd aan. 'Wilde niet dat iemand anders er lucht van kreeg dat we nog bezig zijn.'

'En wat zei Mairie?'

'Ze kon geen zekerheid geven.'

'Tijd om Ellen te bellen?'

Hij wist dat ze gelijk had en pakte de telefoon weer, maar waarschuwde Ellen Wylie dat ze moest oppassen.

'Als je in de computer gaat zoeken, laat je je visitekaartje achter.'

'Ik ben een grote meid, John.'

'Kan wel zijn, maar de grote commissaris kijkt met argusogen mee.'

'Komt goed.'

Hij wenste haar succes en liet de telefoon weer in zijn zak glijden. 'Gaat het een beetje?' vroeg hij Siobhan.

'Hoezo?'

'Het was alsof je zat te dromen. Heb je je ouders gesproken?'

'Sinds ze terug zijn gegaan niet.'

'Die foto's kun je het beste aan de officier geven, zorgen dat je een veroordeling krijgt.'

Ze knikte maar keek niet overtuigd. 'Dat zou jij doen, zeker?' vroeg ze. 'Als iemand jouw moeder het ziekenhuis in had geslagen?'

'Er is niet veel plek op de richel, Shiv.'

Ze staarde hem aan. 'Welke richel?'

'Die waar ik altijd op schijn te staan. Die waar je niet te dicht bij de rand moet komen.'

'Wat wil je daarmee zeggen?'

'Dat je die foto's moet afgeven en de rest moet overlaten aan de rechter en de jury.'

Ze zat hem nog altijd strak aan te kijken. 'Je zal wel gelijk hebben.'

'Geen keuze,' vulde hij aan. 'Geen alternatief waar je ook maar over zou willen nadenken.'

'Dat is waar.'

'Anders kun je mij altijd nog vragen meneer de honkbalpet in elkaar te slaan.'

'Ben je daar niet een beetje oud voor?' vroeg ze, met een besmuikt glimlachje.

'Kan best zijn,' gaf hij toe. 'Maar daarom kan ik het nog wel proberen.'

'Nou, doe geen moeite. Ik wilde alleen de waarheid weten.' Ze dacht even na. 'Ik bedoel, het idee dat het iemand van ons had kunnen zijn...'

'Had best gekund, als je ziet hoe het er deze week aan toe is gegaan,' zei hij zacht. Hij trok een stoel naar zich toe en ging tegenover haar aan tafel zitten.

'Maar ik had het niet kunnen verdragen, John. Dát bedoel ik.'

Hij trok met een demonstratief gebaar een deel van het papierwerk naar zich toe. 'Dan was je afgenokt?'

'Best mogelijk.'

'Maar nu is het weer goed?' Hij hoopte op een of andere geruststelling. Ze knikte alleen, pakte zelf ook een deel van het papierwerk.

'Waarom heeft hij niet nog een keer toegeslagen?'

Het kostte Rebus even om zijn hersenen op de juiste koers te krijgen. Hij had op het punt gestaan haar te vertellen hoe hij Keith Carberry tegenover het stadhuis had zien staan. 'Ik heb geen idee,' gaf hij uiteindelijk toe.

'Ik bedoel, ze versnellen toch? Als ze de smaak eenmaal te pakken hebben?'

'Dat is de theorie.'

'En ze houden er toch niet gewoon mee op?'

'Sommigen misschien wel. Ze hebben iets in zich... misschien zakt dat ook wel weer weg.' Hij haalde zijn schouders op. 'Ik pretendeer niet dat ik een expert ben.'

'Ik ook niet. Daarom gaan we praten met iemand die zegt dat ze dat wel is.'

'Wat?'

Siobhan keek op haar horloge. 'Over een uur. Precies genoeg tijd om te bedenken welke vragen we haar moeten stellen...'

De faculteit psychologie van de universiteit van Edinburgh was gevestigd op George Square. Aan twee kanten waren de oorspronkelijke achttiende-eeuwse huizen gesloopt en vervangen door een reeks betonnen blokkendozen, maar de faculteit psychologie had onderdak gevonden in een ouder gebouw geflankeerd door twee van zulke blokken. Dr. Roisin Gilreagh had een kamer op de bovenste etage, met uitzicht op het park erachter.

'Lekker rustig deze tijd van het jaar,' merkte Siobhan op. 'Als de studenten weg zijn, bedoel ik.'

'Behalve dat het park in augustus wordt ingenomen door allerlei Fringe-voorstellingen,' bracht dr. Gilreagh ertegen in.

'En die bieden weer een heel nieuw menselijk laboratorium,' voegde Rebus eraan toe. De kamer was klein en baadde in het zonlicht. Dr. Gilreagh was midden dertig, en had dikke blonde krullen die tot over haar schouders vielen en kuiltjes in haar wangen die Rebus toeschreef aan haar Ierse afkomst, ook al sprak ze met een zuiver Edinburghs accent. Toen ze om Rebus' opmerking glimlachte, leken haar scherpe neus en kin nog puntiger te worden.

'Onderweg hierheen vertelde ik inspecteur Rebus net,' kwam Siobhan tussenbeide, 'dat u beschouwd wordt als een expert op dit gebied.'

'Zo ver zou ik niet gaan,' voelde dr. Gilreagh zich geroepen te zeggen. 'Maar op het terrein van de daderprofilering gaan we interessante tijden tegemoet. Ons nieuwe Centrum voor Informatica komt in Crighton Street, waar nu de parkeerplaats is, en een deel ervan wordt ingericht voor de gedragswetenschap. Voeg daarbij de hersenwetenschappen en psychiatrie, dan zie je de mogelijkheden die er liggen...' Ze keek haar beide bezoekers stralend aan.

'Maar u werkt zelf voor geen van die faculteiten?' kon Rebus niet achterblijven.

'Klopt, klopt,' erkende ze blijmoedig. Ze zat te wippen op haar stoel alsof stilzitten een zonde was. Stofdeeltjes dansten in de zonnestralen die over haar gezicht vielen.

'Kunnen we misschien een zonnescherm neerlaten?' stelde Rebus met demonstratief dichtgeknepen ogen voor. Ze sprong op en verontschuldigde zich terwijl ze de rolgordijnen neerliet. Die waren van een vaalgeel soort tentdoek gemaakt en temperden het felle licht maar nauwelijks. Rebus keek Siobhan aan alsof hij wilde zeggen dat dr. Gilreagh niet voor niets op zolder opgesloten zat.

'Vertelt u inspecteur Rebus eens wat over uw onderzoek,' zei Siobhan bemoedigend.

'Nou.' Dr. Gilreagh sloeg haar handen in elkaar, rechtte haar rug, schudde zich even los en haalde diep adem. 'Het onderzoek naar gedragspatronen bij daders is niets nieuws, maar ik ben me gaan concentreren op de slachtoffers. Als we ons verdiepen in het gedrag van het slachtoffer gaan we zien waarom de daders zich gedragen zoals ze doen, hetzij impulsief of via een meer deterministische benadering.'

'Spreekt bijna voor zich,' kwam Rebus haar met een glimlach tegemoet.

'Nu er geen colleges zijn en ik wat meer tijd heb voor een paar privéprojectjes, ben ik geïntrigeerd geraakt door dat "heiligdom" – misschien wel een passende naam – in Auchterarder. De krantenberichten erover waren soms wat vaag, maar ik besloot er toch eens te gaan kijken... en toen, alsof het was voorbestemd, vroeg brigadier Clarke me om dit gesprek.' Ze haalde nog eens diep adem. 'Ik bedoel, wat ik heb gevonden is niet echt klaar voor... nee, wat ik bedoel is dat ik nog niet verder dan de oppervlakte ben gekomen.'

'We kunnen u de onderzoeksaantekeningen bezorgen,' verzekerde Siobhan haar, 'als dat zou helpen. Maar in de tussentijd ben ik erg benieuwd naar wat u ervan denkt.'

Dr. Gilreagh sloeg haar handen weer samen en joeg de wolk stofdeeltjes tussen hen in alle kanten op.

'Nou,' zei ze, 'geïnteresseerd als ik ben in victimologie...' Rebus probeerde Siobhans blik te vangen, maar ze gaf hem geen kans. '... moet ik toegeven dat de locus mijn nieuwsgierigheid opwekte. Het is een statement, niet? Ik veronderstel dat u de mogelijkheid heeft overwogen dat de dader in de omgeving woont, of die al lang van dichtbij kent?' Ze wachtte tot Siobhan had geknikt. 'En u heeft misschien ook gedacht aan de mogelijkheid dat de dader van de Clootie Well weet omdat die vermeld staat in allerlei toeristische gidsen, en ook op het world wide web uitgebreid wordt beschreven?'

Nu wierp Siobhan Rebus een steelse blik toe. 'Vanuit die specifieke invalshoek hebben we het eigenlijk niet bekeken,' gaf ze toe.

'Hij komt op diverse websites voor,' verzekerde dr. Gilreagh haar. 'New Age en nieuwe religies... mythen en legenden... wereldmysteries. Langs die weg kan iedereen die de Clootie Well op Black Isle kent die in Perthshire ook zijn tegengekomen.'

'Ik vraag me af of we hiermee ergens uitkomen waar we niet al zijn geweest,' zei Rebus. Siobhan keek hem weer aan.

'Mensen die de website van BeastWatch bezochten,' opperde ze. 'Wat als die ook sites hebben opgezocht die verwijzen naar de Clootie Well?'

'En hoe zouden we daar achter kunnen komen?'

'Goeie vraag,' erkende dr. Gilreagh, 'hoewel u misschien over computerexperts beschikt... Maar men moet er hoe dan ook van uitgaan dat de locus enige betekenis heeft voor de dader.' Ze wachtte tot Rebus had geknikt. 'En in dat geval: heeft de locus ook betekenis voor de slachtoffers?'

'Hoezo?' vroeg Rebus, en zijn ogen vernauwden zich.

'Platteland... dichte bossen... maar dicht bij plaatsen waar mensen wonen. Is dat ook het soort omgeving waarin de slachtoffers woonden?'

Rebus snoof. 'Zou je niet zeggen. Cyril Colliar was een uitsmijter in Edinburgh, net uit de gevangenis. Zie ik niet voor me met een rugzak en een reep Kendal Mint Cake.'

'Maar Edward Isley reisde de M6 op en neer,' wierp Siobhan tegen, 'en dat is in het Lake District, niet? En Trevor Guest heeft in de Borders gewoond...'

'... én in Newcastle én Edinburgh.' Rebus keek de psycholoog aan. 'Ze hebben alle drie gezeten... daar heb je een verband.'

'Daarom kunnen er nog wel andere zijn,' hield Siobhan vol.

'Tenzij u om de tuin wordt geleid,' zei dr. Gilreagh met een vriendelijke glimlach.

'Om de tuin geleid?' echode Siobhan.

'Ofwel door patronen die in werkelijkheid niet bestaan, ofwel door patronen die de dader u voor ogen tovert.'

'Om een spelletje met ons te spelen?' raadde Siobhan.

'Dat is een mogelijkheid. Het heeft iets heel speels...' Ze onderbrak zichzelf, een frons trok over haar gezicht. 'Dat klinkt u vast te frivool in de oren, dat spijt me, maar het is het enige woord dat ik kan bedenken. Hier heb je een moordenaar die per se gezien wil worden, zoals wel blijkt uit het tafereel dat hij in Auchterarder heeft achtergelaten. Maar zodra dat wordt ontdekt, trekt hij zich terug, misschien achter een rookgordijn.'

Rebus leunde voorover, met zijn ellebogen op zijn knieën. 'Wilt u zeggen dat alle drie de slachtoffers een rookgordijn zijn?'

Ze wiebelde een beetje met haar schouders, wat hij opvatte als schouderophalen.

'Een rookgordijn voor wat?' drong hij aan.

Ze wiebelde nogmaals. Rebus wierp Siobhan een fronsende blik toe.

'Er is iets wat niet helemaal klopt,' zei Gilreagh ten slotte, 'met het tableau. Een stuk uit een jasje... een poloshirt... een ribbroek... ongelijksoortig, niet? Een seriemoordenaar zou normaal gesproken meer overeenkomstige trofeeën verzamelen, allemaal shirts, of allemaal uitgeknipte stukken. Het is een slordige verzameling en uiteindelijk klópt er iets niet aan.'

'Dit is allemaal erg interessant,' zei Siobhan zacht. 'Maar helpt het ons verder?'

'Ik ben geen detective,' benadrukte de psychologe. 'Maar om

terug te komen op het landelijke karakter en het tableau, dat een klassieke afleidingsmanoeuvre zou kunnen zijn... zou ik me nog eens afvragen waarom precies díé slachtoffers zijn gekozen.' Ze begon voor zich uit te knikken. 'Ziet u, soms kiezen de slachtoffers als het ware zichzelf uit, omdat ze iets hebben wat de dader zoekt. Soms hoeft dat niet meer te zijn dan een vrouw alleen in een kwetsbare omgeving. Maar meestal zijn er ook andere overwegingen.' Ze richtte haar aandacht op Siobhan. 'Toen ik u aan de telefoon had, noemde u afwijkingen in het patroon. Dat zouden op zichzelf aanwijzingen kunnen zijn.' Ze liet bewust een stilte vallen. 'Maar nadere studie van het dossier zou me misschien tot een meer gefundeerd oordeel kunnen brengen.' Ze keek nu Rebus aan. 'Dat u sceptisch bent kan ik u nauwelijks kwalijk nemen, inspecteur, maar ondanks wat u misschien voor u ziet, is in míjn bovenkamer alles in orde.'

'Daar twijfel ik niet aan, mevrouw.'

Ze sloeg haar handen weer ineen en ditmaal sprong ze ook overeind ten teken dat hun tijd om was.

'In de tussentijd,' zei ze, 'landelijkheid en afwijkingen, landelijkheid en afwijkingen.' Ze had twee vingers opgestoken om haar woorden te benadrukken, en voegde toen een derde punt toe. 'Maar voor alles misschien: de dader wil dat u iets ziet wat er niet is.'

'Is landelijkheid wel een woord?' vroeg Rebus.

Siobhan startte de auto. 'Nu wel.'

'En je bent nog steeds van plan haar de stukken te geven?'

'Het valt te proberen.'

'Zijn we zo wanhopig?'

'Tenzij jij een beter idee hebt.' Maar dat had hij niet. Hij draaide het raampje omlaag om te kunnen roken en ze passeerden de oude parkeerplaats in Crighton Street.

'Informatica,' mompelde Rebus. Siobhan gaf rechts richting aan en sloeg af richting de Meadows en Arden Street.

'De afwijking is Trevor Guest,' probeerde ze, toen er enkele minuten waren verstreken. 'Dat weten we al vanaf het begin.'

'Dus?'

'Nou ja, we weten dat hij een tijd in de Borders heeft doorgebracht – kan het nog landelijker?'

'Roteind weg van Auchterarder, en zeker van Black Isle,' merkte Rebus op.

'Maar in de Borders is er iets met hem gebeurd.'

'Dat hebben we alleen van Tench.'

'Zit wat in,' gaf ze toe. Niettemin zocht Rebus Hackmans nummer op en belde het.

'Klaar voor vertrek?' vroeg hij.

'Mis je me nou al?' antwoordde Hackman, die Rebus' stem had herkend.

'Er was iets wat ik je nog had willen vragen. Weet je waar Trevor Guest in de Borders heeft gezeten?'

'Hoor ik het geluid van een hand die naar een laatste strohalm grijpt?'

'Klopt,' erkende Rebus.

'Nou, ik weet niet of ik nog een strohalm voor je heb. Ik meen me te herinneren dat Guest het in een van onze gesprekken over de Borders heeft gehad.'

'Daar hebben we de processen-verbaal nog niet van,' bracht Rebus hem in herinnering.

'Zijn de jongens in de grote stad weer efficiënt bezig? Heb je je e-mailadres bij je, John?' Rebus spelde het. 'Moet je over een uur of zo je computer even checken. Maar pas op, het is VAW-dag, dus je hebt kans dat de vogels al gevlogen zijn.'

'Wat je ook maar te pakken kan krijgen voor ons, Stan. Goeie reis.' Rebus klapte de gsm dicht. 'VAW-dag,' hielp hij Siobhan herinneren.

'Vroeg Aftaaien, Weekend,' verzuchtte ze.

'Over het weekend gesproken – ga je morgen nog naar T in the Park?'

'Weet ik nog niet.'

'Je hebt anders hard genoeg voor dat ticket gevochten.'

'Misschien 's avonds, kan ik New Order nog zien.'

'Na een zaterdag doorploeteren?'

'Jij dacht meer aan een wandeling op Portobello Beach?'

'Hangt van Newcastle af, niet? Tijd geleden dat ik een dagtocht naar de Borders heb gemaakt...'

Ze parkeerde dubbel en klom de twee trappen met hem op. Het plan was de onderzoeksaantekeningen even snel door te bladeren op wat voor dr. Gilreagh bruikbaar zou kunnen zijn en daarmee een copyshop op te zoeken. De opbrengst was een duimdikke stapel papier.

'Succes,' zei Rebus toen hij Siobhan uitliet. Hij hoorde beneden een claxon – een auto die ze had vastgezet. Hij trok het raam open om wat lucht binnen te laten en stortte toen neer in zijn stoel. Hij was hondsmoe. Zijn ogen brandden en zijn nek en schouders deden pijn. Hij dacht weer aan de massage die Ellen Wylie hem had willen ontlokken. Was ze werkelijk iets van plan geweest? Maakte niet uit, hij was alleen maar opgelucht dat er niets was gebeurd. Zijn buik zat bekneld achter zijn broekriem. Hij deed zijn stropdas af en opende de bovenste twee knoopjes van zijn overhemd. Dat gaf lucht, dus maakte hij de riem ook los.

'Joggingpak moest je hebben, dikzak,' sprak hij zichzelf toe. Joggingpak én slippers. En een hulp in de huishouding. Alles wat een oude man nodig heeft dus eigenlijk, behalve 'Charlie is my Darling'.

'Plus nog iets meer zelfmedelijden.'

Hij wreef met zijn hand over een knie. Werd 's nachts vaak wakker met een soort kramp daar. Reumatiek, artritis, slijtage; hij wist dat het geen zin had zijn huisarts ermee lastig te vallen. Daar was hij al geweest voor zijn bloeddruk: minder zout en suiker, minder vet, meer beweging. Drank en rookwaar overboord.

Rebus had zijn antwoord in de vorm van een vraag gegoten: 'Heb je nooit het gevoel dat je net zo goed een groot zwart bord met die mededeling op je stoel zou kunnen zetten en zelf naar huis aftaaien?' Hij had een jonge man zelden zo vermoeid zien glimlachen.

De telefoon ging en hij wenste het ding naar de hel. Als het dringend was, belden ze wel op z'n mobiel. Die ging dan ook prompt een halve minuut later over. Hij maakte geen haast om op te nemen: Ellen Wylie.

'Ellen?' meldde hij zich. Hij vond niet dat ze hoefde te weten dat hij net aan haar had zitten denken.

'Klein minpuntje voor Trevor Guest tijdens zijn verblijf in onze wonderschone stad.'

'Vertel.' Hij leunde met zijn hoofd tegen de rugleuning van zijn stoel en liet zijn ogen dichtvallen.

'Knokpartijtje op Ratcliffe Terrace. Ken je het?'

'Waar de taxichauffeurs gaan tanken. Ben ik gisteravond nog geweest.'

'Aan de overkant is een café dat Swany's heet.'

'Ben ik ook wel eens geweest.'

'Je meent het. Nou, Guest in elk geval één keer. Blijkbaar was er een andere gast die iets tegen hem had en eindigde het buiten. Een van onze wagens stond bij de benzinepomp, vast om provisie in te slaan. Alle twee de vechtersbazen hebben de nacht op het bureau doorgebracht.'

'Dat was het?'

'Geen zaak van gemaakt. Getuigen hadden gezien dat die andere man de eerste klap uitdeelde. We vroegen Guest of hij een aanklacht wilde indienen, maar dat vond hij niet nodig.'

'Je weet zeker niet waar het over ging?'

'Ik zou het de agenten kunnen vragen die ze hebben meegenomen.'

'Is ook niet echt belangrijk. Hoe heette die andere vent?'

'Duncan Barclay.' Ze zweeg even. 'Niet iemand van hier, trouwens... hij gaf een adres in Coldstream. Is dat in de Highlands?'

'De andere kant op, Ellen.' Rebus had zijn ogen open en trok zichzelf overeind. 'Pal midden in de Borders.' Hij vroeg haar te wachten terwijl hij pen en papier zocht en nam toen de telefoon weer op.

'Oké, zeg het nog maar eens,' droeg hij haar op.

24

De *driving range* was felverlicht. Niet dat het al helemaal donker was, maar in de vele schijnwerpers zag het eruit als een filmset. Mairie had een houten golfclub nummer 3 gehuurd en een mandje met vijftig ballen. De eerste twee afslagplaatsen waren bezet. Daarachter lagen ze voor het uitkiezen. Automatische tees, zodat je de moeite werd bespaard van het bukken na elk schot om een nieuwe bal op te zetten. De banen waren verdeeld in vakken van vijftig meter. Niemand haalde de tweehonderdvijftig. Op het gras werden de balletjes ingezameld door een machine die deed denken aan een miniatuurmaaidorser, met een bestuurder in een cabine die was afgeschermd met gaas. Mairie zag dat de allerlaatste baan in gebruik was. De golfer daar kreeg les. Hij adresseerde de bal, haalde uit en zag de bal nog geen zeventig meter verderop weer neerkomen.

'Beter,' loog de instructeur. 'Maar probeer die knie gestrekt te houden.'

'Ben ik weer aan het scheppen?' raadde de leerling.

Mairie zette op het terras ernaast haar mandje neer. Ze besloot een paar oefenswings te nemen om haar schouders los te maken. Instructeur en leerling namen kennelijk aanstoot aan haar nabijheid.

'Pardon,' zei de instructeur. Mairie keek hem aan. Hij lachte naar haar over de afscheiding. 'Die baan hebben wij gehuurd.'

'Maar u gebruikt hem niet,' liet Mairie hem weten.

'Punt is, we hebben ervoor betaald.'

'Kwestie van privacy,' kwam de ander geërgerd tussenbeide. Toen herkende hij Mairie.

'Och, in hemelsnaam...'

De instructeur draaide zich naar hem om. 'U kent haar, meneer Pennen?'

'Zo'n verdomde journalist,' zei Richard Pennen. Toen, tegen

356

Mairie: 'Wat u ook wil weten, ik heb niks te zeggen.'

'Mij best,' antwoordde Mairie en ging klaarstaan voor haar eerste slag. De bal scheerde in een strakke, rechte lijn door de lucht naar de tweehonderdmetervlag.

'Niet slecht,' oordeelde de instructeur.

'Van m'n vader geleerd,' legde ze uit. 'U bent een prof, hè?' vroeg ze. 'Ik denk dat ik u wel eens heb zien spelen.' Hij knikte bevestigend.

'Niet op de Open?'

'Niet gekwalificeerd,' gaf hij toe en begon te blozen.

'Als jullie tweeën klaar zijn...' onderbrak Richard Pennen hen.

Mairie haalde alleen haar schouders op en ging klaarstaan voor haar volgende swing. Pennen leek hetzelfde van plan te zijn, maar gaf toen op.

'Verdorie,' zei hij, 'maar wat wílt u dan eigenlijk?'

Mairie zei niets tot ze haar bal door de lucht had zien zeilen en net voor de tweehonderd meter en iets naar links had zien landen.

'Beetje bijstellen,' zei ze in zichzelf. Toen, tegen Pennen: 'Leek me niet meer dan eerlijk om u te waarschuwen.'

'En precies waarvoor wilt u me waarschuwen?'

'Haalt de krant waarschijnlijk toch niet voor maandag,' overwoog ze. 'Geeft u tijd genoeg om een of ander antwoord voor te bereiden.'

'Probeert u me uit m'n tent te lokken, mevrouw...?'

'Henderson,' liet ze hem weten. 'Mairie Henderson, die zult u maandag als auteur vermeld zien staan.'

'En wat wordt de kop? "Pennen Industries haalt op G8 banen voor Schotland binnen"?'

'Die haalt misschien het economiekatern,' schatte ze in. 'Maar mijn stuk komt op de voorpagina. De kop, daar gaat de redacteur over.' Ze deed alsof ze nadacht. 'Wat dacht u van "regering en oppositie beide betrokken bij leningenschandaal"?'

Pennen lachte schel. Hij had zijn club in een hand en zwaaide ermee heen en weer. 'Dus dat wordt uw grote primeur, ja?'

'Plus allerlei andere fraaie onthullingen die erachteraan komen: uw goede werk in Irak, uw steekpenningen in Kenia en elders... Maar in eerste instantie laat ik het even bij de leningen. Want ziet u, een vogeltje heeft me ingefluisterd dat u flappen uit uw zak heeft getrokken voor Labour én voor de Tories. Giften worden geregistreerd, maar leningen kun je stilhouden. Punt is dat ik sterk betwijfel of de ene partij wist dat u ook geld uitdeelde aan de andere. Niet dat ik het gek vind: dat Pennen van het ministerie van Defensie is afgesplitst, dat heeft de vorige Conservatieve regering besloten, en Labour heeft de buy-out ongehinderd laten passeren, dus hebben ze allebei wel een cadeautje verdiend.'

'Leningen met commercieel oogmerk, daar is niets onwettigs aan, mevrouw Henderson, geheim of niet.' Pennen zwaaide nog steeds met de golfclub.

'Maar daarom komt er nog wel een schandaal van als de kranten erachter komen,' antwoordde Mairie. 'En wat ik zeg: wie weet wat er dan nog meer komt opborrelen?'

Pennen liet zijn club met kracht neerkomen op de afrastering. 'Weet u hoe hard ik deze week heb gewerkt om contracten ter waarde van tientallen miljoenen in de wacht te slepen voor het Britse bedrijfsleven? En wat hebt ú uitgespookt, behalve een beetje roeren in de stront?'

'Ieder heeft zijn eigen plek in de voedselketen, meneer Pennen.' Ze glimlachte. 'Blijft niet lang "meneer", wel? Wat u allemaal uitdeelt, zal de adelstand niet lang op zich laten wachten. Hoewel, als Blair erachter komt dat u zijn vijanden ook een handje toesteekt...'

'Problemen hier, meneer?'

Mairie keek om en zag drie politie-uniformen. De spreker keek naar Pennen, de andere twee hadden slechts oog voor haar.

En niet omdat ze zo knap was.

'Volgens mij stond mevrouw hier op het punt te vertrekken,' mompelde Pennen.

Mairie keek omstandig over de afrastering. 'Hebben jullie een kristallen bol of zo? Als ik de politie ooit bel, moet ik altijd zeker een halfuur wachten.'

'Routinecontrole,' verklaarde de leider van de groep.

Mairie nam hem van top tot teen op: geen insignes op zijn uniform. Gebruinde kop, stekels, strakke kaken.

'Eén vraag,' zei ze. 'Weet een van jullie wat er voor straf op staat als je je valselijk voor politieagent uitgeeft?'

De leider gromde en wilde haar vastpakken. Mairie rukte zich los en rende van de veilige afslagplaats de grasvlakte op. Vluchtte richting de uitgang en moest bij de eerste twee banen bukken om ballen te ontwijken, terwijl de spelers geschokte kreten slaakten. Ze bereikte de deur net voor haar achtervolgers. De vrouw aan de balie vroeg waar haar houten 3 was. Mairie gaf geen antwoord, duwde de volgende deur open en bereikte de parkeerplaats. Rende knijpend in haar afstandsbediening naar haar auto. Niet omkijken. Achter het stuur, alle deuren op slot. Sleutel in het contact. Een vuist die op haar raam bonsde. De leider die het portier probeerde te openen, toen naar de voorkant van de auto schuifelde. Mairies blik die hem uitdaagde te blijven staan. Flinke stoot gas.

'Pas op, Jacko! Die miep is gek!'

Jacko moest opzij duiken – of sneuvelen. In de zijspiegel zag ze hem opkrabbelen. Een auto was naast hem komen staan. Ook geen striping. Mairie scheurde de vierbaansweg op: links naar het vliegveld, rechts terug naar de stad. De weg terug naar Edinburgh gaf haar meer opties, meer kansen haar achtervolgers af te schudden.

Jacko: die naam moest ze onthouden. 'Miep' had die andere haar genoemd. Een term die ze alleen uit de mond van soldaten had gehoord. Ex-militairen... bruin geworden in een heet klimaat. Irak.

Particuliere knokploeg vermomd als politie.

Ze keek in de achteruitkijkspiegel: geen achtervolgers te zien. Betekende niet dat ze er ook niet waren. A8 tot de rondweg, ruim boven de maximumsnelheid, knipperend met haar koplampen om de automobilisten voor haar te waarschuwen dat ze eraan kwam.

Maar waarheen? Haar adres achterhalen kon niet moeilijk voor ze zijn; voor een man als Pennen zelfs absurd gemakkelijk. Allan was voor zijn werk op pad, kwam niet voor maandag terug. Niets wat haar ervan weerhield naar de *Scotsman* te rijden en aan haar artikel te gaan werken. Haar laptop zat in de achterbak, met alle informatie die ze nodig had. Aantekeningen en citaten en haar ruwe kladversies. Ze kon zo nodig de hele nacht op kantoor doorbrengen, overeind gehouden met koffie en snacks, beschut tegen de buitenwereld.

Richard Pennen kapotschrijven.

Het nieuws kwam van Ellen Wylie. Rebus belde op zijn beurt Siobhan, die hem twintig minuten later met haar auto kwam ophalen. Ze reden in stilte door het schemerdonker naar Niddrie. Het kampeerterrein bij het Jack Kane Centre was ontruimd. Tenten, douches, toiletten, allemaal weg. De omheining was half afgebroken en de beveiligers waren, althans tijdelijk, vervangen door geüniformeerde agenten, ambulancepersoneel en dezelfde twee medewerkers van het mortuarium die de stoffelijke resten van Ben Webster aan de voet van Edinburgh Castle hadden opgehaald. Siobhan parkeerde naast de rij voertuigen. Rebus herkende een paar rechercheurs, van bureau St. Leonard of Craigmillar. Ze knikten als begroeting.

'Niet direct jullie buurt,' merkte een van hen op.

'Laten we zeggen dat we de overledene met interesse volgen,' antwoordde Rebus. Siobhan stond naast hem. Ze leunde naar hem toe om niemand te laten meeluisteren.

'Dat we geschorst zijn is nog niet uitgelekt.'

Rebus knikte alleen. Ze naderden een kring gehurkte agenten van de Technische Recherche. De dienstdoende arts had het slachtoffer doodverklaard en tekende net een paar formulieren op een klembord. Foto's werden genomen met flitslicht en lantaarns speurden de grond af naar sporen. Toeschouwers werden door een tiental agenten in het blauw op afstand gehouden terwijl de plek met tape werd afgezet. Kinderen op de fiets, moeders met hun kleuter in de buggy. Geen betere publiekstrekker dan een plaats delict.

Siobhan wist het weer. 'Dit is ongeveer waar de tent van mijn ouders stond,' vertelde ze Rebus.

'Ik neem aan dat zij niet degenen zijn geweest die al die rotzooi hebben achtergelaten.' Hij wipte met zijn teen een lege plastic fles op. Allerlei afval verspreid over het park: achtergelaten spandoeken en pamfletten, fastfoodverpakkingen, een sjaal en een eenzame handschoen, een babyrammelaar en een opgerolde luier. Sommige voorwerpen werden door de TR in zakken gestopt om onderzocht te worden op bloedvlekken of vingerafdrukken.

'Daar wil ik ze wel eens DNA van zien afnemen,' zei Rebus en knikte naar een gebruikt condoom. 'Zou je denken dat je pa en ma...?'

Siobhan keek hem verwijtend aan. 'Ik ga niet verder.'

Hij haalde zijn schouders op en liet haar achter. Gemeenteraadslid Gareth Tench lag op de grond koud te worden. Hij lag op zijn buik, met gebogen benen, alsof hij in een hoopje in elkaar was gezakt. Zijn hoofd was opzij gedraaid, de ogen waren niet helemaal dicht. Achter op zijn jasje zat een donkere vlek.

'Mes, gok ik,' liet Rebus de arts weten.

'Drie keer,' bevestigde de man. 'In de rug. Wonden zien er niet al te diep uit.'

'Hoeft ook niet,' oordeelde Rebus. 'Wat voor mes?'

'Is nog moeilijk te zeggen.' De arts tuurde over zijn halve leesbrilletje. 'Lemmet een centimeter of drie breed, misschien wat minder.'

'Iets vermist?'

'Hij heeft wat contant geld op zak... creditcards en zo. Handig voor de identificatie.' De arts glimlachte vermoeid en draaide zijn klembord naar Rebus toe. 'Als u ook even wil tekenen, inspecteur...'

Maar Rebus stak zijn handen op. 'Mijn zaak niet, dokter.' De dokter keek in de richting van Siobhan, maar Rebus schudde langzaam zijn hoofd en liep naar haar toe.

'Drie steekwonden,' lichtte hij haar in.

Ze staarde naar Tench' gezicht en leek een beetje te rillen.

'Koud?' vroeg hij.

'Het is hem echt,' zei ze zachtjes.

'Je dacht dat hij onverwoestbaar was?'

'Dat niet direct.' Ze kon haar ogen niet van het lijk afhouden.

'Misschien moeten we het maar iemand zeggen.' Hij keek om naar een geschikte kandidaat.

'Wat zeggen?'

'Dat we Tench een beetje last hebben bezorgd. Komt vroeg of laat toch –'

Ze had zijn hand vastgegrepen en trok hem mee naar de grijze betonnen muur van het sportcomplex.

'Wat nou?'

Maar ze was niet van plan te antwoorden voor ze naar haar idee ver genoeg weg waren. En zelfs toen bleef ze zo dicht bij hem staan alsof ze met hem wilde walsen. Haar gezicht was verborgen in de schaduw.

'Siobhan?' drong hij aan.

'Je moet weten wie dit heeft gedaan,' zei ze.

'Wie dan?'

'Keith Carberry,' fluisterde ze. Toen hij geen antwoord gaf, hief ze haar gezicht ten hemel en kneep haar ogen dicht. Rebus zag dat ze haar handen tot vuisten had gebald en over haar hele lichaam was verstijfd.

'Wat is er?' vroeg hij zacht. 'Siobhan, in godsnaam, wat heb je gedaan?'

Uiteindelijk opende ze haar ogen, knipperde de tranen weg en kreeg haar ademhaling onder controle. 'Ik heb Carberry vanmorgen gesproken. We hebben hem gezegd...' Ze onderbrak zichzelf. 'Ik heb hem gezegd dat ik achter Gareth Tench aan zat.' Ze keek om in de richting van het lijk. 'Dit moet zijn manier van uitleveren zijn...'

Rebus wachtte tot ze hem aankeek. 'Ik heb hem vanmiddag gezien,' zei hij. 'Hij stond bij het stadhuis naar Tench te kijken.' Hij liet zijn handen in zijn zakken glijden. 'Je zei "we", Siobhan...'

'O ja?'

'Waar heb je hem gesproken?'

'De biljartclub.'

'Die waar Cafferty ons van vertelde?' Hij zag haar knikken. 'Cafferty was er ook bij, zeker?' Haar blik was het enige antwoord dat hij nodig had. Hij haalde zijn handen uit zijn zakken en gaf met één ervan een klap tegen de muur. 'Jezus Christus!' barstte hij uit. 'Jij en Cafferty?' Ze knikte alleen nogmaals. 'Als hij z'n klauwen in je zet, krijg je ze niet meer los. Je kent me al zo lang, Shiv, dat had je toch moeten weten.'

'Wat moet ik nou?'

Hij dacht even na. 'Als je het verzwijgt, weet Cafferty dat ie je in de tang heeft.'

'Maar als ik het vertel...'

'Weet ik niet,' erkende hij. 'Kijken of je oude uniform nog past, misschien.'

'Kan ik net zo goed meteen m'n ontslagbrief schrijven.'

'Wat zei Cafferty tegen Carberry?'

'Alleen dat ie ons Tench moest geven.'

'En wie zijn "ons", Cafferty of justitie?'

Ze haalde haar schouders op.

'En hoe moest ie dat precies doen?'

'Jezus, John, weet ik veel. Je zei net zelf dat hij Tench in de gaten hield.'

Rebus keek in de richting van de plaats delict. 'Is nogal een sprong, van in de gaten houden naar drie keer in de rug steken.'

'Voor Carberry misschien niet.'

Rebus dacht een tijdje over haar antwoord na. 'We houden het voorlopig stil,' besloot hij. 'Wie heeft je met Cafferty gezien?'

'Alleen Carberry. Er waren klanten in die biljartclub, maar boven waren we alleen met z'n drieën.'

'En je wist dat Cafferty er zou zijn?' Hij zag haar knikken. 'Omdat het allemaal een opzetje van jullie tweeën was?' Weer een knik. 'Zonder mij even in te lichten.' Hij vocht om de woede niet te hard te laten doorklinken.

'Cafferty kwam gisteravond bij mijn flat langs,' bekende Siobhan.

'Jezus...'

'Die biljartclub is van hem. Zo wist-ie dat Carberry daar speelt.'

'Je moet bij hem uit de buurt blijven, Shiv.'

'Weet ik.'

'Niks meer aan te doen, maar we kunnen kijken of er iets te repareren valt.'

'Denk je?'

Hij staarde haar aan. 'Ik zei "we", maar ik bedoelde "ik".'

'Omdat John Rebus alles kan fiksen?' Haar gezicht had zich iets verhard. 'Ik kan mijn eigen boontjes wel doppen, hoor. Je hoeft niet altijd de ridder op het witte paard uit te hangen.'

Hij zette zijn handen op zijn heupen. 'Zijn we klaar met de spreuken en gezegden?'

'Weet je waarom ik naar Cafferty heb geluisterd? Waarom ik naar die biljartclub ben gegaan terwijl ik wist dat hij er zou zijn?' Haar stem trilde van de emotie. 'Hij bood me iets wat justitie me nooit kan bieden. Je hebt het hier gezien van de week, hoe mensen met geld en macht te werk gaan... hoe ze kunnen doen wat ze willen. Keith Carberry is maandag naar Princes Street gegaan omdat hij dacht dat zijn baas dat wou. Hij dacht dat hij de zegen van Gareth Tench had om naar hartenlust rotzooi te trappen.'

Rebus wachtte af of er nog meer kwam en legde zijn handen toen even op haar schouders. 'Cafferty,' zei hij zacht, 'wilde Gareth Tench uit de weg hebben en daar kon hij jou goed bij gebruiken.'

'Tegen mij zei hij dat Tench voor hem niet dood hoefde.'

'Tegen míj zei hij van wel. Zoals hij over Tench zat te tieren, dat liet niets aan de verbeelding over.'

'We hebben Keith Carberry niet gezegd dat hij hem moest doodmaken,' hield ze vol.

'Siobhan,' hielp Rebus haar herinneren, 'je zei het net zelf: Keith Carberry doet wat hij denkt dat mensen willen – mensen met macht, mensen die een bepaalde greep op hem hebben. Mensen als Tench... en Cafferty... en jij.' Hij wees naar haar.

'Dus het is mijn schuld?' vroeg ze, en ze kneep haar ogen samen.

'We maken allemaal fouten, Siobhan.'

'Nou, hartelijk dank.' Ze draaide zich op haar hielen om en liep met lange passen terug over het sportveld. Rebus keek naar de grond en zuchtte, zocht toen in zijn zak naar zijn sigaretten en aansteker.

De aansteker was leeg. Hij schudde ermee, keerde hem om, blies erin, wreef hem warm, maar er kwam niet eens een vonk meer uit. Hij slenterde terug naar de rij politievoertuigen en vroeg een van de agenten een vuurtje. Zijn collega kon hem helpen en

Rebus besloot dat hij hem net zo goed nog een gunst kon vragen.

'Ik heb een lift nodig,' zei hij en keek toe terwijl Siobhans achterlichten in de nacht verdwenen. Hij kon niet geloven dat Cafferty haar in de tang had gekregen. Nee... hij kon het maar al te goed geloven. Siobhan had haar ouders iets willen bewijzen. Niet alleen dat ze geslaagd was in haar werk, maar ook dat het iets voorstelde in het grotere geheel. Ze had ze willen meegeven dat er altijd antwoorden zijn, altijd oplossingen. Cafferty had haar beide beloofd.

Maar voor een prijs – zijn prijs.

Siobhan had haar politiepet afgezet en was weer dochter geworden. Rebus dacht aan zijn eigen familie die hij van zich had laten wegdrijven, eerst zijn vrouw en dochter en toen zijn broer. Die hij had weggeduwd omdat het werk dat scheen te eisen, zijn onvoorwaardelijke inzet eiste. Geen ruimte voor iemand anders... Niets meer aan te doen. Nu niet meer.

Maar voor Siobhan was het nog niet te laat.

'Wou u nog een lift?' vroeg een van de agenten. Rebus knikte en stapte in.

Zijn eerste halte: bureau Craigmillar. Hij haalde een kop koffie en wachtte tot het team weer binnenkwam. Het lag voor de hand dat ze hier het onderzoekscentrum zouden inrichten. De auto's begonnen inderdaad binnen te druppelen. Rebus kende de gezichten niet, maar stelde zich voor. De rechercheur hield zijn hoofd schuin.

'U moet brigadier McManus hebben.'

McManus kwam net binnen. Hij was jong, jonger dan Siobhan zelfs, misschien nog geen dertig. Jongensachtige trekken, lang en mager. Kon wel iemand zijn die in de buurt was opgegroeid, dacht Rebus. Rebus stak zijn hand uit en stelde zich nogmaals voor.

'Ik begon al te denken dat u een mythe was,' zei McManus glimlachend. 'Ik heb horen zeggen dat u hier een tijd geleden gestationeerd was.'

'Klopt.'

'Hebt gewerkt met Bain en Maclay.'

'Mea culpa.'

'Nou, die zijn allebei allang weg, dus maak u geen zorgen.' Ze liepen de lange gang achter de receptie door. 'Wat kan ik voor u doen, inspecteur?'

'Niks bijzonders, maar er is iets waarvan ik vond dat je het moest weten.'

'O ja?'

'Ik heb het onlangs een paar keer met de overledene aan de stok gehad.'

McManus wierp hem een blik toe. 'O ja?'

'Ik was bezig met de moord op Cyril Colliar.'

'Twee anderen ook, hoor ik, of nóg meer?'

Rebus schudde van nee. 'Tench kende een van hen, een vent die in een dagverblijf had gewerkt, niet ver van hier. Tench had hem aan die baan geholpen.'

'Oké.'

'Je zult de weduwe wel spreken... zij zal vast zeggen dat de recherche langs is geweest.'

'En dat was u?'

'Ja, met een collega.'

Ze waren linksaf een gang ingeslagen en Rebus volgde McManus het recherchekantoor binnen, waar het team zich verzamelde.

'Anders nog iets wat ik zou moeten weten, volgens u?'

Rebus probeerde de indruk te wekken dat hij zijn geheugen afzocht. Uiteindelijk schudde hij zijn hoofd. 'Nee, dat was het wel,' zei hij.

'Was Tench een verdachte?'

'Niet echt.' Rebus dacht even na. 'We hadden wat vraagtekens bij zijn relatie met een jonge herrieschopper, een zekere Keith Carberry.'

'Keith ken ik wel,' zei McManus.

'Hij moest voorkomen in verband met die rellen op Princes Street. Toen hij de rechtbank uit kwam, stond meneer Tench hem op te wachten. Ze leken dikke vrienden. Later zagen we die Carberry op foto's van een politie-informant een onschuldige omstander het ziekenhuis in slaan. Dus wij dachten dat hij dieper in de nesten zat dan we hadden gedacht. Nou was ik vanmiddag toevallig op het stadhuis om met raadslid Tench te praten. Toen ik vertrok, zag ik die Carberry vanaf de overkant van de straat staan toekijken...' Rebus eindigde zijn verhaal schouderophalend, alsof hij geen idee had wat het allemaal zou kunnen betekenen. McManus keek hem aandachtig aan.

'Carberry zag u tweeën samen?' Rebus knikte. 'En dat was vroeg in de middag?'

'Mij leek het alsof hij Tench in de gaten hield.'

'U bent het hem niet gaan vragen?'

'Toen zat ik al in de auto... ik zag hem maar even, in de achteruitkijkspiegel.'

McManus kauwde op zijn onderlip. 'We moeten er snel bij zijn,' zei hij, bijna in zichzelf. 'Tench was hartstikke populair, heeft een boel bereikt voor de buurt hier. Sommige mensen gaan erg kwaad worden.'

'Vast en zeker,' bevestigde Rebus. 'Kende je hem?'

'Vriend van m'n oom... kennen elkaar nog van school.'

'Je komt hier uit de buurt?' concludeerde Rebus.

'Opgegroeid onder Craigmillar Castle.'

'Dus dan kende je Tench ook al langer dan vandaag?'

'Jaren en jaren.'

Rebus probeerde zijn volgende vraag terloops te laten klinken. 'Ooit geruchten over hem gehoord?'

'Wat voor geruchten?'

'Ik weet niet... de gebruikelijke dingen, hè? Buitenechtelijk gedoe, geld dat de verkeerde kant op stroomt...'

'De man is nog niet koud,' wees McManus hem terecht.

'Het was maar een vraag,' verontschuldigde Rebus zich. 'Ik wil niks suggereren.'

McManus had zich naar zijn team omgedraaid; zeven stuks, onder wie twee vrouwen. Ze probeerden te doen alsof ze hen niet hadden afgeluisterd. McManus verwijderde zich van Rebus en ging voor de groep staan.

'We gaan naar zijn huis, de verwanten inlichten. We hebben iemand nodig om hem formeel te identificeren.' Hij draaide zijn hoofd half om naar Rebus. 'Daarna halen we Keith Carberry op. Die mag een paar pittige vragen beantwoorden.'

'Zoals: "Waar is het mes, Keith?"' opperde een van de teamleden.

McManus liet het grapje gaan. 'Ik weet dat we van de week Bush en Blair en Bono hier hebben gehad, maar in Craigmillar is Gareth Tench niks minder dan de prins. Dus moeten we proactief te werk gaan. Hoe meer hokjes we vanavond kunnen afvinken, hoe blijer je me maakt.'

Er werd wat gekreund, maar niet erg overtuigd. Ze mochten McManus wel, meende Rebus. Zijn mensen zouden wel een extra stapje voor hem zetten.

'Zitten er overuren in?' vroeg een van hen.

'Nog niet genoeg gehad met de G8, Ben?' kaatste McManus terug. Rebus bleef nog even hangen met het idee om iets als 'bedankt' of 'succes' te zeggen, maar McManus ging geheel op in zijn nieuwe zaak en was al begonnen taken uit te delen.

'Ray, Barbara... zoek uit of er beelden zijn van beveiligingscamera's bij het Jack Kane Centre. Billy, Tom... jullie gaan de heren pathologen wat peper in hun reet steken, én die luie neten bij de TR. Jimmy, jij gaat met Kate Keith Carberry ophalen. Laat hem maar in de cel zweten tot ik terug ben. Ben, jij gaat met mij mee, uitstapje naar het huis van Tench in Duddingston Park. Vragen?'

Geen vragen.

Rebus liep terug de gang uit. Hij hoopte dat Siobhan erbuiten kon blijven. Niets van te zeggen. McManus was Rebus niets verschuldigd. Carberry kon aan het praten gaan, dat zou lastig zijn, maar niet onoverkomelijk. Rebus paste in zijn hoofd het verhaal al in elkaar.

Brigadier Clarke had informatie dat Keith Carberry pool speelde in Restalrig. Toen ze er aankwam, bleek de eigenaar van de club, Morris Gerald Cafferty, ook aanwezig...

Hij betwijfelde of McManus dat zou slikken. Ze konden altijd ontkennen dat er ooit een ontmoeting had plaatsgevonden, maar er waren getuigen. Bovendien zou zo'n ontkenning alleen maar werken als Cafferty meespeelde, en de enige reden waarom hij dat zou doen, was dat hij zo de strop strakker om Siobhans nek kon trekken. Ze zou dan haar toekomst aan Cafferty te danken hebben, en Rebus ook. Vandaar dat hij, terug bij de receptie, nog een lift vroeg, nu naar Merchiston.

De agenten in de surveillancewagen hadden wel zin in een praatje, maar vroegen hem niet waarom hij daar moest zijn. Misschien dachten ze dat rechercheurs zich een huis in zo'n rustige, lommerrijke enclave konden permitteren. De vrijstaande victoriaanse villa's waren omgeven door hoge muren en hekken. De straatverlichting leek gedempt om de bewoners niet uit hun slaap te houden. De brede lanen waren bijna leeg. Geen parkeerproblemen hier: bij elk huis kon men op de oprijlaan een half dozijn auto's kwijt. Rebus liet zich afzetten op Ettrick Road, want zijn bestemming ging niemand iets aan. Zijn metgezellen hadden geen haast en hadden graag willen blijven kijken welk huis hij in zou gaan, maar hij wuifde ze weg en bleef omstandig zijn sigaret staan opsteken. Een van de agenten had hem een handvol lucifers cadeau gedaan. Rebus streek er een af tegen een muur en keek de surveillancewagen na, die aan het eind van de laan richting aangaf naar rechts. Onder aan Ettrick Road sloeg hij zelf ook rechts af: geen teken meer van de surveillancewagen en geen plek waar deze verscholen kon staan. Verder geen teken van leven: geen verkeer of voetgangers, geen geluiden vanachter de dikke natuurstenen muren. Grote ramen toegedekt met houten luiken. Een verlaten bowling green en tennisvelden. Hij sloeg weer rechts af en liep de straat tot halverwege in. Een huis met een hulsthaag. Een verlicht portiek, geflankeerd door stenen zuilen. Rebus duwde het hek open. Trok aan het belkoord. Vroeg zich af of hij misschien achterom moest lopen. De laatste keer dat hij hier kwam was daar een bubbelbad. Maar inmiddels ging de zware houten deur trillend open. Erachter stond een jongeman. Zijn lichaam was in de sportschool vormgegeven en hij droeg een strak zwart T-shirt om dat feit te onderstrepen.

'Beetje oppassen met die anabolen,' waarschuwde Rebus hem. 'Is je heer en meester thuis?'

'Denkt u dat hij zit te wachten op de handel waar u mee leurt?'

'Ik doe in verlossing, jongen. Daar zit iedereen op te wachten, zelfs jij.' Over 's mans schouders zag Rebus een paar vrouwenbenen de trap afdalen. Blote voeten, slanke gebruinde benen die verdwenen in een witte badjas. Ze bleef halverwege staan en leunde voorover om te zien wie er aan de deur stond. Rebus wuifde naar haar. Ze was goed opgevoed: ze wuifde terug, al had ze geen idee wie hij was. Toen draaide ze zich om en trippelde terug naar boven.

'Hebt u een huiszoekingsbevel?' was de lijfwacht begonnen.

'Het kwartje valt,' riep Rebus uit. 'Maar jouw baas en ik kennen elkaar al zo lang.' Hij wees naar een van de vele deuren die op de hal uitkwamen. 'Daar is de woonkamer en daar wacht ik op hem.' Rebus wilde langs de man lopen, maar werd tegengehouden door een open handpalm op zijn borst.

'Hij is bezig,' zei de bodyguard.

'Met een van zijn werkneemsters,' stemde Rebus in. 'Dus dan kan ik nooit langer dan een minuut of twee hoeven wachten, tenzij ie halverwege een hartaanval krijgt, natuurlijk.' Hij keek neer op de hand die als een dood gewicht op zijn borst rustte. 'Moet het echt zo moeilijk?' Rebus keek in de staarogen van de lijfwacht. 'Vanaf nu zal ik, elke keer als ik jou tegenkom, dit weer voor me zien...' zei hij zacht, 'en denk erom, knul: wat ze ook van me zeggen, ik ben Schots kampioen in het koesteren van wrok en rancune.'

'Met een vetleren medaille voor timing,' galmde een stem van boven aan de trap. Rebus keek toe terwijl Cafferty de trap afkwam en ondertussen zijn eigen volumineuze badjas dichttrok. Het haar dat hij nog bezat rees in kleine plukjes uit zijn hoofd op en zijn wangen waren rood van de inspanning. 'Wat moet je god-domme nou weer?' gromde hij.

'Beetje slap alibi,' gaf Rebus hem te kennen. 'Bodyguard plus een of andere vriendin die je waarschijnlijk per uur betaalt...'

'Hoezo alibi?'

'Weet je donders goed. Zitten de kleren al in de was? Bloed-vlekken krijg je er lastig uit.'

'Je lult uit je nek.'

Maar zijn toon verried Rebus dat Cafferty in het aas hapte; tijd om de vis binnen te halen. 'Gareth Tench is dood,' verklaarde hij. 'In de rug gestoken, lijkt me typisch iets voor jou. Wou je Arnie er ook bij hebben, of zullen we maar even gaan zitten?'

Cafferty's gezicht verried geen enkele emotie. De kleine don-kere ogen stonden leeg, de mond dun en strak. Hij schoof zijn handen in de zakken van zijn badjas en had aan een hoofdknik-je genoeg om de bodyguard zijn wensen kenbaar te maken. De hand viel weg en Rebus volgde Cafferty de enorme zitkamer in. Aan het plafond hing een kroonluchter en de ruimte bij het er-kerraam werd in beslag genomen door een kleine vleugel, met aan elke kant een reusachtige speaker van de hypermoderne muziek-installatie die in een open kast tegen de muur stond. De schilde-rijen waren gedurfd en modern, met felle kleuruitbarstingen. Bo-ven de open haard hing een ingelijst omslag van Cafferty's boek. Hij was bezig bij zijn drankkast, zodat hij met zijn rug naar Re-bus stond.

'Whisky?' vroeg hij.

'Waarom niet,' antwoordde Rebus.

'Gestoken, zeg je?'

'Drie keer. Bij het Jack Kane Centre.'

'Zijn eigen buurt,' merkte Cafferty op. 'Misgelopen beroving?'

'Ik denk dat je wel beter weet.'

Cafferty draaide zich om en gaf Rebus een glas aan. Goed spul, turfachtig en donker. Rebus nam niet de moeite om te proosten maar nam een slok en liet die in zijn mond rondgaan voor hij hem doorslikte.

'Jij wou hem dood hebben,' ging Rebus verder; hij zag dat Cafferty maar een piepklein slokje nam. 'Daar heb ik je uitge-breid over horen tieren.'

'Ik was een beetje over m'n toeren,' gaf Cafferty toe.

'En in zo'n toestand acht ik je tot alles in staat.'

Cafferty staarde naar een schilderij. Dikke klodders witte olie-verf, die wegsmolten in poelen grijs en rood. 'Ik hoef je niks wijs te maken, Rebus, ik zit er niet mee dat ie dood is. Maakt mijn leven net iets eenvoudiger. Maar ik heb er niks mee te maken.'

'Ik denk van wel.'

Cafferty trok nauwelijks merkbaar een wenkbrauw op. 'En wat denkt Siobhan er allemaal van?'

'Ik ben hier vanwege haar.'

Nu glimlachte Cafferty. 'Dacht ik wel,' zei hij. 'Ze heeft je verteld van ons gesprekje met Keith Carberry?'

'Waarna ik hem bij toeval Tench zag beloeren.'

'Is zijn goed recht.'

'Niet jouw opdracht?'

'Vraag het Siobhan maar, ze was erbij.'

'Ze heet brigadier Clarke, Cafferty, en ze kent je niet zo goed als ik.'

'Heb je Carberry opgepakt?' Cafferty richtte zijn aandacht weer op het schilderij.

Rebus knikte traag. 'En ik gok dat hij zal praten. Dus áls je hem iets hebt ingefluisterd...'

'Ik heb hem helemaal niets gezegd. En als hij zegt van wel, liegt ie, en heb ik de brigadier als getuige.'

'Zij blijft hier buiten, Cafferty,' zei Rebus nadrukkelijk.

'Of anders?'

Rebus schudde alleen zijn hoofd. 'Zij blijft hier buiten,' herhaalde hij.

'Ik mag haar, Rebus. Als ze jou uiteindelijk schoppend en gillend naar Huize Avondrust afvoeren, denk ik dat je haar in goede handen achterlaat.'

'Je blijft bij haar uit de buurt. Je praat niet met haar.' Rebus' stem was bijna tot een fluistertoon gedaald.

Cafferty grijnsde breed en leegde het kristallen glas in zijn mond. Smakte met zijn lippen en ademde luidruchtig uit. 'Die jongen, daar zou ik me zorgen over maken. Jij gokt dat ie zal praten. Als dat zo is, heb je goeie kans dat ie brigadier Clarke er ook bij lapt.' Hij keek even of hij Rebus' volle aandacht had. 'We zouden er natuurlijk voor kunnen zorgen dat ie geen kans krijgt om te praten...'

'Ik wou dat Tench nog leefde,' mompelde Rebus. 'Want nou weet ik zeker dat ik hem had geholpen om jou aan te pakken.'

'Maar jij bent zo veranderlijk, Rebus, als een zomerdag in Edinburgh. Volgende week krijg ik weer kushandjes van je.' Cafferty tuitte zijn lippen bij wijze van illustratie. 'Je bent al geschorst. Weet je zeker dat je er nog meer vijanden bij kunt hebben? Hoe lang is het al dat je er alleen maar vijanden bij krijgt en geen vrienden?'

Rebus keek de kamer rond. 'Ik zie jou ook niet veel feestjes geven.'

'Dat komt doordat je nooit wordt uitgenodigd, behalve dan voor de presentatie.' Cafferty knikte naar de schoorsteen. Rebus keek ook naar het ingelijste omslag van Cafferty's boek.

Mr. Big: het Tegendraadse Leven van een Vrijbuiter

'Ik heb jou nooit Mr. Big horen noemen,' merkte Rebus op.

Cafferty haalde zijn schouders op. 'Was Mairies idee, niet van mij. Ik moet haar eens bellen... volgens mij ontwijkt ze me. Dat zal toch niet te maken hebben met iemand die hier aanwezig is, hè?'

Rebus ging er niet op in. 'Nu Tench uit de weg is geruimd, trek jij Niddrie en Craigmillar binnen.'

'Denk je?'

'Met types als Carberry als je infanterie.'

Cafferty grinnikte. 'Vind je het goed als ik wat aantekeningen maak? Voor ik iets vergeet.'

'Toen je met Carberry praatte vanmorgen, heb je hem laten weten wat je wilde – wat hij moest doen om zijn hachje te redden.'

'Jij gaat ervan uit dat ik alleen maar met die Keith heb gepraat.' Cafferty liet nog een slokje whisky in zijn glas druppelen.

'Wie nog meer dan?'

'Wie weet is Siobhan zelf uit de bocht gevlogen. Ik neem aan dat het onderzoeksteam met haar wil praten?' Cafferty's tongpuntje stak iets uit zijn mond.

'Met wie heb je nog meer over Gareth Tench gepraat?'

Cafferty liet de drank rondwalsen in zijn glas. 'Jij bent hier de rechercheur. Ik ga je niet ál je werk uit handen nemen.'

'De dag des oordeels komt eraan, Cafferty. Voor jou, maar voor mij ook.' Rebus wachtte even. 'Dat weet je wel, toch?'

De gangster schudde langzaam zijn hoofd. 'Ik zie ons naast elkaar zitten in een ligstoel, ergens waar het warm is maar met gekoelde drankjes. Halen we herinneringen op aan onze stoeipartijen in de tijd dat de goeien wisten wie de kwaaien waren. Als deze week iets heeft uitgewezen, is het dat wel: dat alles in een paar minuten kan veranderen. Het protest verstomt, de armoede wordt een zaak voor later... sommige bondgenootschappen worden verstevigd, andere verslappen. Al die moeite verspild, iedereen houdt z'n mond. In één vingerknip.' Hij knipte in zijn vingers, als om zijn woorden te onderstrepen. 'Als je het daartegen afzet wordt al jouw harde werk ook een beetje nietig en betekenisloos, vind je niet? En Gareth Tench... denkt er over een jaar nog iemand aan hem?' Hij leegde zijn tweede glas. 'Maar nu moet ik echt weer naar boven. Niet dat ik niet altijd geniet van onze kleine gesprekjes, natuurlijk.' Cafferty zette zijn lege glas op de salontafel en nodigde Rebus met een gebaar uit hetzelfde te doen. Toen ze de kamer uit liepen, draaide hij de lichten uit en mompelde iets over zijn kleine bijdrage aan het milieu.

De bodyguard stond met zijn handen samengevouwen voor zich in de hal.

'Ooit als uitsmijter gewerkt?' vroeg Rebus. 'Een collega van je – Colliar heet-ie – is op een roestvrijstalen tafel geëindigd. Ook weer zo'n bonus van een baan bij een louche werkgever.'

Cafferty was al onderweg naar boven. Rebus constateerde tevreden dat hij zich bij elke stap aan de trapleuning omhoog moest hijsen. Aan de andere kant: ging het hemzelf tegenwoordig veel anders af, met de trappen van zijn flat?

De bodyguard hield de deur open. Rebus werkte zich niet al te behoedzaam langs hem heen, maar de jongere man vertrok geen spier. De deur sloeg achter hem dicht. Even bleef hij op het pad staan, toen liep hij naar het hek en liet het dichtkletteren. Hij streek nog een lucifer af en stak een sigaret op. Hij begon de helling op te lopen maar hield stil onder een van de gedimde straatlantaarns. Hij haalde zijn mobiel uit zijn zak en probeerde Siobhans nummer, maar ze nam niet op. Hij liep naar de top van de helling en weer terug naar beneden. Terwijl hij daar stond kwam een graatmagere vos uit een oprit getrippeld en liep die van de buren in. Hij zag ze tegenwoordig vaak in de stad. Ze leken nooit verdwaald of schuw. In de blik waarmee ze hun menselijke buren aankeken lag eerder misprijzen of teleurstelling. Op het platteland mocht niet meer op ze worden gejaagd en de stadsbewoners zetten buiten kliekjes voor ze klaar. Moeilijk om ze nog als roofdieren te zien, al waren ze dat van nature wel.

Verwende vrijbuiters.

Misschien moest Mairie daar eens een boek over schrijven.

Het duurde nog eens een halfuur voor hij de taxi hoorde aankomen; het geluid van de zwoegende dieselmotor was even onmiskenbaar als vogelgezang. Rebus klom achterin en sloot de deur, maar zei tegen de chauffeur dat er nog iemand kwam.

'Help me even herinneren,' ging hij verder, 'is het contant of contract?'

'Contract.'

'MGC Holdings, toch?'

'De Nook,' verbeterde de chauffeur hem.

'Af te leveren op...?'

Nu keerde de chauffeur zich in zijn stoel om. 'Wat wou jij eigenlijk, vriend?'

'Ik wou niks.'

'Ik heb een vrouwennaam op mijn opdrachtformulier staan, en als jij een poesje hebt, zou ik me als de bliksem aanmelden bij zo'n *extreme makeover*-show.'

'Bedankt voor de tip.' Rebus verborg zich zo diep mogelijk in het verste hoekje van de achterbank toen Cafferty's voordeur openging, en weer dicht. Hoge hakken klikten op het pad, toen werd de deur van de taxi opengetrokken en dreef de parfumgeur naar binnen.

'Stap in,' zei Rebus voordat de vrouw kon protesteren. 'Ik heb alleen een lift naar huis nodig.'

Ze aarzelde maar stapte uiteindelijk in en liet zich zo ver mogelijk van Rebus vandaan op de bank zakken. Het rode lampje brandde, wat betekende dat de chauffeur meeluisterde. Rebus vond de juiste knop en zette de intercom uit.

'Je werkt bij de Nook?' vroeg hij zacht. 'Ik wist niet dat Cafferty daar ook al de hand op heeft gelegd.'

'Wat gaat jou dat aan?' bitste de vrouw terug.

'Ik klets maar wat. Vriendin van Molly?'

'Nooit van gehoord.'

'Ik wou je net vragen hoe het met haar ging. Ik ben de man die laatst die diplomaat van haar af heeft getrokken.'

De vrouw nam hem aandachtig op. 'Met Molly gaat het best,' zei ze uiteindelijk. Toen: 'Hoe wist je dat je niet tot morgenochtend hoefde te wachten?'

'Mensenkennis.' Hij haalde zijn schouders op. 'Cafferty is nooit op me overgekomen als iemand die wil dat het meisje blijft slapen.'

'Gisse jongen, jij.' Er leek een glimlachje op doorbreken te staan. Haar gelaatstrekken waren in de schaduw van de taxi moeilijk te onderscheiden. Glanzend haar, glimmende lippenstift, sterk parfum. Sieraden en hoge hakken en een driekwartjas die openviel en een veel korter jurkje eronder onthulde. Zwarte mascara, dik aangezette wimpers.

Hij besloot nog een duwtje te proberen: 'Dus met Molly gaat het goed?'

'Voor zover ik weet.'

'Hoe is het om voor Cafferty te werken?'

'Hij is oké.' Ze keek opzij naar de gebouwen die ze passeerden en hij zag de helft van haar gezicht in de straatverlichting. 'Hij had het nog over jou...'

'Ik ben van de politie.'

Ze knikte. 'Toen hij je stem beneden hoorde, was het net of iemand z'n batterijen had verwisseld.'

'Dat hebben wel meer mensen met mij. Gaan we naar de Nook?'

'Ik woon in de Grassmarket.'

'Lekker dicht bij het werk,' merkte hij op.

'Wat wil je?'

'Afgezien van een lift op kosten van Cafferty, bedoel je?' Rebus haalde zijn schouders op. 'Misschien ben ik gewoon benieuwd waarom iemand bij hem in de buurt zou willen komen. Weet je, soms denk ik dat hij besmettelijk is – met iedereen die hij aanraakt, loopt het op de een of andere manier slecht af.'

'Jij kent hem veel langer dan ik,' antwoordde ze.

'Klopt.'

'Dan ben jij zeker immuun?'

Hij schudde nee. 'Niet immuun, nee.'

'Ik heb nog nergens last van.'

'Goed zo... maar de schade is niet altijd direct zichtbaar.' De taxi draaide net Lady Lawson Street in en de chauffeur gaf weer richting aan naar rechts. Nog een minuut naar de Grassmarket.

'Klaar met je barmhartige samaritaan-act?' vroeg ze, Rebus aankijkend.

'Het is jouw leven...'

'Juist.' Ze leunde voorover naar het raampje tussen hen en de chauffeur. 'Stop maar bij de stoplichten.'

Hij deed wat hem gezegd was. Begon het opdrachtformulier in te vullen, maar Rebus liet hem weten dat hij nog een stukje verder moest. De vrouw stapte uit. Hij wachtte af of ze iets zou zeggen maar ze sloeg de deur dicht, stak de straat over en verdween in een donkere portiek. De chauffeur liet de motor draaien tot er een lichtstraal naar buiten viel en hij wist dat ze de voordeur had geopend.

'Ik hou het altijd even in de gaten,' legde hij Rebus uit. 'Je kan niet voorzichtig genoeg zijn tegenwoordig. Waarheen nou, chef?'

'Klein stukje terug,' antwoordde Rebus. 'Zet me maar af bij de Nook.' Een ritje van twee minuten. Bij aankomst stelde Rebus de chauffeur voor twintig pond aan de ritprijs toe te voegen bij wijze van fooi. Hij tekende het formulier en gaf het terug.

'Zeker weten, chef?' vroeg de chauffeur.

'Makkelijk zat als iemand anders betaalt,' stelde Rebus hem onder het uitstappen gerust.

De uitsmijters bij de Nook herkenden hem, wat niet wilde zeggen dat ze blij waren hem terug te zien.

'Druk vanavond, jongens?' vroeg Rebus.

'Vrijdag betaaldag, altijd druk. En ze hebben een hoop overuren verdiend van de week.'

Rebus begreep pas wat de uitsmijter bedoelde toen hij binnenkwam. Een grote groep dronken politiemannen scheen op drie van de lapdanseressen beslag te hebben gelegd. Hun tafel bezweek haast onder de champagneflûtes en bierglazen. Niet dat ze eruitzagen als vreemde eenden in de bijt; aan de andere kant van de zaal zat een groep mensen die een vrijgezellenfeestje hield stevig tegen ze op te drinken. Rebus kende de agenten niet, maar ze spraken met een Schots accent – een laatste avondje stappen voor dit zootje ongeregeld, voor ze afreisden naar hun vrouw of vriendin in Glasgow, Inverness, Aberdeen...

Op het podiumpje in het midden draaiden twee vrouwen rond. Een andere paradeerde over de bar ter wille van de eenzame drinkers die daar zaten. Ze hurkte neer om een briefje van vijf pond in haar string te laten stoppen en beloonde de gever met een zoentje op een pokdalige wang. Er was nog één kruk leeg en Rebus ging zitten. Vanachter een gordijn verschenen twee danseressen die de zaal begonnen te bewerken. Moeilijk te zeggen of ze terugkwamen van een privédansje of een rookpauze. Een van hen benaderde Rebus; de glimlach verdween van haar gezicht toen hij zijn hoofd schudde. De barman vroeg hem wat hij dronk.

'Niks,' zei hij. 'Ik wil alleen je aansteker even lenen.' Voor hem was een paar hoge hakken blijven staan. De draagster liet zich heupwiegend zakken tot ze oog in oog zaten. Rebus onderbrak het opsteken van zijn sigaret lang genoeg om te zeggen dat hij haar wilde spreken.

'Ik heb over vijf minuten pauze,' zei Molly Clark. Ze keerde zich naar de barman. 'Ronny, doe mijn vriend hier wat te drinken.'

'Mij best,' antwoordde Ronny, 'maar ik hou het wel in van je loon.'

Ze negeerde hem, kwam overeind en stapte behoedzaam naar het andere eind van de bar.

'Whisky graag, Ronny,' zei Rebus en stak ongemerkt de aansteker in zijn zak, 'en water doe ik er graag zelf bij.'

Hij had niettemin kunnen zweren dat het spul dat hem uit de fles werd ingeschonken al eens met water kennis had gemaakt. Hij hief zijn vinger op naar de barman.

'Als je de Keuringsdienst wil vertellen dat je hier bent geweest, ga je gang,' diende hij Rebus van repliek.

Rebus schoof zijn glas opzij en draaide zich om op zijn kruk alsof hij naar de danseressen wilde kijken, maar zijn aandacht ging in feite uit naar de troep dienders. Hoe kwam het, vroeg hij zich af, dat je ze direct herkende? Hier en daar een snor, allemaal nette kapsels. De meesten hadden nog een das om, hoewel hun jasje over hun stoel hing. Verschillend van leeftijd en bouw, maar toch kon hij het idee niet van zich afzetten dat ze iets *uniforms* hadden. Ze gedroegen zich als een kleine stam van ingewijden, net even anders dan de rest van de wereld. Bovendien hadden ze het de hele week voor het zeggen gehad in de hoofdstad; ze zagen zichzelf als heersers... onoverwinnelijk... almachtig.

Aanschouw mijn werken...

Had Gareth Tench zichzelf ook werkelijk zo gezien? Zo simpel lag het volgens Rebus niet. Tench wist best dat hij zou falen, maar was niettemin vastbesloten een poging te wagen. Rebus had gespeeld met de onwerkelijke gedachte dat het raadslid hun moordenaar was, dat de trofeeën in Auchterarder zijn 'werken' waren. Op kruistocht om de wereld van zijn kwelgeesten te bevrijden, inclusief Cafferty. De moord op Cyril Colliar had Cafferty kort in de schijnwerper gezet. Een laks onderzoek had daar kunnen blijven steken, en had Cafferty als hoofdverdachte aangewezen. Tench had Trevor Guest ook gekend, had hem geholpen maar was in toorn ontstoken toen hij zijn gegevens op BeastWatch tegenkwam. Hij had zich verraden gevoeld...

Bleef over Snelle Eddie Isley. Geen enkel verband met Tench te vinden, terwijl Isley toch het eerste slachtoffer was geweest, degene die de hele zaak aan de gang had gebracht. En nu was Tench dood en zou Keith Carberry ervoor opdraaien.

Met wie heb je nog meer over Gareth Tench gepraat?
Jij bent hier de rechercheur...

Wat je een rechercheur noemt. Rebus reikte weer naar zijn glas, alleen om iets te doen te hebben. De danseressen op het podium keken verveeld. Ze wilden de zaal in, waar weeklonen werden weggestopt in doorkijkbeha's en minieme strings. Er was vast een rooster, dacht Rebus, ze kregen hun kans nog wel. Er kwamen meer mannen binnen, managerstypes. Een van hen begon te swingen op de pompende muziek. Hij had een veel te dikke kont en bewoog zich onhandig. Maar niemand kwam op het idee om hem uit te lachen; dat was nou net de truc van een zaak als de Nook. Remmingen loslaten, daar ging het om. Rebus dacht onwillekeurig terug aan de jaren zeventig, toen de meeste bars in Edinburgh de lunchklanten verwenden met een stripper. Toen verborgen de klanten hun gezicht achter hun pintglas zodra het meisje hun richting in keek. Al die verlegenheid was in de tussenliggende decennia weggesmolten. De managers joelden aanmoedigingen toen een van de danseressen bij de politietafel haar kunstje vertoonde, terwijl haar slachtoffer met zijn benen wijd, de handen op zijn knieën en een bezweet gezicht zat te grijnzen.

Molly was naast Rebus komen staan. Hij had het einde van haar act niet gezien. 'Geef me twee minuten om m'n jas te pakken, dan zie ik je buiten.'

Hij knikte afwezig.

'Wat er door dat koppie gaat,' vroeg ze zich af, plotseling nieuwsgierig.

'Ik zat net te denken hoe het door de jaren heen met de seks is veranderd. We waren zo'n bleu volkje.'

'En nu?'

De danseres draaide met haar heupen vlak voor het gezicht van haar klant.

'Nu,' probeerde Rebus, 'word je er...'

'Met je neus op gedrukt?' schoot ze hem te hulp.

Hij knikte instemmend en zette het lege glas terug op de bar.

Ze bood hem een sigaret uit haar eigen pakje aan. Ze had een lange wollen jas omgeslagen en leunde tegen de muur van de Nook, net niet buiten afluisterafstand van de uitsmijters.

'Thuis rook je niet,' merkte Rebus op.

'Eric is er allergisch voor.'

'Eric is trouwens degene over wie ik het wou hebben.' Rebus keek omstandig of zijn sigaret wel goed aan was.

'Hoezo dat?' Ze schuifelde met haar voeten en Rebus zag dat ze haar stilettohakken had verruild voor sportschoenen.

'Toen we elkaar eerder spraken, zei je dat hij weet hoe jij de kost verdient.'

'En?'

Rebus haalde zijn schouders op. 'Ik zie hem niet graag gekwetst worden, daarom denk ik dat je het beste bij hem weg kan gaan.'

'Bij hem weggaan?'

'Zodat ik hem niet hoef te vertellen dat je hem hebt zitten uit-
horen over politiezaken en alles wat hij je vertelde hebt doorgespeeld naar je baas. Weet je, ik ben net bij Cafferty op bezoek geweest en ineens viel het kwartje. Hij is dingen te weten gekomen
die hij niet mag weten, dingen die hij van iemand van binnen
krijgt... en wie weet er meer dan zo'n type als Brains?'

Ze snoof. 'Je noemt hem Brains... en toch doe je net of hij zelf
geen hersens heeft.'

'Hoe bedoel je?'

'Jij denkt dat ik de grote Mata Hari ben en hij de arme sukkel
die leeggezogen wordt.' Ze wreef met een vinger over haar bovenlip.

'Ik zou zelfs nog een stukje verder gaan: volgens mij woon je
alleen met Eric samen omdat Cafferty dat wil... waarschijnlijk
stookt hij die cokeverslaving van jou op om je zo gek te krijgen.
De eerste keer dat ik je zag dacht ik dat het gewoon zenuwen waren.'

Ze nam niet de moeite het te ontkennen.

'Op het moment dat Eric geen nuttige informatie meer kan leveren,' ging Rebus verder, 'laat je hem vallen als een baksteen.
Mijn advies is dat nu direct te doen.'

'Wat ik al zei, Rebus, Eric is niet gek. Hij heeft al die tijd geweten hoe de dingen in elkaar zitten.'

Rebus kneep zijn ogen samen. 'In de flat zei je dat je hem ervan hebt weerhouden om een andere baan aan te nemen; hoe denk
je dat hij zich zal voelen als hij erachter komt dat je dat alleen
deed omdat ie in het bedrijfsleven geen nut meer heeft voor je
baas?'

'Hij vertelt me dingen omdat hij dat wíl,' ging ze door, 'en hij
weet verdomd goed waar het terechtkomt.'

'Eva en de appel,' mompelde Rebus.

'Nou, hij lust er anders wel moes van...' zei ze plagerig.

'Toch ga je bij hem weg,' hield hij vol.

'Of anders?' Haar ogen boorden zich in de zijne. 'Ga je hem
iets vertellen wat hij al weet?'

'Vroeg of laat gaat Cafferty overboord; weet je zeker dat je met
hem mee wil?'

'Ik kan goed zwemmen.'

'Als het maar water was waar je dan in terechtkomt, Molly.
De bak is de pest voor je figuur, dat garandeer ik je. En vertrouwelijke informatie doorspelen naar een crimineel is zware kost.'

'Als je mij verlinkt, gaat Eric er ook aan. Mooie manier om voor hem op te komen heb jij.'

'Als dat de prijs is.' Rebus schoot zijn peuk weg. 'Morgenvroeg ga ik bij hem langs. Kun je je koffers maar beter gepakt hebben.'

'En als meneer Cafferty het niet goedvindt?'

'Doet ie wel. Nu je dekmantel eenmaal naar de knoppen is, kan de recherche je allerlei shit verkopen alsof het kaviaar was. En als Cafferty één hapje neemt, hebben we hem.'

Haar ogen waren nog altijd strak op hem gericht. 'Nou, waarom doe je dat dan niet?'

'Voor zo'n operatie moet je de korpsleiding inlichten... en dan is Erics carrière zeker voorbij. Als jij nu je biezen pakt, krijg ik Eric terug. Cafferty heeft al te veel mensen in de stront geduwd; ik probeer er alleen maar een paar schoon te spoelen.' Hij zocht in zijn zak naar zijn sigaretten, opende het pakje en bood haar er een aan. 'En, wat zeg je ervan?'

'Tijd,' riep een van de uitsmijters en hield zijn vinger op zijn oortje. 'Klanten staan rijen dik daarbinnen...'

Ze keek Rebus aan. 'Tijd,' echode ze en draaide zich om naar de artiesteningang. Rebus keek haar na, stak zijn sigaret op en besloot dat een wandeling naar huis over de Meadows hem goed zou doen.

De telefoon ging net over toen hij de deur van het slot deed. Hij raapte hem van de stoel.

'Rebus,' zei hij.

'Ik ben het,' zei Ellen Wylie. 'Wat is er in godsnaam aan de hand?'

'Hoe bedoel je?'

'Ik heb Siobhan aan de telefoon gehad. Ik weet niet wat je tegen haar hebt gezegd, maar ze is in alle staten.'

'Ze denkt dat ze iets van de schuld voor Gareth Tench op zich moet nemen.'

'Ik heb geprobeerd haar te zeggen dat ze gek is.'

'Ja, dat zal geholpen hebben.' Rebus begon de lampen aan te doen. Hij wilde ze allemaal aan, niet alleen in de woonkamer, maar ook in de hal, de keuken, de badkamer en zijn slaapkamer.

'Ze klonk knap nijdig op jou.'

'Hoef je niet zo vrolijk te zeggen.'

'Ik ben twintig minuten bezig geweest haar te kalmeren!' gilde Wylie. 'En dan ga jij me ervan beschuldigen dat ik het leuk vind?'

'Sorry Ellen.' Rebus meende het. Hij zat op de rand van het bad, met afgezakte schouders en de telefoon onder zijn kin.

'We zijn allemaal moe, John, dat is het probleem.'

'Ik ben bang dat mijn problemen net een stukje dieper gaan.'

'Ja hoor, praat jezelf de put maar in. Het zal vast niet de eerste keer zijn.'

Hij blies lucht uit zijn wangen. 'En wat moeten we met Siobhan?'

'Geef haar maar een dagje om af te koelen. Ik heb gezegd dat ze naar T in the Park moest gaan, beetje stoom afblazen.'

'Geen gek idee.' Behalve dat hij dit weekend een reisje naar de Borders had gepland. Zag er dus naar uit dat hij in z'n eentje moest gaan. Ellen kon hij in ieder geval niet meevragen, dat zou Siobhan alleen maar verder over de rooie jagen.

'We kunnen Tench in ieder geval wegstrepen als verdachte,' was Ellen Wylie verdergegaan.

'Misschien.'

'Siobhan zei dat jullie een of andere jongen uit Niddrie gingen aanhouden?'

'Zit waarschijnlijk al vast.'

'Dus het heeft niets te maken met de Clootie Well of Beast-Watch?'

'Toeval, meer niet.'

'Dus, wat nu?'

'Jouw idee van een weekendje afkoelen klinkt goed. Maandag is iedereen weer op het werk... kunnen we een fatsoenlijk moordonderzoek opzetten.'

'Dus dan heb je mij niet nodig?'

'We kunnen je goed gebruiken als je wil, Ellen. Je hebt de volle achtenveertig uur om erover na te denken.'

'Bedankt, John.'

'Maar doe mij een lol... bel Siobhan morgen. Laat haar weten dat ik ermee zit.'

'Ermee zit én spijt hebt?'

'Ik laat de formulering aan jou over. Trusten, Ellen.'

Hij hing op en bekeek zijn gezicht in de badkamerspiegel. Tot zijn verbazing zag hij geen striemen of open wonden. Hij zag er zo'n beetje uit als altijd: grauw en ongeschoren, verwilderd haar, wallen onder zijn ogen. Hij gaf zichzelf een paar petsen in zijn gezicht en liep naar de keuken. Hij maakte een kop oploskoffie voor zichzelf klaar – zwart: de melk hield zich onvermurwbaar zuur – en eindigde aan de eettafel in de woonkamer. Daar keken van de muur nog steeds dezelfde gezichten op hem neer:

Cyril Colliar.

Trevor Guest.

Edward Isley.

Hij wist dat het op tv nog steeds alleen over de bommen in Londen zou gaan. Experts die debatteerden over Wat er Gedaan Had Moeten Worden en Hoe het Nu Verder Moet. Al het overige nieuws zou opzij geschoven zijn. Toch zat hij nog altijd met zijn drie onopgeloste moorden. Hoewel... eigenlijk waren het Siobhans moorden. De korpschef had haar de leiding gegeven. Dan was er nog Ben Webster die met elke draai van het rad van de actualiteit verder in het duister weggleed.

Niemand neemt het je kwalijk als je er nu je gemak van neemt... Niemand behalve de doden.

Hij liet zijn hoofd op zijn gevouwen armen rusten. Zag een weldoorvoede Cafferty die trap van een miljoen afdalen. Zag Siobhan in Cafferty's val struikelen. Zag Cyril Colliar zijn vuile werk opknappen en Keith Carberry zijn vuile werk opknappen en Molly en Eric Bain zijn vuile werk opknappen. Cafferty kwam de trap af, net uit de douche, zoeter geurend dan een lenteboeketje.

Cafferty de gangster wist wie Steelforth was.

Cafferty de auteur had Richard Pennen ontmoet.

Met wie?

Met wie heb je nog meer gepraat?

Cafferty met zijn tong uit zijn mond. *Wie weet is Siobhan zelf...*

Nee, Siobhan niet. Rebus had gezien hoe ze zich op de plaats delict gedroeg. Ze had er niets van geweten.

Wat niet betekende dat ze het niet had gewild. Niet had toegelaten dat het zou gebeuren, door Cafferty net die ene seconde te lang aan te kijken.

Rebus hoorde vanuit het westen een vliegtuig in de lucht omhoogklimmen. Veel late vluchten uit Edinburgh waren er niet. Hij vroeg zich af of het misschien Tony Blair was of een paar van zijn hovelingen. Dank u, Schotland, en welterusten. De top had genoten van het beste dat de natie te bieden had: landschap, whisky, sfeer, voedsel. De hapjes die naar as gingen smaken toen die rode bus in Londen ontplofte. En achter de schermen waren drie onverlaten gestorven, en één goeie kerel, Ben Webster, en één van wie Rebus het zelfs nu nog niet zeker wist. Gareth Tench was misschien uitgegaan van de beste bedoelingen, maar met zijn geweten geharnast naar de omstandigheden.

Of hij had op het punt gestaan Cafferty zijn bezoedelde kroon uit handen te wringen.

Rebus betwijfelde of hij het ooit zeker zou weten. Hij staarde naar de telefoon die voor hem op de eettafel lag. Zeven cijfers en hij werd verbonden met Siobhans flat. Zeven tiptoetsen. Hoe kon zoiets zo moeilijk zijn?

'Hoe kom jij erbij dat ze zonder jou niet beter af is?' hoorde hij zichzelf het zilveren doosje vragen. Het antwoordde met een piep en zijn hoofd schoot omhoog. Hij greep ernaar, maar de enige boodschap die het voor hem had was dat de batterij bijna leeg was.

'Anders de mijne wel,' mompelde hij, terwijl hij traag overeind kwam om de oplader te zoeken. Hij had de telefoon net aangesloten toen hij overging: Mairie Henderson.

'Avond, Mairie,' zei Rebus.

'John? Waar ben je?'

'Thuis. Problemen?'

'Kan ik je iets e-mailen? Het is het verhaal dat ik over Richard Pennen aan het schrijven ben.'

'Zoek je een goeie proeflezer?'

'Ik moet alleen...'

'Wat is er aan de hand, Mairie?'

'Ik heb net drie gorilla's van Steelforth achter me aan gehad. Ze droegen een uniform, maar als dat agenten waren ben ik er ook een.'

Rebus liet zich op de armleuning van zijn stoel zakken. 'En er was er één bij die Jacko heette.'

'Hoe weet jij dat?'

'Ik heb ook met ze te maken gehad. Wat is er gebeurd?'

Ze deed verslag en vermeldde ook haar vermoeden dat haar drie belagers in Irak hadden gezeten.

'En nou ben je bang?' raadde Rebus. 'Daarom wil je kopieën van je stuk veiligstellen?'

'Ik stuur er een paar weg.'

'Maar niet naar andere journalisten, zeker?'

'Kan ik beter niet in verleiding brengen.'

'Schandaal kent geen copyright,' stemde Rebus in. 'Wil je er verder nog werk van maken?'

'Hoe bedoel je?'

'Je had gelijk, laatst: jezelf uitgeven voor politieagent ís een serieus misdrijf.'

'Als ik m'n kopij heb ingeleverd, kunnen ze me niks meer maken.'

'Zeker weten?'

'Zeker weten, maar toch bedankt.'

'Als je me nodig hebt, je hebt mijn nummer.'

'Bedankt, John. Welterusten.'

Ze hing op terwijl Rebus nog naar zijn telefoon zat te staren. Het symbool 'opladen' lichtte weer op en de batterij lurkte verder aan het stopcontact. Rebus liep naar de eettafel en zette zijn laptop aan. Plugde de stekker in het telefooncontact en wist een inbelverbinding tot stand te brengen. Het verbaasde hem nog altijd mateloos als het ook werkelijk lukte. Mairies e-mail wachtte op hem. Hij klikte op 'download' en sloeg haar artikel in een van zijn mappen op, hopend dat hij het later terug zou weten te vinden. Er was nog een e-mail, van Stan Hackman.

Beter laat dan nooit, schreef hij. *Ik ben terug in Newcastle en ik moet nodig ons eigen nachtleven weer in. Net even tijd om je te vertellen over onze Trev. In het proces-verbaal staat dat hij een tijdje in Coldstream heeft gewoond, er staat niet bij waarom of hoe lang. Hoop dat je er wat aan hebt. Je kameraad, Stan.*

Coldstream – daar kwam ook die man vandaan met wie Guest bij Swany's op Ratcliffe Terrace had gevochten.

'Cheers,' zei Rebus voor zich uit en besloot dat hij een borrel had verdiend.

Zaterdag 9 juli

25

Het was nog maar een week geleden dat Rebus naar de Meadows was gelopen en er al die mensen in het wit had getroffen.

In de politiek is een week lang, zegt men. Het leven gaat door, elk moment van elke dag. De hordes pelgrims die vandaag naar het noorden trokken, hadden als bestemming T in the Park, aan de rand van Kinross. Sportliefhebbers bogen af naar het westen, naar Loch Lomond en de eindrondes van het Open Schots Golf-kampioenschap. Rebus schatte dat zijn eigen route naar het zuiden krap twee uur zou kosten, maar eerst waren er wat klus-. jes op te knappen, om te beginnen op Slateford Road. Hij zat in zijn auto, met draaiende motor, en keek omhoog naar het verbouwde pakhuis. Dacht dat hij kon zien welke ramen van Eric Bains flat waren. De gordijnen waren open. Hij had de cd van Elbow weer op staan; de zanger vergeleek de leiders van de vrije wereld met kinderen die stenen gooien. Hij stond op het punt uit te stappen toen Bain zelf in beeld kwam sjokken, terug van de buurtwinkel. Ongeschoren en ongekamd. Loshangend overhemd. Een pak melk in zijn hand en een verdwaasde uit-drukking op zijn gezicht. Bij ieder ander zou Rebus hebben ge-dacht dat hij gewoon nog niet wakker was. Hij draaide zijn raampje omlaag en drukte op de claxon. Bain had een paar se-conden nodig voor hij hem herkende en de straat overstak naar zijn auto.

'Ik dacht al dat jij het was,' verklaarde Rebus. Bain zei niets, hij knikte alleen afwezig. 'Dus ze is ervandoor?' Dat scheen Bain bij de les te brengen.

'Ze heeft een boodschap achtergelaten dat iemand haar spul-len komt ophalen.'

Rebus knikte. 'Stap in, Eric, we moeten even praten.'

Maar Bain maakte geen aanstalten. 'Hoe wist jij ervan?'

'Vraag het wie je wil, Eric, en ze zullen je zeggen dat ik de laatste ben om je relatieadvies te geven.' Rebus wachtte even. 'Aan de andere kant kunnen we niet hebben dat je interne informatie doorsluist naar Big Ger Cafferty.'

Bain staarde hem aan. 'Heb jij...?'

'Ik heb Molly gisteravond gesproken. Als ze ervandoor is, wil dat zeggen dat ze liever bij de Nook blijft werken dan bij jou blijft wonen.'

'Ik weet niet... Ik geloof niet dat...' Bains ogen lichtten op alsof hem ter plekke een shot cafeïne was toegediend. Het melkpak viel uit zijn handen en hij reikte door het raampje naar binnen en greep Rebus bij de keel. Rebus zette zich af richting de passagiersstoel en probeerde met één hand Erics vingers los te trekken terwijl de andere het knopje van het raam zocht. Het raam zoemde omhoog en Bain zat klem. Rebus wurmde zich helemaal naar de passagierskant en stapte uit. Liep om de auto heen naar de plek waar Bain zijn armen lostrok. Toen Bain zich omdraaide gaf Rebus hem een knietje in zijn kruis zodat hij op zijn knieën in de aanzwellende plas melk viel. Hij haalde uit naar Bains kin, waardoor deze achteroversloeg. Ging op zijn borst zitten en pakte hem bij zijn open kraag vast.

'Je eigen schuld, Eric, niet de mijne. Je ruikt één kutje en je begint te lullen. En volgens je "vriendin" deed je dat maar al te graag, zelfs toen je doorkreeg dat ze niet gewoon nieuwsgierig was aangelegd. Gaf je het gevoel dat je belangrijk was, zeker? Dat is meestal de reden waarom informanten gaan lekken.'

Bain verzette zich niet meer; hij trok wat met zijn schouders maar ook daar ging geen dreiging van uit. Het bleek snikken te zijn, met de melkspetters op zijn gezicht, als een kind dat zijn lievelingsspeeltje kwijt is. Rebus kwam overeind en trok zijn eigen kleren recht.

'Sta op,' commandeerde hij. Maar Bain verroerde zich niet, dus Rebus trok hem omhoog. 'Kijk me aan, Eric,' zei hij, en haalde een zakdoek voor hem uit zijn zak. 'Hier, veeg je gezicht af.'

Bain deed wat hem gezegd was. Aan een van zijn neusgaten hing een snottebel.

'Luister goed,' zei Rebus. 'De deal die ik met haar heb gemaakt is dat als zij ervandoor ging, ik er geen werk van zou maken. Oftewel: ik ga het allemaal niet rapporteren aan Fettes, en jij houdt je baan.' Rebus hield zijn hoofd schuin tot Bain hem in de ogen keek. 'Begrijp je dat?'

'Banen zat.'

'In de ICT? Tuurlijk, daar zitten ze allemaal te wachten op werknemers die geheimen doorbrieven aan strippers...'

'Ik hield van haar.'

'Vast wel, maar ze bespeelde je zoals Clapton een gitaar... Wat zit je nou te lachen?'

'Ik ben naar hem vernoemd... mijn pa is een fan van Clapton.'

'Je meent het.'

Bain keek op naar de lucht en zijn ademhaling werd wat rustiger. 'Ik dacht echt dat ze –'

'Cafferty gebruikte je, Eric, en dat was het. Maar even voor de duidelijkheid...' Rebus wachtte tot Bain hem aankeek. 'Je komt niet bij haar in de buurt, je gaat niet in de Nook naar haar zitten smachten. Ze stuurt iemand om haar spullen op te halen omdat ze weet hoe het werkt.' Rebus onderstreepte zijn woorden met een karateslag in de lucht.

'Je hebt haar laatst bij me gezien, in de flat... Ze moet toch íets om me gegeven hebben.'

'Denk dat maar als je wilt... maar waag het niet haar dat te gaan vragen. En reken maar dat ik naar Corbyn stap als ik hoor dat je haar probeert te benaderen.'

Bain mompelde iets wat Rebus niet verstond. Hij vroeg hem het te herhalen. Bains ogen boorden zich in de zijne.

'Het had in het begin niks met Cafferty te maken.'

'Wat jij wil, Eric. Maar uiteindelijk wel... dat kun je van me aannemen.'

Bain bleef enkele ogenblikken stil. Hij staarde omlaag naar de stoep. 'Ik moet weer melk gaan halen.'

'Kun je jezelf beter eerst opknappen. Luister: ik ga de stad uit en jij gaat er de hele dag over piekeren. Wat denk je ervan als ik je morgen bel om te horen wat je hebt besloten?'

Bain knikte langzaam en wilde Rebus zijn zakdoek teruggeven.

'Hou die maar,' kreeg hij te horen. 'Heb je iemand met wie je kunt praten?'

'Op internet,' zei Bain.

'Wat je het beste uitkomt.' Rebus tikte hem op zijn schouder. 'Gaat het nou? Ik moet ervandoor.'

'Ik red me wel.'

'Flinke jongen.' Rebus haalde diep adem. 'Ik ga me niet verontschuldigen, Eric... maar het spijt me dat ik je pijn moest doen.'

Eric knikte weer. 'Ik moest me eigenlijk...'

Rebus legde hem met een hoofdschudden het zwijgen op. 'Gebeurd is gebeurd. Nou moet je jezelf bij elkaar rapen en verdergaan.'

'Mezelf opdweilen?' bedacht Bain met een spijtige blik op de plas melk.

'Zoiets, ja,' stemde Rebus in. 'Je kop onder de douche en al die troep wegspoelen.'

'Zo makkelijk zal het wel niet zijn,' zei Bain zachtjes.

Rebus knikte. 'Maar je moet ergens beginnen.'

Siobhan had bijna drie kwartier in bad liggen weken. Normaal had ze 's ochtends alleen tijd voor een douche, maar vandaag was ze vastbesloten zichzelf in de watten te leggen. Een kwart fles Space NK badschuim en een groot glas verse jus. BBC 6 Music op haar digitale radio en de gsm uit. Het ticket voor T in the Park lag op de bank in de woonkamer, naast een inderhaast neergekrabbeld lijstje dingen die ze nodig zou hebben: flesjes water en snacks, regenjack, zonnecrème (nou ja, je kon nooit weten). Gisteravond had ze op het punt gestaan Bobby Greig te bellen en hem haar ticket aan te bieden. Maar waarom? Als ze niet ging zou ze toch maar de hele dag voor de tv op de bank hangen. Ellen Wylie had al vroeg gebeld en gezegd dat ze Rebus had gesproken.

'Het spijt hem,' had Ellen gemeld.

'Wat spijt hem?'

'Alles.'

'Leuk dat ie dat tegen jou zegt en niet tegen mij.'

'Da's mijn schuld,' had Ellen bekend. 'Ik heb hem gezegd dat hij je maar een dag of wat met rust moest laten.'

'Bedankt. Hoe is het met Denise?'

'Ligt nog op bed. En, wat wordt het vandaag? Ga je jezelf in Kinross in het zweet hossen, of zullen we ergens ons verdriet gaan verzuipen?'

'Bedankt voor het aanbod, maar ik denk dat je gelijk hebt. Kinross is misschien precies wat ik nodig heb.'

Niet dat ze van plan was er het weekend te blijven. Haar ticket was weliswaar voor beide dagen geldig, maar ze had haar portie buitenleven wel gehad. Ze vroeg zich af of de hasjdealer uit Stirling er zou zijn met zijn handel. Misschien zou ze zich deze keer eens verwennen, nog een taboe overtreden. Ze kende agenten zat die wel eens blowden en had van horen zeggen dat er zelfs waren die in het weekend aan de coke zaten. Allemaal manieren om te ontstressen. Ze overwoog de opties en besloot ook maar een paar condooms in te pakken, voor het geval ze toch bij iemand in de tent belandde. Ze kende twee agentes die ook naar het festival gingen en hoopten dat ze haar daar via sms'jes zouden vinden. Dat was een wild stel, verliefd op de zangers van de Killers en Keane. Die waren al in Kinross, om zich van een plekje voor het podium te verzekeren.

'Sms ons maar direct als je aankomt,' hadden ze Siobhan gewaarschuwd. 'Als je te lang wacht, zijn we misschien niet meer aanspreekbaar.'

Het spijt hem...

Alles.

Maar waarom zou het hem spijten? Had hij in die Bentley GT naar Cafferty zitten luisteren? Had hij Keith Carberry de trap op geleid om voor rechter Cafferty te verschijnen? Ze kneep haar ogen dicht en liet haar hoofd onder water zakken.

Het is mijn schuld, dacht ze. De woorden stuiterden rond in haar hersenpan. Gareth Tench... zo energiek en levend, zo'n ronkende stem, zo'n showman met al zijn charisma... die 'toevallig' in de buurt was om Carberry en zijn kornuiten weg te jagen en de buitenwereld te laten zien dat hij de juiste man op de juiste plek was. Een geraffineerde zwendeltruc om fondsen voor zijn kiezers los te krijgen. Meer dan levensgroot en schijnbaar niet klein te krijgen... en daar lag hij nu, koud en naakt in een la in het mortuarium, niet veel meer dan een statistisch geval.

Iemand had haar eens gezegd: een keukenmesje, meer heb je niet nodig. Een paar centimeter gehard staal kan de hele wereld op zijn kop zetten.

Ze kwam proestend boven in het daglicht en wreef de haren en het schuim uit haar gezicht. Ze dacht dat ze een telefoon had horen overgaan, maar het was alleen een krakende vloerplank in de flat boven haar. Rebus had gezegd dat ze bij Cafferty uit de buurt moest blijven en hij had gelijk gehad. Als ze Cafferty niet aankon, zou hij haar inpakken.

En ze had zich laten inpakken, of niet?

'In cadeaupapier,' mompelde ze in zichzelf, en ze ging op haar hurken zitten en reikte naar de dichtstbijzijnde handdoek.

Haar tas pakken was snel gedaan, dezelfde tas die ze naar Stirling had meegenomen. En hoewel ze er niet zou overnachten, gooide ze haar tandenborstel en tandpasta er ook maar bij. Als ze eenmaal in de auto zat, wilde ze misschien wel gewoon doorrijden. En als het land op was kon ze altijd nog de ferry naar Orkney nemen. Dat had je met een auto – de illusie van vrijheid. De reclame speelde altijd in op dat idee van avontuur en ontdekking, maar in haar geval was 'vluchten' nog het beste woord.

'Doe ik niet,' liet ze de badkamerspiegel weten, met de haarborstel in haar hand. Dat had ze Rebus ook al gezegd, dat ze haar eigen boontjes kon doppen.

Nou, daar wist Cafferty alles van.

Ze wist wat ze eigenlijk zou moeten doen: Corbyn opzoeken en hem opbiechten hoe ze geblunderd had, en accepteren dat ze weer uniformdienst kon gaan doen.

'Ik ben een goeie,' bezwoer ze de spiegel en probeerde zich voor te stellen hoe ze het haar vader moest uitleggen... haar vader die zo trots op haar was geweest. En haar moeder, die haar had gezegd dat het er niet toe deed.

Dat het er niet toe deed wie haar mishandeld had.

En waarom precies had Siobhan zich er zoveel van aangetrokken? Niet eens zozeer omdat ze zo kwaad werd bij het idee dat het een collega had kunnen zijn, maar omdat ze had willen bewijzen dat zij wél goed in haar werk was.

'Een goeie,' herhaalde ze zacht. En toen, terwijl ze de condens van de spiegel veegde: 'Ondanks al het belastende bewijsmateriaal.'

Tweede en laatste tussenstop: bureau Craigmillar. McManus was al aan het werk.

'Dat noem ik nog eens plichtsbesef,' zei Rebus bij binnenkomst in het recherchekantoor. Verder was er nog niemand. McManus droeg vrijetijdskleding: een poloshirt en een spijkerbroek.

'En u dan?' vroeg McManus en likte aan zijn vinger om de bladzijde van het document dat hij las om te slaan.

'Autopsierapport?' raadde Rebus.

McManus knikte. 'Ik kom er net vandaan.'

'Déjà vu in herhaling,' merkte Rebus op. 'Vorige week stond ik in jouw schoenen – Ben Webster.'

'Geen wonder dat professor Gates de pest in had. Twee zaterdagen op rij...'

Rebus stond inmiddels naast McManus' bureau. 'Zitten er interessante conclusies bij?'

'Kartelmes, vijfentwintig millimeter breed. Volgens Gates vind je die in praktisch elke keuken.'

'Heeft ie gelijk in. Is Keith Carberry nog in huis?'

'U kent de procedure: zes uur, dan aanklagen of naar huis sturen.'

'Dus je hebt hem niet in staat van beschuldiging gesteld?'

McManus keek op van het rapport. 'Hij ontkent dat hij er iets mee te maken heeft. Heeft zelfs een alibi: hij was aan het poolen, zeven of acht getuigen.'

'Ongetwijfeld allemaal goeie vrienden van hem.'

McManus haalde alleen zijn schouders op. 'Messen zat bij zijn ma in de keuken, maar geen aanwijzing dat ze er een kwijt is. We hebben ze allemaal meegenomen naar het lab.'

'En Carberry's kleren?'

'Ook nagekeken. Geen bloedsporen.'

'Heeft ie dus weggedaan, net als het mes.'

McManus leunde achterover in zijn stoel. 'Wie z'n onderzoek is dit eigenlijk?'

Rebus stak zijn handen op alsof hij zich overgaf. 'Dacht alleen maar hardop. Wie heeft Carberry verhoord?'

'Ikzelf.'

'Denk jij dat hij het gedaan heeft?'

'Hij leek oprecht geschokt toen we het hem vertelden van Tench. Maar ik had het idee dat ik ergens achter die akelige blauwe oogjes van hem iets anders zag.'

'Wat dan?'

'Dat ie bang was.'

'Omdat je hem had opgepakt?'

McManus schudde zijn hoofd. 'Bang om iets te zeggen.'

Rebus keek de andere kant op voordat McManus iets achter zijn eigen ogen zou zien. Stel dat Carberry het niet had gedaan... kwam Cafferty zelf dan ineens weer in beeld? Was de jongen bang omdat hij dat ook dacht... en dat als Cafferty Tench te grazen had genomen, hijzelf de volgende zou kunnen zijn?

'Heb je hem gevraagd waarom hij Tench volgde?'

'Hij zegt dat hij op hem stond te wachten. Dat hij hem wou bedanken.'

'Waarvoor?' Rebus had zich weer naar McManus toe gewend.

'De morele steun nadat hij voor ordeverstoring had moeten voorkomen.'

Rebus snoof. 'En dat geloof je?'

'Niet per se, maar ik had niet genoeg om hem vast te houden.' McManus dacht even na. 'Het gekke is... toen we zeiden dat hij kon gaan, aarzelde hij. Hij probeerde het niet te laten merken, maar hij had niet veel zin weg te gaan. Hij keek naar links en naar rechts toen hij de deur uit liep, alsof hij iets verwachtte. Toen was hij er ook als een haas vandoor.' McManus zweeg weer even. 'Snapt u waar ik naartoe wil, Rebus?'

Rebus knikte. 'Geen jager maar opgejaagd wild.'

'Iets in die trant, ja... En nou vraag ik me af of u me wel alles hebt verteld wat er te vertellen is.'

'Ik zou hem nog steeds als verdachte beschouwen.'

'Akkoord.' McManus kwam uit zijn stoel overeind en hield Rebus in het oog. 'Maar is hij de enige met wie we zouden moeten praten?'

'Raadsleden maken vijanden,' verklaarde Rebus.

'Volgens de weduwe rekende Tench u daaronder.'

'Ze vergist zich.'

McManus ging er niet op in, maar concentreerde zich op zijn voor de borst gevouwen armen. 'Ze meende ook dat het huis in de gaten werd gehouden, maar niet door Keith Carberry. Het signalement dat zij gaf was dat van een man met zilvergrijs haar in een dure slee. Klinkt dat als Big Ger Cafferty?'

Rebus antwoordde met een schouderophalen.

'Nog een verhaaltje dat ik heb gehoord...' Hij kwam op Rebus af. 'Gaat over u en een man die aan diezelfde beschrijving beantwoordt, die naar een bijeenkomst in een parochiehuis kwamen, een paar dagen geleden nog maar. Het raadslid heeft met die derde man een paar woorden gewisseld. Is daar nog iets over te melden?'

McManus was hem nu zo dicht genaderd dat Rebus zijn adem op zijn wang kon voelen. 'Zo'n zaak als deze,' speculeerde hij, 'krijg je altijd verhalen.'

McManus glimlachte alleen. 'Zo'n zaak heb ík nog nooit gehad, inspecteur. Gareth Tench was iemand die de mensen hoog hadden zitten; vrienden genoeg hier in de buurt die woedend zijn om hun verlies, en die opheldering eisen. Daar zijn mensen bij die heel wat voor elkaar kunnen krijgen... en die me hebben beloofd dat ze me zullen helpen.'

'Dat is mooi voor je.'

'Hulp die ik heel moeilijk kan weigeren,' ging McManus verder. 'Met andere woorden: misschien is dit de laatste opening die ik kan bieden.' Hij deed een stap terug. 'Dus, inspecteur Rebus, nu ik u de situatie uiteen heb gezet... is er iets wat u me nog wil vertellen?'

Geen denken aan dat hij Cafferty iets kon maken zonder repercussies voor Siobhan. Eerst moest hij zorgen dat zij veilig was.

'Ik denk het niet,' zei hij en sloeg zijn armen over elkaar. McManus knikte ernaar.

'Duidelijk teken dat u iets te verbergen hebt.'

'O ja?' Rebus liet zijn handen in zijn zakken glijden. 'En jijzelf dan?' Hij draaide zich om en stapte naar de deur, McManus achterlatend met de vraag wanneer hij zelf ook alweer zijn armen over elkaar had geslagen...

Mooie dag om te rijden, ook al zat hij de helft van de tijd achter een vrachtwagen. Zuidwaarts naar Dalkeith en dan door naar Coldstream. Bij Dun Law passeerde hij een windmolenpark; de molens stonden aan beide kanten langs de weg, zo dichtbij had hij ze nog nooit gezien. Grazende schapen en koeien en veel verkeersdoden: hazen en fazanten. Roofvogels hingen afwachtend in de lucht of keken vanaf lantaarnpalen aandachtig toe. Nog vijfenzeventig kilometer en hij bereikte Coldstream, reed het centrum door en een brug over en ineens was hij in Engeland. Een verkeersbord gaf aan dat het nog geen honderd kilometer verder was naar Newcastle. Hij keerde op de parkeerplaats van een hotel, reed terug de grens over en parkeerde tegen de trottoirband. Er was een politiebureau, listig vermomd als het zoveelste huis met een puntdak en een blauwe houten deur. Op het bord stond dat het alleen door de week open was, van negen tot twaalf. De hoofdstraat van Coldstream werd gedomineerd door cafés en winkeltjes, de smalle trottoirs door dagjesmensen. Een touringcar uit Lesmahagow stond net zijn kwebbelende vrachtje uit te laden bij de Ram's Head. Rebus maakte dat hij voor hen binnen was en bestelde een halve pint bitter. Hij keek rond en zag dat de tafels en bloc waren gereserveerd voor de lunch. Aan de bar waren broodjes verkrijgbaar en hij bestelde er een met kaas en piccalilly.

'We hebben ook soep,' liet de barvrouw hem weten. '*Cock-a-leekie.*'

'Uit blik?'

Ze klikte afkeurend. 'Zou ik je met die rommel vergiftigen?'

'Nou, goed dan,' zei hij glimlachend. Ze riep zijn bestelling door naar de keuken en hij strekte zijn ruggengraat en draaide rondjes met zijn schouders en nek.

'Waar moet je heen?' vroeg ze toen ze terugkwam.

'Ik ben er al,' antwoordde hij, maar voordat hij er een praatje an vast kon knopen, zwermde het gezelschap uit de bus naar binnen. De barvrouw riep weer iets de keuken in en er kwam een serveerster tevoorschijn, een kleine blocnote in de aanslag.

De chef zelf, blozend en fors van omvang, kwam Rebus zijn soep brengen. Hij rolde met zijn ogen terwijl hij de gemiddelde leeftijd van de nieuw aangekomenen berekende.

'Raad eens hoeveel er de *steak pie* bestellen,' zei hij.

'Allemaal,' gokte Rebus.

'En geitenkaas in filodeeg vooraf?'

'Niemand,' bevestigde Rebus en rolde zijn lepel uit het papieren servetje.

Op tv was er golf. Het zag er winderig uit aan Loch Lomond. Rebus keek vergeefs rond op zoek naar zout en peper, tot hij merkte dat de soep geen van beide nodig had. Een man in een wit overhemd met korte mouwen kwam naast hem staan. Hij veegde zijn gezicht af met een zakdoek zo groot als een strandlaken. De paar haren die hij nog had, lagen strak naar achteren geplakt.

'Warm,' liet hij Rebus weten.

'Zijn dat die van u?' vroeg Rebus, met een gebaar naar het geschuifel rond de tafels.

'Zeg maar rustig dat ik die van hen ben,' verklaarde de man. 'Zoveel meerijders heb ik nog nooit meegemaakt...' Hij schudde zijn hoofd en verzocht de barvrouw om een pintglas jus met citroenlimonade en veel ijs. Ze knipoogde toen ze het voor hem neerzette – van het huis. Rebus wist hoe het werkte: hij bracht zijn busgezelschappen hier, dus hij hoefde zijn leven lang niet te betalen. De man leek zijn gedachten te lezen.

'Zo gaan de zaken,' erkende hij.

Rebus knikte alleen. Wie zou zeggen dat het er op de G8 niet ongeveer net zo aan toe ging? Hij vroeg de chauffeur wat voor plaats Lesmahagow was.

'Zo'n plaats waar mensen zin krijgen in een dagtochtje naar Coldstream.' Hij waagde een blik op zijn gezelschap. Er was nogal wat discussie over de tafelschikking. 'Ik zweer je, de VN zou het nog moeilijk hebben met die lui.' Hij klokte zijn glas half leeg. 'Je bent de afgelopen week niet in Edinburgh geweest, of wel?'

'Ik werk daar.'

De chauffeur trok een grimas. 'Ik had zevenentwintig Chinese toeristen. Kwamen de zaterdagochtend per trein aan uit Londen. Of ik maar zo dicht mogelijk bij het station wou zien te komen om ze op te pikken? Nondeju... En raad eens waar ze overnachtten? Het Sheraton, op Lothian Road. Meer beveiliging dan Buckingham Palace. Dinsdag waren we halverwege op weg naar Rosslyn Chapel, kom ik erachter dat we per ongeluk een lid van de Japanse delegatie hadden meegenomen.' De chauffeur begon te grinniken en Rebus lachte met hem mee. God, dat was lekker.

'Dus je bent ook een dagje uit?' vroeg de man. Rebus knikte. 'Paar mooie wandeltochten hier, als je ervan houdt... maar daar lijk je me het type niet voor.'

'Je hebt mensenkennis.'

'Leer je wel.' Hij knikte in de richting van het gezelschap. 'Zie je die club daar? Ik kan je zo vertellen wie me aan het eind van de rit een fooi geeft, en zelfs hoeveel.'

Rebus keek geïmponeerd. 'Drink je er een van mij?' Het pintglas van de man was leeg.

'Beter van niet. Dan moet ik halverwege een sanitaire stop maken, en dan moeten zij ineens ook allemaal. Het kost me een halfuur ze weer aan boord te krijgen.' De chauffeur reikte Rebus de hand. 'Maar bedankt, het was even gezellig.'

'Vond ik ook,' zei Rebus en beantwoordde de ferme handdruk. Hij keek de chauffeur na tot de deur. Een stel oudere vrouwen koerde en zwaaide maar hij deed alsof hij het niet in de gaten had. Rebus meende dat hij nog wel een halve pint kon hebben. De toevallige ontmoeting had hem goed gedaan. Een glimp van een ander leven, een wereld die bijna parallel liep aan de zijne.

Het alledaagse. Het gewone leven. Praten om te praten. Niet om motieven of geheimen te achterhalen.

Normaliteit.

De barvrouw zette een nieuw glas voor hem neer. 'Je knapt een beetje op,' verklaarde ze. 'Toen je binnenkwam, kon ik je niet goed plaatsen. Alsof je net zo goed een knal kon uitdelen als een kushandje.'

'Therapie,' legde hij uit terwijl hij het glas hief. De serveerster had eindelijk achterhaald wat iedereen wilde en vluchtte naar de keuken voordat er weer iemand op andere gedachten kwam.

'En, wat brengt je naar Coldstream?' viste de barvrouw verder.

'Ik ben rechercheur, korps Lothian and Borders. Ik ben op zoek naar de achtergronden van iemand die vermoord is, een zekere Trevor Guest. Kwam uit Newcastle maar heeft een paar jaar geleden hier in de buurt gewoond.'

'De naam zegt me niets.'

'Kan zijn dat hij een andere naam gebruikte.' Rebus hield een foto van Guest op, die was genomen in de tijd dat hij moest voorkomen. Ze tuurde ernaar – had eigenlijk een leesbril nodig maar wilde er nog niet aan – toen schudde ze haar hoofd.

'Sorry, lieffie,' verontschuldigde ze zich.

'Iemand anders aan wie ik hem kan laten zien? Misschien de kok...?'

Ze pakte de foto van hem aan en verdween achter de tussenwand in de richting van het kletterende geluid van pannen en schalen. Ze was binnen een minuut terug met zijn foto.

'Was te verwachten,' zei ze. 'Rab woont hier pas sinds vorig najaar. Je zei dat ie een Geordie was? Wat moest hij dan hier?

'Het kan zijn dat het hem in Newcastle te heet onder z'n voeten werd,' legde Rebus uit. 'Hij bleef niet altijd op het rechte pad.' Het leek hem nu wel overduidelijk dat wat er ook met Guest was gebeurd, het was gebeurd in Newcastle zelf. Als je vlucht, moet je de A1 mijden – te veel kans dat je wordt gezien. In Morpeth kun je afslaan op een weg die rechtstreeks hierheen voert. 'Het gaat misschien te ver,' zei hij, 'je te vragen een jaar of vier, vijf terug te denken. Geen golf van inbraken in die tijd?'

Ze schudde haar hoofd. Een delegatie van het busgezelschap had de bar bereikt. Ze hadden een geturfde lijst bestellingen bij zich.

'Drie halve lager, een lager met limoen – Arthur, ga eens vragen of dat een halve of een hele moet zijn – een ginger ale, advocaat met Sprite – vraag of ze ijs in de advocaat wil, Arthur! Nee, wacht even, twee halve lager en een shandy met lager...'

Rebus leegde zijn glas en gebaarde naar de barvrouw dat hij nog eens terugkwam. Hij meende het ook, zo niet op deze trip dan een andere keer. Hij kwam hier vanwege Trevor Guest, maar hij zou vanwege de Ram's Head terugkomen. Pas toen hij buiten stond, bedacht hij dat hij was vergeten naar Duncan Barclay te vragen. Hij passeerde een paar winkels en stopte bij de kranten- en tijdschriftenzaak en liet daar de foto van Trevor Guest zien. Een hoofdschudden van de eigenaar, die eraan toevoegde dat hij zijn hele leven al in het stadje woonde. Ditmaal dacht Rebus wel aan de naam Duncan Barclay en ditmaal oogstte hij een hoofdknikje.

'Maar die is een paar jaar geleden weggetrokken. Doen veel jongelui.'

'Enig idee waarheen?'

Weer hoofdschudden. Rebus bedankte hem en liep door. Er was een kruidenier, maar die leverde niets op; het meisje daar werkte alleen op zaterdag en zei dat hij maandagochtend misschien meer geluk zou hebben. Zelfde verhaal bij de andere winkels aan die kant. Antiquair, kapper, tearoom, Oxfam-tweedehandswinkel... Maar één ander die de naam Duncan Barclay iets zei.

'Die zie ik nog wel eens lopen.'

'Dus hij is niet ver weg verhuisd?' vroeg Rebus.

'Kelso, geloof ik...'

Een stadje verderop. Rebus nam er in de middagzon even zijn

gemak van en vroeg zich af waarom zijn bloed sneller was gaan stromen. Antwoord: hij was aan het werk. Ouderwets, slopend politiehandwerk, bijna zo fijn als vakantie. Maar toen zag hij dat zijn laatste adres weer een pub was, een die er een stuk minder uitnodigend uitzag.

Een roestbruine kroeg, vergeleken bij de Ram's Head. Verweerd rood linoleum op de vloer, bezaaid met schroeiplekken. Een sjofel dartbord dat in gebruik was genomen door twee al even sjofele klanten. Drie bejaarden met platte petten die aan een hoektafeltje met dominostenen zaten te kletteren. Eén grote wolk sigarettenrook. De kleuren op de tv leken in elkaar door te lopen en zelfs op deze afstand kon Rebus al raden dat het urinoir achter de deur naar het herentoilet doorgespoeld moest worden. Zijn opgewekte bui was bijna geweken, maar hij besefte dat dit eerder een tent voor Trevor Guest was. Met als nadeel de geringere kans dat zijn vragen met een behulpzame glimlach zouden worden beantwoord. De barman had een neus als een aangevreten tomaat, een echte zuipneus met littekens en putten, stuk voor stuk geschikt om laat op de avond een verhaal over te vertellen. Rebus wist dat zijn eigen gezicht ook een paar heftige hoofdstukken zou opleveren. Hij liep naar de bar en nam een harde, onverstoorbare houding aan.

'Pint heavy.' Een halve pint vragen in een tent als deze was ondenkbaar. Hij had zijn sigaretten al uit zijn zak gehaald. 'Zie je Duncan nog wel eens?' vroeg hij de barman.

'Wie?'

'Duncan Barclay.'

'Geloof niet dat ik die naam ken. In de problemen?'

'Niet speciaal.' Eén vraag en de man had hem door. 'Ik ben van de politie,' verklaarde hij.

'Dat meen je?'

'Ik moet Duncan even spreken.'

'Woont niet hier.'

'Naar Kelso verhuisd, zeker.' De barman haalde alleen zijn schouders op. 'En waar staat zijn stamtafel nou dan?' De barman maakte nog altijd geen oogcontact. 'Kijk me aan,' hield Rebus vol, 'en zeg me dat ik zin heb in deze shit. Vooruit, doe het!'

Het geluid van stoelpoten die over de vloer schraapten: de oude mannen stonden op. Rebus draaide zich half in hun richting.

'Nog wel zin, hè?' zei hij met een grijns. 'Maar ik ben met drie moorden bezig.' De grijns was verdwenen en hij stak drie vingers op. 'Als je graag bij dat onderzoek betrokken wil worden, blijf dan vooral staan.' Hij zweeg lang genoeg om ze terug in hun stoel te zien zakken. 'Heel verstandig,' zei hij. Toen, tegen de barman: 'Waar in Kelso kan ik hem vinden?'

'Je zou het Debbie kunnen vragen,' mompelde de barman. 'Die was altijd een beetje gek op 'm.'

'En waar vind ik Debbie?'

'Werkt zaterdags bij de kruidenier.'

Rebus deed of hij het best vond. Hij haalde de gekreukte en vervaagde foto van Trevor Guest tevoorschijn.

'Jaren terug,' gaf de barman toe. 'Opgedonderd naar het zuiden, heb ik gehoord.'

'Nee, fout gehoord, naar Edinburgh. Heb je er nog een naam bij?'

'Wou "Clever Trevor" genoemd worden, nooit goed begrepen waarom.'

Naar het nummer van Ian Dury waarschijnlijk, speculeerde Rebus. 'Hij kwam hier?'

'Niet lang – ik heb hem eruit gezet wegens knokken.'

'Maar hij woonde hier wel?'

De barman schudde langzaam van nee. 'Kelso, volgens mij,' zei hij. Toen begon hij te knikken. 'Kelso, zeker weten.'

Guest had dus gelogen tegen de politie in Newcastle. Rebus begon een akelig gevoel te krijgen. Hij verliet de pub zonder te betalen. Dacht dat hij het wel goed had aangepakt. Buiten kostte het hem een paar minuten voor de spanning wegebde, toen zocht hij zijn weg terug naar de kruidenier en het meisje voor de zaterdag – Debbie. Ze zag direct dat hij haar doorhad. Ze opende haar mond en begon een nieuwe versie, maar hij zwaaide met zijn hand voor haar gezicht en ze kwam hortend tot stilstand. Toen leunde hij over de toonbank, met zijn knokkels op het blad gedrukt.

'Nou, vertel me eens over Duncan Barclay,' zei hij. 'Dat kan hier of in een politiehok in Edinburgh, mag jij kiezen.'

Ze had de goede smaak te gaan blozen. Ze liep zelfs zo rood aan dat hij bang werd dat ze zou knappen als een ballon.

'Hij woont in een cottage aan Carlingnose Lane.'

'In Kelso?'

Ze knikte voorzichtig. Legde een hand op haar voorhoofd alsof ze duizelig was. 'Maar zolang er nog licht aan de hemel is, zit hij meestal in het bos.'

'Het bos?'

'Achter de cottage.'

Bos... Wat had de psychologe gezegd? Bos zou belangrijk kunnen zijn.

'Hoe lang ken je hem, Debbie?'

'Jaar of drie... misschien vier.'

'Is ie ouder dan jij?'

'Tweeëntwintig,' bevestigde ze.

'En jij bent, wat? Zestien, zeventien?'

'Bijna negentien.'

'Jullie gaan met elkaar?'

Slechte vraag: haar kleur werd dieper. Rebus had blekere bosbessen gezien.

'We zijn gewoon vrienden... ik zie hem momenteel niet eens vaak.'

'Wat doet hij?'

'Houtsnijwerk. Fruitschalen en zo. Verkoopt ie in galeries in Edinburgh.'

'Ah, artistiek type? Goed met zijn handen?'

'Hij is fantastisch.'

'Fijne scherpe messen?'

Ze wilde antwoorden, maar stopte. 'Hij heeft niks gedaan!' riep ze uit.

'Heb ik dan gezegd van wel?' Rebus probeerde gepikeerd te klinken. 'Hoe kom je daarbij?'

'Hij vertrouwt jou niet!'

'Mij?' nu klonk Rebus verward.

'Jullie allemaal!'

'Heeft ie soms problemen gehad, dan?'

Ze schudde haar hoofd. 'U begrijpt het niet,' zei ze zacht. Haar ogen werden vochtig. 'Hij zéí dat jullie hem niet...'

'Debbie?'

Ze barstte in huilen uit en trok de klep in de toonbank omhoog. Ze kwam met uitgestrekte armen naar hem toe en hij stond klaar om haar op te vangen.

Maar ze dook onder zijn armen door. En tegen de tijd dat hij zich had omgedraaid, was ze bij de deur en trok die open zodat de belletjes klaaglijk begonnen te rinkelen.

'Debbie!' riep hij. Maar toen hij op de stoep stond, was ze al half de straat uit. Hij vloekte binnensmonds en realiseerde zich dat er een vrouw met een lege rieten mand naast hem stond. Hij stak zijn arm achter de deur en draaide het bordje van OPEN op GESLOTEN. 'Zaterdagmiddag dicht,' zei hij tegen haar.

'Sinds wanneer?' sputterde ze verontwaardigd.

'Oké,' gaf hij toe, 'laten we zeggen zelfbediening, dan... laat het geld maar op de toonbank achter.' Hij wurmde zich langs haar heen en zocht zijn auto op.

Siobhan voelde zich als het spook op het feest, heen en weer geslingerd in de dansende menigte. Massaal vals meezingen. Vlaggen van alle naties die haar het uitzicht benamen. Grofgebekte gabbers en zweterige gabberinnen die rondedansjes maakten met Henry's en Henriëtta's van de universiteit, bier en cider dat rondspatte uit de blikjes die ze aan elkaar doorgaven. Pizzakorsten als bananenschillen op de grond. En de bands op het podium, zo'n halve kilometer verderop. Permanente rijen voor de toiletten. Ze permitteerde zichzelf een glimlachje toen ze terugdacht aan haar backstagepas bij de Final Push. Ze had haar collega's braaf gesms't, maar nog geen reactie ontvangen. Iedereen zag er zo vrolijk en bruisend uit en ze voelde zelf niets. Het enige waar ze aan kon denken was een rijtje namen:

Cafferty.

Gareth Tench.

Keith Carberry.

Cyril Colliar.

Trevor Guest.

Edward Isley.

Haar eigen korpschef had haar een belangrijke zaak toevertrouwd. Succes zou een grote stap in haar carrière zijn geweest. Maar ze was uit koers geslagen door de mishandeling van haar moeder. Het vinden van haar belager had haar helemaal in beslag genomen en haar gevaarlijk kwetsbaar voor Cafferty gemaakt. Ze wist dat ze haar concentratie moest herwinnen, terug op koers moest zien te komen. Maandagochtend kwam het onderzoek fatsoenlijk op gang, met een fatsoenlijk team, waarschijnlijk onder leiding van hoofdinspecteur Macrae en inspecteur Derek Starr, en zoveel menskracht als nodig was.

En zij was geschorst. Het enige wat erop zat was Corbyn opsporen en haar excuses maken. Hem overhalen om haar weer binnen te laten. Hij zou haar erewoord eisen dat ze Rebus ver uit de buurt zou houden, alle banden zou verbreken. Die gedachte hield haar een tijdje bezig. Zestig procent kans dat ze ermee zou instemmen.

Een nieuwe band was op het hoofdpodium begonnen en iemand had het volume opgekrikt. Ze keek of ze berichten had.

Een gemiste oproep.

Ze bestudeerde het nummer van de beller: Eric Bain.

'Alsof ik daarop zit te wachten,' zei ze tegen zichzelf. Hij had een boodschap achtergelaten maar daar had ze nu geen zin in. Ze stak het toestel weer in haar zak en pakte een nieuw flesje water uit haar tas. De zoete lucht van hasj waaide om haar heen, maar geen teken van de dealer uit Kamp Horizon. De jongens op het podium deden hun best maar hun geluid was te schel. Siobhan trok zich verder terug. Stelletjes lagen op de grond te vrijen of staarden met dromerige smiles op hun gezicht naar de sterrenhemel. Ze merkte dat ze nog altijd aan het lopen was, in de richting van het veld waar haar auto stond, maar ze zag geen reden te stoppen. Nog uren voordat New Order optrad en ze wist dat ze er niet voor zou terugkomen. Wat wachtte haar in Edinburgh? Misschien moest ze Rebus bellen dat ze hem begon te vergeven. Misschien zocht ze gewoon een wijnbar op om daar met een fles gekoelde chardonnay, een schrijfblok en een pen de speech voor te bereiden die ze maandagochtend voor de korpschef zou houden.

Als ik je weer in het team toelaat, is er geen plaats voor je wapenbroeder... is dat begrepen, brigadier Clarke?

Begrepen, meneer. En ik ben hier werkelijk heel blij mee.

En je stemt in met mijn voorwaarden? Nou, brigadier Clarke? U hoeft alleen maar ja of nee te zeggen.

Was het maar een kwestie van 'alleen maar' ja of nee.

Terug op de M90, nu in zuidelijke richting. Nog twintig minuten en ze bereikte de Forth Road Bridge. Geen controles meer, alles net zoals voor de G8. Aan de rand van Edinburgh realiseerde Siobhan zich dat ze vlak bij Cramond was. Ze zou even bij Ellen Wylie langsgaan om haar persoonlijk te bedanken omdat ze de vorige avond haar tirade had aangehoord. Ze sloeg links af Whitehouse Road in en parkeerde voor het huis. Niemand deed open. Ze belde Ellen mobiel.

'Met Shiv,' zei ze toen Ellen opnam. 'Ik kwam een kop koffie bij je bietsen.'

'We zijn aan het wandelen.'

'Ik hoor de stroomversnelling... ben je daar ergens achter je huis?'

Het bleef stil aan de lijn. Toen: 'Het komt nu niet zo goed uit.'

'Nou ja, ik sta voor je huis.'

'Ik dacht misschien iets drinken in de stad... alleen wij tweeën.'

'Mij best.' Maar er was een peinzende blik over Siobhans gezicht getrokken. Het was bijna alsof Wylie het had gemerkt.

'Oké dan,' zei ze, 'even snel een kop koffie. Ik ben er over vijf minuten.'

In plaats van te wachten liep Siobhan naar het eind van het rijtje huizen en volgde een kort pad naar de rivier de Almond. Ellen en Denise waren tot de ruïne van de molen gelopen maar kwamen nu terug. Ellen zwaaide maar Denise leek minder enthousiast. Ze klampte zich vast aan haar zusters arm. *Alleen wij tweeën...*

Denise Wylie was kleiner en dunner dan haar zus. Ze was al sinds de puberteit zo bang om dik te worden dat ze er altijd uitgemergeld uitzag. Grauwe huid, vaalbruin en futloos haar. Ze ontweek Siobhans blik.

'Hallo Denise,' zei Siobhan niettemin, en kreeg alleen een grom als antwoord. Ellen leek daarentegen geforceerd opgewekt en praatte terwijl ze terugliepen naar het huis honderduit.

'Loop maar door de tuin,' drong ze aan, 'dan zet ik water op; of ik maak een glaasje grog als je dat liever hebt, maar je bent met de auto, niet? Viel het festival een beetje tegen? Of ben je uiteindelijk toch niet gegaan? Ik ben te oud om naar popconcerten te gaan. Hoewel, voor Coldplay zou ik een uitzondering maken, maar alleen als ik kon zitten. De hele dag op zo'n grasveld staan... Dat doen alleen vogelverschrikkers en aardappelrapers, toch? Jij bent naar boven, Denise? Zal ik je daar een kopje brengen?' Ze kwam de keuken uit om een bordje met shortbread op tafel te zetten. 'Zit je goed daar, Shiv? Het water kookt, maar ik weet niet meer wat je erin wil...'

'Alleen melk.' Siobhan tuurde omhoog naar het slaapkamerraam. 'Gaat het wel, met Denise?'

Op dat moment verscheen Ellens zus achter het raam en keek schrikachtig toen ze Siobhan omhoog zag staren. Ze deed met een ruk de gordijnen dicht. Hoewel het broeierig was, stond haar raam ook niet open.

'O, best hoor,' zei Wylie en ze wuifde de vraag met een handbeweginkje weg.

'En met jou?'

Wylie reageerde met een beverig lachje. 'Hoezo, met mij?'

'Jullie zien eruit alsof je de medicijnkast hebt geplunderd en allebei een ander flesje hebt gepakt.'

Nog een korte, schelle lach en Wylie trok zich in de keuken terug. Siobhan stond langzaam uit de hardhouten stoel op en volgde haar tot op de drempel.

'Heb je het haar verteld?' vroeg ze zacht.

'Wat?' Wylie opende de koelkast en vond de melk, maar begon toen rond te speuren naar een kannetje.

'Gareth Tench – weet ze dat hij dood is?' De woorden bleven bijna in Siobhans keel steken.

Tench zit achter de vrouwen aan...

Ik heb een collega, Ellen Wylie... haar zus is...

Kwetsbaarder dan anderen...

'O, shit, Ellen,' zei ze nu, en strekte een hand uit om zich aan de deurpost vast te grijpen.

'Wat is er?'

'Je weet het, ja toch?' Siobhans stem was nauwelijks meer dan gefluister.

'Ik kan je niet volgen,' zei Wylie terwijl ze druk in de weer was de schoteltjes op het blad te passen.

'Kijk me aan en zeg me dat je niet weet waar ik het over heb.'

'Ik heb geen flauw idee waar je –'

'Ik vroeg je om me aan te kijken.'

Ellen Wylie deed een poging, haar mond strakgetrokken tot een dunne, harde streep.

'Je klonk aan de telefoon al zo raar,' zei Siobhan haar. 'En nu al dat gebabbel terwijl Denise de trap op schiet.'

'Je kunt nu beter gaan.'

'Daar zou ik nog eens over nadenken, Ellen. Maar voor je dat doet, wil ik m'n excuses maken.'

'Excuses?'

Siobhan knikte terwijl ze Wylie bleef aankijken. 'Ik ben degene die het aan Cafferty heeft verteld. Kan niet moeilijk voor hem zijn geweest je adres te vinden. Was jij erbij?' Ze zag hoe Ellen haar hoofd boog. 'Hij is hier geweest, hè?' duwde ze door. 'Hij is hier geweest en heeft Denise verteld dat Tench nog gewoon getrouwd was. Denise ging nog steeds met hem om?'

Wylie schudde langzaam haar hoofd. Tranen spatten van haar wangen op de vloertegels.

'Ellen... het spijt me zo.' Daar stond het, op het aanrechtblad: een houten messenblok met één lege gleuf. De keuken smetteloos, geen spoor van vuile vaat.

'Je krijgt haar niet,' snikte Ellen Wylie, nog altijd hoofdschuddend.

'Ben je er vanmorgen achter gekomen? Toen ze was opgestaan? Het komt toch uit, Ellen,' redeneerde Siobhan. 'Als je het blijft ontkennen, ga je er allebei aan.' Siobhan moest denken aan Tench' eigen woorden: *passie kan een man tot waanzin drijven.* Ja, en een vrouw ook...

'Je krijgt haar niet,' herhaalde Ellen Wylie. Maar de woorden hadden een levenloze, berustende klank aangenomen.

'Ze krijgt hulp.' Siobhan had een paar passen in de smalle ruimte gezet. Ze nam Ellen Wylie bij de arm. 'Praat met haar, zeg haar dat het goed komt, dat jij er voor haar bent.'

Wylie smeerde met de rug van haar onderarm de tranen uit over haar gezicht. 'Je hebt geen bewijs,' mompelde ze. Ingestudeerde woorden. Een gerepeteerde ontkenning, voor het geval dat...

'Hebben we toch niet nodig?' vroeg Siobhan. 'Misschien moet ik Denise vragen –'

'Nee, alsjeblieft.' Ellen Wylie schudde haar hoofd weer en haar ogen brandden in die van Siobhan.

'Hoe groot is de kans dat niemand haar heeft gezien, Ellen? Denk je niet dat ze ergens op een beveiligingscamera opduikt? Denk je dat de kleren die ze aanhad niet gevonden worden? Het mes dat ze heeft weggegooid? Als het mijn onderzoek was, stuurde ik een paar kikvorsmannen de rivier in. Ben je er daarom misschien heen gewandeld? Kijken of je het kon vinden en een betere plek zoeken om er vanaf te komen?'

'O, God,' zei Wylie en haar stem brak. Siobhan omarmde haar en voelde hoe haar lichaam begon te beven. Uitgestelde shock.

'Je moet sterk zijn voor haar. Nog maar even. Je moet volhouden...' Siobhans gedachten maalden rond terwijl ze Wylie over haar rug streek. Als Denise in staat was om Gareth Tench te doden, was ze dan tot meer in staat? Ze voelde hoe Ellen Wylie verstijfde en zich van haar lostrok. De twee vrouwen keken elkaar aan.

'Ik weet wat je denkt,' zei Ellen Wylie zacht.

'Wat dan?'

'Maar Denise ging nog niet eens kijken op die website. Ik was degene die erin geïnteresseerd was, zij niet.'

'Je bent ook degene die de moordenaar van Gareth Tench probeert te verbergen, Ellen. Moeten we jóú eens onder de loep nemen soms?' Siobhans stem had een hardere klank gekregen en Wylies gezicht verstrakte, maar na enkele ogenblikken brak er een wrange glimlach op door.

'Is dat alles, Siobhan? Misschien ben je toch niet zo geweldig als mensen schijnen te denken. Corbyn zegt: jij bent de baas, maar we weten allebei dat John Rebus aan de touwtjes trekt. Niet dat jij er niet de eer voor zal opeisen – als je de dader vindt, tenminste. Dus ga je gang, zet mij maar vast.' Ze stak haar handen uit alsof Siobhan met handboeien klaarstond. Toen Siobhan niet reageerde, begon ze traag en vreugdeloos te lachen. 'Niet zo geweldig als mensen denken,' herhaalde ze.

Niet zo geweldig als mensen denken...

26

Kelso was maar tien kilometer verder en Rebus had geen tijd te verliezen. Geen teken van Debbie in de auto's voor of achter hem, maar ze kon Barclay gemakkelijk al per telefoon hebben gewaarschuwd. Het landschap zou indrukwekkend zijn geweest als hij er aandacht aan had besteed. Hij raasde langs het bord dat voorzichtige chauffeurs in het dorp verwelkomde en moest op de rem gaan staan toen hij zijn eerste voetganger ontmoette. Ze was van top tot teen in tweed gekleed en had een kleine hond met uitpuilende ogen aan de lijn. Zo te zien was ze op weg naar de Lidl.

'Carlingnose Lane,' zei hij, 'weet u waar die is?'

'Ik ben bang van niet.' Ze was nog bezig met haar verontschuldiging toen Rebus gas gaf. Hij probeerde het in het centrum opnieuw. Kreeg meer dan een handvol verschillende aanwijzingen van de eerste drie inwoners die hij het vroeg. Bij Floors Castle... achter het rugbyveld... het golfterrein... Edinburgh Road.

Uiteindelijk kwam hij erachter dat Floors Castle aan de weg richting Edinburgh lag. De hoge muur van het landgoed leek zich kilometers lang uit te strekken. Rebus zag bordjes richting golfbaan, toen sportvelden met rugbydoelen. Maar de huizen in de buurt leken hem te nieuw, tot een paar schoolmeisjes met een hond hem op het juiste spoor zetten.

Achter de nieuwe huizen.

De Saab protesteerde toen hij hem weer in de eerste versnelling knalde. De motor maakte een raar geluid; dat viel hem nu pas op. Carlingnose Lane bestond uit één rijtje vervallen landarbeidershuisjes. De eerste twee waren gerenoveerd en in een nieuw verfje gestoken. Het pad eindigde bij het laatste huisje, met vergeelde, ooit witgekalkte muren. Een handgemaakt bord bood KUNST UIT KELSO TE KOOP. De kleine voortuin lag bezaaid met stukken en spaanders boomstronk. Rebus zette de auto stil voor een houten hek waarachter een pad door een weitje het bos in voerde. Hij voelde of Barclays deur op slot zat en tuurde door het kleine raam naar binnen. Een woonkamer met een open, en onopgeruimd, keukentje. In de achtergevel waren openslaande deuren gezet, zodat Rebus kon zien dat de achtertuin even leeg en onverzorgd was als die voor. Hij keek omhoog en zag dat het huis stroom kreeg via een elektriciteitsmast. Maar geen antenne en geen teken van een tv binnen.

En geen telefoonkabel. De buren hadden er wel een, van een ouderwetse houten telegraafpaal in het weiland.

'Kan ie nog wel een mobiel hebben,' mompelde Rebus in zichzelf, en in feite was dat des te waarschijnlijker. Barclay moest toch iets hebben om contact te houden met die galeries in Edinburgh. Naast de cottage stond een respectabele Landrover. Zag er niet uit alsof hij veel werd gebruikt en de motorkap voelde koel aan. Maar de sleutelbos bungelde aan het contact, hetgeen twee dingen kon betekenen: Barclay was niet bang voor autodieven, of hij wilde er snel vandoor kunnen. Rebus opende de deur aan de bestuurderskant, haalde de sleutel uit het contact en stopte die in zijn borstzakje. Als Debbie hem had weten te waarschuwen was Barclay er ofwel te voet vandoor, of had hij een ander voertuig tot zijn beschikking... of hij was op weg naar huis.

Hij pakte zijn eigen gsm. Nog één streepje bereik. En als hij het toestel schuin hield, verschenen de woorden GEEN BEREIK. Hij klom over het hek en probeerde het nog eens.

GEEN BEREIK.

Hij besloot dat hij de middag met een wandeling alsnog vruchtbaar kon maken. De lucht was warm; zingende vogels en verkeer in de verte. Een vliegtuig hoog in de hemel, glimmend van onderen. Ik ga in de rimboe naar een man lopen zoeken, dacht Rebus, en mijn telefoon doet zo goed als niets. Een man die een knokpartij is begonnen. Een man die weet dat de politie hem zoekt en niet van politie houdt...

'Goed voor mekaar, John,' sprak hij hardop en zijn ademhaling klonk al hortend en stotend voor hij de bomenrij had bereikt. Geen idee wat voor bomen het waren. Bruin met bladeren, dus in ieder geval geen coniferen, maar verder kon het van alles zijn. Hij hoopte het geluid van een bijl te horen, of misschien een kettingzaag. Nee, toch liever niet, hij hoopte Barclay helemaal niet tegen te komen met scherp gereedschap. Hij vroeg zich af of hij misschien moest roepen. Schraapte zijn keel maar kwam niet verder. Boven op de helling, misschien dat zijn telefoon nu...

GEEN BEREIK.

Prachtig uitzicht, dat wel. Hij stopte om op adem te komen en hoopte dat hij zijn indrukken nog zou kunnen navertellen. Waarom was Duncan Barclay bang voor de politie? Rebus zou het hem zeker vragen, áls hij hem vond. Hij liep inmiddels in het bos, de grond gaf mee onder zijn voeten, een dik tapijt van half vergane biomassa. Hij had het idee dat hij een soort pad volgde, onzichtbaar voor het ongeoefende oog maar toch, een route tussen de jonge boompjes en achtergebleven stronken en het struikgewas in. De omgeving deed hem erg denken aan de Clootie Well. Hij bleef naar links en rechts kijken en stond om de zoveel passen stil om te luisteren.

Helemaal alleen.

Toen verscheen er een ander spoor, nu een karrenspoor. Rebus liet zich op zijn hurken zakken. De afdrukken van de autobanden zagen er verweerd uit, minstens een paar dagen oud. Hij grinnikte schamper.

'Beetje Winnetou uithangen,' mopperde hij, hij kwam overeind en veegde de opgedroogde modder van zijn vingers.

'Winnetou uithangen,' echode een mannenstem. Rebus keek rond en ontdekte na enig zoeken de spreker. Hij zat op een omgevallen boomstam, het ene been over het andere geslagen. Een paar meter van het karrenspoor en gekleed in olijfgroene outdoorkleding.

'Goeie camouflage,' zei Rebus. 'Ben jij Duncan?'

Duncan Barclay maakte een lichte hoofdbuiging. Rebus kwam dichterbij en zag zijn rossige haar en sproetige gezicht. Misschien één meter tachtig lang, maar pezig. Zijn ogen hadden een vale kleur die goed paste bij zijn jack.

'U bent van de politie,' constateerde Duncan Barclay. Rebus zag geen reden het te ontkennen.

'Heeft Debbie je gewaarschuwd?'

Barclay strekte zijn armen. 'Waarmee? Ik heb het niet op al die moderne apparatuur.'

Rebus knikte. 'Ik zag het bij je huis; geen tv, geen telefoonlijn.'

'En geen huis meer ook, binnenkort – daar heeft een projectontwikkelaar zijn oog op laten vallen. Dan komt het weiland aan de beurt, en daarna het bos... Ik dacht wel dat u zou komen.' Hij hield even in toen hij zag hoe Rebus keek. 'Niet u persoonlijk, maar zo iemand als u.'

'Vanwege...?'

'Trevor Guest,' verklaarde de jonge man. 'Ik wist niet dat hij dood was, maar toen las ik het in de krant. En daar stond dat het een zaak was van de politie in Edinburgh. Ik dacht dat ze nog wel iets over me in hun administratie zouden hebben.'

Rebus knikte en pakte zijn sigaretten. 'Vind je het erg als ik...?'

'Liever niet – en de bomen houden er ook niet van.'

'Zijn dat je vrienden?' vroeg Rebus, en stopte het pakje weer weg. En toen: 'Dus je weet het alleen van Trevor Guest...?'

'Omdat het in de krant stond.' Barclay zweeg even om na te denken. 'Was het woensdag? Ik koop eigenlijk nooit een krant, weet u, ik heb er geen tijd voor. Maar ik zag de kop op de voorkant van de *Scotsman*. Heeft zichzelf te grazen laten nemen door een of andere seriemoordenaar.'

'Een of andere moordenaar, ja.' Rebus deed een stapje terug toen Barclay plotseling overeind sprong, maar de jonge man wenkte hem slechts met zijn vinger en liep weg.

'Kom mee, dan zal ik het u laten zien,' zei hij.

'Wat laten zien?'

'De hele reden waarom u hier bent.'

Rebus aarzelde maar volgde uiteindelijk en probeerde Barclay in te halen. 'Is het ver, Duncan?' vroeg hij.

Barclay schudde zijn hoofd. Hij liep met lange, doelbewuste passen.

'Breng je veel tijd in het bos door?'

'Zoveel als ik kan.'

'Ook andere bossen? Behalve hier in de buurt dan.'

'Ik vind overal takken en stukken.'

'Takken en...?'

'Stukken hout, takken, omgevallen bomen...'

'En de Clootie Well?'

Barclay keek opzij naar Rebus. 'Wat is daarmee?'

'Ben je er ooit geweest?'

'Denk ik niet.' Barclay bleef zo abrupt staan dat Rebus hem bijna was gepasseerd. De jonge man keek stomverbaasd. Hij sloeg zich met zijn hand op zijn voorhoofd. Rebus zag de kapotte vingernagels en sporen van littekenweefsel – werkmanshanden.

'Holy shit!' hijgde Barclay. 'Nou snap ik wat u denkt!'

'Wat dan, Duncan?'

'U denkt dat ik het misschien heb gedaan. Ik!'

'Denk je?'

'Moeder Maria...' Barclay schudde met zijn hoofd en zette de pas er weer in, bijna sneller dan eerst, zodat Rebus hem maar met moeite bij kon houden.

'Ik vraag me alleen af waarom het toen knokken werd tussen

jou en Trevor Guest,' vroeg hij tussen het happen naar lucht door. 'Achtergrondinformatie, dat is het enige waar ik voor ben gekomen.'

'Maar u denkt wél dat ik het gedaan heb!'

'En, heb je het gedaan?'

'Nee.'

'Dan hoef je je dus ook geen zorgen te maken.' Rebus keek rond, hij kon zich niet goed oriënteren. Hij kon het karrenspoor terug volgen, maar zou hij weten waar hij moest afslaan om terug bij de wei en de bewoonde wereld te komen?

'Ik begrijp niet hoe u zoiets kunt denken.' Barclay schudde weer met zijn hoofd. 'Ik haal nieuw leven uit dood hout. De levende natuur betekent álles voor me.'

'Trevor Guest komt voorlopig niet terug als fruitschaal.'

'Trevor Guest was een beest.' Weer stopte Barclay, net zo abrupt als eerder.

'Horen beesten ook niet bij de levende natuur?' vroeg Rebus buiten adem.

'U snapt best wat ik bedoel.' Zijn blik speurde de omgeving af. 'Het stond zelfs in de *Scotsman*... hij had vastgezeten voor inbraak, verkrachting...'

'Aanranding eigenlijk.'

Barclay negeerde de correctie en ging verder. 'Hij was opgesloten omdat ze hem eindelijk door hadden gekregen. De waarheid was uitgekomen. Maar hij was lang daarvoor al een beest.' Hij liep verder het bos in en Rebus volgde hem terwijl hij de beelden van *Blair Witch* uit zijn hoofd probeerde te zetten. Het landschap daalde en de helling werd steiler. Rebus realiseerde zich dat ze aan de andere kant van het pad naar de bewoonde wereld waren beland. Hij begon rond te kijken naar een of ander wapen, bukte zich, raapte een tak op en schudde eraan. Hij viel in brokstukken uit elkaar, rot van binnen.

'Wat wou je me nou laten zien?' vroeg hij.

'Een klein stukje nog.' Barclay illustreerde het met duim en wijsvinger. 'Hé, ik weet niet eens wie u bent.'

'Ik heet Rebus, ik ben inspecteur bij de recherche.'

'Ik heb met jullie gepraat, weet u... toen het was gebeurd. Ik heb het met jullie over Trevor Guest gehad, maar ik geloof niet dat iemand daar iets mee gedaan heeft. Ik was nog een tiener, en ik stond toen al bekend als "die rare". Coldstream is één grote clan, inspecteur. Als je er niet bij past is het moeilijk om net te doen alsof.'

'Dat zal best.' Een bevestiging in plaats van de vraag die Rebus eigenlijk had willen stellen: *Waar heb je het in hemelsnaam over?*

'Nou gaat het wel. De mensen zien wat ik maak, dan voelen ze dat er toch een greintje talent in moet zitten.'

'Wanneer ben je hiernaartoe verhuisd?'

'Dit is m'n derde jaar hier.'

'Bevalt het je zeker beter hier.'

Barclay keek Rebus aan en lachte even. 'Praatje maken, hè? Nerveus?'

'Ik hou niet van spelletjes,' verklaarde Rebus.

'Ik zal u zeggen wie er wél van houdt: diegene die die spullen bij de Clootie Well heeft opgehangen.'

'Daar zijn we het dan tenminste over eens.' Rebus verloor bijna zijn evenwicht, voelde iets in zijn enkel prikken terwijl hij zich verstapte.

'Voorzichtig,' zei Barclay zonder in te houden.

'Bedankt,' zei Rebus en hinkte verder. Maar de jongeman bleef bijna direct alweer stilstaan. Er stond een hek van harmonicagaas voor hen en verder bergafwaarts een moderne bungalow.

'Prachtige uitzichten,' begon Barclay. 'Lekker rustig. Je moet helemaal zo omrijden...' hij volgde de route met zijn wijsvinger, 'om op de doorgaande weg uit te komen.' Hij draaide zich frontaal om naar Rebus. 'Daar is ze gestorven. Ik zag haar wel eens in het dorp, dan maakten we een praatje. We waren er allemaal kapot van toen het was gebeurd.' Zijn blik werd intenser toen hij zag dat Rebus nog geen licht was opgegaan. 'Meneer en mevrouw Webster,' snauwde hij. 'Ik bedoel, híj stierf pas later, maar daar is zijn vrouw vermoord.' Hij priemde met zijn vinger naar de bungalow. 'Dáárbinnen.'

Rebus' mond voelde droog aan. 'Ben Webster z'n moeder?' Maar natuurlijk – vakantiehuisje in de Borders. Hij herinnerde zich de foto's in de map die Mairie had samengesteld. 'Wou je zeggen dat Trevor Guest haar heeft vermoord?'

'Hij was hier maar een paar maanden ervoor komen wonen, en daarna was ie weer rap verdwenen. Een paar drinkmaten van hem zeiden dat het was omdat ie al trammelant had gehad met de politie in Newcastle. Hij viel me op straat altijd lastig, zei dat ik een langharige was, dus dat ik wel wist waar hij aan drugs kon komen.' Hij wachtte even. 'Toen was ik op een avond in Edinburgh, wat drinken met een kameraad, en zag ik hem. Ik had de politie al gezegd dat ik dacht dat hij het had gedaan... volgens mij hebben ze die hele zaak verprutst.' Hij keek Rebus strak aan. 'Jullie hebben het nooit goed uitgezocht!'

'Je zag hem in de pub...?' Het duizelde Rebus en hij voelde het bloed in zijn oren pompen.

'Ik heb hem een hijs verkocht, zal ik niet ontkennen. Wat voelde dát goed... En toen ik in de krant zag dat hij was vermoord, voelde ik me... nou ja, nog beter, en in het gelijk gesteld ook. Het stond met zoveel woorden in de krant: had gezeten voor inbraak en verkrachting.'

'Aanranding,' zei Rebus zwakjes. De afwijking van het patroon... een van de vele.

'Precies wat hij hier had gedaan. Ingebroken, mevrouw Webster vermoord en het huis overhoop gehaald.'

En toen naar Edinburgh gevlucht, ineens berouwvol en bereid oudere en zwakkere mensen te helpen. Gareth Tench had gelijk gehad: er was inderdaad iets met Guest gebeurd. Iets ingrijpends...

Als Rebus Duncan Barclay moest geloven.

'Haar heeft hij niet aangerand,' wierp Rebus tegen.

'Zeg het nog eens?'

Rebus schraapte zijn keel en spuugde wat taai speeksel uit. 'Mevrouw Webster is niet aangerand of verkracht.'

'Nee, omdat ze te oud was. Dat kind dat hij in Newcastle had gepakt, was nog maar een bakvis.' Klopt, dat had Hackman bevestigd – *hij had ze graag jong.*

'Je hebt er veel over nagedacht,' leek Rebus in te stemmen.

'Maar jullie wilden me niet gelóven!'

'Tja, dat spijt me.' Rebus leunde tegen een boom en haalde zijn vingers door zijn haar. Ze werden nat van het zweet.

'En ik kán het niet gedaan hebben,' ging Barclay verder, 'want ik kende die andere twee niet. Drie moorden,' benadrukte hij, 'Niet alleen die ene.'

'Klopt... niet alleen die ene.' Een dader die van spelletjes houdt. Rebus dacht weer aan dr. Gilreagh: *landelijkheid en afwijkingen.*

'Ik had wel in de gaten dat hij niet deugde,' was Barclay verdergegaan, 'al vanaf de eerste keer dat ik hem tegenkwam in Coldstream.'

'Een koude stroom zou ik nou wel kunnen gebruiken,' viel Rebus hem in de rede. Koel water, waar hij zijn hoofd in zou kunnen steken.

Trevor Guest als de moordenaar van Ben Websters moeder.

De vader sterft aan een gebroken hart... dus Guest heeft het hele gezin te gronde gericht.

Draait de bak in voor een ander delict, maar als hij vrijkomt...

En kort daarna maakt het parlementslid Ben Webster een vrije val over de borstwering van Edinburgh Castle.

Ben Webster?

'Duncan!' Een schreeuw in de verte, hoger op de helling.

'Debbie?' riep Barclay terug. 'Hier beneden!' Hij begon tegen de heuvel op te klauteren, met een zwoegende Rebus achter zich aan. Tegen de tijd dat hij het karrenspoor bereikte, had Barclay zijn armen om Debbie heen geslagen.

'Ik wou het je komen zeggen,' was ze aan het uitleggen, haar stem gesmoord in zijn jack, 'en ik kon geen lift krijgen, en ik wist dat hij naar me zou uitkijken en ik ben zo snel gekomen als ik –' Ze onderbrak zichzelf toen ze Rebus in het oog kreeg, gaf een gilletje en trok zich van Barclay terug.

'Niks aan de hand,' stelde hij haar gerust. 'De inspecteur en ik hebben gewoon wat gepraat, meer niet.' Hij keek over zijn schouder naar Rebus. 'En volgens mij heeft ie zelfs echt naar me geluisterd.'

Rebus knikte instemmend en liet zijn handen in zijn zakken glijden. 'Toch moet je met me mee naar Edinburgh,' kondigde hij aan. 'Wat jij me net allemaal hebt verteld, kunnen we maar beter vastleggen, denk je niet?'

Barclay glimlachte meewarig. 'Het heeft zo lang geduurd, ik wil het best nog een keer vertellen.'

Debbie hupte op haar tenen en sloeg een arm om zijn middel. 'Ik wil ook mee. Laat me niet hier.'

'Punt is,' zei Barclay met een schuine blik naar Rebus, 'de inspecteur heeft mij op zijn lijstje staan als verdachte... dus dan ben jij m'n medeplichtige.'

Ze keek geschokt. 'Duncan doet nog geen vlieg kwaad!' riep ze schril en trok hem dichter naar zich toe.

'Nog geen bosmier, lijkt me,' voegde Rebus toe.

'Die bossen hier zijn goed voor me geweest,' zei Barclay ernstig, met zijn ogen op Rebus gevestigd. 'Daarom viel die stok die u opraapte in uw hand uit elkaar.' Hij voegde er een vette knipoog aan toe. Toen, tegen Debbie: 'Weet je het zeker? Onze eerste date, een politiebureau in Edinburgh?' Als antwoord ging ze weer op haar tenen staan en plantte een kus op zijn lippen. De bomen begonnen te ruisen nu er ineens een briesje opstak.

'Terug naar de auto, kinderen,' beval Rebus. Hij was een paar onzekere passen langs het karrenspoor gevorderd toen Barclay hem liet weten dat hij compleet de verkeerde richting was ingeslagen.

Siobhan realiseerde zich dat ze de verkeerde richting was ingeslagen.

Althans, misschien niet de verkeerde richting, want dat hing ervan af welke bestemming ze in haar hoofd had, en dat was juist het probleem: ze wist het niet. Naar huis, dat lag voor de hand, maar wat moest ze daar? Aangezien ze al op Silverknowes Road zat, reed ze door tot Marine Drive en zette haar auto daar langs de kant. Er stonden al andere auto's geparkeerd. Het was een populaire plek in het weekend, met uitzicht over de Firth of Forth. Mensen lieten er hun hond uit of aten er een boterham. Een helikopter steeg rumoerig op en nam zijn passagiers mee op een van de geregelde sightseeingvluchten; hij deed haar denken aan die helikopter in Gleneagles. Siobhan had Rebus ooit zo'n vluchtje cadeau gedaan. Voor zover ze wist had hij het ticket nooit gebruikt.

Ze wist dat hij het nieuws over Denise en Gareth Tench zou willen horen. Ellen Wylie had beloofd bureau Craigmillar te bellen dat ze langs moesten komen om een verklaring op te nemen, maar dat had haar er niet van weerhouden om zodra ze het huis had verlaten hetzelfde te doen. Ze had op het punt gestaan te zeggen dat ze beide vrouwen beter konden ophalen; het lachen van Ellen Wylie galmde nog na in haar oren... hysterisch was zwak uitgedrukt. Onder de omstandigheden misschien begrijpelijk, maar toch... Ze hield haar gsm op, haalde diep adem en belde Rebus' nummer. De vrouwenstem die antwoordde stond op een bandje: *Het nummer dat u belt is momenteel niet bereikbaar... Probeert u het later nog eens.*

Ze staarde naar het lcd-scherm en bedacht dat Eric Bain een boodschap had achtergelaten.

'Wie a zegt,' mompelde ze tegen zichzelf en drukte nog een paar toetsen in.

'Siobhan, met Eric.' De opgenomen stem klonk wazig. 'Molly is ervandoor en... Jezus, ik weet niet waarom ik...' Een geluid alsof hij hoestte. 'Kwou alleen... wouknou zeggen?' Weer een droge hoest, alsof hij bijna moest overgeven. Siobhan staarde naar het landschap, zonder het te zien. 'O, shit, en ik heb te... te veel...'

Ze vloekte in zichzelf, draaide het contactsleuteltje om en ramde de pook in de versnelling. Groot licht en toeteren bij elk stoplicht. Sturen en tegelijkertijd een ziekenwagen bellen. Die zou er niet zo snel kunnen zijn als zij, schatte ze in. Twaalf minuten en ze stond voor zijn flat; de schade beperkt tot een kras op de carrosserie en een ingeklapte zijspiegel. Oftewel nog een bezoekje aan Rebus' vriendelijke uitdeuker.

Ze hoefde bij Bains flat niet eens te bellen want de deur stond op een kier. Ze rende naar binnen en vond hem ineengezakt op de vloer van de woonkamer, zijn hoofd overeind tegen een stoel geleund. Lege fles Smirnoff, leeg flesje paracetamol. Ze greep zijn pols: die was warm en zijn ademhaling ondiep maar regelmatig. Glanzend zweet op zijn gezicht en een vlek in zijn kruis waar hij zich had ondergeplast. Ze riep zijn naam een paar keer, petste hem op zijn wangen en trok zijn ogen open.

'Kom op, Eric, wakker worden!' Ze schudde hem heen en weer. 'Tijd om op te staan, Eric! Kom op, wakker worden, luie neet!' Hij was te zwaar voor haar; zonder hulp kreeg ze hem nooit overeind. Ze controleerde of zijn mond vrij was, of iets de luchtwegen kon blokkeren. Ze schudde weer aan hem. 'Hoeveel heb je er genomen, Eric? Hoeveel tabletten?'

Dat de deur op een kier stond was een goed teken; hij wou dus gevonden worden. En hij had haar gebeld... háár gebeld.

'Wat ben je toch altijd een aansteller, Eric,' zei ze tegen hem en ze streek de vochtige haren van zijn voorhoofd. Het was een rommel in de kamer. 'Wat als Molly terugkomt en ziet wat een zootje je er hier van hebt gemaakt? Kom, opstaan.' Hij knipperde met zijn ogen en er kwam een kreun van diep in hem. Geluiden bij de deur: verplegers in hun groene uniform, een van hen droeg een brancard.

'Wat heeft hij geslikt?'

'Paracetamol.'

'Hoe lang geleden?'

'Paar uur.'

'Hoe heet hij?'

'Eric.'

Ze stond op en deed een stap achteruit om de verplegers de ruimte te geven. Ze controleerden zijn pupillen en pakten de instrumenten uit die ze nodig zouden hebben.

'Kun je me horen, Eric?' vroeg een van hen. 'Even knikken, zou dat gaan? Of alleen je vingers bewegen voor me? Eric? Ik heet Colin en ik ga voor je zorgen. Eric? Knik maar even met je hoofd als je me hoort. Eric...?'

Siobhan stond daar met haar armen over elkaar. Toen Eric verkrampte en begon te kotsen, vroeg een van de verplegers haar in de rest van de flat rond te kijken: 'Kijk wat hij nog meer kan hebben ingenomen.'

Terwijl ze de kamer uit liep, vroeg ze zich af of hij haar misschien alleen de aanblik wilde besparen. Niets in de keuken, die was brandschoon, afgezien van een melkpak dat in de koelkast had moeten staan, en ernaast de schroefdop van de Smirnoff. Ze stak de gang over naar de badkamer. De deur van het medicijn- kastje stond open. Een paar ongeopende zakjes antigriep waren in de wasbak gevallen. Ze zette ze terug. Er lag een nieuw buisje aspirine, het zegel nog heel. Dus dan kon het flesje paracetamol al eerder zijn geopend en had hij er misschien niet zoveel geslikt als ze had gedacht.

Slaapkamer: Molly's spullen verspreid over de vloer, alsof Eric er een of andere wraakoefening op had willen uitvoeren. Een kiek- je van hen tweeën was uit de lijst gehaald, maar niet beschadigd, alsof hij het had willen verscheuren maar het niet had gekund.

Ze bracht verslag uit aan de verplegers. Eric was gestopt met overgeven, maar de stank hing in de lucht.

'Dus dat was zeventig centiliter pure wodka,' zei de ene die Colin heette, 'om een stuk of dertig molletjes weg te spoelen.'

'En die zijn bijna allemaal weer goeiendag komen zeggen,' vul- de zijn collega aan.

'Dus het komt wel goed met hem?' vroeg ze.

'Hangt van de inwendige schade af. Twee uur, zei u?'

'Hij belde me twee... bijna drie uur geleden.' Ze keken haar aan. 'Ik zag de boodschap pas... nou ja, vlak voordat ik belde.'

'Hoe bezopen was hij toen hij belde?'

'Hij praatte met dubbele tong.'

'Je meent het.' Colin wisselde een blik met zijn collega. 'Hoe krijgen we hem naar beneden?'

'Vastgebonden op de brancard.'

'Paar krappe hoekjes in het trappenhuis.'

'Nou, wat dan?'

'Moet ik maar even bellen.' Colin stond op.

'Ik kan zijn benen nemen,' bood Siobhan aan. 'Die hoekjes ko- men we wel door als we het zonder brancard doen.'

'Zit wat in.' De verplegers keken elkaar nog eens aan. Siobhans mobiel ging over. Ze wilde hem uitzetten, maar op het scherm waren de letters JR opgeflitst. Ze liep de gang op en nam de op- roep aan.

'Dit ga je niet geloven,' flapte ze eruit, en ze realiseerde zich terwijl ze het zei dat Rebus woordelijk hetzelfde tegen haar zei.

27

St. Leonard leek hem de beste keus, met de minste kans dat hij zou opvallen. Aan de balie wist kennelijk niemand dat hij geschorst was; ze hadden niet eens gevraagd waarom hij een verhoorkamer nodig had en leenden hem direct een agent om bij de opnames als getuige te dienen.

Duncan Barclay en Debbie Glenister zaten gedurende het hele gesprek naast elkaar en deelden chocola en blikjes cola uit de automaat. Rebus had een nieuw pak cassettebandjes aangebroken en er twee in het apparaat gestopt. Barclay had gevraagd waarom twee.

'Een voor jou en een voor ons,' had Rebus geantwoord.

Het gesprek verliep tamelijk rechttoe rechtaan en de verwondering week niet van het gezicht van de agent, aan wie Rebus niets van de achtergronden had verteld. Na afloop vroeg Rebus aan de agent of hij vervoer voor het bezoek kon regelen.

'Terug naar Kelso?' veronderstelde hij met een bedenkelijke blik. Maar Debbie had Duncans arm vastgegrepen en gesuggereerd dat ze misschien net zo goed ergens op Princes Street gedropt konden worden? Barclay had er na enig aarzelen mee ingestemd. Toen ze aanstalten maakten om te vertrekken had Rebus hem veertig pond in de hand gedrukt. 'Een drankje kan hier duur zijn in de zomer,' had hij uitgelegd. 'En het is geen gift maar een lening. Als je nog eens in de stad komt, wil ik een van je mooiste fruitschalen hebben.'

Dus Barclay had geknikt en de briefjes aangenomen.

'Al die vragen, inspecteur,' zei hij. 'Bent u er ook maar iets mee opgeschoten?'

'Meer dan je misschien denkt, meneer Barclay,' had Rebus geantwoord, waarna hij de jongeman de hand schudde en zich terugtrok in een van de lege kantoren boven. Hier had hij gewerkt voor zijn verhuizing naar Gayfield Square. Acht jaar lang misdaden opgelost en opgeborgen... Het verbaasde hem dat er geen sporen van waren achtergebleven. Er was niets meer dat aan hem herinnerde, of aan al die gecompliceerde onderzoeken – dat waren degene die hem nog het best bijstonden. De muren waren kaal, de meeste bureaus ongebruikt en zelfs zonder stoel. Voor St. Leonard had hij op bureau Great London Road gewerkt, en daarvoor op High Street. Dertig jaar politiewerk; hij dacht dat hij alles al eens had gezien.

En nu dit.

Aan één muur hing een groot wit *markerboard*. Hij haalde wat papieren handdoekjes uit het herentoilet en veegde het bord schoon. De inkt was moeilijk los te krijgen, wat wilde zeggen dat die er – met dank aan Operatie Sorbus – al weken op zat. Hier hadden de agenten met hun achterwerk op de bureaus koffie zitten wegklokken terwijl hun leidinggevende ze voorbereidde op wat komen ging.

Nu netjes weggepoetst.

Rebus zocht in de laden van het dichtstbijzijnde bureau tot hij een viltstift vond. Hij begon op het bord te schrijven, korte noties van boven naar onderen, met pijlen naar opzij. Sommige woorden onderstreepte hij dubbel, andere omcirkelde hij; achter een paar kwamen vraagtekens. Toen hij klaar was, stapte hij bij het bord vandaan en overzag zijn *mind map* van de Clootie Well-moorden. Mind maps maken had hij van Siobhan geleerd. Bij vrijwel elk onderzoek maakte ze er wel een, al kwamen ze haar la of tas meestal niet uit. Ze pakte ze erbij om haar geheugen op te frissen: een lijn die niet was gerechercheerd of een verband dat nadere aandacht verdiende. Het had een tijd geduurd voor ze zelfs maar had toegegeven dat ze ze maakte. Waarom? Omdat ze dacht dat hij haar zou uitlachen. Maar in een zaak die blijkbaar zo ingewikkeld was als deze was een mind map een prachtig instrument, want als je hem overzag, verdween de complexiteit en kwam de kern helder naar voren.

Trevor Guest.

De afwijking, wiens lichaam zo ongewoon agressief was toegetakeld. Dr. Gilreagh had ze gewaarschuwd op te passen voor schijnbewegingen en ze had gelijk gehad. De hele zaak was eigenlijk bijna één grote klassieke illusionistentruc. Rebus schoof zijn achterwerk op een bureau en liet zijn benen boven de grond bungelen. Een licht gekraak was het enige protest. Zijn handpalmen lagen aan weerskanten op het oppervlak van het bureau gedrukt. Hij staarde licht naar voren gebogen naar de woorden aan de muur... de pijlen en onderstrepingen en vraagtekens. Hij begon manieren te zien om de vraagtekens weg te nemen. Hij begon het hele beeld te ontwaren, het beeld dat de moordenaar aan het gezicht had willen onttrekken. Toen liep hij het kantoor en het bureau uit, de frisse lucht in. Hij stak de straat over naar de kiosk en realiseerde zich dat hij eigenlijk niets nodig had. Hij kocht sigaretten en een aansteker en een pakje kauwgum. Plus de middageditie van de *Evening News*. Hij besloot Siobhan in het ziekenhuis te bellen om te vragen hoe lang ze daar nog nodig had.

'Ik ben híér,' liet ze hem weten. Oftewel op St. Leonard. 'Waar zit jij dan?'

'Ik moet je net hebben gemist.' De winkelier riep hem terug toen hij de deur uit wilde lopen. Rebus trok een verontschuldigende grimas en zocht in zijn zak naar geld om de man te betalen. Maar waar had hij in godsnaam...? Hij moest Barclay zijn laatste tientjes hebben gegeven. In plaats daarvan diepte hij wat kleingeld op en strooide het op de toonbank.

'Niet genoeg voor sigaretten,' sprak de oude Aziaat klaaglijk. Rebus haalde zijn schouders op en gaf ze terug.

'Waar ben je?' vroeg Siobhan in zijn oor.

'Kauwgum aan het kopen.'

En een aansteker, had hij eraan toe kunnen voegen.

Maar geen sigaretten.

Ze gingen zitten met mokken oploskoffie en zwegen een tijdje. Toen pas kwam Rebus op het idee om naar Bain te vragen.

'Wel ironisch, eigenlijk,' zei Siobhan, 'als je nagaat hoeveel pijnstillers hij had geslikt: het eerste wat hij zei toen-ie wakker werd was dat hij een barstende hoofdpijn had.'

'Mijn schuld, in zekere zin,' bekende Rebus en praatte haar eerst bij over zijn gesprek met Bain die ochtend, en dat met Molly de avond tevoren.

'Dus we staan boven het lijk van Tench ruzie te maken,' zei Siobhan, 'en jij zoekt de eerste de beste lapdanceclub op?'

Rebus haalde zijn schouders op en bedacht dat hij er goed aan had gedaan het bezoekje aan Cafferty te verzwijgen.

'Nou ja,' ging Siobhan met een zucht verder, 'als we toch met een rondje zelfverwijt bezig zijn...' En ze vertelde hem over T in the Park en Denise Wylie, en daarna zwegen ze weer een tijd. Rebus was aan zijn vijfde strip kauwgum begonnen; het smaakte eigenlijk niet bij de koffie, maar hij had een uitlaatklep nodig voor de stroom die door hem heen joeg.

'Denk je echt dat Ellen haar zus heeft aangegeven?' vroeg hij uiteindelijk.

'Wat kon ze anders?'

Hij haalde zijn schouders op en keek toe terwijl Siobhan een telefoon oppakte en belde naar bureau Craigmillar.

'De man die je moet hebben is brigadier McManus,' zei hij. Ze keek hem aan alsof ze zeggen wilde: hoe weet jij dat nou? Het leek hem tijd een prullenbak te gaan zoeken waarin hij de klomp smakeloze kauwgum kwijt kon. Toen ze klaar was met bellen, kwam Siobhan bij hem voor het markerboard staan.

'Ze zitten er allebei nu. McManus pakt Denise heel voorzichtig aan. Denkt dat ze anders gaat klagen over geestelijke wreedheid.' Ze stopte even. 'Wanneer heb jij hem gesproken, dan?'

Rebus veranderde van onderwerp door naar het bord te wijzen. 'Zie je wat ik heb gedaan, Shiv? Helemaal in jouw geest, als het ware.' Hij tikte met zijn knokkels midden op het bord. 'En het draait allemaal om Trevor Guest.'

'Is jouw theorie?'

'Bewijs komt later.' Hij volgde de tijdlijn van de moorden met zijn wijsvinger. 'Stel dat Trevor Guest inderdaad Ben Websters moeder heeft vermoord. In feite hoeft dat niet eens waar te zijn. Het is al genoeg als degene die Trevor Guest heeft vermoord dat dácht. De dader tikt Trevor Guests naam in een zoekmachine en komt uit bij BeastWatch. Zo ontstaat het idee. Het doen voorkomen alsof er een seriemoordenaar aan het werk is. De politie raakt in de war en gaat op allerlei verkeerde plekken op zoek naar iemand met een motief. De dader weet dat de G8 eraan zit te komen, en legt dus wat aanwijzingen bij de Clootie Well die we vast en zeker zullen vinden. De dader stond niet op de mailinglijst van BeastWatch, dus heeft van die kant niks te vrezen. Wij rennen ons rot om de mensen te achterhalen die er wel op staan en om al die andere zedendelinquenten te waarschuwen... en in de hectiek van de G8 is de kans groot dat het onderzoek zo vastdraait dat het nooit meer uit de knoop komt. Weet je nog wat Gilreagh zei? Er klopte iets niet aan het "tableau". Ze had gelijk, want Trevor Guest was al die tijd de enige die de dader dood wou hebben... alleen Guest.' Hij tikte nogmaals op de naam. 'De man die het gezin Webster had kapotgemaakt. Landelijkheid en afwijkingen, Siobhan... en rookgordijnen.'

'Maar hoe kon de dader dat allemaal weten?' voelde Siobhan zich genoodzaakt te vragen.

'Het moet iemand zijn die toegang had tot het dossier over de moord op mevrouw Webster, en dat misschien ook helemaal heeft uitgeplozen. Daarna is hij naar de Borders gegaan, heeft wat rondvraag gedaan, goed geluisterd naar de dorpsroddels...'

Ze stond naast hem naar het bord te staren. 'Je wil dus zeggen dat Cyril Colliar en Eddie Isley zijn vermoord bij wijze van afleidingsmanoeuvre?'

'En met succes. Als er een normaal onderzoek was opgezet, met een voltallig team, hadden we het verband met Kelso misschien niet eens gevonden.' Rebus liet een kort, schor lachje horen. 'Ik meen me te herinneren dat ik m'n neus ophaalde toen Gilreagh begon over het platteland en diepe bossen dicht bij huizen waar mensen wonen.' *Is dat de soort omgeving waarin de slachtoffers woonden?* 'In de roos, doc,' zei hij voor zich uit.

Siobhan onderstreepte met haar vinger de naam van Ben Webster. 'En waarom pleegde hij dan zelfmoord?'

'Hoe bedoel je?'

'Nou, denk je dat hij uiteindelijk werd overmand door schuldgevoel? Hij heeft drie mensen vermoord, terwijl er maar één dood hoefde. Hij staat onder zware druk vanwege de G8. We hebben net het stuk uit Cyril Colliars jack geïdentificeerd... Hij raakt in paniek, bang dat we hem alsnog achterhalen – is dat wat je bedoelt?'

'Ik weet niet of hij het wel wist van dat stuk uit dat jack,' zei Rebus zacht. 'En hoe had hij aan heroïne moeten komen voor die fatale injecties?'

'Moet ík dat zeggen?' vroeg Siobhan met een lachje.

'Ja, omdat jij degene bent die een onschuldige beschuldigt. Geen beschikking over harddrugs... geen vrije toegang tot politiedossiers.' Rebus volgde de pijl van Ben Webster naar zijn zus. 'Stacey, daarentegen...'

'Stácey?'

'Is inlichtingenagent in burger. Kent dus waarschijnlijk een stel dealers. Is al maanden in anarchistische groeperingen aan het infiltreren; vertelde me zelf dat die hun bases naar buiten Londen hebben verlegd, naar Leeds, Manchester, Bradford. Guest stierf in Newcastle, Isley in Carlisle, met de auto gemakkelijk te bereiken vanuit de Midlands. En als agente had ze toegang tot alle informatie die ze zocht.'

'Stacey is de moordenaar?'

'Als we uitgaan van jouw prachtige systeem...' Rebus sloeg met zijn hand plat op het bord, 'zie ik geen andere conclusie.'

Siobhan schudde ongelovig haar hoofd. 'Maar ze was... Ik bedoel, we hebben haar gesproken.'

'Ze is goed,' erkende Rebus. 'Ze is heel goed. En nu is ze terug naar Londen.'

'We hebben geen bewijs... geen greintje.'

'Klopt, grotendeels. Maar als je de tape van Duncan Barclay afluistert, zul je hem horen zeggen dat ze vorig jaar in Kelso is komen rondkijken. Hij heeft haar zelfs gesproken. Hij heeft het met haar over Trevor Guest gehad. Trevor met zijn staat van dienst als inbreker. Trevor die in de buurt woonde toen mevrouw Webster aan haar einde kwam.' Rebus haalde zijn schouders op alsof het voor hem zonneklaar was. 'Ze zijn alle drie van achteren aangevallen, Siobhan, zo hard geslagen dat ze niets terug konden doen – precies zoals een vrouw het zou doen.' Hij zweeg even. 'En dan haar naam. Gilreagh zei dat er een of ander verband met bomen kon zijn.'

'Stacey is geen naam van een boom.'

Hij schudde zijn hoofd. 'Maar Santal wel. Betekent sandelhout. Ik dacht altijd dat sandalwood alleen de naam van een parfum was, maar het betekent hout van de sandelboom...' Hij schudde zijn hoofd, verwonderd om de ingenieuze constructie die Stacey Webster had opgebouwd. 'En ze liet Guests bankpas achter,' besloot hij, 'om ervoor te zorgen dat we wisten wie hij was... en om ons het bos in te sturen. Een rookgordijn, goddomme, precies zoals Gilreagh zei.'

Siobhan stond het bord nog te bestuderen, op zoek naar zwakke plekken in het schema. 'Maar hoe zat het dan met Ben?' vroeg ze uiteindelijk.

'Ik kan je zeggen wat ik denk...'

'Doe maar.' Ze sloeg haar armen over elkaar.

'De bewakers op het kasteel dachten dat er een indringer was geweest. Ik gok dat het Stacey was. Ze wist dat haar broer er was en popelde om het hem te vertellen. Wij hadden het stuk jack gevonden – daar had ze waarschijnlijk via Steelforth over gehoord. Ze vond het tijd worden het nieuws van haar heldendaden met haar broer te delen. Voor haar was met de dood van Guest een hoofdstuk afgesloten. En óf ze hem voor zijn misdaad had laten boeten, Jezus, zoals ze hem had toegetakeld. Langs de beveiligers zien te komen is voor haar een uitdaging waar ze van geniet. Misschien heeft ze Ben ge-sms't en komt hij daarom naar buiten. Ze vertelt hem alles...'

'En hij maakt zich van kant?'

Rebus krabde zich op zijn achterhoofd. 'Ik denk dat zij de enige is die ons dat kan vertellen. En ik denk zelfs dat, als we het goed aanpakken, Ben de sleutel wordt om van haar een bekentenis los te krijgen. Stel je eens voor hoe beroerd ze zich moet voelen: vader, moeder én broer dood, en precies dátgene wat haar en haar broer dichter bij elkaar had moeten brengen, heeft hem in feite de das omgedaan. En het is allemaal haar schuld.'

'Dat weet ze anders goed te verbergen.'

'Achter al die maskers die ze draagt,' stemde Rebus in. 'Al die strijdige kanten van haar persoonlijkheid...'

'Rustig aan,' waarschuwde Siobhan hem. 'Je begint te klinken als Gilreagh.'

Hij barstte in lachen uit maar verstomde even abrupt, krabde zich weer op zijn hoofd en streek uiteindelijk zijn hand door zijn haar. 'Denk je dat het overeind blijft staan?'

Siobhan blies haar wangen bol en liet de lucht luidruchtig ontsnappen. 'Ik moet er nog even over nadenken,' bekende ze. 'Ik bedoel... als je het hier zo op het bord ziet staan, komt het vrij plausibel over. Ik heb alleen geen idee hoe we er ook maar iets van kunnen bewijzen.'

'We beginnen bij wat er met Ben is gebeurd.'

'Oké, maar als ze het ontkent, hebben we helemaal niks. Je zei het net zelf: al die maskers die ze op heeft. Voor hetzelfde geld zet ze er zó weer een op als we over haar broer beginnen.'

'Maar één manier om daar achter te komen,' zei Rebus. Hij had Stacey Websters visitekaartje in zijn hand, dat met haar mobiele nummer.

'Denk even na,' ried Siobhan hem aan. 'Zodra je haar belt, is ze gewaarschuwd.'

'Dan gaan we naar Londen.'

'En maar hopen dat Steelforth ons met haar laat praten?'

Rebus dacht een ogenblik na. 'Ja,' zei hij zacht, 'Steelforth... Toch typisch hoe snel hij haar naar Londen heeft afgevoerd, vind je niet? Bijna alsof hij wist dat we lont roken.'

'Denk jij dat ie het wíst?'

'Er waren bewakingscamera's bij het kasteel. Hij zei me dat er op de video's niets te zien was, maar ik vraag het me nu af.'

'Denk maar niet dat ie het ons openbaar laat maken,' stelde Siobhan. 'Een van zijn agenten blijkt een seriemoordenaar, die misschien zelfs haar eigen broer heeft afgemaakt. Dat is geen publiciteit waar hij op zit te wachten.'

'Daarom wil hij misschien best een regeling treffen.'

'En wat hebben wij precies te bieden?'

'De regie,' verklaarde Rebus. 'Wij houden ons koest en hij pakt haar op zijn eigen manier aan. Zegt ie nee, dan lopen we naar Mairie Henderson.'

Siobhan nam een minuutje de tijd om de opties te overwegen. Toen zag ze hoe Rebus zijn ogen opensperde.

'En we hoeven niet eens naar Londen,' begon hij.

'Waarom niet?'

'Omdat Steelforth niet in Londen zit.'

'Waar zit hij dan?'

'Vlak om de hoek, goddomme,' verklaarde Rebus en begon het bord uit te wissen.

Oftewel: een uur flink doorrijden naar het westen.

Het enige gespreksonderwerp tijdens de tocht was Rebus' theorie. Trevor Guest smeert hem uit Newcastle, misschien schulden gemaakt. Kort ritje naar de grensstreek, waar niemand hem kent. Scharrelt rond maar kan niet aan drugs komen en zit zonder geld. Het enige waar hij goed in is: inbreken. Maar mevrouw Webster is thuis en het loopt uit op moord. Hij raakt in paniek en vlucht naar Edinburgh, waar hij zijn geweten sust met vrijwilligerswerk met ouderen, mensen zoals de vrouw die hij heeft vermoord. Niet aangerand – hij had ze liever een stuk jonger.

Intussen is Stacey Webster kapot van de moord op haar moeder en haar hart breekt als ook haar vader aan het verdriet bezwijkt. Ze zet haar deskundigheid als rechercheur in om de schuldige te achterhalen, maar de meest waarschijnlijke kandidaat zit al achter de tralies. Hoewel: komt binnenkort vrij. Dat geeft haar tijd om haar wraakoefening te plannen. Ze heeft Guest gevonden op BeastWatch, met meer kerels van zijn slag. Ze kiest haar slachtoffers aan de hand van geografische criteria: de afstand van haar werk als infiltrant. In de tegencultuur kan ze makkelijk aan heroïne komen. Dwingt ze Guest te bekennen voor ze hem doodt? Het maakt niet echt uit: tegen die tijd heeft ze Eddie Isley al vermoord. Ze maakt nog één slachtoffer om de indruk te wekken dat er een seriemoordenaar rondwaart en stopt er dan mee. Taak vervuld, tot rust gekomen. Wat haar betreft heeft ze alleen rotzooi opgeruimd. De voorbereiding op de G8 door SO12 heeft haar naar de Clootie Well gevoerd en ze weet dat het de perfecte plek is. Er komt altijd íemand. En die zal de aanwijzingen ontdekken. Voor de zekerheid geeft ze één naam waar ze verder niet naar hoeven te zoeken... de enige naam die er iets toe doet.

Haar vindt niemand.

De perfecte misdaad.

Bijna...

'Ik moet toegeven,' zei Siobhan, 'het klinkt plausibel.'

'Omdat het zo is gegaan. Dat heb je met de waarheid, Siobhan, die zit bijna altijd logisch in elkaar.'

Ze schoten goed op over de M8 en bogen af naar de A82. Luss lag maar een klein stukje van de provinciale weg op de westelijke oever van Loch Lomond.

'Hier hebben ze *Take the High Road* nog opgenomen,' deelde Rebus zijn passagier mee.

'Een van de weinige soaps die ik nooit heb gevolgd.'

Hun tegenliggers op de andere weghelft kwamen maar stapvoets vooruit.

'Zo te zien zijn de wedstrijden voor vandaag afgelopen,' merkte Siobhan op. 'Moeten we morgen misschien terugkomen.'

Maar Rebus gaf zich niet gewonnen. De Loch Lomond Golf Club liet alleen leden binnen en de beveiliging was met het oog op de Scottish Open verdubbeld. Bij de ingang van het parkeerterrein stonden al bewakers en ze bestudeerden hun beider legitimatie zorgvuldig alvorens ze hun aankomst doorbelden, terwijl in de tussentijd een spiegel aan een stok onder de hele auto door werd gehaald.

'We nemen geen enkel risico na donderdag,' legde de bewaker uit terwijl hij hun de pasjes teruggaf. 'Vraag bij het clubhuis naar commandant Steelforth.'

'Bedankt,' zei Rebus. 'Tussen haakjes... wie is er aan het winnen?'

'Staat gelijk, Tim Clark en Maarten Lafeber, vijftien onder. Tim speelde vandaag zes onder. Monty staat er ook goed voor, trouwens: tien onder. Wordt een kraker morgen.'

Rebus bedankte de bewaker nogmaals en zette de Saab in de versnelling. 'Kon je dat volgen?' vroeg hij Siobhan.

'Ik weet dat "Monty" Colin Montgomerie is...'

'Dan weet je precies evenveel van het nobele oude spel als ik.'

'Heb je het ooit geprobeerd?'

Hij schudde zijn hoofd. 'Die pastelkleurige v-halstruien, hè. Kon ik mezelf nooit in voorstellen.'

Terwijl ze parkeerden en uitstapten liep er een handjevol toeschouwers langs, pratend over de gebeurtenissen van de dag. Een van hen droeg een roze pullover, de anderen een gele of bleekoranje of hemelsblauwe.

'Zie je?' zei Rebus. Siobhan knikte instemmend.

427

Het clubhuis was gebouwd in Scots baronialstijl en droeg de naam Rossdhu. Ernaast stond een zilveren Mercedes geparkeerd, de chauffeur deed een dutje achter het stuur. Rebus kende hem nog van Gleneagles: Steelforths vaste chauffeur.

'Bedankt, Ouwe,' zei hij, met zijn ogen ten hemel gericht.

Een kleine bebrilde heer met een zorgvuldig gecultiveerde snor en dito eigendunk kwam uit het gebouw op hen af schrijden. Om zijn nek hing een bonte verzameling gelamineerde pasjes en persoonsbewijzen, die een ratelend geluid maakten in het ritme van zijn passen. Hij blafte een woord dat klonk als 'taas' maar door Rebus werd opgevat als 'secretaris'. De knokige hand die Rebus kreeg deed hem bijna pijn. Maar hij kreeg tenminste een hand; Siobhan had net zo goed een conifeer kunnen zijn.

'We willen commandant Steelforth graag even spreken,' legde Rebus uit, 'en ik kan me niet voorstellen dat hij zich onder het ongewassen gepeupel mengt.'

'Steelforth?' De secretaris nam zijn bril af en wreef ermee langs de mouw van zijn paarse sweater. 'Bankwezen?'

'Dat is zijn chauffeur,' zei Rebus en knikte naar de Mercedes.

'Pennen Industries?' opperde Siobhan.

De secretaris zette zijn bril weer op en richtte zijn antwoord tot Rebus. 'O ja, meneer Pennen heeft een gastentent.' Hij wierp een blik op zijn polshorloge. 'Zal wel bijna afgelopen zijn.'

'Vindt u het goed als we even gaan kijken?'

De secretaris trok met zijn mond, vroeg ze te wachten en verdween het gebouw binnen. Rebus keek Siobhan aan, in afwachting van commentaar.

'Bekakte bemoeial,' kwam ze hem tegemoet.

'Maar geen inschrijvingsformulier voor je vragen?'

'Heb je hier één vrouw gezien?'

Rebus keek rond voor hij toegaf dat ze gelijk had. Hij hoorde een elektromotor en keerde zich om. Het was een golfkarretje dat van achter Rossdhu House verscheen, bestuurd door de secretaris.

'Achterop,' zei hij.

'Kunnen we niet lopen?' vroeg Rebus.

De secretaris schudde het hoofd en herhaalde de instructie. Achter op het karretje waren twee naar achteren gerichte zitplaatsen met kussentjes.

'Jij bent gelukkig fijn gebouwd,' zei Rebus tegen Siobhan. De secretaris droeg hen op zich stevig vast te houden. De machine kwam hortend in beweging tot net iets meer dan loopsnelheid.

'Woei!' zei Siobhan sarcastisch.

'Wat denk je, zou onze hoofdcommissaris een golffan zijn?' vroeg Rebus.

'Zit er dik in.'

'Met zoveel geluk als we deze week hebben gehad, komen we hem vast tegen.'

Dat deden ze niet. Op de baan zelf waren nog maar een paar achterblijvers. De kraampjes waren verlaten en de zon stond laag.

'Fenomenaal,' moest Siobhan wel erkennen, nu ze over Loch Lomond uitkeek naar de bergen in de verte.

'Doet me aan mijn jeugd denken,' zei Rebus.

'Gingen jullie hier op vakantie naartoe?'

Hij schudde zijn hoofd. 'Maar de buren wel, en die stuurden altijd een kaart.' Hij keek zo goed en zo kwaad als het ging achter zich en zag dat ze een tentendorpje naderden met een eigen omheining en beveiliging. Witte luifels, ingeblikte muziek en luide stemmen. De secretaris bracht het karretje tot stilstand en knikte naar een van de grotere tenten, met doorzichtige plastic ramen en bediening in livrei. Men ging rond met champagne en oesters op zilveren schotels.

'Bedankt voor de lift,' zei Rebus.

'Zal ik wachten?'

Rebus schudde zijn hoofd. 'We vinden het wel terug, dank u.'

'Lothian and Borders,' deelde Rebus de beveiligers mee en opende zijn legitimatie.

'Uw commissaris is in de champagnetent,' antwoordde een van de bewakers behulpzaam. Rebus keek Siobhan aan. Zó'n week... Hij nam een glas bubbels aan en manoeuvreerde tussen de menigte door. Meende dat hij wat gezichten herkende van Prestonfield House: G8-vertegenwoordigers, mensen met wie Richard Pennen zaken wilde doen. De Keniaanse diplomaat Joseph Kamweze ving Rebus' blik op maar draaide zich snel om en trok zich dieper tussen de mensen terug.

'Lijkt de Verenigde Naties wel,' merkte Siobhan op. Ogen die haar de maat namen; niet veel vrouwen aanwezig. Maar degenen die ze zag... die waren wel degelijk 'aanwezig': golvend haar, korte strakke jurken en onwrikbare glimlachjes. Naar hun functie gevraagd zouden ze zichzelf eerder 'model' dan 'escort' noemen, per dag ingehuurd om het gebeuren een vleugje glamour en zonnebankbruin te verlenen.

'Je had je best wat kunnen opknappen,' verweet Rebus Siobhan. 'Een beetje make-up kan nooit kwaad.'

'Hoor Karl Lagerfeld eens,' repliceerde ze.

Rebus tikte haar op haar schouder. 'Onze gastheer.' Hij gaf een knikje in de richting van Richard Pennen. Zelfde onberispelijke kapsel, glinsterende manchetknopen, zwaar gouden horloge. Maar iets was er veranderd. Het gezicht straalde minder gebronsd en de houding was minder zelfverzekerd. Als Pennen lachte om iets wat zijn gesprekgenoot zei, gooide hij zijn hoofd net te ver naar achteren en ging de mond net te wijd open. Gemaakt. Dat vond de gesprekgenoot kennelijk ook, want hij nam hem aandachtig op alsof hij niet goed wist wat hij aan hem had. Pennens paladijnen, één aan elke schouder zoals in Prestonfield House, leken ook nerveus te worden door het onvermogen van hun baas het vertrouwde spel te spelen. Rebus overwoog een ogenblik recht op hem af te stappen en te vragen hoe het ging, alleen om te zien hoe hij zou reageren. Maar Siobhan had een hand op zijn arm gelegd en richtte zijn aandacht naar elders:

David Steelforth die uit de champagnetent tevoorschijn kwam, diep in gesprek met hoofdcommissaris James Corbyn.

'Shit,' zei Rebus. En toen, na een keer diep ademhalen: 'Nou ja, we zitten er nu toch al zo diep in...'

Hij voelde dat Siobhan aarzelde en keek haar aan. 'Misschien moet jij maar een stukje gaan wandelen.'

Maar ze had haar besluit al genomen en ging hem zelfs voor naar de twee hoge heren.

'Sorry als we u storen,' was ze begonnen toen Rebus haar had ingehaald.

'Wat doen jullie hier in godsnaam?' sputterde Corbyn.

'Voor gratis bubbels komen we overal,' legde Rebus uit en hief zijn glas. 'Zo denkt u er vast ook over, meneer.'

Corbyns gezicht liep rood aan. 'Ik ben hier als gast!'

'Wij ook, meneer,' zei Siobhan, 'bij wijze van spreken.'

'Hoezo dat?' vroeg Steelforth met een geamuseerde blik.

'Moordonderzoek, meneer,' antwoordde Rebus. 'Werkt als een soort vip-pas.'

'Vvip', verbeterde Siobhan hem.

'Wilt u zeggen dat Ben Webster vermoord is?' vroeg Steelforth, zijn ogen op Rebus gericht.

'Niet direct,' zei Rebus. 'Maar we hebben een idee waaróm hij is gestorven. En dat lijkt verband te houden met de Clootie Well.' Hij verlegde zijn aandacht naar Corbyn. 'We kunnen u later bijpraten, meneer, maar voor het moment hebben we alleen commandant Steelforth even nodig.'

'Dat kan vast wel wachten,' begon Corbyn.

Rebus richtte zich weer tot Steelforth, die opnieuw glimlachte, ditmaal in Corbyns richting.

'Ik heb een vermoeden dat ik beter even kan luisteren naar wat de inspecteur en zijn collega te zeggen hebben.'

'Zoals u wilt,' bond de korpschef in. 'Voor de draad ermee.'

Rebus wachtte even en wisselde een blik met Siobhan. Steelforth had het begrepen. Hij overhandigde met een weids gebaar zijn onaangeroerde glas aan Corbyn.

'Ik ben zo terug, commissaris. Uw mensen zullen u bij gelegenheid ongetwijfeld alles uitleggen...'

'Dat is ze geraden,' hield Corbyn stand, zijn blik strak op Siobhan gericht. Steelforth gaf hem een geruststellend tikje op zijn arm en liep weg, met Rebus en Siobhan in zijn kielzog. Toen ze gedrieën het witte houten hekje hadden bereikt, bleven ze staan. Steelforth keek weg van de tenten naar de baan, waar terreinknechten druk bezig waren met het vervangen van weggeslagen graszoden en het aanharken van de bunkers. Hij stak zijn handen in zijn zakken.

'U denkt dat u iets weet?' vroeg hij nonchalant.

'Ik denk dat ú iets weet,' antwoordde Rebus. 'Toen ik het had over een verband tussen Webster en de Clootie Well, keek u niet op. U vermoedde al iets, denk ik dan. Stacey Webster is immers uw agent. U volgt haar gangen waarschijnlijk... begon u misschien af te vragen waar die uitstapjes naar het noorden, Newcastle, Carlisle en zo, voor nodig waren. En dan vraag ik me ook af wat u gezien hebt op de beveiligingstapes van die avond op het Kasteel.'

'Zeg waar het op staat,' siste Steelforth.

Siobhan nam het over. 'We denken dat Stacey Webster onze seriemoordenaar is. Degene die ze hebben moest was Trevor Guest, maar ze was bereid er nog twee om zeep te helpen om dat te verdoezelen.'

'En toen ze haar broer het nieuws kwam vertellen,' ging Rebus verder, 'was hij er niet blij mee. Misschien is ie gesprongen. Misschien was hij overstuur en dreigde hij haar te verraden... en besloot ze hem het zwijgen op te leggen.' Hij haalde zijn schouders op.

'Fantastisch verhaal,' reageerde Steelforth, die hen nog altijd geen van beiden aankeek. 'En omdat jullie goeie rechercheurs zijn, heb je een waterdichte zaak opgebouwd?'

'Kan niet te moeilijk meer zijn, nu we weten waar we naar zoeken,' antwoordde Rebus. 'Met de nodige schade voor SO12, natuurlijk...'

Steelforth trok even met zijn mond en maakte een draai van honderdtachtig graden in de richting van het brassende publiek. 'Tot een uur geleden,' sprak hij traag, 'had ik jullie gezegd dat je me de boom in kon. En weet je waarom?'

'Pennen had u een baan aangeboden,' zei Rebus. Steelforth trok een wenkbrauw op. 'Kwestie van combineren en deduceren,' legde Rebus uit. 'Pennen is degene die u al die tijd probeerde te beschermen. Daar moest een reden voor zijn.'

Steelforth knikte langzaam. 'Dat klopt toevallig.'

'Maar u ziet er nu van af?' concludeerde Siobhan.

'Je hoeft maar naar hem te kijken. Het verbrokkelt allemaal tot stof, niet?'

'Als een standbeeld in de woestijn,' mijmerde Siobhan met een blik op Rebus.

'Ik had maandag mijn ontslag zullen indienen,' zei Steelforth spijtig. 'so12 kon naar de verdommenis gaan.'

'Sommigen zullen zeggen dat het al zover is,' verklaarde Rebus, 'als een van z'n agenten ongestraft links en rechts mensen kan afslachten...'

Steelforth staarde nog altijd naar Richard Pennen. 'Gek hoe het kan lopen... een klein foutje en een heel gebouw stort in.'

'Net als met Al Capone,' opperde Siobhan behulpzaam. 'Die kregen ze uiteindelijk ook pas voor belastingontduiking te pakken, niet?'

Steelforth negeerde haar en richtte zijn aandacht weer op Rebus. 'Die tape gaf geen uitsluitsel,' erkende hij.

'Ben Webster die met iemand sprak?'

'Tien minuten nadat hij mobiel was gebeld.'

'Moeten we het bij zijn telefoonmaatschappij nakijken, of mogen we ervan uitgaan dat het Stacey was?'

'Zoals ik zei, de tape gaf geen uitsluitsel.'

'Wat was er dan wél op te zien?'

Steelforth haalde zijn schouders op. 'Twee mensen die staan te praten... een hoop armgebaren... kennelijk ruzie over het een of ander. Uiteindelijk pakt de een de ander beet. Wie of wat is moeilijk te zien en het was vrij donker...'

'En?'

'En toen was er nog maar één.' Steelforth keek Rebus strak aan. 'Op dat moment denk ik dat hij het wou.'

Het bleef even stil, tot Siobhan tussenbeide kwam: 'En u zou het allemaal onder het tapijt hebben geveegd om geen ophef te maken... net zoals u Stacey naar Londen heeft afgevoerd.'

'Ja, nou... probeer dat brigadier Webster nog maar te vragen.'

'Hoe bedoelt u?'

Hij keek Siobhan aan. 'Ze wordt sinds woensdag vermist. Schijnt dat ze de nachttrein naar Euston had genomen.'

Siobhan kneep haar ogen samen. 'De bomaanslagen in Londen?'

'Zou een wonder zijn als we alle slachtoffers geïdentificeerd kregen.'

'Donder op,' zei Rebus met zijn gezicht dicht bij dat van Steelforth. 'U houdt haar verborgen!'

Steelforth lachte. 'U ziet echt overál samenzweringen, hè, Rebus?'

'U wist wat ze had gedaan. Die aanslagen waren de perfecte dekmantel om haar weg te werken.'

Steelforths gezicht verstrakte. 'Ze ís er niet meer,' zei hij. 'Dus ga uw gang en verzamel zoveel bewijsmateriaal als u kunt – ik denk niet dat u er ver mee komt.'

'Behalve dat er een berg stront op uw kop landt,' waarschuwde Rebus hem.

'Zou het?' Steelforths kaak stak naar voren, nauwelijks meer dan een centimeter van Rebus' gezicht. 'Goed voor het land, toch? Beetje mest nu en dan? Dus wilt u me nu maar excuseren? Ik was van plan volslagen lazarus te worden op kosten van Richard Pennen.' Hij paradeerde bij ze vandaan en haalde zijn handen uit zijn zakken om zijn glas weer van Corbyn aan te nemen. De korpschef zei iets en gebaarde naar zijn twee rechercheurs. Steelforth schudde alleen zijn hoofd, boog zich toen licht naar Corbyn toe en zei hem iets waardoor de commissaris zijn hoofd achteruit wierp als voorspel op een luide – en allesbehalve gemaakte – bulderlach.

28

'Wat hebben we nu helemaal bereikt?' vroeg Siobhan, en niet voor de eerste keer. Ze waren terug in Edinburgh en zaten in een café in Broughton Street, om de hoek van haar flat.

'Als je die foto's van Princes Street Gardens afgeeft,' zei Rebus tegen haar, 'krijgt die kleine skinhead van je hopelijk de celstraf die hij verdient.'

Ze staarde hem aan en schoot in een humorloze lach. 'En dat is het? Vier man dood door Stacey Webster en dát is ons resultaat?'

'En we zijn gezond,' herinnerde Rebus haar, 'en de hele bar hangt aan onze lippen.'

Wegdraaiende hoofden toen ze de clientèle in ogenschouw nam. Vier gin-tonics had ze op, tegen een pint en drie Laphroaigs voor Rebus. Ze zaten aan een tafeltje in een nis. Het was druk in het café, en tamelijk rumoerig, tot ze was begonnen over meervoudige moord, een verdacht sterfgeval, messteken, verkrachters, George Bush, de Special Branch, de rellen in Princes Street en Bianca Jagger.

'We moeten de zaak nog altijd in elkaar steken,' hielp Rebus haar herinneren.

'Pfrrr... en wat schieten we daarmee op?' wierp ze tegen. 'Er valt niks te bewijzen.'

'Genoeg indirect bewijs.'

Ditmaal zuchtte ze alleen en begon op haar vingers af te tellen. 'Richard Pennen, SO12, de regering, Cafferty, Gareth Tench, een seriemoordenaar, de G8... een tijdlang leek het allemaal in elkaar te grijpen. En het gríjpt ook in elkaar, als je erover nadenkt!' Ze stak voor zijn gezicht zeven vingers op. Toen hij niet reageerde, liet ze haar handen zakken en leek hem te observeren. 'Hoe kan je daar zo rustig onder blijven?'

'Wie zegt dat ik rustig ben?'

'Dan krop je het op.'

'Daar heb ik genoeg ervaring mee.'

'Ik niet.' Ze schudde heftig met haar hoofd. 'Zoiets als dit, dan wil ik het van de daken roepen.'

'Je bent een eind op weg, zou ik zeggen.'

Ze staarde naar haar halfvolle glas. 'En Richard Pennen had niks te maken met de dood van Ben Webster?'

'Niks,' gaf Rebus toe.

'Maar hij is er toevallig ook door naar de knoppen gegaan?'

Hij knikte alleen. Ze mompelde iets wat hij niet verstond. Hij vroeg haar het te herhalen.

'Geen God, geen meester. Dat spookt al vanaf maandag door m'n hoofd. Ik bedoel, stel dat het waar is... tegen wie kijken we dan nog op? Wie bepaalt het allemaal?'

'Ik geloof niet dat ik daar een antwoord op heb, Siobhan.'

Ze trok met haar mond, alsof hij een of ander vermoeden had bevestigd. Haar telefoon piepte ten teken dat ze een sms had ontvangen. Ze bekeek het scherm, maar reageerde verder niet.

'Je bent populair vanavond,' merkte Rebus op. Ze schudde alleen haar hoofd. 'Als ik moest raden, zou ik zeggen dat het Cafferty was.'

Ze keek hem vuil aan. 'En dan nog?'

'Moet je misschien een ander nummer nemen.'

Ze knikte instemmend. 'Maar eerst stuur ik hem een lekker lange sms waarin ik hem precies laat weten wat ik van hem denk.' Ze keek de tafel rond. 'Ben ik aan de beurt?' vroeg ze.

'Misschien iets eten, dacht ik...'

'Waren die oesters bij Pennen niet genoeg voor je?'

'Dat noem ik geen voedzame maaltijd.'

'Er is hier verderop een Indiër.'

'Weet ik.'

'Natuurlijk. Jij woont hier al je hele leven.'

'Het grootste deel,' erkende hij.

'Maar nog nooit zo'n week als deze meegemaakt,' daagde ze hem uit.

'Nooit,' gaf hij toe. 'Nou, drink op, gaan we een curry eten.'

Ze knikte en klemde het glas in haar handen. 'Mijn pa en ma waren daar woensdagavond gaan eten. Ik was nog op tijd voor de koffie...'

'Je kunt ze altijd in Londen gaan opzoeken.'

'Zolang ze er nog zijn...' Haar ogen glinsterden. 'Ben ik nou Schots aan het worden, John? Een paar borrels en dan gaan snotteren?'

435

'We lijken wel gedoemd,' gaf hij toe, 'tot alsmaar terugkijken.'

'En dan ga je bij de politie en wordt het alleen maar erger. Mensen gaan dood en wij kijken terug op hun leven. En we kunnen er geen donder aan veranderen.' Ze probeerde haar glas op te tillen, maar het leek te zwaar voor haar.

'We kunnen altijd Keith Carberry nog een pak slaag gaan geven,' opperde Rebus.

Ze knikte langzaam.

'Of Big Ger Cafferty, nou ik eraan denk... of wie we maar willen. Wij zijn met z'n tweeën.' Hij boog zich iets voorover en zocht oogcontact. 'Samen tegen de natuur.'

Ze keek hem schuin aan. 'Liedje?' raadde ze.

'Albumtitel. *Two Against Nature*, Steely Dan.'

'Weet je wat ik me nou altijd heb afgevraagd?' Ze liet zich achteroverzakken. 'Waar hebben ze die naam vandaan?'

'Zal ik je vertellen als je nuchter bent,' beloofde Rebus en leegde zijn glas.

Hij voelde de ogen die hen volgden toen hij haar overeind en naar buiten hielp. Er stond een schrale wind die wat regendruppels meevoerde. 'Misschien kunnen we beter naar jouw huis gaan,' stelde hij voor. 'Laten we wat bezorgen.'

'Zó dronken ben ik niet!'

'Je zegt het maar.' Ze begonnen aan de steile klim de helling op, zij aan zij, zonder iets te zeggen. Zaterdagavond in de stad, alsof er niets was gebeurd: opgefokte jongelui in opgevoerde auto's, geld dat een bestemming zocht, de knorrende diesels van de rondsnorrende taxi's. Op een bepaald punt wurmde Siobhan haar arm door de zijne en zei iets wat hij niet verstond.

'Het haalt niks uit, toch?' herhaalde ze. 'Alleen... symbolisch... omdat je verder niks kunt doen.'

'Waar heb je het over?' vroeg hij glimlachend.

'De doden gedenken,' legde ze uit, en liet haar hoofd op zijn schouder rusten.

Epiloog

29

Maandagochtend zat hij in de eerste trein naar het zuiden. Vertrek 06.00 uur van Waverley Station, verwachte aankomst even na 10.00 uur op King's Cross. Om acht uur belde hij bureau Gayfield Square om zich ziek te melden. Wat niet eens ver bezijden de waarheid was, al had hij het moeilijk gekregen als hem naar de oorzaak was gevraagd.

'Overuren compenseren,' had de brigadier van dienst nog wel gebromd.

Rebus ging naar de restauratiewagen en liet zich het ontbijt goed smaken. Terug op zijn plaats las hij de krant en verschool zich voor zijn medepassagiers. Aan de andere kant van het tafeltje zat een chagrijnig kijkende jongen mee te knikken met de gitaarmuziek die uit zijn oordopjes lekte. Naast hem een zakenvrouw die zich ergerde omdat ze plaats tekortkwam om haar mobiele kantoor in te richten. Naast Rebus niemand, althans tot York. Hij was al jaren niet meer met de trein geweest. Het was druk: toeristen met hun bagage, jengelende peuters, dagjesmensen, forenzen op weg naar hun werk in Londen. Na York kwamen Doncaster en Peterborough. De mollige man die zijn gereserveerde plaats naast Rebus had ingenomen, was weggedoezeld, al had hij eerst opgemerkt dat hij eigenlijk de plaats aan het raam had geboekt maar die aan het gangpad wel wilde nemen als Rebus dat liever had.

'Prima,' was het enige dat Rebus had gezegd.

De krantenkiosk op Waverley ging pas een paar minuten voordat de trein zou vertrekken open, maar Rebus had nog een *Scotsman* mee weten te grissen. Mairies verhaal had de voorpagina gehaald. Het was niet het hoofdartikel en het stond vol met woorden als 'naar verluidt' en 'mogelijk' en 'potentieel', maar de kop deed Rebus niettemin deugd:

MYSTERIEUZE LENINGEN WAPENHANDELAAR AAN PARTIJEN

Niemand hoefde Rebus uit te leggen wat een schot voor de boeg was; Mairie hield vast voldoende munitie over voor later.

Hij had geen bagage bij zich en was vast van plan de laatste trein terug te halen. Desnoods kon hij een slaapcompartiment bijboeken en wie weet deed hij het ook; zou hem een kans geven de bemanning te spreken, kijken of er iemand bij was die woensdag dienst had gehad op de slaaptrein naar het zuiden. Rebus was schijnbaar de laatste persoon die Stacey Webster had gezien, tenzij iemand van de spoorwegen zich iets wist te herinneren. Als hij haar die avond naar Waverley was gevolgd, had hij zich ervan kunnen vergewissen of ze de trein ook inderdaad had genomen. Voor zover hij nu wist, kon ze overal zijn – dus ook ergens weggestopt tot Steelforth haar aan een nieuwe identiteit kon helpen.

Rebus dacht niet dat ze moeite zou hebben een nieuw leven op te pakken. Hij had er gisteravond aan moeten denken. Al die persoonlijkheden: politievrouw, Santal, zuster, moordenaar. *Quadrophenia* had The Who het genoemd. Zondag was Kenny, de zoon van Mickey, bij Rebus' flat komen voorrijden in zijn BMW, met de boodschap dat hij iets voor hem op de achterbank had liggen. Rebus was mee gaan kijken: platen, tapes en cd's, singletjes... Mickeys hele verzameling.

'Stond in het testament,' had Kenny uitgelegd. 'Pa wou dat u ze zou krijgen.'

Nadat ze de hele handel twee trappen op hadden gesjouwd en Kenny lang genoeg had uitgerust om een glas water te drinken, had Rebus hem uitgezwaaid en naar het geschenk staan staren. Toen was hij naast de dozen neergehurkt om ze door te kijken: *Sergeant Pepper* in mono, *Let it Bleed* met de poster van Ned Kelly, veel van The Kinks, en Taste en The Free... wat Van der Graaf en Steve Hillage. Er zaten zelfs een paar achtsporencassettes bij, een album van de Beach Boys en *Killer* van Alice Cooper. Een schatkist aan herinneringen. Rebus hield de hoezen onder zijn neus; de geur alleen al bracht hem terug in de tijd. Kromgetrokken singles van de Hollies, die na een feestje te lang op de draaitafel waren blijven liggen... en die van 'Silver Machine', door Mickey beschreven: 'Eigendom van Michael Rebus – Afblijven!!!'

En *Quadrophenia* natuurlijk, met gekreukelde binnenhoes en krassen, maar nog altijd draaibaar.

In de trein dacht Rebus aan Staceys laatste woorden tegen hem: *Dat u hem nooit gezegd hebt dat het u speet...* Vlak voordat ze naar het toilet was gevlucht. Hij had gedacht dat ze Mickey bedoelde, maar realiseerde zich nu dat ze het ook over haar en Ben had gehad. Spijt dat ze drie mannen had vermoord? Spijt dat ze het haar broer was gaan vertellen? Ben die zich realiseerde dat hij haar zou moeten aangeven, die de dikke stenen borstwering achter zich voelde en de gapende diepte direct erachter... Rebus dacht aan Cafferty's memoires, en de ondertitel waarin hij een vrijbuiter werd genoemd. Dat zouden de meeste mensen wel op hun autobiografie kunnen zetten. Je kende mensen en aan de oppervlakte zagen ze er altijd ongeveer hetzelfde uit – een paar grijze haren erbij of een paar pond rond het middel –, maar wat er achter hun ogen gaande was, daar kwam je nooit achter.

De telefoon ging pas bij Doncaster en wekte zijn zacht snurkende buurman. Siobhans nummer. Rebus drukte de oproep weg, dus ze stuurde een sms'je dat hij na enige tijd, de krant uitgelezen, het landschap saai, opende.

Waar zit je? Corbyn wil ons spreken. Moet m iets zeggen. Bel ff.

Dat zou niet gaan, wist hij, niet vanuit de trein, dan wist ze direct waarheen hij op weg was. Om het onvermijdelijke uit te stellen, wachtte hij een halfuur en sms'te terug.

In bed ziek bel later

Punten en komma's moest hij nog eens leren. Ze sms'te direct terug:

Kater?

Oesters loch lomond, antwoordde hij.

Hij schakelde de telefoon uit om de batterij te sparen en sloot zijn ogen, net toen de conducteur aankondigde dat King's Cross in Londen het 'eindstation van deze trein' was.

'Eindstation van deze trein,' herhaalde de luidspreker.

Er was al eerder een aankondiging geweest over de metrostations die nog dicht waren. De zuur kijkende zakenvrouw had haar plattegrondje van de ondergrondse geraadpleegd; ze hield het dicht tegen zich aan zodat niemand kon meekijken. Toen ze Londen in reden herkende Rebus een paar van de kleinere stations, die de trein stapvoets passeerde. De vaste reizigers begonnen hun spullen op te bergen en kwamen overeind. De laptop van de zakenvrouw ging terug in haar schoudertas, samen met haar mappen en papieren, agenda en plattegrond. De mollige man naast Rebus stond met een buiginkje op, alsof ze net een langdurig en ingespannen gesprek hadden gehad. Rebus had geen haast en verliet als een van de laatsten de trein, zodat hij zich langs de schoonmakers naar buiten moest wurmen.

In Londen was het warmer dan in Edinburgh, plakkeriger.

Zijn jasje voelde te zwaar aan. Hij wandelde het station uit, een taxi of metro had hij niet nodig. Hij stak een sigaret op en liet het verkeerslawaai en de uitlaatgassen over zich heen komen. Blies een rookring terug en haalde een velletje papier uit zijn zak. Het was een kaartje, gekopieerd uit een A-Z-atlas, met ernaast een adres dat hij had gekregen van commandant David Steelforth. Rebus had hem zondagmiddag gebeld en uitgelegd dat ze het kalm aan zouden doen met het onderzoek naar de Clootie Well-moorden en met hem zouden overleggen over hun bevindingen voor ze de zaak overdroegen aan het OM – als het ooit zover zou komen.

'Akkoord,' had Steelforth gezegd, begrijpelijkerwijze op zijn hoede. Achtergrondgeluid: Edinburgh Airport. De commandant was op weg naar huis. Aan de andere kant van de lijn Rebus, die hem net een kletsverhaal had verteld en nu om een gunst vroeg.

Opbrengst: een naam, een adres. Een plattegrond was gauw gevonden.

Steelforth had zich zelfs verontschuldigd voor Pennens knokploeg. Hun opdracht was geweest hem in de gaten te houden; intimidatie was nooit aan de orde geweest. 'Ik kwam er pas achter toen het al gebeurd was,' had Steelforth gezegd. 'Je denkt dat je zulke lui in de hand hebt...'

In de hand...

Rebus zag raadslid Tench weer voor zich, die een hele buurt probeerde te bestieren, maar zijn eigen lot niet in de hand had gehad.

Nog geen uur lopen, had Rebus uitgerekend. En geen slechte dag voor een wandeling. Een van de bommen was afgegaan in een metrotreinstel tussen King's Cross en Russell Square, een andere in een bus onderweg van Euston naar Russell Square. De plekken stonden alle drie op het plattegrondje dat hij in zijn hand had. De slaaptrein moest die ochtend rond zeven uur in Euston zijn binnengelopen.

08.50 – de explosie in de metro.

09.47 – de explosie in de bus.

Rebus geloofde er niets van dat Stacey Webster bij een van beide in de buurt was geweest. De treinconducteur had hem gezegd dat ze geluk hadden: de afgelopen drie dagen was de trein niet verder gekomen dan Finsbury Park. Rebus kon moeilijk zeggen dat Finsbury Park hem wel net zo goed was uitgekomen...

Cafferty was alleen in de biljartclub. Hij keek niet eens op toen

442

Siobhan kwam binnenlopen, niet voordat hij zijn stoot had gemaakt. Hij probeerde een double.

En miste.

Hij liep rond de tafel en krijtte zijn keu. Blies wat poeder van de pomerans.

'U hebt alles wat u nodig hebt,' complimenteerde Siobhan hem. Hij gromde en boog zich weer over de keu.

Miste weer.

'Maar er zit geen gevoel in,' voegde ze eraan toe. 'Dat zegt het wel zo'n beetje.'

'U ook goeiemorgen, brigadier Clarke. Komt u voor de gezelligheid?'

'Vindt u het hier zo gezellig, dan?'

Cafferty keek naar haar op. 'Ik krijg geen antwoord op mijn berichtjes.'

'Wen er maar aan.'

'Verandert niets aan wat er is gebeurd.'

'En wat ís er dan precies gebeurd?'

Hij scheen de vraag een moment te overdenken. 'We hebben allebei iets wat we wilden hebben?' raadde hij zogenaamd. 'Alleen voel je je nou schuldig.' Hij zette zijn keu op de grond. 'We hebben allebei iets wat we wilden hebben,' herhaalde hij.

'Ik wou Gareth Tench niet dood hebben.'

'Je wou hem gestraft hebben.'

Ze deed een paar stappen in zijn richting. 'Probeer me niet wijs te maken dat je ook maar iets voor mij hebt gedaan.'

Cafferty klakte met zijn tong tegen zijn voortanden. 'Die kleine overwinningen moet je vieren, Siobhan. Zoveel heeft het leven er niet te bieden, in mijn ervaring.'

'Ik heb een fout gemaakt, Cafferty, maar ik leer snel. Je hebt door de jaren heen wat lopen dollen met John Rebus, maar van nu af aan heb je nog een vijand op je nek zitten.'

Cafferty grinnikte. 'En dat ben jij zeker?' Hij leunde op de keu. 'Maar je moet toegeven, Siobhan, we kunnen goed samenwerken. Stel je eens voor dat we de stad samen zouden runnen: informatie uitwisselen, tips en trucs ruilen... Ik doe mijn zaken en jij stijgt als een raket op de carrièreladder. Dan hebben we uiteindelijk allebei iets wat we wilden hebben, niet?'

'Wat ik wil,' zei Siobhan rustig, 'is jou niet meer zien totdat ik op het getuigenbankje zit en jij op de beklaagdenbank.'

'Nou, veel succes,' zei Cafferty, weer zacht grinnikend. Hij richtte zijn aandacht weer op de tafel. 'Wou je me eerst nog even op m'n falie geven met poolen? Dat klotespel, daar heb ik nooit wat van gekund...'

Maar toen hij zich omdraaide, was ze al bijna bij de deur.

'Siobhan!' riep hij. 'Weet je nog, wij tweeën? Hierboven in het kantoor? En hoe die kleine snotneus begon te sidderen? Ik zag het in je ogen...'

Ze had de deur al open, maar kon de verleiding niet weerstaan. 'Wat zag je, Cafferty?'

'Je begon er lol in te krijgen.' Hij liet zijn tong rond zijn lippen gaan. 'Volgens mij begon je er danig lol in te krijgen.'

Zijn lach volgde haar tot in het daglicht buiten.

Pentonville Road, daarna Upper Street... verder dan hij dacht. Hij rustte uit in een koffietent tegenover metrostation Highbury & Islington, at een sandwich en bladerde door de ochtendeditie van de *Evening Standard*. Niemand in de koffietent sprak Engels en toen hij bestelde hadden ze moeite met zijn accent. Wel een goeie sandwich, overigens.

Hij voelde op beide voetzolen blaren opkomen toen hij zijn weg vervolgde. St. Paul's Road, dan afslaan naar Highbury Grove, een paar tennisvelden en hij vond de straat die hij zocht. Vond het blok dat hij zocht. Vond het flatnummer met de bel ernaast. Geen naambordje, maar hij belde toch aan.

Geen antwoord.

Hij keek op zijn horloge en drukte toen op de andere bellen tot iemand antwoordde.

'Ja?' kraakte een stem uit de intercom.

'Pakje voor nummer negen,' zei Rebus.

'Dit is nummer zestien.'

'Ik dacht dat ik het misschien bij u kon afgeven.'

'Heb je fout gedacht.'

'Kan ik het dan even bij ze voor de deur zetten?'

De stem vloekte, maar de zoemer ging en Rebus was binnen. De trappen op naar de deur van nummer 9. Er zat een kijkglaasje in. Hij drukte zijn oor tegen het hout. Deed een stap terug en bekeek hem eens goed. Solide deur, met een handvol sloten en een stalen strip langs de rand.

Wie woont er in zo'n huis? vroeg Rebus zich in stilte af. 'David, terug naar jou...' De gevleugelde uitspraak uit een tv-programma getiteld *Through the Keyhole*. Met dit verschil dat Rebus precies wist wie hier woonde, informatie achterhaald – en afgestaan – door David Steelforth. Rebus klopte voor de zekerheid nog eens op de deur en begaf zich toen weer naar beneden. Scheurde het deksel van zijn sigarettenpakje en schoof het tussen de voordeur zodat die niet in het slot zou vallen. Hij ging naar buiten en wachtte.

Wachten kon hij goed.

Aan de overkant waren een stuk of tien parkeerplaatsen voor de flatbewoners, elk met zijn eigen metalen afsluiter. De zilverkleurige Porsche Cayenne kwam tot stilstand terwijl de eigenaar uitstapte en het hangslot op de staander openmaakte en die plat op de grond legde zodat hij de plaats op kon rijden. Hij floot vergenoegd toen hij om de wagen heen liep en gaf een schop tegen een band; dat doen kerels. Hij veegde met zijn mouw over een vlekje en gooide zijn sleutels op, ving ze weer en stak ze terug in zijn zak. Daaruit haalde hij een andere sleutelbos en koos die van zijn portiek. Hij scheen verbaasd dat de deur niet goed op slot zat. Toen sloeg hij er met zijn hoofd tegenaan en werd door de deuropening geduwd, het trappenhuis in, door een rechercheur die hem geen schijn van kans gaf. Handen grepen zijn haren en smakten zijn gezicht tegen de grijze betonnen muur, nu besmeurd met bloed. Een knie in zijn rug en Jacko lag op de grond, verdwaasd en half bewusteloos. Een nekslag en een stomp op zijn kaak. De eerste voor mij, dacht Rebus, en de tweede voor Mairie.

Rebus bekeek het gezicht van de man van dichtbij. Littekenweefsel, maar goed doorvoed. Ex-militair, maar dik geworden bij gratie van de private sector. De ogen werden glazig en vielen langzaam dicht. Rebus wachtte een ogenblik, voor het geval het een truc was. Jacko's hele lijf was slap geworden. Rebus controleerde of zijn polsslag in orde was en zijn luchtwegen niet waren geblokkeerd. Toen trok hij de handen van de man achter zijn rug en maakte ze vast met de plastic boeien die hij had meegenomen.

Goed, stevig vast.

Hij werkte zich overeind, haalde de autosleutels uit Jacko's zak, verliet de flat en vergewiste zich ervan dat er niemand stond te kijken. Stak over naar de Porsche en haalde de contactsleutel langs één zijde door de glimmende lak voordat hij het portier aan de chauffeurskant opende. Duwde de sleutel in het contact en liet de deur uitnodigend openstaan. Hij bleef even staan om op adem te komen en keerde toen terug naar de hoofdweg. Wat er ook langskwam, taxi of bus, het was allemaal goed. Met de trein van vijf uur van King's Cross zou hij nog voor sluitingstijd terug zijn in Edinburgh. Hij had een open retour van de GNER. Hij had voor minder naar Ibiza kunnen vliegen, maar het betekende dat hij elke trein kon nemen die hij wou.

Thuis had hij ook nog wat af te werken.

Hij had geluk: een zwarte taxi met verlicht geel daklicht. Achterin reikte Rebus in zijn zak. Hij had Euston gezegd tegen de chauffeur en wist dat het van daar maar een klein eind lopen was naar King's Cross. Uit zijn zak haalde hij een vel papier en een rolletje plakband. Hij vouwde het vel papier open en bestudeerde het: amateuristisch maar duidelijk. Twee foto's van Santal/Stacey: een van Siobhans vriend de fotograaf en de andere uit een oude krant. Daarboven met dikke zwarte viltstift één woord: VERMIST, dubbel onderstreept. Eronder Rebus' zesde en laatste poging tot een geloofwaardige oproep:

Mijn vriendinnen Santal en Stacey zijn sinds de aanslagen vermist. Ze zijn die ochtend op Euston aangekomen met de nachttrein uit Edinburgh. Bel me alstublieft als u ze heeft gezien of nieuws over ze heeft. Ik maak me vreselijk zorgen om ze.

Geen naam eronder, alleen zijn mobiele nummer. En in zijn andere zak had hij nog een stapeltje kopieën. Hij had haar al als vermist opgegeven in de Landelijke Politiecomputer: beide identiteiten, lengte, leeftijd en kleur ogen, een paar achtergronddetails. Volgende week ging haar signalement naar de instellingen voor daklozen, de verkopers van de *Big Issue*. Zodra Bain uit het ziekenhuis kwam, zou Rebus hem naar websites vragen. Misschien konden ze er zelf een opzetten. Als ze nog ergens in het land was, was ze op te sporen. Geen denken aan dat Rebus het erbij liet zitten.

Nog lang niet.

VERANTWOORDING

Er is in Auchterarder geen Clootie Well. Die op Black Isle is een bezoek waard, zeker voor liefhebbers van huiveringwekkende attracties.

Er is ook geen Ram's Head in Coldstream; wel is er de Besom, waar men een behoorlijke steak pie serveert.

Dank aan Dave Henderson voor het langdurig uitlenen van zijn fotoarchief, en aan Jonathan Emmans, die me aan hem heeft voorgesteld.